KB087446

#실력향상
#고특점

# 내신전략
# 고등 수학

Chunjae
Makes
Chunjae

# [ 내신전략 ] 고등 수학 I


| | |
|---|---|
| 저자 | 최용준, 해법수학연구회 |
| 편집개발 | 김혜정, 박선영, 민혜경 |
| 디자인총괄 | 김희정 |
| 표지디자인 | 윤순미, 심지영 |
| 내지디자인 | 박희춘, 조유정 |
| 제작 | 황성진, 조규영 |

| | |
|---|---|
| 발행일 | 2021년 12월 15일 초판 2021년 12월 15일 1쇄 |
| 발행인 | (주)천재교육 |
| 주소 | 서울시 금천구 가산로9길 54 |
| 신고번호 | 제2001-000018호 |
| 고객센터 | 1577-0902 |
| 교재 내용문의 | (02)3282-8859 |



※ 이 책은 저작권법에 보호받는 저작물이므로 무단복제, 전송은 법으로 금지되어 있습니다.


※ 정답 분실 시에는 천재교육 교재 홈페이지에서 내려받으세요.

# 내신전략

고등 수학Ⅰ

BOOK 1

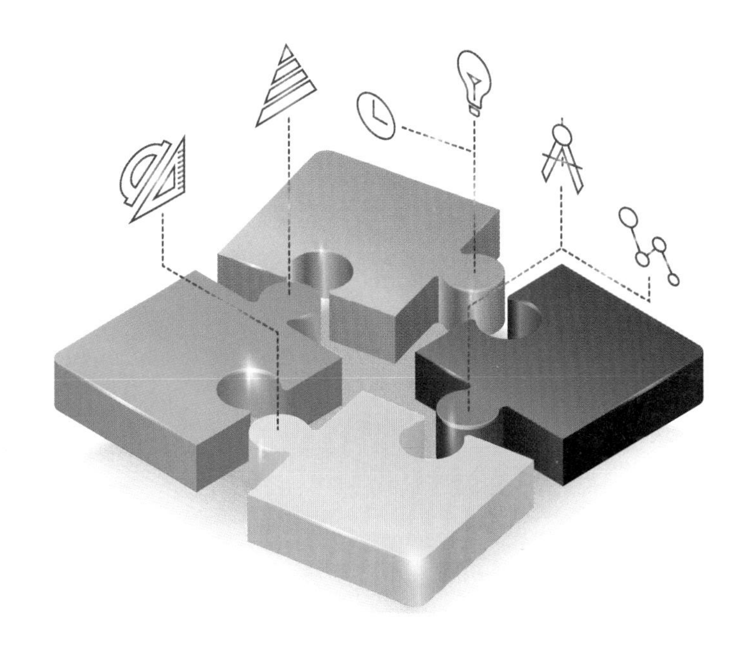

이 책의

# 구성과 활용

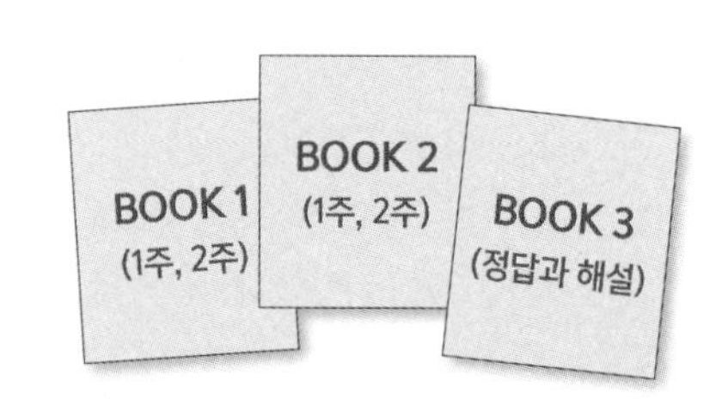


이 책은 **3권**으로 이루어져 있는데 **본책인 BOOK 1・2의 구성**은 아래와 같아.

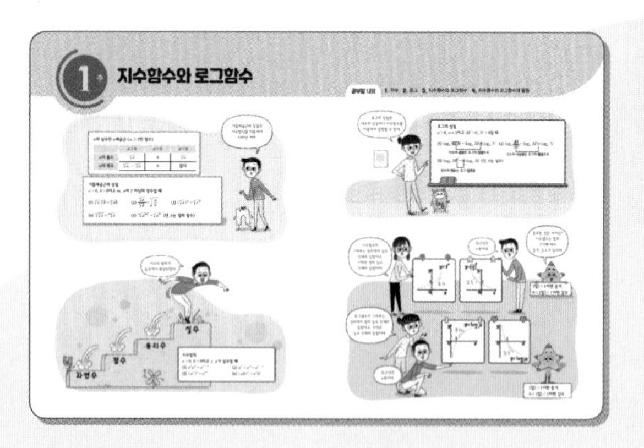

## 단원 도입 중간 1주・2주 + 기말 1주・2주

이번 주에 공부할 내용 중 어떤 것이 시험에 잘 나오는지 핵심 개념을 미리 짚어볼 수 있습니다.

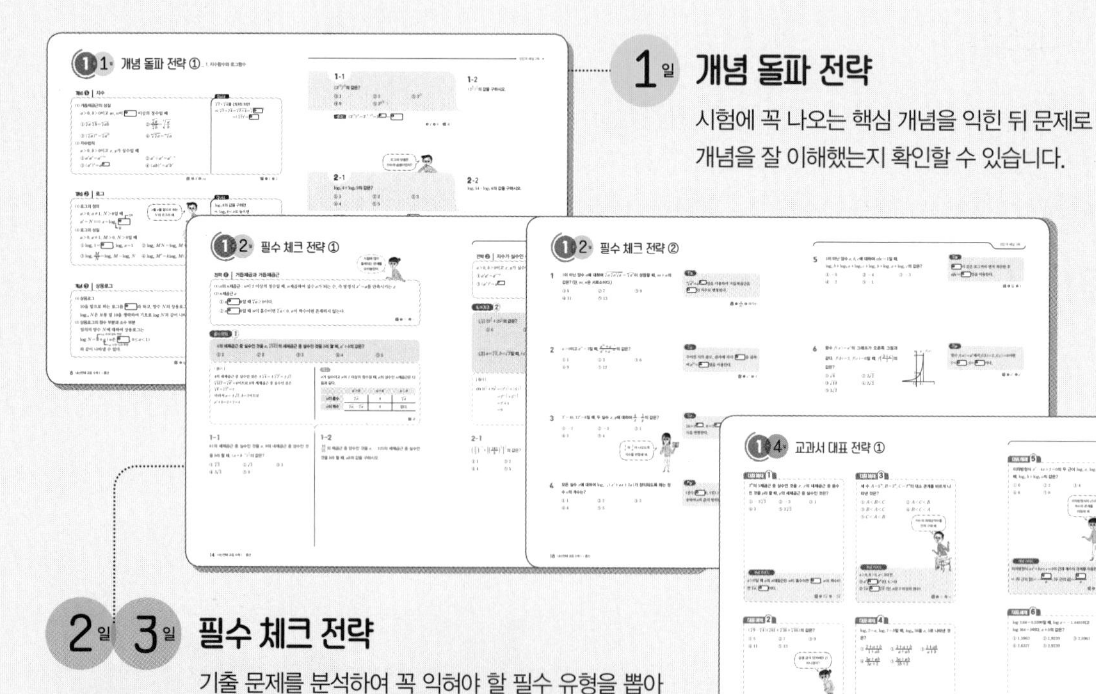

## 1일 개념 돌파 전략

시험에 꼭 나오는 핵심 개념을 익힌 뒤 문제로 개념을 잘 이해했는지 확인할 수 있습니다.

## 2일 3일 필수 체크 전략

기출 문제를 분석하여 꼭 익혀야 할 필수 유형을 뽑아 전략적으로 학교 시험을 대비할 수 있게 하였습니다.

## 4일 교과서 대표 전략

시험 전 꼭 알아야 할 교과서 대표 유형과 개념 가이드를 통해 핵심 개념을 잘 이해했는지 확인할 수 있습니다.

**부록** 시험에 잘 나오는 개념BOOK

부록은 뜯으면 미니북으로 활용하실 수 있습니다.
시험 전에 개념을 확실하게 짚어 주세요.

## 주 마무리와 권 마무리의 특별 코너들로 수학 실력이 더 탄탄해 질 거야!

### 주 마무리 코너

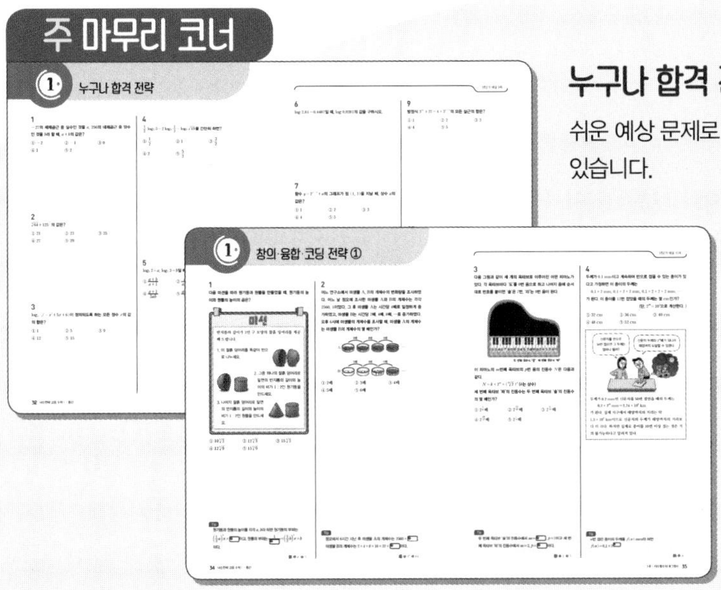


**누구나 합격 전략**

쉬운 예상 문제로 내신에 대한 자신감을 키울 수 있습니다.

**창의·융합·코딩 전략**

융복합적 사고력과 문제 해결력을 길러 주는 문제로 구성하였습니다.

### 권 마무리 코너

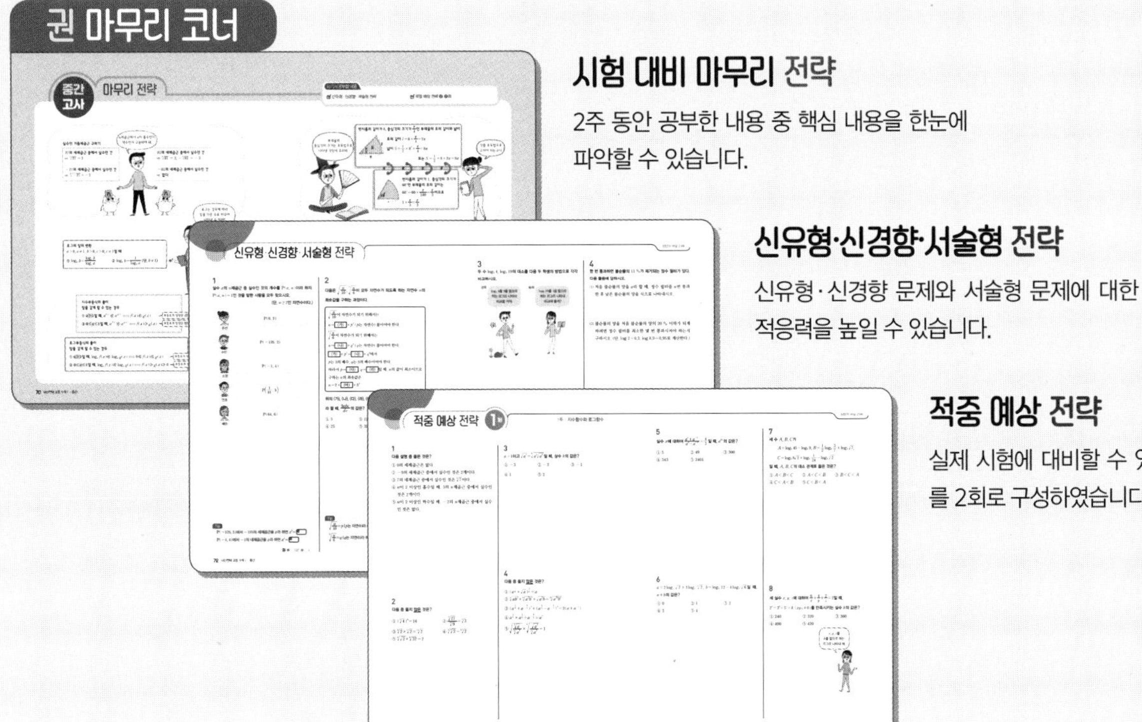


**시험 대비 마무리 전략**

2주 동안 공부한 내용 중 핵심 내용을 한눈에 파악할 수 있습니다.

**신유형·신경향·서술형 전략**

신유형·신경향 문제와 서술형 문제에 대한 적응력을 높일 수 있습니다.

**적중 예상 전략**

실제 시험에 대비할 수 있는 모의 실전 문제를 2회로 구성하였습니다.

이 책의

# 차례

BOOK 1

## 1주 지수함수와 로그함수

- 지수
- 로그
- 지수함수와 로그함수
- 지수함수와 로그함수의 활용



## 2주 삼각함수

- 일반각과 호도법
- 삼각함수
- 삼각함수의 그래프



권 마무리 코너

BOOK 2

## 1주 삼각함수의 활용과 등차수열

- 사인법칙과 코사인법칙
- 삼각형의 넓이
- 등차수열
- 등차수열의 합



## 2주 수열

- 등비수열
- 수열의 합
- 수열의 귀납적 정의
- 수학적 귀납법



권 마무리 코너

# 지수함수와 로그함수

$a$의 실수인 $n$제곱근 ($n \geq 2$인 정수)

| | $a>0$ | $a=0$ | $a<0$ |
|---|---|---|---|
| $n$이 홀수 | $\sqrt[n]{a}$ | 0 | $\sqrt[n]{a}$ |
| $n$이 짝수 | $\sqrt[n]{a}, -\sqrt[n]{a}$ | 0 | 없다. |

거듭제곱근의 성질
$a>0, b>0$이고 $m, n$이 2 이상의 정수일 때

(1) $\sqrt[n]{a}\sqrt[n]{b}=\sqrt[n]{ab}$  (2) $\frac{\sqrt[n]{a}}{\sqrt[n]{b}}=\sqrt[n]{\frac{a}{b}}$  (3) $(\sqrt[n]{a})^m=\sqrt[n]{a^m}$

(4) $\sqrt[m]{\sqrt[n]{a}}=\sqrt[mn]{a}$  (5) $\sqrt[np]{a^{mp}}=\sqrt[n]{a^m}$ (단, $p$는 양의 정수)

지수법칙
$a>0, b>0$이고 $x, y$가 실수일 때

(1) $a^xa^y=a^{x+y}$  (2) $a^x \div a^y=a^{x-y}$

(3) $(a^x)^y=a^{xy}$  (4) $(ab)^x=a^xb^x$

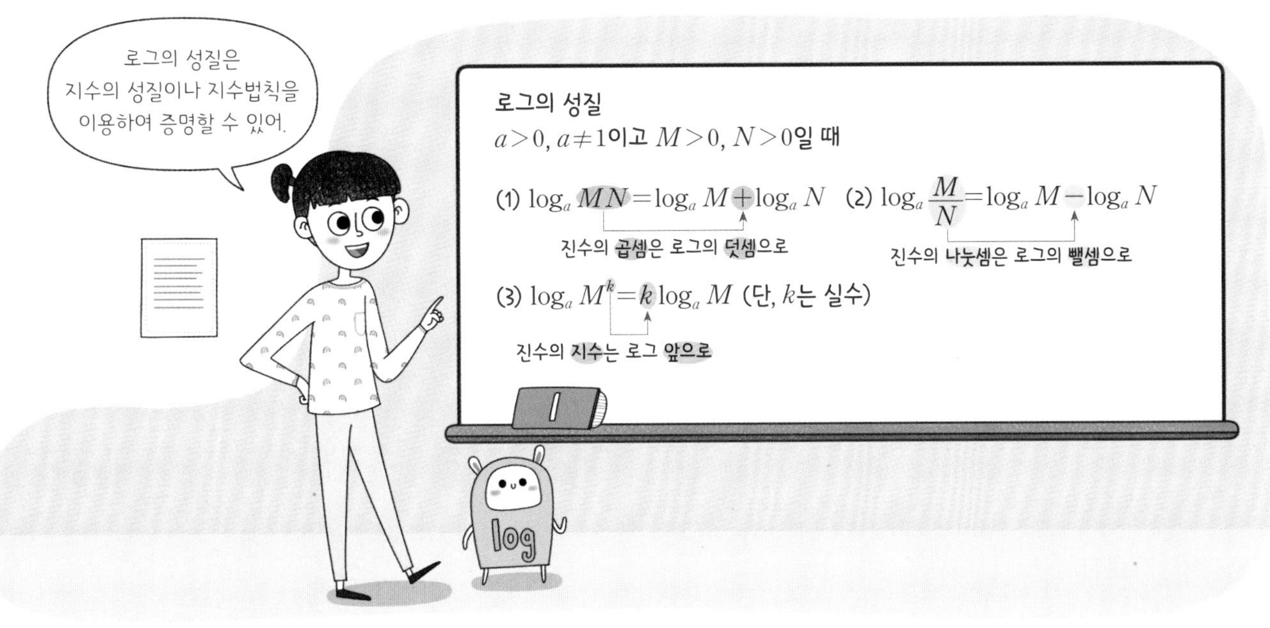

로그의 성질은 지수의 성질이나 지수법칙을 이용하여 증명할 수 있어.
로그의 성질
$a>0$, $a\neq1$이고 $M>0$, $N>0$일 때
(1) $\log_a MN=\log_a M+\log_a N$
진수의 곱셈은 로그의 덧셈으로
(2) $\log_a \frac{M}{N}=\log_a M-\log_a N$
진수의 나눗셈은 로그의 뺄셈으로
(3) $\log_a M^k=k\log_a M$ (단, $k$는 실수)
진수의 지수는 로그 앞으로
log

지수함수의 그래프는 정의역이 실수 전체의 집합이고, 치역은 양의 실수 전체의 집합이야.
$y=2^x$
증가
$y=\left(\frac{1}{2}\right)^x$
감소
점근선은 $x$축이네.
중요한 것은 차이점! 지수함수는 밑의 크기에 따라 증가, 감소가 달라져.
(밑)>1이면 증가, 0<(밑)<1이면 감소
로그함수의 그래프는 정의역이 양의 실수 전체의 집합이고, 치역은 실수 전체의 집합이야.
$y=\log_2 x$
증가
감소
$y=\log_{\frac{1}{2}} x$
점근선은 $y$축이네.
(밑)>1이면 증가, 0<(밑)<1이면 감소

# 개념 돌파 전략 ① _ 1. 지수함수와 로그함수

## 개념 ❶ 지수

(1) 거듭제곱근의 성질

$a>0$, $b>0$이고 $m$, $n$이 ❶ 이상의 정수일 때

① $\sqrt[n]{a}\sqrt[n]{b}=\sqrt[n]{ab}$　② $\dfrac{\sqrt[n]{a}}{\sqrt[n]{b}}=\sqrt[n]{\dfrac{a}{b}}$

③ $(\sqrt[n]{a})^m=\sqrt[n]{a^m}$　④ $\sqrt[m]{\sqrt[n]{a}}=\sqrt[mn]{a}$

(2) 지수법칙

$a>0$, $b>0$이고 $x$, $y$가 실수일 때

① $a^xa^y=a^{x+y}$　② $a^x\div a^y=a^{x-y}$

③ $(a^x)^y=a^{❷}$　④ $(ab)^x=a^xb^x$

답 ❶ 2 ❷ $xy$

**Quiz**

$\sqrt[3]{2}\times\sqrt[3]{4}$를 간단히 하면

➡ $\sqrt[3]{2}\times\sqrt[3]{4}=\sqrt[3]{2\times4}=\sqrt[3]{❶^3}$

$=(\sqrt[3]{2})^3=$ ❷

답 ❶ 2 ❷ 2

## 개념 ❷ 로그

(1) 로그의 정의

$a>0$, $a\neq1$, $N>0$일 때

$a^x=N \Longleftrightarrow x=\log_a$ ❶ (진수, 밑)

(2) 로그의 성질

$a>0$, $a\neq1$, $M>0$, $N>0$일 때

① $\log_a 1=$ ❷, $\log_a a=1$　② $\log_a MN=\log_a M+\log_a N$

③ $\log_a \dfrac{M}{N}=\log_a M-\log_a N$　④ $\log_a M^k=k\log_a M$ ($k$는 실수)

$x$를 $a$를 밑으로 하는 $N$의 로그라 해.

답 ❶ $N$ ❷ 0

**Quiz**

$\log_2 8$의 값을 구하면

➡ $\log_2 8=x$로 놓으면

$2^x=$ ❶

이때 $8=2^3$이므로

$2^x=2^3$, 즉 $x=$ ❷

$\therefore \log_2 8=3$

답 ❶ 8 ❷ 3

## 개념 ❸ 상용로그

(1) 상용로그

10을 밑으로 하는 로그를 ❶ 라 하고, 양수 $N$의 상용로그 $\log_{10} N$은 보통 밑 10을 생략하여 기호로 $\log N$과 같이 나타낸다.

(2) 상용로그의 정수 부분과 소수 부분

임의의 양수 $N$에 대하여 상용로그는

$\log N=n+\alpha$ ($n$은 ❷, $0\le\alpha<1$)

($n$: $\log N$의 정수 부분, $\alpha$: $\log N$의 소수 부분)

와 같이 나타낼 수 있다.

답 ❶ 상용로그 ❷ 정수

**Quiz**

$\log A=1.2577$의 정수 부분과 소수 부분을 구하면

➡ $\log A=1.2577=1+0.2577$이므로

정수 부분은 ❶,

소수 부분은 ❷

답 ❶ 1 ❷ 0.2577

## 1-1

$(3^{\sqrt{2}})^{\sqrt{2}}$의 값은?

① 1　　② 3　　③ $3^{\sqrt{2}}$
④ 9　　⑤ $3^{2\sqrt{2}}$

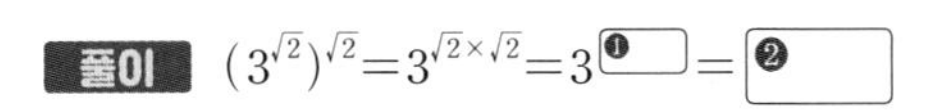

**풀이** $(3^{\sqrt{2}})^{\sqrt{2}}=3^{\sqrt{2}\times\sqrt{2}}=3^{\boxed{❶\ }}=\boxed{❷\ }$

❶ 2 ❷ 9 답 ④

## 1-2

$(2^{\frac{8}{3}})^{\frac{3}{2}}$의 값을 구하시오.

## 2-1

$\log_6 4+\log_6 9$의 값은?

① 1　　② 2　　③ 3
④ 4　　⑤ 5

**풀이** $\log_6 4+\log_6 9=\log_6 (4\times 9)=\log_6 \boxed{❶\ }$
$=\log_6 6^{\boxed{❷\ }}=2$

❶ 36 ❷ 2 답 ②

## 2-2

$\log_3 54-\log_3 6$의 값을 구하시오.

## 3-1

$\log 100+\log \sqrt{10}$의 값은?

① $\frac{1}{2}$　　② 1　　③ $\frac{3}{2}$
④ 2　　⑤ $\frac{5}{2}$

**풀이** $\log 100+\log \sqrt{10}=\log 10^{\boxed{❶\ }}+\log 10^{\frac{1}{2}}$
$=2\log 10+\frac{1}{\boxed{❷\ }}\log 10$
$=2+\frac{1}{2}=\frac{5}{2}$

❶ 2 ❷ 2 답 ⑤

## 3-2

$\log 0.001$의 값을 구하시오.

## 개념 ❹ 지수함수 $y=a^x\ (a>0,\ a\neq1)$의 성질

(1) 정의역은 실수 전체의 집합이고, 치역은 양의 실수 전체의 집합이다.

(2) $a>1$일 때, $x$의 값이 증가하면 $y$의 값도 ❶ ____ 한다.

$0<a<1$일 때, $x$의 값이 증가하면 $y$의 값은 감소한다.

(3) 그래프는 점 $(0,\ 1)$을 지나고, ❷ ____ 을 점근선으로 갖는다.

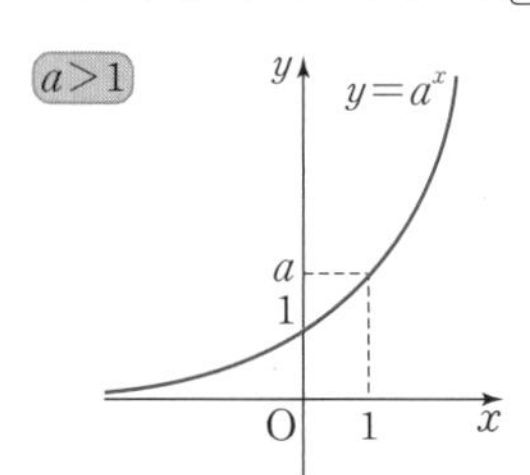


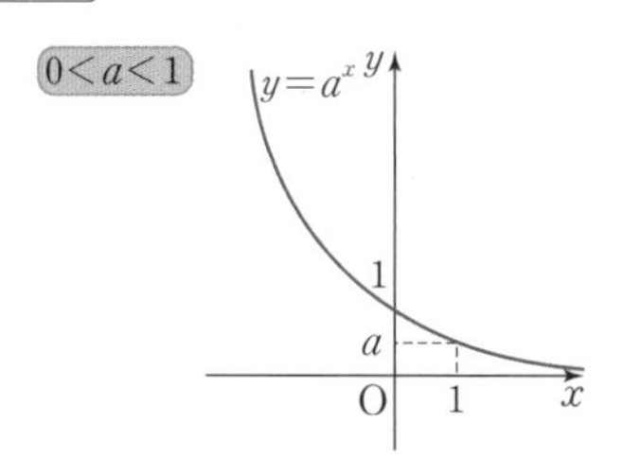


답 ❶ 증가 ❷ $x$축

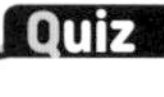


지수함수 $y=3^x$의 그래프를 그리면

➡

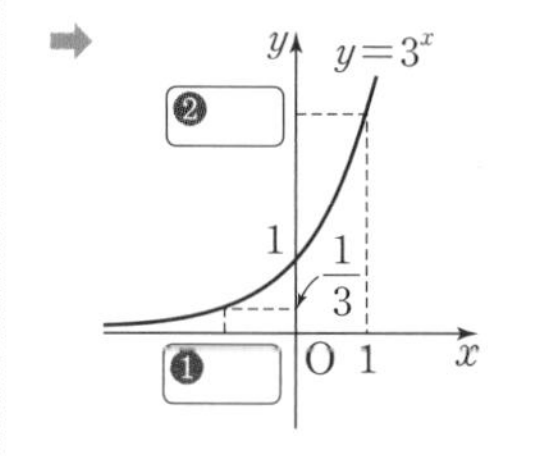


답 ❶ $-1$ ❷ 3

## 개념 ❺ 로그함수 $y=\log_a x\ (a>0,\ a\neq1)$의 성질

(1) 정의역은 양의 실수 전체의 집합이고, 치역은 실수 전체의 집합이다.

(2) $a>1$일 때, $x$의 값이 증가하면 $y$의 값도 증가한다.

$0<a<1$일 때, $x$의 값이 증가하면 $y$의 값은 ❶ ____ 한다.

(3) 그래프는 점 $(1,\ 0)$을 지나고, ❷ ____ 을 점근선으로 갖는다.

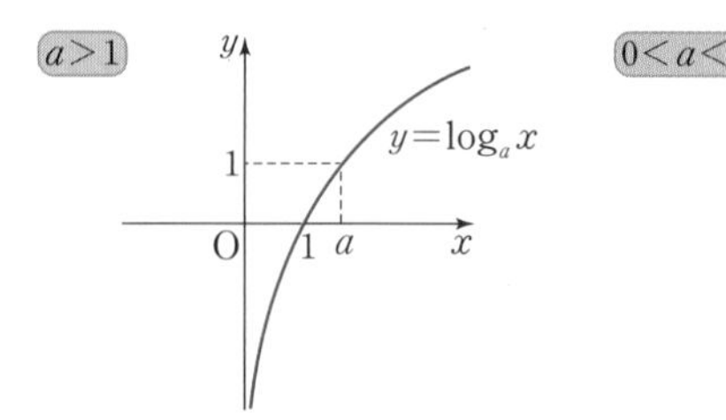


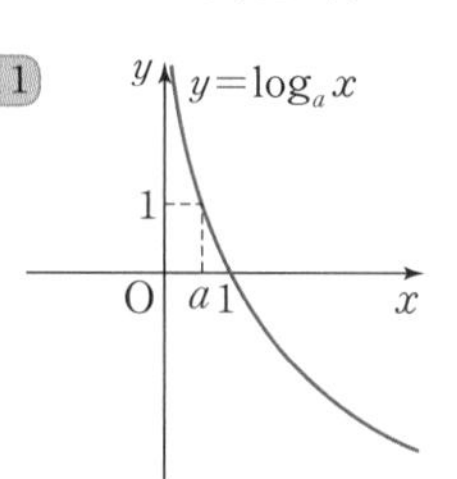


답 ❶ 감소 ❷ $y$축

Quiz

로그함수 $y=\log_3 x$의 그래프를 그리면

➡

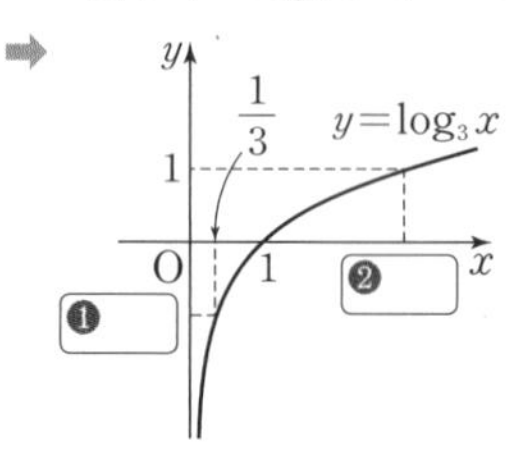


답 ❶ $-1$ ❷ 3

## 개념 ❻ 지수함수와 로그함수의 활용

(1) 지수방정식과 지수부등식

① $a>0,\ a\neq1$일 때, $a^{x_1}=a^{x_2} \Longleftrightarrow x_1=x_2$

② $a>1$일 때, $a^{x_1}<a^{x_2} \Longleftrightarrow x_1$ ❶ ____ $x_2$

$0<a<1$일 때, $a^{x_1}<a^{x_2} \Longleftrightarrow x_1$ ❷ ____ $x_2$

(2) 로그방정식과 로그부등식

$x_1>0,\ x_2>0$이고

① $a>0,\ a\neq1$일 때 $\log_a x_1=\log_a x_2 \Longleftrightarrow x_1=x_2$

② $a>1$일 때, $\log_a x_1<\log_a x_2 \Longleftrightarrow x_1$ ❸ ____ $x_2$

$0<a<1$일 때, $\log_a x_1<\log_a x_2 \Longleftrightarrow x_1$ ❹ ____ $x_2$

답 ❶ $<$ ❷ $>$ ❸ $<$ ❹ $>$

Quiz

방정식 $2^x=16$을 풀면

➡ $16=2^{❶}$ 이므로

$2^x=2^{❷}$

$\therefore x=4$

답 ❶ 4 ❷ 4

## 4-1

함수 $f(x)=3^{x-1}$에 대하여 $f(2)=a$일 때, $f(a)$의 값은?

① $\frac{1}{9}$ ② $\frac{1}{3}$ ③ 1
④ 3 ⑤ 9

**풀이** $f(2)=a$에서 $3^{2-1}=a$ $\therefore a=$ ❶

$\therefore f(a)=f(3)=3^{3-1}=$ ❷

❶ 3 ❷ 9 답 ⑤

## 4-2

함수 $f(x)=2^x-a$에 대하여 $f(0)=-1$일 때, $f(3)$의 값을 구하시오. (단, $a$는 상수이다.)

## 5-1

오른쪽 그림은 함수 $y=\log_2 x$의 그래프이다. 이때 $a+b$의 값은?

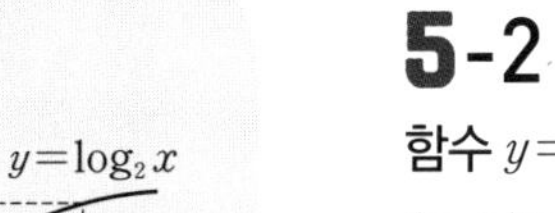

① 1 ② 2
③ 3 ④ 4
⑤ 5

**풀이** 함수 $y=\log_2 x$의 그래프가 점 $(2, a)$를 지나므로

$a=\log_2 2=$ ❶

또 점 $(b, 2)$를 지나므로

$2=\log_2 b$ $\therefore b=2^2=$ ❷

$\therefore a+b=5$

❶ 1 ❷ 4 답 ⑤

## 5-2

함수 $y=\log_5 x$의 그래프가 두 점 $(a, -1)$, $(5, b)$를 지날 때, $ab$의 값을 구하시오.

## 6-1

방정식 $\log_5(x-3)=\log_5 7$을 만족시키는 $x$의 값은?

① 2 ② 4 ③ 6
④ 8 ⑤ 10

**풀이** (진수)$>0$에서 $x-3>0$이므로 $x>$ ❶ ······㉠

로그함수의 성질에 따라 $x-3=$ ❷ 이므로 $x=10$

이때 $x=10$은 ㉠을 만족시키므로 주어진 방정식의 해이다.

$\therefore x=10$

❶ 3 ❷ 7 답 ⑤

## 6-2

방정식 $\log_{\frac{1}{2}}(x+2)=\log_{\frac{1}{2}}3$을 푸시오.

# 개념 돌파 전략 ② _ 1. 지수함수와 로그함수

바탕 문제

$2^{-2}\times(\sqrt[3]{2})^6$의 값을 구하시오.

➡ $2^{-2}\times(\sqrt[3]{2})^6=2^{-2}\times(2^{\frac{1}{3}})^6$

$=2^{-2}\times2^{❶}$

$=$❷

답 ❶ 2 ❷ 1

**1** $27^{\frac{2}{3}}\times3^{-1}\times\sqrt[4]{81}$의 값은?

① $\frac{1}{9}$ ② $\frac{1}{3}$ ③ 1
④ 3 ⑤ 9

바탕 문제

$\log_3 2-\log_3 18$의 값을 구하시오.

➡ $\log_3 2-\log_3 18$

$=\log_3\frac{2}{18}=\log_3\frac{1}{❶}$

$=\log_3 3^{-2}=$❷

답 ❶ 9 ❷ $-2$

**2** $\log_2\frac{2}{7}+\log_2\frac{5}{8}-\log_2\frac{5}{14}$의 값은?

① $-2$ ② $-1$ ③ 0
④ 1 ⑤ 2

바탕 문제

$\log 1.21=0.0828$임을 이용하여 $\log 12100$의 값을 구하시오.

➡ $\log 12100=\log(1.21\times10^{❶})$

$=\log 1.21+$❷

$=4.0828$

답 ❶ 4 ❷ 4

**3** $\log 5.12=0.7093$임을 이용하여 $\log 512+\log 0.512$의 값을 구하면?

① 0.7093 ② 1.4186 ③ 1.7093
④ 2.4186 ⑤ 2.7093

**바탕 문제**

두 수 $\sqrt{3^3}$, $\sqrt[3]{3^4}$의 크기를 비교하시오.

➡ $\sqrt{3^3}=3^{\frac{3}{2}}$, $\sqrt[3]{3^4}=3^{\frac{4}{3}}$

이때 $\frac{4}{3}$ ❶ $\frac{3}{2}$이고 (밑)$>1$이므로

$\sqrt[3]{3^4}$ ❷ $\sqrt{3^3}$

답 ❶ $<$ ❷ $<$

**4** 세 수 $A=\sqrt[4]{8}$, $B=0.5^{-\frac{3}{5}}$, $C=\sqrt[3]{4}$의 대소 관계는?

① $A<B<C$　② $A<C<B$　③ $B<A<C$
④ $B<C<A$　⑤ $C<B<A$

**바탕 문제**

점근선의 방정식이 $x=2$인 함수 $y=\log_3(x-a)$의 그래프가 점 $(5, b)$를 지날 때, 상수 $a$, $b$의 값을 구하시오.

➡ 점근선의 방정식이 $x=2$이므로 $a=$ ❶

이 그래프가 점 $(5, b)$를 지나므로

$b=\log_3(5-2)=$ ❷

답 ❶ 2 ❷ 1

**5** 오른쪽 그림과 같이 점근선의 방정식이 $x=1$인 함수 $y=\log_2(x-a)+b$의 그래프가 점 $(3, 0)$을 지날 때, $a-b$의 값은? (단, $a$, $b$는 상수이다.)

① 1　② 2
③ 3　④ 4　⑤ 5

**바탕 문제**

부등식 $3^{x-2}<9$를 푸시오.

➡ $3^{x-2}<9$에서 $3^{x-2}<3^{❶}$

(밑)$>1$이므로 $x-2<2$

$\therefore x<$ ❷

답 ❶ 2 ❷ 4

**6** 부등식 $\left(\frac{1}{5}\right)^{x+1}\geq\frac{1}{125}$을 만족시키는 실수 $x$의 최댓값은?

① $-2$　② $-1$　③ 0
④ 1　⑤ 2

**바탕 문제**

부등식 $\log_{\frac{1}{3}}x>\log_{\frac{1}{3}}3$을 푸시오.

➡ (진수)$>0$에서 $x>$ ❶ ······ ㉠

$0<$(밑)$<1$이므로 $x<$ ❷ ······ ㉡

㉠, ㉡의 공통 범위를 구하면

$0<x<3$

답 ❶ 0 ❷ 3

**7** 부등식 $\log_3(x-1)\leq\log_3 5$를 만족시키는 정수 $x$의 개수는?

① 1　② 2　③ 3
④ 4　⑤ 5

# 필수 체크 전략 ①

시험에 많이 출제되는 문제를 모아놓았어.

## 전략 ❶ | 거듭제곱과 거듭제곱근

(1) $a$의 $n$제곱근 : $n$이 2 이상의 정수일 때, $n$제곱하여 실수 $a$가 되는 수, 즉 방정식 $x^n=a$를 만족시키는 $x$

(2) $n$제곱근 $a$

① $a$ ❶ [ ] 0일 때 $\sqrt[n]{a}\geq 0$이다.

② $a$ ❷ [ ] 0일 때 $n$이 홀수이면 $\sqrt[n]{a}<0$, $n$이 짝수이면 존재하지 않는다.

답 ❶ $\geq$ ❷ $<$

### 필수예제 1

4의 네제곱근 중 실수인 것을 $a$, $\sqrt[3]{512}$의 세제곱근 중 실수인 것을 $b$라 할 때, $a^2+b$의 값은?

① 1 ② 2 ③ 3 ④ 4 ⑤ 5

| 풀이 |

4의 네제곱근 중 실수인 것은 $\pm\sqrt[4]{4}=\pm\sqrt[4]{2^2}=\pm\sqrt{2}$

$\sqrt[3]{512}=\sqrt[3]{8^3}=8$이므로 8의 세제곱근 중 실수인 것은

$\sqrt[3]{8}=\sqrt[3]{2^3}=2$

따라서 $a=\pm\sqrt{2}$, $b=2$이므로

$a^2+b=2+2=4$

참고

$a$가 실수이고 $n$이 2 이상의 정수일 때, $a$의 실수인 $n$제곱근은 다음과 같다.

| | $a>0$ | $a=0$ | $a<0$ |
|---|---|---|---|
| $n$이 홀수 | $\sqrt[n]{a}$ | 0 | $\sqrt[n]{a}$ |
| $n$이 짝수 | $\sqrt[n]{a}$, $-\sqrt[n]{a}$ | 0 | 없다. |

답 ④

### 1-1

81의 세제곱근 중 실수인 것을 $a$, 9의 네제곱근 중 양수인 것을 $b$라 할 때, $(a\times b^{-1})^{\frac{3}{5}}$의 값은?

① $\sqrt[3]{3}$ ② $\sqrt{3}$ ③ 3
④ $3\sqrt{3}$ ⑤ 9

### 1-2

$\frac{16}{25}$의 제곱근 중 양수인 것을 $a$, $-125$의 세제곱근 중 실수인 것을 $b$라 할 때, $ab$의 값을 구하시오.

## 전략 ❷ 지수가 실수인 식의 계산

$a>0$, $b>0$이고 $x$, $y$가 실수일 때

① $a^x a^y = a^{x+y}$ ② $a^x \div a^y = a^{\boxed{❶}}$

③ $(a^x)^y = a^{\boxed{❷}}$ ④ $(ab)^x = a^x b^x$

답 ❶ $x-y$ ❷ $xy$

## 필수예제 2

**(1)** $32^{\frac{2}{5}}+25^{\frac{1}{2}}$의 값은?

① 6 ② 7 ③ 8 ④ 9 ⑤ 10

**(2)** $a=\sqrt[3]{2}$, $b=\sqrt{3}$일 때, $(a^{\sqrt{2}}\times b^{-\frac{\sqrt{2}}{3}})^{3\sqrt{2}}$의 값을 구하시오.

| 풀이 |

**(1)** $32^{\frac{2}{5}}+25^{\frac{1}{2}}=(2^5)^{\frac{2}{5}}+(5^2)^{\frac{1}{2}}$

$=2^{5\times\frac{2}{5}}+5^{2\times\frac{1}{2}}$

$=2^2+5$

$=9$

**(2)** $(a^{\sqrt{2}}\times b^{-\frac{\sqrt{2}}{3}})^{3\sqrt{2}}=a^{\sqrt{2}\times3\sqrt{2}}\times b^{-\frac{\sqrt{2}}{3}\times3\sqrt{2}}$

$=a^6\times b^{-2}$

$=(\sqrt[3]{2})^6\times(\sqrt{3})^{-2}$

$=2^2\times3^{-1}=\frac{4}{3}$

답 (1) ④ (2) $\frac{4}{3}$

## 2-1

$\left(\frac{2}{3}\right)^{-1}+\left\{\left(\frac{343}{8}\right)^{\frac{1}{2}}\right\}^{\frac{2}{3}}$의 값은?

① 1 ② 2 ③ 3

④ 4 ⑤ 5

## 2-2

$(2^{\sqrt{3}}\times4)^{\sqrt{3}-2}$의 값을 구하시오.

# 1주 2일 필수 체크 전략 ①

## 전략 ❸ | 로그의 성질과 밑의 변환

(1) 로그의 성질

$a>0$, $a\neq1$, $M>0$, $N>0$일 때

① $\log_a 1=$ ❶ $\square$, $\log_a a=1$ ② $\log_a MN=\log_a M+\log_a N$

③ $\log_a \frac{M}{N}=\log_a M-\log_a N$ ④ $\log_a M^k=k\log_a M$ ($k$는 실수)

(2) 로그의 밑의 변환

$a>0$, $a\neq1$, $b>0$, $c>0$, $c\neq1$일 때

① $\log_a b=\frac{\log_c b}{\log_c \text{❷}\square}$ ② $\log_a b=\frac{\text{❸}\square}{\log_b a}$ (단, $b\neq1$)

로그는 경우에 따라
밑을 다른 수로 바꾸어
나타낼 수 있어!

답 ❶ 0 ❷ $a$ ❸ 1

### 필수예제 3

$\log_{\sqrt{2}} 9\times\log_3 25\times\log_{\sqrt{5}} 8$의 값은?

① 1 ② 6 ③ 12 ④ 24 ⑤ 48

| 풀이 |

주어진 식을 10을 밑으로 하는 로그로 바꾸면

$$\log_{\sqrt{2}} 9\times\log_3 25\times\log_{\sqrt{5}} 8=\frac{\log 9}{\log\sqrt{2}}\times\frac{\log 25}{\log 3}\times\frac{\log 8}{\log\sqrt{5}}$$

$$=\frac{2\log 3}{\frac{1}{2}\log 2}\times\frac{2\log 5}{\log 3}\times\frac{3\log 2}{\frac{1}{2}\log 5}$$

$$=4\times2\times6=48$$

참고

$a>0$, $a\neq1$, $b>0$일 때, 다음이 성립한다.

① $a^{\log_a b}=b$

② $a^{\log_c b}=b^{\log_c a}$ (단, $c>0$, $c\neq1$)

③ $\log_{a^m} b^n=\frac{n}{m}\log_a b$ (단, $m$, $n$은 실수, $m\neq0$)

답 ⑤

### 3-1

1보다 큰 세 실수 $a$, $b$, $c$에 대하여 $\log_a c : \log_b c=2 : 1$일 때, $\log_a b+2\log_b a$의 값은?

① 1 ② 2 ③ 3
④ 4 ⑤ 5

### 3-2

$(\log_3 64-\log_{\sqrt{3}} 4)\times\log_2 3$의 값을 구하시오.

## 전략 ❹ | 지수함수의 성질

지수함수 $y=a^x$ $(a>0, a\neq1)$의 성질은 다음과 같다.

① 정의역은 실수 전체의 집합이고, 치역은 양의 실수 전체의 집합이다.

② $a>1$일 때, $x$의 값이 ❶ ☐ 하면 $y$의 값도 증가한다.

$0<a<1$일 때, $x$의 값이 증가하면 $y$의 값은 ❷ ☐ 한다.

③ 그래프는 점 $(0, 1)$을 지나고, $x$축을 점근선으로 갖는다.

$a=1$이면 상수함수가 되므로 $a\neq1$ $(a>0)$인 경우만 생각해.

답 ❶ 증가 ❷ 감소

### 필수예제 4

**함수 $y=2^x+1$에 대한 설명으로 옳은 것만을 보기에서 있는 대로 고른 것은?**

보기

ㄱ. 그래프는 함수 $y=2^x$의 그래프를 $y$축의 방향으로 1만큼 평행이동한 것이다.

ㄴ. 정의역은 실수 전체의 집합이고, 치역은 양의 실수 전체의 집합이다.

ㄷ. 그래프는 점 $(1, 3)$을 지난다.

① ㄱ　② ㄴ　③ ㄱ, ㄴ　④ ㄱ, ㄷ　⑤ ㄱ, ㄴ, ㄷ

| 풀이 |

함수 $y=2^x+1$의 그래프는 오른쪽 그림과 같다.

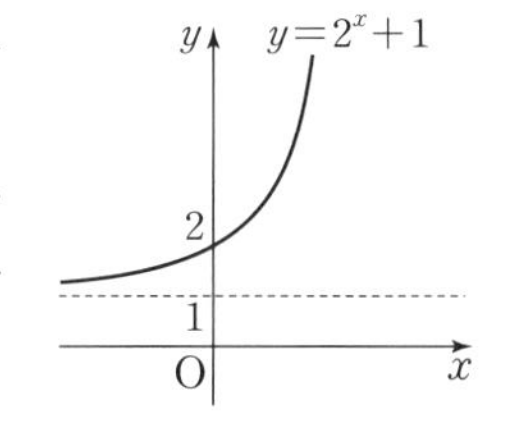


ㄱ. 그래프는 함수 $y=2^x$의 그래프를 $y$축의 방향으로 1만큼 평행이동한 것이다.

ㄴ. 정의역은 실수 전체의 집합이고, 치역은 $\{y|y>1\}$이다.

ㄷ. $x=1$을 대입하면 $y=2^1+1=2+1=3$이므로 점 $(1, 3)$을 지나는 그래프이다.

따라서 옳은 것은 ㄱ, ㄷ이다.

참고

지수함수 $y=a^x$ $(a>0, a\neq1)$의 그래프를 $x$축의 방향으로 $m$만큼, $y$축의 방향으로 $n$만큼 평행이동한 그래프는

➡ $y=a^{x-m}+n$

답 ④

## 4-1

함수 $f(x)=\left(\frac{1}{4}\right)^x-1$에 대한 설명으로 옳지 않은 것은?

① 정의역은 실수 전체의 집합이다.

② $x_1<x_2$이면 $f(x_1)<f(x_2)$이다.

③ 그래프의 점근선의 방정식은 $y=-1$이다.

④ $f(x)=0$인 실수 $x$가 존재한다.

⑤ 그래프는 제2사분면, 제4사분면을 지난다.

## 4-2

함수 $y=3^{-x}$에 대한 설명으로 옳은 것만을 보기에서 있는 대로 고르시오.

보기

ㄱ. 그래프는 함수 $y=3^x$의 그래프를 $y$축에 대하여 대칭이동한 것이다.

ㄴ. 치역은 실수 전체의 집합이다.

ㄷ. 그래프의 점근선의 방정식은 $x$축이다.

# 필수 체크 전략 ②

**1** 1이 아닌 양수 $a$에 대하여 $\sqrt[5]{a\sqrt[4]{a^3\sqrt{a}}}=\sqrt[m]{a^n}$이 성립할 때, $m+n$의 값은? (단, $m$, $n$은 서로소이다.)

① 5 ② 7 ③ 9
④ 11 ⑤ 13

**Tip**

$\sqrt[m]{a^n}=a^{❶\square}$임을 이용하여 거듭제곱근을 ❷☐인 지수로 변형한다.

답 ❶ $\frac{n}{m}$ ❷ 유리수

**2** $a>0$이고 $a^{2x}=3$일 때, $\dfrac{a^{3x}+a^{-x}}{a^x+a^{-3x}}$의 값은?

① 1 ② 3 ③ 6
④ 9 ⑤ 12

**Tip**

주어진 식의 분모, 분자에 각각 ❶☐을 곱하여 $a^{2x}=$❷☐임을 이용한다.

답 ❶ $a^x$ ❷ 3

**3** $3^x=16$, $12^y=8$일 때, 두 실수 $x$, $y$에 대하여 $\dfrac{4}{x}-\dfrac{3}{y}$의 값은?

① $-2$ ② $-1$ ③ 1
④ 2 ⑤ 4

**Tip**

$16=2^{❶\square}$, $8=2^{❷\square}$임을 이용하여 주어진 식을 변형한다.

답 ❶ 4 ❷ 3

**4** 모든 실수 $x$에 대하여 $\log_{a-3}(x^2+ax+2a)$가 정의되도록 하는 정수 $a$의 개수는?

① 1 ② 2 ③ 3
④ 4 ⑤ 5

**Tip**

(진수)❶☐0, (밑)$>0$, (밑)$\neq$❷☐임을 이용하여 $a$의 값의 범위를 구한다.

답 ❶ $>$ ❷ 1

**5** 1이 아닌 양수 $a$, $b$, $c$에 대하여 $abc=1$일 때,
$\log_a b+\log_b a+\log_b c+\log_c b+\log_c a+\log_a c$의 값은?

① $-5$　② $-4$　③ $-3$
④ $-2$　⑤ $-1$

**Tip**

❶ [　] 이 같은 로그끼리 먼저 계산한 후 $abc=$ ❷ [　] 임을 이용한다.

답 ❶ 밑 ❷ 1

**6** 함수 $f(x)=a^x$의 그래프가 오른쪽 그림과 같다. $f(b)=2$, $f(c)=6$일 때, $f\left(\frac{b+c}{2}\right)$의 값은?

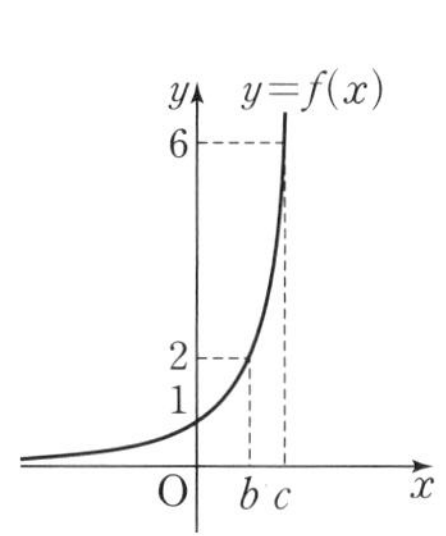


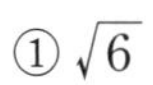

① $\sqrt{6}$　② $2\sqrt{2}$
③ $\sqrt{10}$　④ $2\sqrt{3}$
⑤ $3\sqrt{2}$

**Tip**

함수 $f(x)=a^x$에서 $f(b)=2$, $f(c)=6$이면 $2=$ ❶ [　], $6=$ ❷ [　] 이다.

답 ❶ $a^b$ ❷ $a^c$

**7** 함수 $y=2^x$의 그래프를 $y$축에 대하여 대칭이동한 후 $x$축의 방향으로 $m$만큼, $y$축의 방향으로 $n$만큼 평행이동하면 함수 $y=8\times\left(\frac{1}{2}\right)^x+1$의 그래프와 일치한다. 이때 상수 $m$, $n$에 대하여 $m-n$의 값은?

① $-2$　② $-1$　③ $0$
④ $1$　⑤ $2$

**Tip**

함수 $y=2^x$의 그래프를 $y$축에 대하여 대칭이동한 그래프는 $y=$ ❶ [　] 이고, 이 그래프를 주어진 조건으로 평행이동한 그래프는 $y=2^{-(x-m)}+$ ❷ [　] 이다.

답 ❶ $2^{-x}$ ❷ $n$

# 필수 체크 전략 ①

## 전략 ❶ | 지수함수의 최대, 최소

정의역이 $\{x|m\le x\le n\}$인 지수함수 $y=a^x$은

(1) $a>1$이면 $x=m$일 때 최솟값, $x=$ ❶ ☐ 일 때 최댓값을 갖는다.

(2) $0<a<1$이면 $x=$ ❷ ☐ 일 때 최댓값, $x=n$일 때 최솟값을 갖는다.

답 ❶ $n$ ❷ $m$

### 필수예제 1

**정의역이 $\{x|-1\le x\le 2\}$인 함수 $y=2^{x+1}$의 최댓값을 $M$, 최솟값을 $m$이라 할 때, $Mm$의 값은?**

① 0 ② 2 ③ 4 ④ 8 ⑤ 16

| 풀이 |

오른쪽 그림과 같이 함수 $y=2^{x+1}$은 $x$의 값이 증가하면 $y$의 값도 증가하므로

$x=2$일 때 최댓값 $M=2^3=8$,

$x=-1$일 때 최솟값 $m=2^0=1$

을 갖는다.

$\therefore Mm=8$

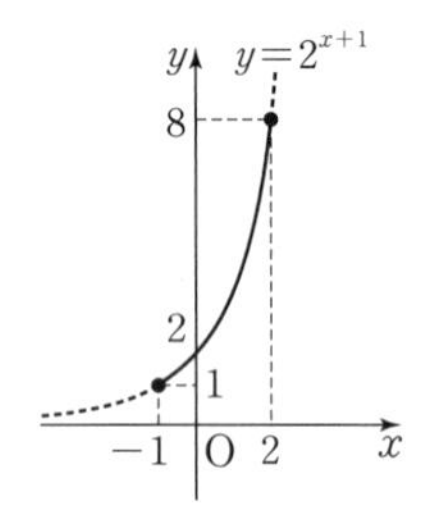


참고

정의역이 $\{x|m\le x\le n\}$인 지수함수 $y=a^{f(x)}$에 대하여 $\alpha\le f(x)\le\beta$이면 지수함수 $y=a^{f(x)}$의 최대, 최소는 다음과 같다.

① $a>1$일 때 ➡ 최댓값 $a^{\beta}$, 최솟값 $a^{\alpha}$

② $0<a<1$일 때 ➡ 최댓값 $a^{\alpha}$, 최솟값 $a^{\beta}$

먼저 밑이 1보다
큰지 작은지
확인해야 해.

답 ④

### 1-1

정의역이 $\{x|0\le x\le 3\}$인 함수 $y=2^{-x}\times 3^x$의 최댓값과 최솟값을 구하시오.

### 1-2

정의역이 $\{x|-2\le x\le 1\}$인 함수 $y=\left(\frac{1}{3}\right)^x+k$의 최댓값이 10일 때, 상수 $k$의 값은?

① 1 ② 3 ③ 5
④ 7 ⑤ 9

## 전략 ❷ 로그함수의 성질

로그함수 $y=\log_a x\ (a>0,\ a\neq1)$의 성질은 다음과 같다.

① 정의역은 양의 실수 전체의 집합이고, 치역은 실수 전체의 집합이다.

② $a>1$일 때, $x$의 값이 증가하면 $y$의 값도 증가한다.

$0<a<1$일 때, $x$의 값이 증가하면 $y$의 값은 ❶ ______ 한다.

③ 그래프는 점 $(1,\ 0)$을 지나고, ❷ ______ 을 점근선으로 갖는다.

로그함수 $y=\log_a x$의 그래프는 지수함수 $y=a^x$의 그래프와 직선 $y=x$에 대하여 대칭이야.

답 ❶ 감소 ❷ $y$축

### 필수예제 2

**함수 $y=\log_2(x-1)+2$에 대한 설명으로 옳은 것만을 보기에서 있는 대로 고른 것은?**

보기

ㄱ. 그래프는 함수 $y=\log_2 x$의 그래프를 $x$축의 방향으로 1만큼, $y$축의 방향으로 2만큼 평행이동한 것이다.

ㄴ. 그래프의 점근선의 방정식은 $x=1$이다.

ㄷ. $x$의 값이 증가하면 $y$의 값은 감소한다.

① ㄱ　② ㄴ　③ ㄱ, ㄴ　④ ㄱ, ㄷ　⑤ ㄱ, ㄴ, ㄷ

| 풀이 |

함수 $y=\log_2(x-1)+2$의 그래프는 오른쪽 그림과 같다.

ㄱ. 그래프는 함수 $y=\log_2 x$의 그래프를 $x$축의 방향으로 1만큼, $y$축의 방향으로 2만큼 평행이동한 것이다.

ㄴ. 그래프의 점근선의 방정식은 $x=1$이다.

ㄷ. (밑)$>1$이므로 $x$의 값이 증가하면 $y$의 값도 증가한다.

따라서 옳은 것은 ㄱ, ㄴ이다.

참고

로그함수 $y=\log_a x\ (a>0,\ a\neq1)$의 그래프를 $x$축의 방향으로 $m$만큼, $y$축의 방향으로 $n$만큼 평행이동한 그래프는

➡ $y=\log_a(x-m)+n$

답 ③

## 2-1

함수 $f(x)=\log_{\frac{1}{3}}(x-2)$에 대한 설명으로 옳지 않은 것은?

① 정의역은 $\{x\,|\,x>2\}$이다.

② 치역은 실수 전체의 집합이다.

③ $x_1<x_2$이면 $f(x_1)>f(x_2)$이다.

④ 그래프의 점근선의 방정식은 $x=2$이다.

⑤ 그래프는 제1사분면, 제2사분면을 지난다.

## 2-2

함수 $y=\log_5(-x)$에 대한 설명으로 옳은 것만을 보기에서 있는 대로 고르시오.

보기

ㄱ. 그래프는 함수 $y=\log_5 x$의 그래프를 $y$축에 대하여 대칭이동한 것이다.

ㄴ. 정의역은 음의 실수 전체의 집합이다.

ㄷ. $x$의 값이 증가하면 $y$의 값도 증가한다.

# 필수 체크 전략 ①

## 전략 ❸ 지수함수와 로그함수의 역함수

지수함수 $y=a^x$과 로그함수 $y=\log_a x$는 서로 역함수 관계이다. (단, $a>0$, $a\neq1$)

➡ 두 함수의 그래프는 직선 ❶ ☐ 에 대하여 대칭이다.

➡ 점 $(p, q)$가 함수 $y=a^x$의 그래프 위의 점이면 점 $(q, p)$는 함수 $y=$ ❷ ☐ 의 그래프 위의 점이다.

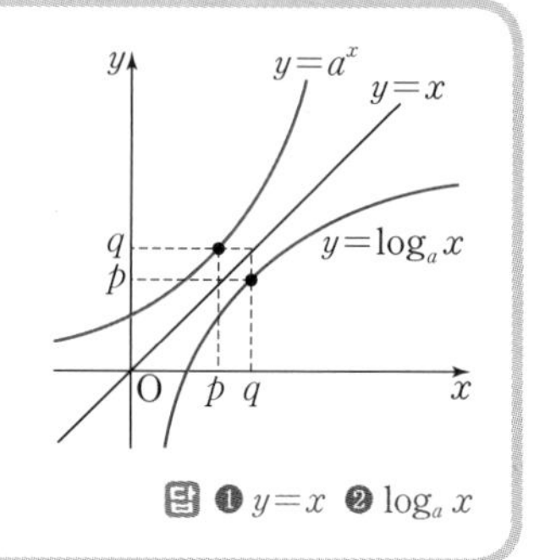


답 ❶ $y=x$ ❷ $\log_a x$

### 필수예제 3

함수 $y=2^{x-1}+3$의 역함수가 $y=\log_2(x-a)+b$일 때, $a+b$의 값은? (단, $a$, $b$는 상수이다.)

① 0 ② 1 ③ 2 ④ 3 ⑤ 4

| 풀이 |

함수 $y=2^{x-1}+3$의 정의역은 실수 전체의 집합이고, 치역은 $\{y|y>3\}$이다.

$y=2^{x-1}+3$에서 $y-3=2^{x-1}$

로그의 정의에 따라 $x-1=\log_2(y-3)$

$x$와 $y$를 서로 바꾸면 $y-1=\log_2(x-3)$ (단, $x>3$)

따라서 구하는 역함수는 $y=\log_2(x-3)+1$이므로

$a=3$, $b=1$

$\therefore a+b=4$

참고

함수 $y=f(x)$의 역함수를 구하는 과정은 다음과 같다.

(i) 원래 함수의 치역을 이용하여 역함수의 정의역을 구한다.

(ii) 주어진 함수를 $x=g(y)$ 꼴로 나타낸다.

(iii) $x$와 $y$를 서로 바꾸어 역함수 $y=g(x)$를 구한다.

답 ⑤

### 3-1

함수 $y=a^{x-m}$ $(a>1)$의 그래프와 그 역함수의 그래프가 두 점에서 만난다. 이 두 점의 $x$좌표가 각각 1, 2일 때, $a+m$의 값은? (단, $m$은 상수이다.)

① 1 ② 2 ③ 3 ④ 4 ⑤ 5

### 3-2

함수 $y=\log_3(x-1)+2$의 역함수가 $y=3^{x-a}+b$일 때, $ab$의 값을 구하시오. (단, $a$, $b$는 상수이다.)

## 전략 ④ 로그방정식과 로그부등식

(1) 로그방정식을 풀 때는

➡ 주어진 방정식을 $\log_a f(x)=\log_a g(x)$ $(a>0,\ a\neq 1,\ f(x)>0,\ g(x)>0)$ 꼴로 변형한 후 다음을 이용한다.

$\log_a f(x)=\log_a g(x) \Longleftrightarrow f(x)=$ ❶ ☐

(2) 로그부등식을 풀 때는

➡ 주어진 부등식을 $\log_a f(x)<\log_a g(x)$ $(f(x)>0,\ g(x)>0)$ 꼴로 변형한 후 다음을 이용한다.

① $a>1$일 때, $\log_a f(x)<\log_a g(x) \Longleftrightarrow 0<f(x)<g(x)$

② $0<a<1$일 때, $\log_a f(x)<\log_a g(x) \Longleftrightarrow f(x)$ ❷ ☐ $g(x)>0$

답 ❶ $g(x)$ ❷ $>$

## 필수예제 4

**(1)** 방정식 $\log x+\log(x+3)=1$을 만족시키는 실수 $x$의 값은?

① $-5$ ② $-2$ ③ $1$ ④ $2$ ⑤ $5$

**(2)** 부등식 $\log_3(4-x)<\log_3 x+1$을 만족시키는 정수 $x$의 개수를 구하시오.

| 풀이 |

**(1)** (진수)$>0$에서 $x>0$, $x+3>0$

$\therefore x>0$ …… ㉠

$\log x+\log(x+3)=1$에서 $\log x(x+3)=1$

로그의 정의에 따라 $x(x+3)=10$

$x^2+3x-10=0$, $(x+5)(x-2)=0$

$\therefore x=-5$ 또는 $x=2$

㉠에서 $x>0$이므로 구하는 해는 $x=2$

**(2)** (진수)$>0$에서 $4-x>0$, $x>0$

$\therefore 0<x<4$ …… ㉠

$\log_3(4-x)<\log_3 x+1$에서 $\log_3(4-x)<\log_3 3x$

(밑)$>1$이므로 $4-x<3x$, $4x>4$

$\therefore x>1$ …… ㉡

㉠, ㉡의 공통 범위를 구하면 $1<x<4$

따라서 구하는 정수 $x$의 개수는 2, 3의 2이다.

답 **(1)** ④ **(2)** 2

## 4-1

방정식 $\log_2(x+2)=\log_4(x-1)+2$를 만족시키는 실수 $x$의 값의 합은?

① 4 ② 6 ③ 8
④ 10 ⑤ 12

## 4-2

부등식 $\log_{\frac{1}{5}}(x+2)+\log_{\frac{1}{5}}x\leq\log_{\frac{1}{5}}(x+6)$을 만족시키는 실수 $x$의 최솟값을 구하시오.

# 필수 체크 전략 ②

**1** 정의역이 $\{x|1\le x\le a\}$인 두 함수

$$f(x)=2^{2x},\ g(x)=\left(\frac{1}{2}\right)^{x+1}$$

의 최솟값의 곱이 $\frac{1}{4}$일 때, 상수 $a$의 값은? (단, $a>1$)

① 2 ② 3 ③ 4
④ 5 ⑤ 6

**Tip**

두 함수 $f(x)$, $g(x)$는 각각 $x=$ ❶ ☐, $x=$ ❷ ☐에서 최솟값을 갖는다.

답 ❶ 1 ❷ $a$

**2** 정의역이 $\{x|-2\le x\le 1\}$인 함수 $y=\left(\frac{1}{3}\right)^{x^2+2x-1}$의 최댓값은?

① 0 ② 1 ③ 3
④ 6 ⑤ 9

**Tip**

$f(x)=x^2+2x-1$이라 하면 $f(x)$가 $x=$ ❶ ☐에서 최솟값을 가질 때 주어진 함수는 ❷ ☐을 갖는다.

답 ❶ $-1$ ❷ 최댓값

**3** 오른쪽 그림은 함수 $f(x)=\log_3 x$의 그래프이다. 이때 $f(20)$의 값은?

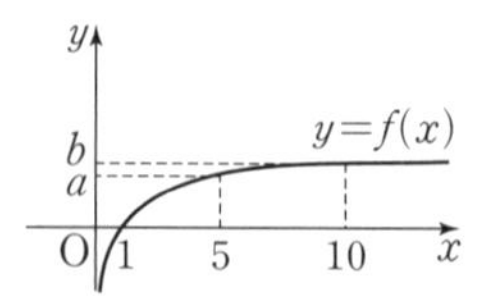


① $a+b$ ② $2a-b$
③ $a+2b$ ④ $b-a$
⑤ $2b-a$

**Tip**

로그의 성질

$\log_a$ ❶ ☐ $=\log_a M-\log_a N$

$\log_a M^k=$ ❷ ☐ $\log_a M$ ($k$는 실수)

을 이용한다.

답 ❶ $\frac{M}{N}$ ❷ $k$

**4** 함수 $y=\left(\frac{1}{3}\right)^{x-1}-2$의 그래프와 함수 $y=a\log_3(x+b)+c$의 그래프가 직선 $y=x$에 대하여 대칭일 때, $a+b+c$의 값은?
(단, $a$, $b$, $c$는 상수이다.)

① 1 ② 2 ③ 3
④ 4 ⑤ 5

**Tip**
두 함수의 그래프가 직선 ❶ ☐ 에 대하여 대칭이면 두 함수는 ❷ ☐ 관계이다.

답 ❶ $y=x$ ❷ 역함수

**5** 오른쪽 그림은 지수함수 $y=2^x$의 그래프와 로그함수 $y=\log_2 x$의 그래프를 나타낸 것이다. $x_1+x_2+x_3$의 값은?
(단, 점선은 $x$축 또는 $y$축과 평행하다.)

$y$, $y=2^x$, $y=\log_2 x$, O, $x_1$, $x_2$, $x_3$, $x$

① 1 ② 3
③ 5 ④ 7 ⑤ 9

**Tip**
지수함수 $y=2^x$의 그래프는 점 (0, ❶ ☐ )을, 로그함수 $y=\log_2 x$의 그래프는 점 ( ❷ ☐ , 0)을 지난다.

답 ❶ 1 ❷ 1

**6** 방정식 $4^x-2^{x+3}+15=0$의 두 실근을 $\alpha$, $\beta$라 할 때, $4^\alpha+4^\beta$의 값은?

① 2 ② 8 ③ 16
④ 26 ⑤ 34

**Tip**
$2^x=t$ ($t>$ ❶ ☐ )로 치환하여 ❷ ☐ 에 대한 이차방정식을 생각한다.

답 ❶ 0 ❷ $t$

**7** 부등식 $0\le\log_3(\log_2 x)\le1$을 만족시키는 정수 $x$의 개수는?

① 1 ② 3 ③ 5
④ 7 ⑤ 9

**Tip**
$0\le\log_3(\log_2 x)\le1$에서 0과 1을 ❶ ☐ 을 밑으로 하는 로그로 나타낸다.

답 ❶ 3

# 교과서 대표 전략 ①

## 대표 예제 1

$3^{60}$의 5제곱근 중 실수인 것을 $x$, $x$의 네제곱근 중 음수인 것을 $y$라 할 때, $y$의 세제곱근 중 실수인 것은?

① $-3\sqrt[3]{3}$ ② $-3$ ③ $1$
④ $3$ ⑤ $3\sqrt[3]{3}$

**개념 가이드**

$a>0$일 때 $a$의 $n$제곱근은 $n$이 홀수이면 ❶ ☐, $n$이 짝수이면 $\sqrt[n]{a}$, ❷ ☐이다.

답 ❶ $\sqrt[n]{a}$ ❷ $-\sqrt[n]{a}$

## 대표 예제 2

$(\sqrt[3]{9}-\sqrt[3]{4})(\sqrt[3]{81}+\sqrt[3]{36}+\sqrt[3]{16})$의 값은?

① $5$ ② $7$ ③ $9$
④ $11$ ⑤ $13$

**개념 가이드**

$a>0$, $b>0$이고, $m$, $n$이 2 이상의 정수일 때

① $\sqrt[n]{a}\sqrt[n]{b}=\sqrt[n]{❶\ ☐}$ ② $(\sqrt[n]{a})^m=\sqrt[n]{❷\ ☐}$

답 ❶ $ab$ ❷ $a^m$

## 대표 예제 3

세 수 $A=5^{20}$, $B=3^{30}$, $C=2^{50}$의 대소 관계를 바르게 나타낸 것은?

① $A<B<C$ ② $A<C<B$
③ $B<A<C$ ④ $B<C<A$
⑤ $C<A<B$

**개념 가이드**

$a>0$, $b>0$, $a<b$이면

① $a^k$ ❶ ☐ $b^k$ (단, $k>0$)

② $\sqrt[n]{a}$ ❷ ☐ $\sqrt[n]{b}$ (단, $n$은 2 이상의 정수)

답 ❶ $<$ ❷ $<$

## 대표 예제 4

$\log_3 2=a$, $\log_2 7=b$일 때, $\log_{36} 56$을 $a$, $b$로 나타낸 것은?

① $\dfrac{2+a+b}{1+ab}$ ② $\dfrac{3+a+b}{a+ab}$ ③ $\dfrac{3+ab}{a+b}$

④ $\dfrac{3a+ab}{2a+2}$ ⑤ $\dfrac{3a+ab}{2b+2}$

**개념 가이드**

$a>0$, $a\neq1$, $b>0$, $b\neq1$, $c>0$, $c\neq1$일 때

① $\log_a b=\dfrac{\log_c ❶\ ☐}{\log_c a}$ ② $\log_a b=\dfrac{1}{\log_b ❷\ ☐}$

답 ❶ $b$ ❷ $a$

## 대표 예제 5

이차방정식 $x^2-4x+2=0$의 두 근이 $\log_2 a$, $\log_2 b$일 때, $\log_a b+\log_b a$의 값은?

① 0　② 2　③ 4
④ 6　⑤ 8

이차방정식의 근과
계수의 관계를
이용해 봐.

**개념 가이드**

이차방정식 $ax^2+bx+c=0$의 근과 계수의 관계를 이용한다.

➡ (두 근의 합)$=-\dfrac{❶\ \square}{a}$, (두 근의 곱)$=\dfrac{❷\ \square}{a}$

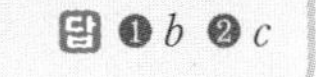

답 ❶ $b$ ❷ $c$

## 대표 예제 6

$\log 3.64=0.5599$일 때, $\log a=-1.4401$이고 $\log 364=b$이다. $a+b$의 값은?

① 1.5963　② 1.9239　③ 2.5963
④ 2.6327　⑤ 2.9239

**개념 가이드**

양수 $A$에 대하여 $n$은 실수, $\log A=\alpha$일 때

① $\log A^n=n\log A=$ ❶ $\square$

② $\log(10^n\times A)=\log 10^n+\log A=$ ❷ $\square$

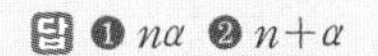

답 ❶ $n\alpha$ ❷ $n+\alpha$

## 대표 예제 7

함수 $f(x)=2^{x+p}+q$의 그래프의 점근선의 방정식이 $y=-4$이고 $f(0)=0$일 때, $f(2)$의 값은?

① 6　② 8　③ 10
④ 12　⑤ 14

**개념 가이드**

함수 $y=a^{x-p}+q$ $(a>0,\ a\neq1)$의 그래프의 점근선의 방정식은 $y=$ ❶ $\square$ 이다.

답 ❶ $q$

## 대표 예제 8

오른쪽 그림과 같이 함수 $y=2^x$의 그래프 위의 두 점 $\mathrm{A}(a,\ 3)$, $\mathrm{B}(b,\ 12)$가 있다. 이때 선분 AB의 길이는?

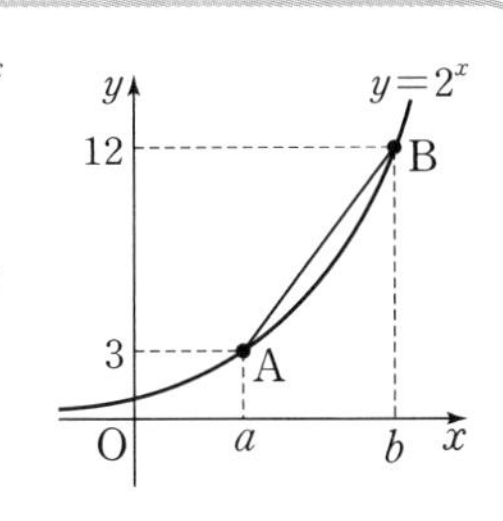


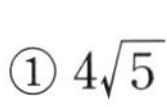

① $4\sqrt{5}$　② $\sqrt{82}$
③ $\sqrt{83}$　④ $2\sqrt{21}$
⑤ $\sqrt{85}$

**개념 가이드**

지수함수 $y=a^x$ $(a>0,\ a\neq1)$의 그래프가 점 $(m,\ n)$을 지나면 ❶ $\square=a^{❷\ \square}$이다.

답 ❶ $n$ ❷ $m$

# 교과서 대표 전략 ①

## 대표 예제 9

함수 $y=\left(\frac{1}{2}\right)^{x-1}+k$의 그래프가 제3사분면을 지나지 않도록 하는 상수 $k$의 최솟값은?

① $-2$　② $-1$　③ $0$
④ $1$　⑤ $2$

조건에 맞게 지수함수의 그래프를 그려 봐.

**개념 가이드**

함수 $y=a^{x-m}+n\ (a>0,\ a\neq1)$의 그래프는 $y=a^x$의 그래프를 $x$축의 방향으로 ❶ 만큼, $y$축의 방향으로 ❷ 만큼 평행이동한 것이다.

답 ❶ $m$ ❷ $n$

## 대표 예제 10

$0<a<1$인 실수 $a$에 대하여 정의역이 $\{x\,|\,-1\leq x\leq 2\}$인 함수 $y=a^{-x}$의 최댓값과 최솟값의 곱이 8일 때, $a$의 값은?

① $\frac{1}{8}$　② $\frac{1}{6}$　③ $\frac{1}{4}$
④ $\frac{1}{3}$　⑤ $\frac{1}{2}$

**개념 가이드**

정의역이 $\{x\,|\,\alpha\leq x\leq\beta\}$인 지수함수 $y=a^x\ (a>1)$은 $x=\alpha$일 때 ❶ , $x=\beta$일 때 ❷ 을 갖는다.

답 ❶ 최솟값 ❷ 최댓값

## 대표 예제 11

오른쪽 그림은 $y=\log_2 x$의 그래프이다. $\overline{AB}=4$일 때, $\frac{b}{a}$의 값은? (단, 점선은 $x$축 또는 $y$축과 평행하다.)

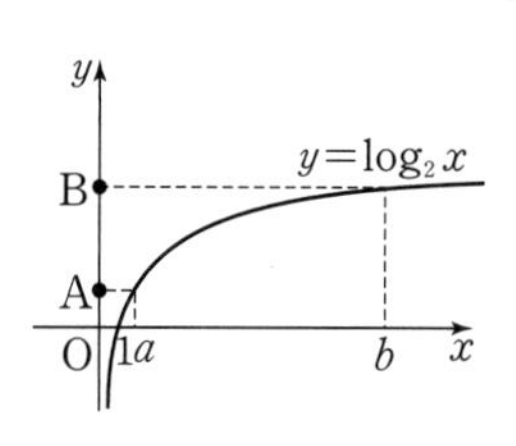


① 2　② 4　③ 8
④ 16　⑤ 32

**개념 가이드**

로그함수 $y=\log_a x\ (a>0,\ a\neq1)$의 그래프가 점 $(m,\ n)$을 지나면 ❶ $=\log_a$ ❷ 이다.

답 ❶ $n$ ❷ $m$

## 대표 예제 12

함수 $y=\log_3(x-2)+4$의 그래프를 $x$축의 방향으로 $a$만큼, $y$축의 방향으로 $b$만큼 평행이동하면 함수 $y=\log_3(3x+6)$의 그래프와 일치한다. 이때 $a-b$의 값은? (단, $a$, $b$는 상수이다.)

① $-3$　② $-1$　③ $3$
④ $5$　⑤ $9$

**개념 가이드**

함수 $y=\log_a(x-m)+n\ (a>0,\ a\neq1)$의 그래프는 $y=\log_a x$의 그래프를 $x$축의 방향으로 ❶ 만큼, $y$축의 방향으로 ❷ 만큼 평행이동한 것이다.

답 ❶ $m$ ❷ $n$

## 대표 예제 13

함수 $y=\log_5 \frac{x}{a}$의 그래프가 $y=5^{x+1}$의 그래프와 직선 $y=x$에 대하여 대칭이고 점 $(b, -1)$을 지날 때, 상수 $a, b$에 대하여 $ab$의 값은? (단, $a\neq0$)

① 0 ② 1 ③ 2
④ 5 ⑤ 10

**개념 가이드**

두 함수의 그래프가 직선 $y=x$에 대하여 ❶ 이면 두 함수는 서로 ❷ 관계이다.

답 ❶ 대칭 ❷ 역함수

## 대표 예제 14

정의역이 $\{x|2\leq x\leq 3\}$인 함수 $y=\log_2(x^2-2x+1)$의 최댓값을 $M$, 최솟값을 $m$이라 할 때, $M-m$의 값은?

① $-2$ ② $-1$ ③ 0
④ 1 ⑤ 2

**개념 가이드**

정의역이 $\{x|\alpha\leq x\leq \beta\}$인 로그함수 $y=\log_a x\ (a>1)$는 $x=\alpha$일 때 ❶ , $x=\beta$일 때 ❷ 을 갖는다.

답 ❶ 최솟값 ❷ 최댓값

## 대표 예제 15

부등식 $3^{x^2-3x}\leq\left(\frac{1}{3}\right)^{2x}$을 만족시키는 실수 $x$의 최댓값은?

① 0 ② 1 ③ 2
④ 3 ⑤ 4

**개념 가이드**

지수부등식을 풀 때는 $a^{f(x)}<a^{g(x)}$ 꼴로 변형한 후

(1) $a>1$일 때 부등식 $f(x)$ ❶ $g(x)$를 푼다.

(2) $0<a<1$일 때 부등식 $f(x)$ ❷ $g(x)$를 푼다.

답 ❶ < ❷ >

## 대표 예제 16

$x$에 대한 이차방정식

$$(\log a+2)x^2-2x\log a+1=0$$

이 실근을 갖지 않도록 하는 정수 $a$의 최솟값은?

① $-1$ ② 0 ③ 1
④ 2 ⑤ 3

이차방정식의 판별식을 이용해!

**개념 가이드**

$\log_a x\ (a>0, a\neq1)$가 반복되는 로그부등식을 풀 때는

(i) $\log_a x=t$로 ❶ 하여 $t$에 대한 부등식을 푼다.

(ii) $t$ 대신 ❷ 를 대입하여 $x$의 값의 범위를 구한다.

답 ❶ 치환 ❷ $\log_a x$

# 교과서 대표 전략 ②

## 1

$2\le n\le 100$인 자연수 $n$에 대하여 $(\sqrt[3]{3})^{\frac{1}{4}}$이 어떤 자연수의 $n$제곱근이 되도록 하는 $n$의 개수는?

① 7 ② 8 ③ 9
④ 10 ⑤ 11

**Tip**
상수 $a$가 어떤 자연수 $N$의 $n$제곱근이면
$a^{❶\square}=❷\square$

답 ❶ $n$ ❷ $N$

## 2

양수 $a$에 대하여 $a^{\frac{1}{2}}-a^{-\frac{1}{2}}=2$일 때, $\dfrac{a^2+a^{-2}-4}{a+a^{-1}}$의 값은?

① 1 ② 2 ③ 3
④ 4 ⑤ 5

**Tip**
곱셈 공식을 이용하면
$(a^{\frac{1}{2}}-a^{-\frac{1}{2}})^2=a-❶\square+a^{-1}$, $(a+a^{-1})^2=a^2+❷\square+a^{-2}$

답 ❶ 2 ❷ 2

## 3

$10<x<100$일 때, $\log x^3+\log\dfrac{1}{x}$의 값이 정수가 되도록 하는 $x$의 값은?

① $10^{\frac{5}{4}}$ ② $10^{\frac{4}{3}}$ ③ $10^{\frac{3}{2}}$
④ $10^{\frac{5}{3}}$ ⑤ $10^{\frac{7}{4}}$

**Tip**
로그의 성질에 의하여
$\log x^3+\log\dfrac{1}{x}=❶\square\log x-\log x=❷\square\log x$

답 ❶ 3 ❷ 2

## 4

다음 그림과 같이 직선 $y=k\ (k>1)$가 $y$축과 만나는 점을 A, 두 함수 $y=2^x$, $y=a^x$의 그래프와 만나는 점을 각각 B, C라 하자. $\overline{AB}:\overline{BC}=1:1$일 때, 상수 $a$의 값은? (단, $1<a<2$)

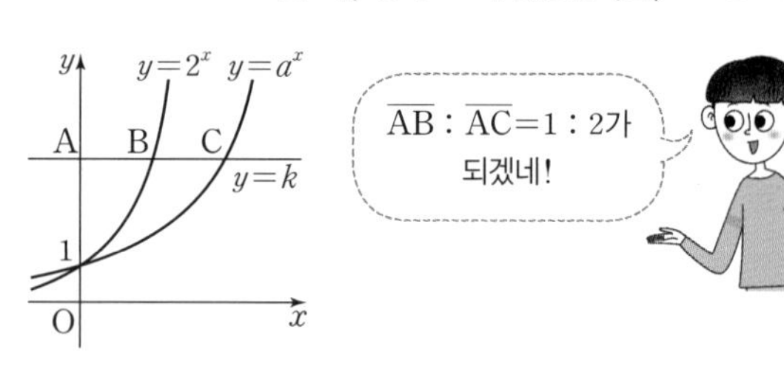


① $\sqrt[3]{2}$ ② $\sqrt{2}$ ③ $\sqrt{3}$
④ $\sqrt[3]{3}$ ⑤ 5

**Tip**
$\overline{AB}:\overline{BC}=1:1$에서 $\overline{AB}:\overline{AC}=1:❶\square$이므로 두 점 B, C의 $x$좌표를 각각 $b$, $2b\ (b>0)$로 놓으면 $k=2^b=a^{❷\square}$

답 ❶ 2 ❷ $2b$

## 5

두 함수 $f(x)$, $g(x)$를

$$f(x)=x^2-4x+2,\ g(x)=a^x\ (a>1)$$

이라 하자. $0\le x\le 3$에서 함수 $(g\circ f)(x)$의 최댓값은 2, 최솟값은 $m$이다. 이때 실수 $m$에 대하여 $4m$의 값은?

① 1　② 2　③ 3　④ 4　⑤ 5

**Tip**

$(g\circ f)(x)=a^{f(x)}$은 (밑)>1이므로 $f(x)$가 최대일 때 ❶ ____, $f(x)$가 최소일 때 ❷ ____을 갖는다.

답 ❶ 최댓값 ❷ 최솟값

## 6

다음 함수의 그래프 중 함수 $y=\log_3 x$의 그래프를 평행이동하거나 대칭이동하여 포갤 수 없는 것은?

① $y=\log_3 \frac{1}{x}$　② $y=\log_3 3x$　③ $y=\log_3 x^2$　④ $y=3^{x-1}$　⑤ $y=\left(\frac{1}{3}\right)^x$

**Tip**

지수함수 $y=a^x$의 그래프와 로그함수 $y=\log_a x$의 그래프는 직선 ❶ ____에 대하여 대칭이다.

답 ❶ $y=x$

## 7

방정식 $25^x-2\times 5^{x+1}+k=0$의 서로 다른 두 실근의 합이 2일 때, 상수 $k$의 값은?

① 1　② 5　③ 10　④ 25　⑤ 50

**Tip**

주어진 방정식의 두 근이 $\alpha$, $\beta$이면 $5^x=t\ (t>0)$로 치환하여 나타낸 방정식의 두 근은 ❶ ____, ❷ ____이다.

답 ❶ $5^\alpha$ ❷ $5^\beta$

## 8

모든 실수 $x$에 대하여 부등식

$$x^2+2x\log_2 a+5\log_2 a-4>0$$

이 성립하도록 하는 실수 $a$의 값의 범위를 구하시오.

**Tip**

이차방정식 $x^2+2x\log_2 a+5\log_2 a-4=0$의 ❶ ____에서 $\log_2 a=t$로 ❷ ____하여 부등식을 푼다.

답 ❶ 판별식 ❷ 치환

# 1주 누구나 합격 전략

## 1

$-27$의 세제곱근 중 실수인 것을 $a$, $256$의 네제곱근 중 양수인 것을 $b$라 할 때, $a+b$의 값은?

① $-2$　② $-1$　③ $0$　④ $1$　⑤ $2$

## 2

$\sqrt[3]{64}+125^{\frac{2}{3}}$의 값은?

① 21　② 23　③ 25　④ 27　⑤ 29

## 3

$\log_{x-1}(-x^2+5x+6)$이 정의되도록 하는 모든 정수 $x$의 값의 합은?

① 1　② 5　③ 9　④ 12　⑤ 15

## 4

$\frac{1}{2}\log_3 5-2\log_3 \frac{1}{3}-\log_3 \sqrt{15}$를 간단히 하면?

① $\frac{1}{2}$　② $1$　③ $\frac{3}{2}$　④ $2$　⑤ $\frac{5}{2}$

## 5

$\log_5 2=a$, $\log_5 3=b$일 때, $\log 6$을 $a$, $b$로 나타낸 것은?

① $\frac{a+b}{a+1}$　② $\frac{ab}{a+1}$　③ $\frac{a+b}{ab}$　④ $\frac{a+1}{2ab}$　⑤ $\frac{ab+1}{2ab}$

log 6을
5를 밑으로 하는
로그로 바꿔 봐.

## 6

$\log 2.81=0.4487$일 때, $\log 0.0281$의 값을 구하시오.

## 7

함수 $y=2^{x-1}+a$의 그래프가 점 $(1, 3)$을 지날 때, 상수 $a$의 값은?

① 1 ② 2 ③ 3
④ 4 ⑤ 5

## 8

함수 $y=\log_2 x$의 그래프를 $x$축의 방향으로 $a$만큼, $y$축의 방향으로 $b$만큼 평행이동하면 함수 $y=\log_2 (2x-8)$의 그래프와 일치할 때, 상수 $a$, $b$에 대하여 $a-b$의 값은?

① 1 ② 2 ③ 3
④ 4 ⑤ 5

## 9

방정식 $3^{2x}+27=4\times 3^{x+1}$의 모든 실근의 합은?

① 1 ② 2 ③ 3
④ 4 ⑤ 5

## 10

다음 부등식을 만족시키는 정수 $x$의 개수는?

① 1 ② 2 ③ 3
④ 4 ⑤ 5

# 1주 창의·융합·코딩 전략 ①

## 1

다음 미션을 따라 원기둥과 원뿔을 만들었을 때, 원기둥의 높이와 원뿔의 높이의 곱은?

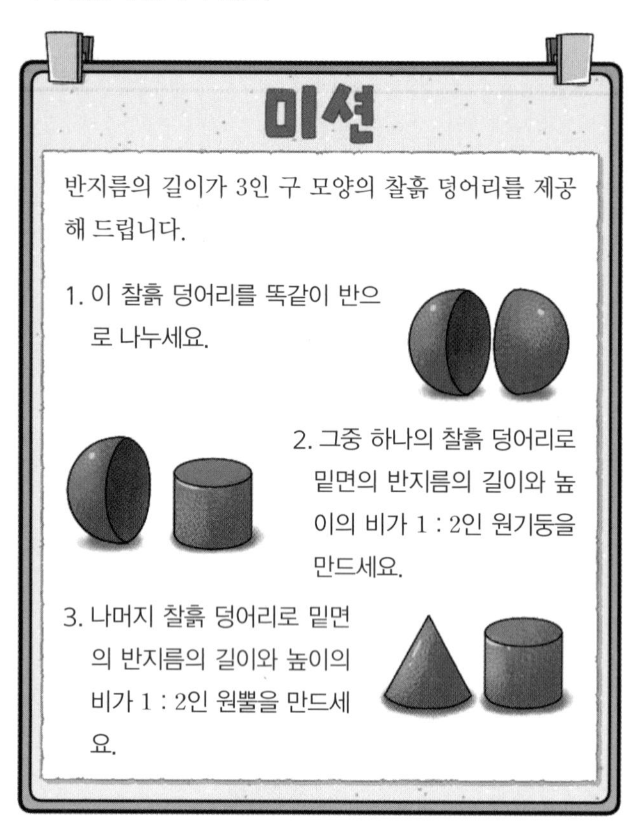


① $10\sqrt[3]{3}$ ② $12\sqrt[3]{3}$ ③ $15\sqrt[3]{3}$
④ $12\sqrt[3]{9}$ ⑤ $15\sqrt[3]{9}$

**Tip**

원기둥과 원뿔의 높이를 각각 $a$, $b$라 하면 원기둥의 부피는 $\left(\frac{1}{2}a\right)^2\pi\times$ ❶ ☐ 이고, 원뿔의 부피는 $\frac{1}{❷ ☐}\times\left(\frac{1}{2}b\right)^2\pi\times b$ 이다.

답 ❶ $a$ ❷ 3

## 2

어느 연구소에서 미생물 A, B의 개체수의 변화량을 조사하였다. 어느 날 정오에 조사한 미생물 A와 B의 개체수는 각각 2560, 1이었다. 그 후 미생물 A는 시간당 4배로 일정하게 증가하였고, 미생물 B는 시간당 2배, 4배, 8배, …로 증가하였다. 오후 6시에 미생물의 개체수를 조사할 때, 미생물 A의 개체수는 미생물 B의 개체수의 몇 배인가?

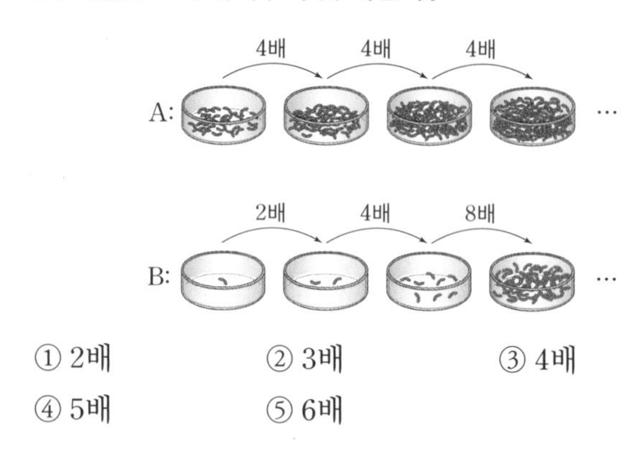


① 2배 ② 3배 ③ 4배
④ 5배 ⑤ 6배

**Tip**

정오에서 6시간 지난 후 미생물 A의 개체수는 $2560\times$ ❶ ☐, 미생물 B의 개체수는 $2\times4\times8\times16\times32\times$ ❷ ☐ 이다.

답 ❶ $4^6$ ❷ 64

## 3

다음 그림과 같이 세 개의 옥타브로 이루어진 어떤 피아노가 있다. 각 옥타브마다 '도'를 0번 음으로 하고 나머지 음에 순서대로 번호를 붙이면 '솔'은 7번, '라'는 9번 음이 된다.

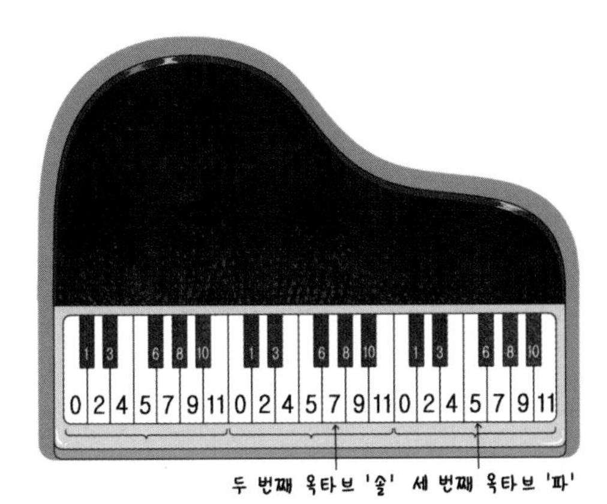


이 피아노의 $m$번째 옥타브의 $p$번 음의 진동수 $N$은 다음과 같다.

$N=k\times2^{m}\times(\sqrt[12]{2})^{p}$ ($k$는 상수)

세 번째 옥타브 '파'의 진동수는 두 번째 옥타브 '솔'의 진동수의 몇 배인가?

① $2^{\frac{5}{6}}$배 ② $2^{\frac{13}{12}}$배 ③ $2^{\frac{17}{12}}$배
④ $2^{\frac{19}{12}}$배 ⑤ $2^{\frac{7}{4}}$배

**Tip**

두 번째 옥타브 '솔'의 진동수에서 $m=$ ❶ , $p=7$이고 세 번째 옥타브 '파'의 진동수에서 $m=3$, $p=$ ❷ 이다.

답 ❶ 2 ❷ 5

## 4

두께가 $0.1\text{ mm}$이고 계속하여 반으로 접을 수 있는 종이가 있다고 가정하면 이 종이의 두께는

$0.1\times2\text{ mm}$, $0.1\times2\times2\text{ mm}$, $0.1\times2\times2\times2\text{ mm}$, $\cdots$

가 된다. 이 종이를 12번 접었을 때의 두께는 몇 cm인가?

(단, $2^{10}=10^{3}$으로 계산한다.)

① 32 cm ② 36 cm ③ 40 cm
④ 48 cm ⑤ 52 cm

두께가 0.2 mm인 신문지를 50번 접었을 때의 두께는

$0.2\times2^{50}\text{ mm}=2.24\times10^{8}\text{ km}$

가 된다. 실제 지구에서 태양까지의 거리는 약 $1.5\times10^{8}\text{ km}$이므로 신문지의 두께가 태양까지의 거리보다 더 크다. 하지만 실제로 종이를 10번 이상 접는 것은 거의 불가능하다고 알려져 있다.

**Tip**

$n$번 접은 종이의 두께를 $f(n)$ mm라 하면

$f(n)=0.1\times2^{❶}$

답 ❶ $n$

## 5

다음 대화를 읽고, 물음에 답하시오.

(1) $(a+1)(b+9)$의 최솟값을 구하시오.

(2) $2ab+a+4b$의 최솟값을 구하시오.

**Tip**

$a>0$, $b>0$일 때, ❶ ☐ 평균과 기하평균의 관계에서

$\frac{a+b}{2} \geq$ ❷ ☐ (등호는 $a=b$일 때 성립한다.)

임을 이용한다.

답 ❶ 산술 ❷ $\sqrt{ab}$

## 6

다음은 자전거 광고 전단지이다.

11단 기어의 속력은 1단 기어의 속력의 약 몇 배인지 상용로그표를 이용하여 소수점 아래 둘째 자리까지 구하시오.

[상용로그표]

| | 0 | 1 | 2 | 3 | 4 |
|---|---|---|---|---|---|
| 1.0 | .0000 | .0043 | .0086 | .0128 | .0170 |
| 1.1 | .0414 | .0453 | .0492 | .0531 | .0569 |
| ⋮ | ⋮ | ⋮ | ⋮ | ⋮ | ⋮ |
| 2.8 | .4472 | .4487 | .4502 | .4518 | .4533 |
| 2.9 | .4624 | .4639 | .4654 | .4669 | .4683 |

**Tip**

1단 기어의 속력을 $a$라 하면 2단 기어의 속력은 ❶ ☐ $a$, 3단 기어의 속력은 ❷ ☐ $a$이다.

답 ❶ 1.11 ❷ $1.11^2$

## 7

함수 $y=3^{-x+2}-1$에 대한 설명이 옳지 않은 사람을 모두 말하시오.

은선
점근선의 방정식은 $x=2$야.

시우
$x$의 값이 증가하면 $y$의 값은 감소해.

효주
치역은 $\{y|y>-1\}$이야.

형선
그래프는 제3사분면을 지나지 않아.

지현
역함수는 $y=2-\log_3(x+1)$이야.

**Tip**

$y=3^{-x+2}-1=3^{-(x-2)}-1=($ ❶ $)^{x-2}-1$에서 $y=\left(\frac{1}{3}\right)^x$의 그래프를 $x$축의 방향으로 ❷ 만큼, $y$축의 방향으로 $-1$만큼 평행이동한 것이다.

답 ❶ $\frac{1}{3}$ ❷ 2

## 8

다음 실험 일지를 읽고, 이 효모균이 처음의 10배로 증식하는 데 몇 분이 걸리는 지 구하시오.

(단, $\log 2=0.30$으로 계산한다.)

음, 보기만 해도 군침이 도는 빵! 정말 맛있어 보이죠? 적당히 부풀어 오른 빵을 한 입 베어 먹었을 때의 고소함, 달콤함~~
그런데 빵을 부풀어 오르게 하는 효모에 대해서 알고 계시나요?

효모, 보통 이스트라고 하죠? 오늘은 빵을 만들 때 사용하는 효모균의 증식 속도를 알아보는 실험을 하려고 합니다.

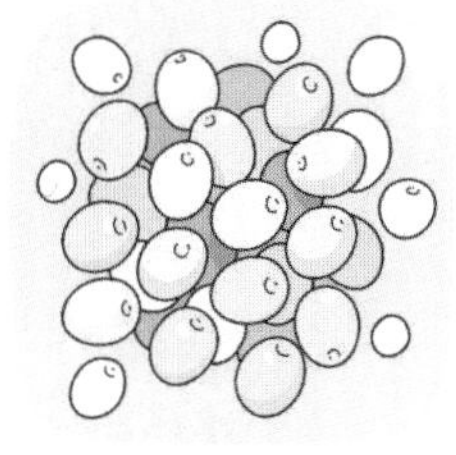

실험 일지

○○월 ○○일

(1) 일정한 온도와 습도를 유지하고 20분이 지나니 효모균이 처음의 2배로 증식하였다.

(2) 다시 20분이 지나니 처음의 4배로 증식하였다.

(3) 실험 시작 후 한 시간이 지나니 처음의 8배로 증식하였다.

[결과]

이 효모균은 20분마다 2배로 증식한다.

**Tip**

20분마다 2배로 증식하므로
실험 시작 40분 후이면 $40=20\times2$에서 $2^2$배
실험 시작 60분 후이면 ❶ $=20\times3$에서 $2^3$배
⋮
실험 시작 $20n$분 후이면 ❷ 배로 증식한다.

답 ❶ 60 ❷ $2^n$

2 주

# 삼각함수

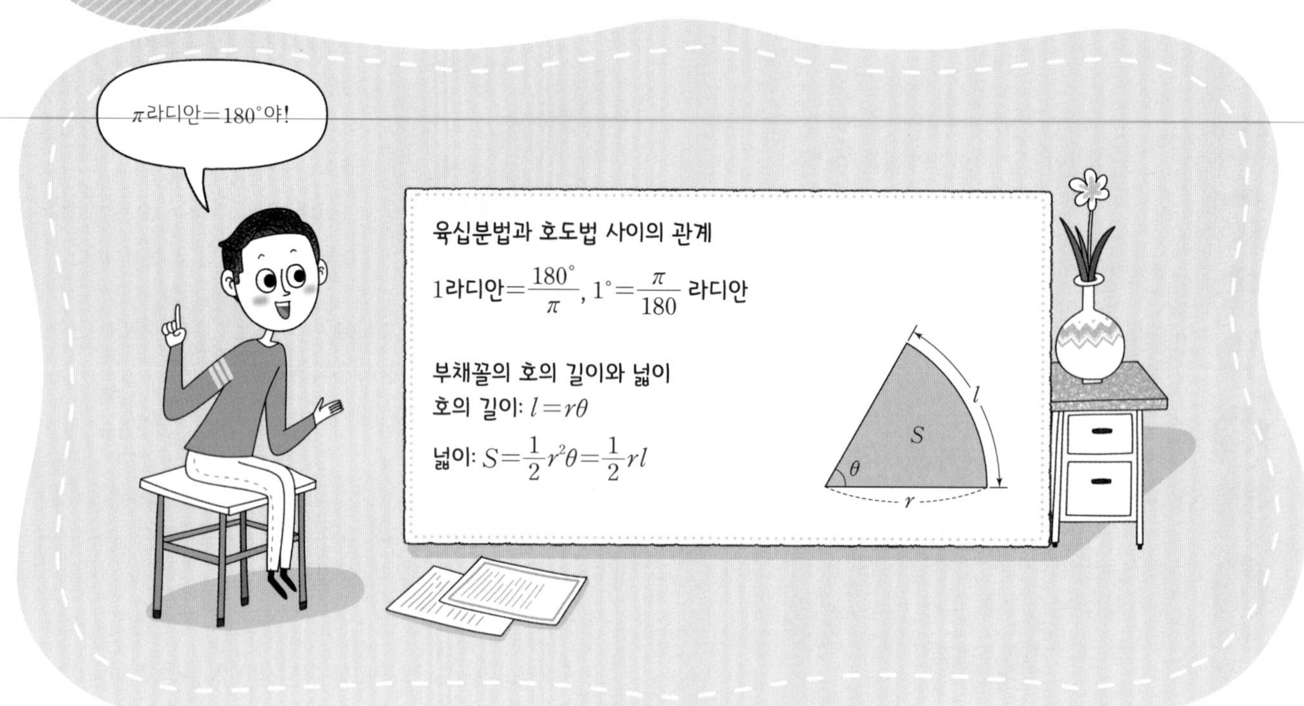
π라디안=180°야!
육십분법과 호도법 사이의 관계
1라디안=180°/π, 1°=π/180 라디안
부채꼴의 호의 길이와 넓이
호의 길이: l=rθ
넓이: S=1/2r²θ=1/2rl
S
l
θ
r

삼각함수는
각 사분면에서 값의 부호가
달라져서 헷갈려.
P(x, y)
r
y
θ
-r
x
O
r
x
-r
⇒ sin θ=y/r, cos θ=x/r,
tan θ=y/x (x≠0)
제1사분면부터
차례대로 읽어서
얼(all) → 싸(sin)
→ 안(tan) → 코(cos)
로 기억해.
각 사분면에서 값의 부호가 +인 삼각함수
y
sin
all
O
x
tan
cos

**공부할 내용** 1. 일반각과 호도법 2. 삼각함수 3. 삼각함수의 그래프

**삼각함수의 성질**

- $\sin(\pi+x)=-\sin x$
- $\cos(\pi+x)=-\cos x$
- $\tan(\pi+x)=\tan x$
- $\sin\left(\frac{\pi}{2}+x\right)=\cos x$
- $\cos\left(\frac{\pi}{2}+x\right)=-\sin x$
- $\tan\left(\frac{\pi}{2}+x\right)=-\frac{1}{\tan x}$

# 개념 돌파 전략 ① _ 2. 삼각함수

## 개념 ❶ 일반각과 호도법

(1) 일반각

시초선 OX와 동경 OP가 나타내는 ∠XOP의 크기 중에서 하나를 $\alpha^\circ$라 할 때, 동경 OP가 나타내는 일반각의 크기는

❶ $\square \times n+\alpha^\circ$ (단, $n$은 정수)

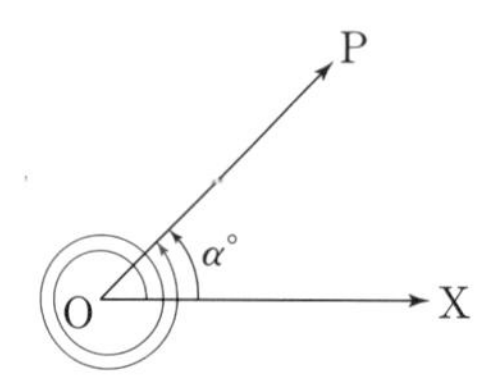


(2) 호도법

① $\dfrac{180^\circ}{\pi}$를 1라디안이라 하고, 이것을 단위로 각의 크기를 나타내는 방법

② 1라디안$=\dfrac{180^\circ}{\pi}$, $1^\circ=\dfrac{\pi}{❷\square}$라디안

답 ❶ $360^\circ$ ❷ $180$

**Quiz**

$120^\circ$를 호도법으로 나타내면

➡ $120^\circ=120\times\dfrac{\pi}{❶\square}$

$=\dfrac{❷\square}{3}\pi$

호도법으로 나타낼 때는 단위인 '라디안'은 생략해.

답 ❶ 180 ❷ 2

## 개념 ❷ 부채꼴의 호의 길이와 넓이

반지름의 길이가 $r$, 중심각의 크기가 $\theta$ (라디안)인 부채꼴의 호의 길이를 $l$, 넓이를 $S$라 하면

① $l=$ ❶ $\square$　　② $S=\dfrac{1}{2}r^2\theta=\dfrac{1}{2}r$ ❷ $\square$

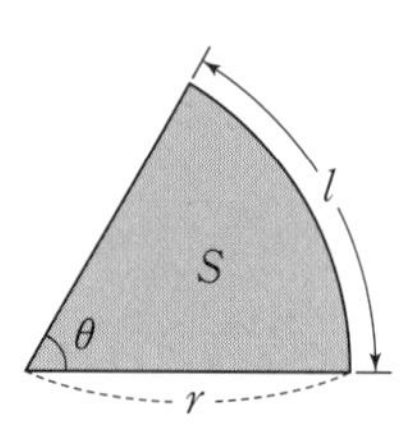


참고 부채꼴의 중심각의 크기 $\theta$는 호도법으로 나타낸 각이다.

답 ❶ $r\theta$ ❷ $l$

**Quiz**

반지름의 길이가 2, 중심각의 크기가 $\dfrac{\pi}{2}$인 부채꼴의 호의 길이를 구하면

➡ ❶ $\square\times\dfrac{\pi}{2}=$ ❷ $\square$

답 ❶ 2 ❷ $\pi$

## 개념 ❸ 삼각함수

(1) 동경 OP가 나타내는 일반각 $\theta$에 대하여

$\sin\theta=\dfrac{y}{r}$, $\cos\theta=\dfrac{x}{r}$, $\tan\theta=\dfrac{y}{x}$ $(x\neq0)$

이 함수를 차례로 $\theta$에 대한 사인함수, 코사인함수, 탄젠트함수라 하고, 이 함수들을 통틀어 $\theta$에 대한 ❶ $\square$라 한다.

(2) 삼각함수 사이의 관계

① $\tan\theta=\dfrac{\sin\theta}{\cos\theta}$　　② $\sin^2\theta+\cos^2\theta=$ ❷ $\square$

답 ❶ 삼각함수 ❷ 1

**Quiz**

원점 O와 단위원 위의 점 $\mathrm{P}\left(\dfrac{\sqrt{2}}{2}, \dfrac{\sqrt{2}}{2}\right)$를 지나는 동경 OP가 나타내는 각을 $\theta$라 할 때, $\sin\theta$, $\cos\theta$, $\tan\theta$의 값을 구하면

➡ 단위원은 반지름의 길이가 1인 원이므로 $\overline{\mathrm{OP}}=1$

$\therefore \sin\theta=$ ❶ $\square$,

$\cos\theta=\dfrac{\sqrt{2}}{2}$

$\tan\theta=$ ❷ $\square$

답 ❶ $\dfrac{\sqrt{2}}{2}$ ❷ 1

## 1-1

다음 중 옳지 않은 것은?

① $30^\circ=\frac{\pi}{6}$　② $45^\circ=\frac{\pi}{4}$　③ $60^\circ=\frac{\pi}{3}$

④ $90^\circ=\frac{\pi}{2}$　⑤ $360^\circ=\pi$

**풀이** $1^\circ=\frac{❶\square}{180}$라디안이므로

⑤ $360^\circ=360\times\frac{\pi}{180}=$ ❷☐

❶ $\pi$ ❷ $2\pi$ 답 ⑤

## 1-2

$\frac{5}{4}\pi$를 육십분법으로 나타내시오.

## 2-1

반지름의 길이가 3, 호의 길이가 $2\pi$인 부채꼴의 넓이는?

① $\pi$　② $2\pi$　③ $3\pi$

④ $6\pi$　⑤ $9\pi$

**풀이** 구하는 부채꼴의 넓이는

$\frac{1}{❶\square}\times3\times$ ❷☐ $=3\pi$

❶ 2 ❷ $2\pi$ 답 ③

## 2-2

반지름의 길이가 4, 중심각의 크기가 $\frac{\pi}{3}$인 부채꼴의 넓이를 구하시오.

## 3-1

원점 O와 점 P$(12, -5)$를 지나는 동경 OP가 나타내는 각을 $\theta$라 할 때, $\sin\theta$의 값은?

① $-\frac{12}{13}$　② $-\frac{5}{13}$　③ $\frac{5}{13}$

④ $\frac{5}{12}$　⑤ $\frac{12}{13}$

**풀이** $\overline{OP}=\sqrt{12^2+(-5)^2}=$ ❶☐ 이므로

$\sin\theta=\frac{❷\square}{13}=-\frac{5}{13}$

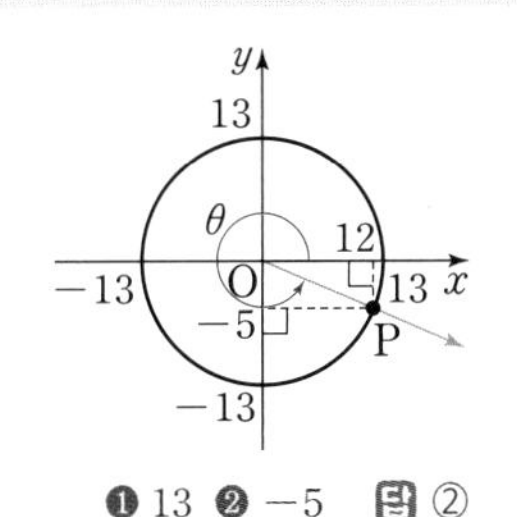


❶ 13 ❷ −5 답 ②

## 3-2

원점 O와 점 P$(-6, -8)$을 지나는 동경 OP가 나타내는 각을 $\theta$라 할 때, $\cos\theta$의 값을 구하시오.

## 개념 ❹ | 함수 $y=\sin x$, $y=\cos x$의 그래프와 성질

(1) 정의역은 실수 전체의 집합이고, 치역은 $\{y \mid -1 \le y \le 1\}$이다.

(2) $y=\sin x$의 그래프는 [ ❶ ]에 대하여 대칭이고, $y=\cos x$의 그래프는 [ ❷ ]에 대하여 대칭이다. → $\sin(-x)=-\sin x$, $\cos(-x)=\cos x$

(3) 주기가 [ ❸ ]인 주기함수이다. → $\sin(2n\pi+x)=\sin x$, $\cos(2n\pi+x)=\cos x$ (단, $n$은 정수)

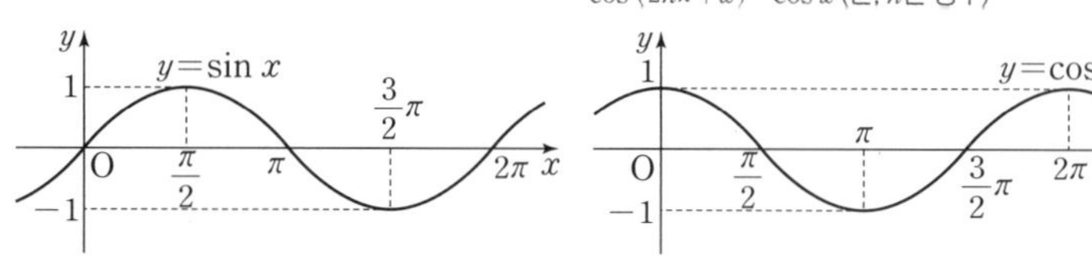


**Quiz**

$y=a\sin bx$ $(a>0, b>0)$의 그래프는

➡ $y=\sin x$의 그래프를 $x$축의 방향으로 $\dfrac{1}{❶}$배, $y$축의 방향으로 $a$배한 것이므로

치역: $\{y \mid -a \le y \le a\}$

주기: $\dfrac{❷}{b}$

답 ❶ 원점 ❷ $y$축 ❸ $2\pi$

답 ❶ $b$ ❷ $2\pi$

## 개념 ❺ | 함수 $y=\tan x$의 그래프와 성질

(1) 정의역은 $n\pi+\dfrac{\pi}{2}$ ($n$은 정수)를 제외한 실수 전체의 집합이고, 치역은 [ ❶ ] 전체의 집합이다.

(2) $y=\tan x$의 그래프의 점근선은 직선 $x=n\pi+\dfrac{\pi}{2}$ ($n$은 정수)이다.

(3) $y=\tan x$의 그래프는 [ ❷ ]에 대하여 대칭이다. → $\tan(-x)=-\tan x$

(4) 주기가 [ ❸ ]인 주기함수이다. → $\tan(n\pi+x)=\tan x$ (단, $n$은 정수)

**Quiz**

$y=a\tan bx$ $(a>0, b>0)$의 그래프는

➡ $y=\tan x$의 그래프를 $x$축의 방향으로 $\dfrac{1}{b}$배, $y$축의 방향으로 [ ❶ ]배한 것이므로

점근선: 직선 $x=\dfrac{1}{b}\left(n\pi+\dfrac{\pi}{2}\right)$ ($n$은 정수)

주기: $\dfrac{❷}{b}$

답 ❶ 실수 ❷ 원점 ❸ $\pi$

답 ❶ $a$ ❷ $\pi$

## 개념 ❻ | 삼각함수의 성질

(1) $\pi+x$의 삼각함수

① $\sin(\pi+x)=-\sin x$ ② $\cos(\pi+x)=-\cos x$

③ $\tan(\pi+x)=$ [ ❶ ]

(2) $\dfrac{\pi}{2}+x$의 삼각함수

① $\sin\left(\dfrac{\pi}{2}+x\right)=\cos x$ ② $\cos\left(\dfrac{\pi}{2}+x\right)=$ [ ❷ ]

③ $\tan\left(\dfrac{\pi}{2}+x\right)=-\dfrac{1}{\tan x}$

**Quiz**

$\sin\dfrac{4}{3}\pi$의 값을 구하면

➡ $\sin\dfrac{4}{3}\pi=\sin\left(\pi+\dfrac{\pi}{❶}\right)$

$=-\sin\dfrac{\pi}{❷}$

$=-\dfrac{\sqrt{3}}{2}$

답 ❶ $\tan x$ ❷ $-\sin x$

답 ❶ 3 ❷ 3

## 4-1

함수 $y=3\sin 2x$의 주기와 치역을 차례로 구한 것은?

① $\pi$, $\{y\,|\,-1\le y\le 1\}$
② $\pi$, $\{y\,|\,-3\le y\le 3\}$
③ $2\pi$, $\{y\,|\,-1\le y\le 1\}$
④ $2\pi$, $\{y\,|\,-3\le y\le 3\}$
⑤ $4\pi$, $\{y\,|\,-1\le y\le 1\}$

**풀이** $3\sin 2x=3\sin(2x+2\pi)=3\sin 2(x+\pi)$의 주기는 ❶ [ ]

$-3\le 3\sin 2x\le 3$이므로 치역은 $\{y\,|\,-3\le y\le$ ❷ [ ] $\}$

❶ $\pi$ ❷ 3 답 ②

## 4-2

함수 $y=2\cos 3x$의 주기와 치역을 구하시오.

## 5-1

함수 $y=\frac{1}{2}\tan 3x$의 점근선의 방정식은 $x=an\pi+b\pi$ ($n$은 정수)일 때, 상수 $a$, $b$에 대하여 $a+b$의 값은?

① $\frac{1}{6}$
② $\frac{1}{4}$
③ $\frac{1}{3}$
④ $\frac{1}{2}$
⑤ 1

**풀이** 점근선의 방정식은

$x=\frac{1}{3}\left(n\pi+\frac{\pi}{2}\right)=\frac{n}{3}\pi+\frac{\pi}{6}$ ($n$은 정수)

따라서 $a=$ ❶ [ ], $b=$ ❷ [ ]이므로 $a+b=\frac{1}{2}$

❶ $\frac{1}{3}$ ❷ $\frac{1}{6}$ 답 ④

## 5-2

함수 $y=2\tan\frac{x}{2}$의 점근선의 방정식을 구하시오.

## 6-1

$\cos\frac{5}{6}\pi+\sin\frac{7}{3}\pi$의 값은?

① $-\frac{\sqrt{3}}{2}$
② $-\frac{1}{2}$
③ 0
④ $\frac{1}{2}$
⑤ $\frac{\sqrt{3}}{2}$

**풀이** $\cos\frac{5}{6}\pi+\sin\frac{7}{3}\pi=\cos\left(\frac{\pi}{2}+\frac{\pi}{❶\,[\ ]}\right)+\sin\left(2\pi+\frac{\pi}{3}\right)$

$=-\sin\frac{\pi}{3}+\sin\frac{\pi}{3}=$ ❷ [ ]

❶ 3 ❷ 0 답 ③

## 6-2

$\sin\frac{7}{6}\pi\tan\frac{5}{4}\pi$의 값을 구하시오.

# 2주 1일 개념 돌파 전략 ② _ 2. 삼각함수

**바탕 문제**

680°의 동경이 나타내는 일반각을 $360^\circ \times n + \alpha^\circ$ 꼴로 나타내시오.
(단, $n$은 정수, $0^\circ \le \alpha^\circ < 360^\circ$)

➡ $680^\circ = 360^\circ \times 1 + $ ❶ $^\circ$이므로
$360^\circ \times n + $ ❷ $^\circ$

답 ❶ 320 ❷ 320

**1** 다음 중 각을 나타내는 동경이 나머지 넷과 다른 하나는?

① $410^\circ$ ② $770^\circ$ ③ $-310^\circ$
④ $-570^\circ$ ⑤ $1130^\circ$

**바탕 문제**

$-108^\circ$를 호도법으로 나타내시오.

➡ $-108^\circ = -108 \times \dfrac{\pi}{❶} = -\dfrac{❷}{5}\pi$

답 ❶ 180 ❷ 3

**2** 다음 중 육십분법은 호도법으로, 호도법은 육십분법으로 나타낸 것으로 옳지 않은 것은?

① $168^\circ = \dfrac{14}{15}\pi$ ② $\dfrac{3}{4}\pi = 135^\circ$ ③ $\dfrac{5}{3}\pi = 300^\circ$
④ $64^\circ = \dfrac{2}{5}\pi$ ⑤ $\dfrac{5}{12}\pi = 75^\circ$

**바탕 문제**

반지름의 길이가 3, 중심각의 크기가 105°인 부채꼴의 넓이를 구하시오.

➡ $105^\circ = 105 \times \dfrac{\pi}{180} = \dfrac{❶}{12}\pi$
이므로 부채꼴의 넓이는
$\dfrac{1}{2} \times 3^2 \times \dfrac{7}{12}\pi = \dfrac{❷}{8}\pi$

답 ❶ 7 ❷ 21

**3** 반지름의 길이가 5, 중심각의 크기가 60°인 부채꼴의 둘레의 길이는?

① $5+\dfrac{\pi}{3}$ ② $5+\dfrac{5}{3}\pi$ ③ $10+\dfrac{\pi}{3}$
④ $10+\dfrac{5}{3}\pi$ ⑤ $10+\dfrac{25}{6}\pi$

**바탕 문제**

각 $\theta$가 제1사분면의 각이고 $\cos\theta = \dfrac{5}{13}$일 때, $\sin\theta$의 값을 구하시오.

➡ $\sin^2\theta = 1 - \cos^2\theta = 1 - \dfrac{25}{169} = \dfrac{❶}{169}$
이때 $\sin\theta > 0$이므로 $\sin\theta = \dfrac{❷}{13}$

답 ❶ 144 ❷ 12

**4** 각 $\theta$가 제3사분면의 각이고 $\sin\theta = -\dfrac{1}{3}$일 때, $\tan\theta$의 값은?

① $\dfrac{1}{4}$ ② $\dfrac{\sqrt{2}}{4}$ ③ $\dfrac{\sqrt{2}}{3}$
④ $\dfrac{2\sqrt{2}}{3}$ ⑤ $2\sqrt{2}$

**바탕 문제**

함수 $y=3\cos\frac{x}{3}+1$의 주기를 구하시오.

➡ $y=\cos x$의 주기는 ❶ ☐ 이므로

$y=3\cos\frac{x}{3}+1$의 주기는 $\frac{2\pi}{\frac{1}{3}}=$ ❷ ☐

답 ❶ $2\pi$ ❷ $6\pi$

**5** 두 함수 $y=2\sin ax$와 $y=\tan\frac{x}{4}$의 주기가 서로 같을 때, 양수 $a$의 값은?

① $\frac{1}{4}$ ② $\frac{1}{2}$ ③ 1
④ 2 ⑤ 4

**바탕 문제**

함수 $y=\cos x$의 그래프를 $x$축의 방향으로 2만큼, $y$축의 방향으로 3만큼 평행이동한 그래프의 방정식을 구하시오.

➡ $y-$ ❶ ☐ $=\cos(x-2)$

$\therefore y=\cos(x-2)+$ ❷ ☐

답 ❶ 3 ❷ 3

삼각함수의 평행이동도 도형의 평행이동과 같구나.

**6** 함수 $y=2\tan x+1$의 그래프를 $x$축의 방향으로 1만큼, $y$축의 방향으로 2만큼 평행이동하면 함수 $y=2\tan(x-a)+b$의 그래프와 일치한다. 이때 상수 $a$, $b$에 대하여 $a+b$의 값은?

① 0 ② 1 ③ 2
④ 3 ⑤ 4

**바탕 문제**

$\cos\left(\frac{\pi}{2}+\theta\right)+\sin(\pi-\theta)$의 값을 구하시오.

➡ (주어진 식)

$=$ ❶ ☐ $+\sin\theta=$ ❷ ☐

답 ❶ $-\sin\theta$ ❷ 0

**7** $\tan(\pi+\theta)\tan\left(\frac{\pi}{2}-\theta\right)$의 값은?

① $-2$ ② $-1$ ③ 0
④ 1 ⑤ 2

# 필수 체크 전략 ①

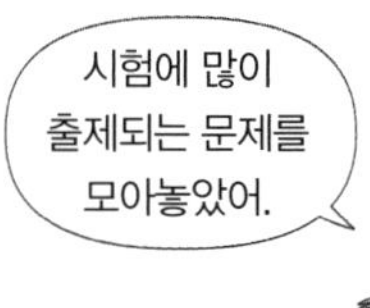


## 전략 ❶ | 육십분법과 호도법

(1) 육십분법의 각을 호도법의 각으로 바꿀 때 ➡ (육십분법의 각) $\times \dfrac{\pi}{\boxed{❶\quad}}$

(2) 호도법의 각을 육십분법의 각으로 바꿀 때 ➡ (호도법의 각) $\times \dfrac{\boxed{❷\quad}^\circ}{\pi}$

답 ❶ 180 ❷ 180

### 필수예제 1

다음 보기에서 옳은 것만을 있는 대로 고른 것은?

• 보기 •

ㄱ. $45^\circ = \dfrac{\pi}{4}$　ㄴ. $\dfrac{2}{3}\pi = 240^\circ$　ㄷ. $150^\circ = \dfrac{5}{6}\pi$

ㄹ. $225^\circ = \dfrac{4}{5}\pi$　ㅁ. $\dfrac{11}{12}\pi = 165^\circ$　ㅂ. $60^\circ = \dfrac{\pi}{6}$

① ㄱ, ㄴ, ㄷ　② ㄱ, ㄷ, ㅁ　③ ㄴ, ㄷ, ㅁ　④ ㄴ, ㅁ, ㅂ　⑤ ㄷ, ㄹ, ㅂ

| 풀이 |

ㄱ. $45^\circ = 45 \times \dfrac{\pi}{180} = \dfrac{\pi}{4}$

ㄴ. $\dfrac{2}{3}\pi = \dfrac{2}{3}\pi \times \dfrac{180^\circ}{\pi} = 120^\circ$

ㄷ. $150^\circ = 150 \times \dfrac{\pi}{180} = \dfrac{5}{6}\pi$

ㄹ. $225^\circ = 225 \times \dfrac{\pi}{180} = \dfrac{5}{4}\pi$

ㅁ. $\dfrac{11}{12}\pi = \dfrac{11}{12}\pi \times \dfrac{180^\circ}{\pi} = 165^\circ$

ㅂ. $60^\circ = 60 \times \dfrac{\pi}{180} = \dfrac{\pi}{3}$

따라서 옳은 것은 ㄱ, ㄷ, ㅁ이다.

답 ②

## 1-1

다음 보기에서 옳은 것만을 있는 대로 고른 것은?

• 보기 •

ㄱ. $\dfrac{360^\circ}{\pi} = 2$

ㄴ. $1240^\circ$는 제3사분면의 각이다.

ㄷ. $210^\circ$, $-\dfrac{5}{6}\pi$, $\dfrac{19}{6}\pi$를 나타내는 동경은 모두 일치한다.

① ㄱ　② ㄴ　③ ㄱ, ㄴ
④ ㄱ, ㄷ　⑤ ㄴ, ㄷ

## 1-2

다음 (가), (나)에 차례로 알맞은 값을 구하시오.

(단, $0 \le$ (가) $< 2\pi$)

각 $1320^\circ$의 동경이 나타내는 일반각을 호도법으로 나타내면 $2n\pi +$ (가) ($n$은 정수)이고 이 각은 제 (나) 사분면의 각이다.

## 전략 ❷ 부채꼴의 호의 길이와 넓이

반지름의 길이가 $r$, 중심각의 크기가 $\theta$ (라디안)인 부채꼴의 호의 길이를 $l$, 넓이를 $S$라 하면

① $l=$ ❶

② $S=\frac{1}{2}r^2\theta=\frac{1}{2}$ ❷

참고 중심각의 크기가 육십분법으로 주어지면 호도법으로 고쳐서 계산한다.

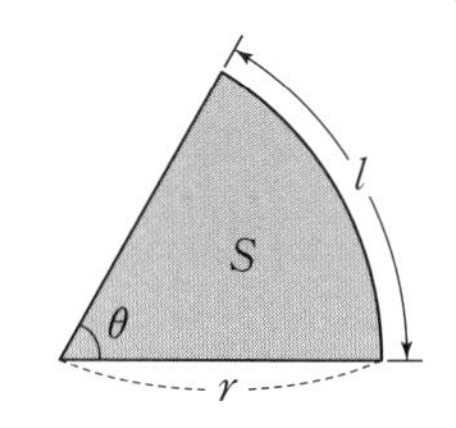


답 ❶ $r\theta$ ❷ $rl$

### 필수예제 2

**(1)** 호의 길이가 $2\pi$이고 중심각의 크기가 $\frac{\pi}{4}$인 부채꼴의 넓이는?

① $2\pi$ ② $4\pi$ ③ $6\pi$ ④ $8\pi$ ⑤ $10\pi$

**(2)** 중심각의 크기가 3이고, 넓이가 24인 부채꼴의 호의 길이를 구하시오.

| 풀이 |

**(1)** 부채꼴의 반지름의 길이를 $r$라 하면

$2\pi=r\times\frac{\pi}{4}$ $\quad\therefore r=8$

따라서 부채꼴의 넓이는

$\frac{1}{2}\times8\times2\pi=8\pi$

**(2)** 부채꼴의 반지름의 길이를 $r$라 하면

$24=\frac{1}{2}r^2\times3,\ r^2=16$ $\quad\therefore r=4\ (\because r>0)$

따라서 부채꼴의 호의 길이는

$4\times3=12$

참고

반지름의 길이가 $r$, 중심각의 크기가 $\theta$ (라디안)인 부채꼴의 호의 길이를 $l$, 넓이를 $S$라 하면

① $l:2\pi r=\theta:2\pi$ ➡ $l=r\theta$

② $S:\pi r^2=\theta:2\pi$ ➡ $S=\frac{1}{2}r^2\theta$

부채꼴의 호의 길이와 넓이는 중심각의 크기에 비례해.

답 (1) ④ (2) 12

## 2-1

호의 길이가 $12\pi$이고 중심각의 크기가 $120°$인 부채꼴의 넓이를 구하시오.

## 2-2

호의 길이가 $6\pi$이고 넓이가 $36\pi$인 부채꼴의 반지름의 길이를 $a$, 중심각의 크기를 $\frac{\pi}{b}$라 할 때, $a+b$의 값은?

① 6 ② 8 ③ 10
④ 12 ⑤ 14

# 2주 2일 필수 체크 전략 ①

## 전략 ❸ | 삼각함수의 값

일반각 $\theta$를 나타내는 동경과 원점 O를 중심으로 하고 반지름의 길이가 $r$인 원의 교점을 $P(x, y)$라 하면

① $r=\overline{OP}=\sqrt{\boxed{❶}^2+y^2}$

② $\sin\theta=\dfrac{y}{r}$, $\cos\theta=\dfrac{x}{r}$, $\tan\theta=\dfrac{\boxed{❷}}{x}$ $(x\neq0)$

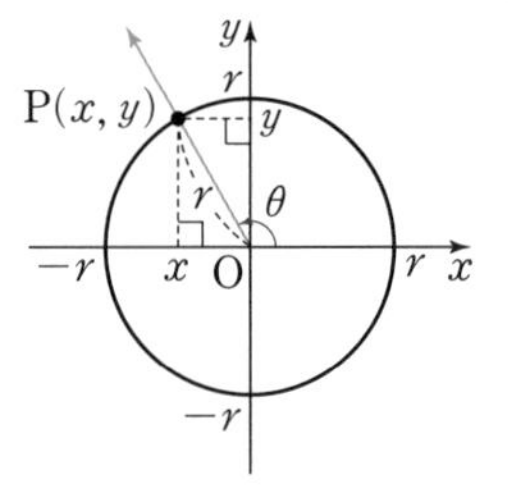


답 ❶ $x$ ❷ $y$

### 필수예제 3

**원점 O와 점 $P(-4, 3)$을 지나는 동경 OP가 나타내는 각의 크기를 $\theta$라 할 때, $\sin\theta+\cos\theta$의 값은?**

① $-\dfrac{3}{4}$　② $-\dfrac{1}{5}$　③ $\dfrac{1}{4}$　④ $\dfrac{1}{5}$　⑤ $\dfrac{3}{4}$

| 풀이 |

$\overline{OP}=\sqrt{(-4)^2+3^2}=5$이므로

$\sin\theta=\dfrac{3}{5}$, $\cos\theta=\dfrac{-4}{5}=-\dfrac{4}{5}$

$\therefore \sin\theta+\cos\theta=-\dfrac{1}{5}$

참고

특수각에 대한 삼각비의 값은 다음과 같다.

| $\theta$ | $0$ | $\dfrac{\pi}{6}$ | $\dfrac{\pi}{4}$ | $\dfrac{\pi}{3}$ | $\dfrac{\pi}{2}$ |
|---|---|---|---|---|---|
| $\sin\theta$ | $0$ | $\dfrac{1}{2}$ | $\dfrac{\sqrt{2}}{2}$ | $\dfrac{\sqrt{3}}{2}$ | $1$ |
| $\cos\theta$ | $1$ | $\dfrac{\sqrt{3}}{2}$ | $\dfrac{\sqrt{2}}{2}$ | $\dfrac{1}{2}$ | $0$ |
| $\tan\theta$ | $0$ | $\dfrac{\sqrt{3}}{3}$ | $1$ | $\sqrt{3}$ | |

답 ②

## 3-1

오른쪽 그림과 같이 직선 $2x-y=0$이 $x$축의 양의 방향과 이루는 각의 크기를 $\theta$라 할 때, $\sqrt{5}\cos\theta+\tan\theta$의 값은?

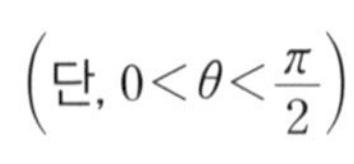
$\left(단, 0<\theta<\dfrac{\pi}{2}\right)$

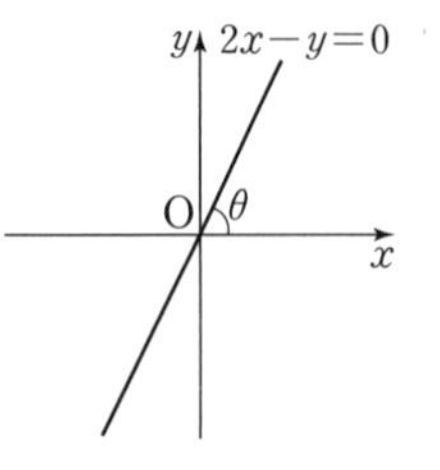


① 1　② 2　③ 3　④ 4　⑤ 5

## 3-2

원점 O와 점 $P(12, -a)$를 지나는 동경 OP가 나타내는 각의 크기를 $\theta$라 하자. $\tan\theta=-\dfrac{5}{12}$, $\overline{OP}=r$일 때, $ar$의 값을 구하시오.

## 전략 ❹ 삼각함수 사이의 관계

$\sin\theta$, $\cos\theta$, $\tan\theta$의 값 중 어느 하나를 알고 나머지 삼각함수의 값을 구할 때는 삼각함수 사이의 관계식을 이용한다.

① $\tan\theta=\dfrac{\sin\theta}{\boxed{❶}}$ ② $\sin^2\theta+\cos^2\theta=\boxed{❷}$

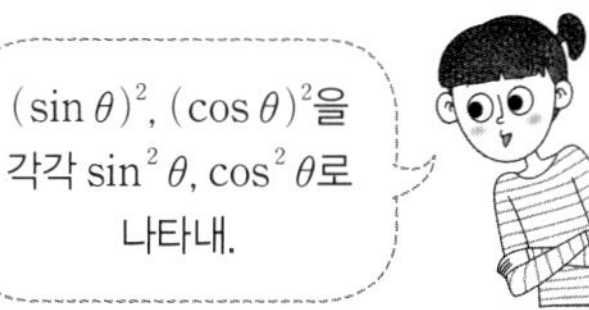


참고 ②에서 $\sin^2\theta=1-\cos^2\theta$, $\cos^2\theta=1-\sin^2\theta$이다.

답 ❶ $\cos\theta$ ❷ 1

## 필수예제 4

$\theta$가 제3사분면의 각이고 $\dfrac{1-\sin\theta}{1+\sin\theta}=3$일 때, $\cos\theta$의 값은?

① $-1$ ② $-\dfrac{\sqrt{3}}{2}$ ③ $-\dfrac{1}{2}$ ④ $\dfrac{1}{2}$ ⑤ $\dfrac{\sqrt{3}}{2}$

| 풀이 |

$\dfrac{1-\sin\theta}{1+\sin\theta}=3$에서 $1-\sin\theta=3+3\sin\theta$

$4\sin\theta=-2$ $\therefore \sin\theta=-\dfrac{1}{2}$

$\sin^2\theta+\cos^2\theta=1$에서

$\cos^2\theta=1-\sin^2\theta=1-\left(-\dfrac{1}{2}\right)^2=\dfrac{3}{4}$

이때 $\theta$가 제3사분면의 각이므로 $\cos\theta<0$

$\therefore \cos\theta=-\dfrac{\sqrt{3}}{2}$

참고

사분면에 대한 삼각함수의 값의 부호는 다음과 같다.

① $\theta$가 제1사분면의 각 ➡ 모두 양
② $\theta$가 제2사분면의 각 ➡ $\sin\theta$만 양
③ $\theta$가 제3사분면의 각 ➡ $\tan\theta$만 양
④ $\theta$가 제4사분면의 각 ➡ $\cos\theta$만 양

답 ②

## 4-1

$\dfrac{\pi}{2}<\theta<\pi$이고 $\dfrac{1}{1+\cos\theta}+\dfrac{1}{1-\cos\theta}=\dfrac{10}{3}$일 때, $\sin\theta$의 값은?

① $\dfrac{\sqrt{2}}{5}$ ② $\dfrac{\sqrt{3}}{5}$ ③ $\dfrac{3}{5}$

④ $\dfrac{\sqrt{10}}{5}$ ⑤ $\dfrac{\sqrt{15}}{5}$

## 4-2

$\cos\theta=\dfrac{3}{5}$이고 $\tan\theta>0$일 때, $\sin\theta\tan\theta$의 값을 구하시오.

# 필수 체크 전략 ②

**1** 각 $2\theta$가 제2사분면의 각일 때, 각 $\theta$를 나타내는 동경이 존재할 수 있는 사분면은?

① 제1, 2사분면 ② 제1, 3사분면 ③ 제1, 4사분면
④ 제2, 3사분면 ⑤ 제2, 4사분면

**Tip**

각 $2\theta$가 제2사분면의 각이므로
$360^\circ \times n +$ ❶ $^\circ < 2\theta < 360^\circ \times n +$ ❷ $^\circ$
($n$은 정수)

답 ❶ 90 ❷ 180

**2** 다음 중 각을 나타내는 동경이 존재하는 사분면이 나머지 넷과 다른 하나는?

① $\frac{10}{3}\pi$ ② $-480^\circ$ ③ $\frac{31}{6}\pi$
④ $-750^\circ$ ⑤ $910^\circ$

**Tip**

주어진 각을 ❶ 으로 나타내 동경이 위치하는 ❷ 을 판별한다.

답 ❶ 일반각 ❷ 사분면

**3** 각 $\theta$를 나타내는 동경과 각 $6\theta$를 나타내는 동경이 일직선 위에 있고 방향이 반대일 때, 각 $\theta$의 크기는? $\left(\text{단, } \frac{\pi}{2} < \theta < \pi\right)$

① $\frac{2}{3}\pi$ ② $\frac{3}{4}\pi$ ③ $\frac{3}{5}\pi$
④ $\frac{4}{5}\pi$ ⑤ $\frac{5}{6}\pi$

**Tip**

두 동경이 일직선 위에 있고 방향이 반대이므로
$6\theta$ ❶ $\theta = (2n+1)\pi$ ($n$은 ❷ )

답 ❶ $-$ ❷ 정수

**4** 둘레의 길이가 20인 부채꼴 중에서 넓이가 최대인 부채꼴의 반지름의 길이는?

① 1 ② 2 ③ 3
④ 4 ⑤ 5

**Tip**

반지름의 길이를 $r$, 호의 길이를 $l$이라 하면 부채꼴의 둘레의 길이는 $2r+$ ❶ 이다.

답 ❶ $l$

**5** 오른쪽 그림과 같이 동경 OP가 나타내는 각의 크기가 $\theta$이고 두 동경 OP, OQ가 이루는 각의 크기가 $90^\circ$이다. 점 $\mathrm{Q}(-3,\ 4)$일 때, $\sin\theta\tan\theta$의 값은? (단, O는 원점이다.)

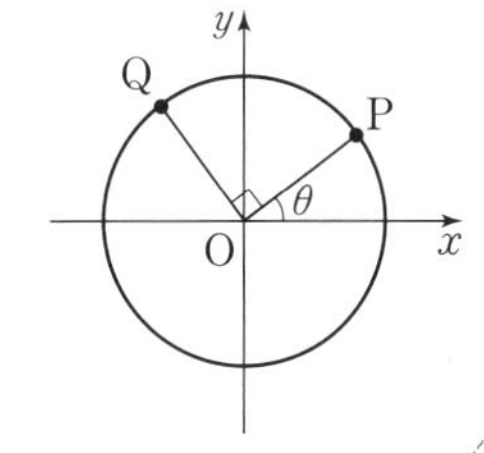


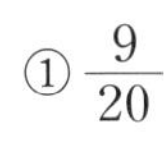

① $\frac{9}{20}$　② $\frac{3}{5}$　③ $\frac{3}{4}$　④ $\frac{4}{5}$　⑤ $\frac{12}{25}$

**Tip**

두 점 P, Q에서 ❶ ☐에 수선의 발을 내린 후 만들어진 두 삼각형의 ❷ ☐을 이용한다.

답 ❶ $x$축 ❷ 합동

**6** 각 $\theta$가 제4사분면의 각일 때, $\sqrt{(\sin\theta-\cos\theta)^2}+\sqrt{(\cos\theta-\sin\theta)^2}$을 간단히 하면?

① 0　② $2\sin\theta$　③ $2\cos\theta$　④ $2\sin\theta-2\cos\theta$　⑤ $2\cos\theta-2\sin\theta$

**7** $\sin\theta+\cos\theta=\frac{7}{5}$일 때, $\tan\theta+\frac{1}{\tan\theta}$의 값은?

① $\frac{12}{25}$　② $\frac{49}{25}$　③ 2　④ $\frac{25}{12}$　⑤ $\frac{49}{12}$

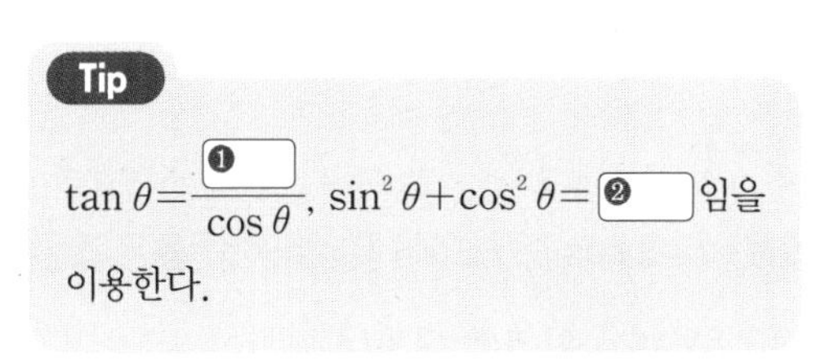


답 ❶ $\sin\theta$ ❷ 1

# 필수 체크 전략 ①

## 전략 ❶ 삼각함수의 그래프와 성질

| | $y=\sin x$ | $y=\cos x$ | $y=\tan x$ |
|---|---|---|---|
| 정의역 | 실수 전체의 집합 | 실수 전체의 집합 | $x\neq n\pi+\frac{\pi}{2}$ ($n$은 정수)인 실수 전체의 집합 |
| 치역 | $\{y\mid -1\leq y\leq 1\}$ | $\{y\mid -1\leq y\leq 1\}$ | 실수 전체의 집합 |
| 그래프의 대칭성 | ❶ [  ]에 대하여 대칭 | $y$축에 대하여 대칭 | 원점에 대하여 대칭 |
| 주기 | $2\pi$ | $2\pi$ | ❷ [  ] |

답 ❶ 원점 ❷ $\pi$

### 필수예제 1

**함수 $y=3\sin 2x$에 대한 설명 중 옳은 것만을 보기에서 있는 대로 고른 것은?**

보기
ㄱ. 최댓값은 3이다.
ㄴ. 최솟값은 $-3$이다.
ㄷ. 주기는 $4\pi$이다.
ㄹ. 그래프는 원점에 대하여 대칭이다.

① ㄱ, ㄴ ② ㄱ, ㄹ ③ ㄴ, ㄷ ④ ㄱ, ㄴ, ㄹ ⑤ ㄴ, ㄷ, ㄹ

| 풀이 |

함수 $y=3\sin 2x$의 그래프는 다음 그림과 같다.

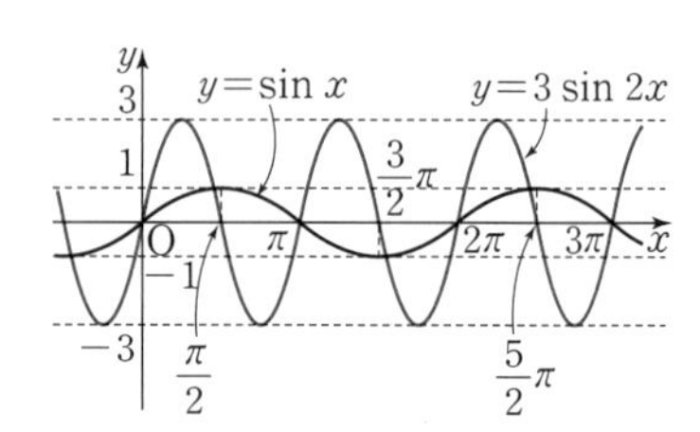


ㄱ. 최댓값은 3이다.
ㄴ. 최솟값은 $-3$이다.
ㄷ. 주기는 $\frac{2\pi}{2}=\pi$이다.
ㄹ. 그래프는 원점에 대하여 대칭이다.
따라서 옳은 것은 ㄱ, ㄴ, ㄹ이다.

답 ④

## 1-1

함수 $y=2\cos\frac{x}{2}+1$에 대한 설명 중 옳은 것은?

① 그래프는 원점에 대하여 대칭이다.
② 주기는 $\pi$이다.
③ 최댓값은 3이다.
④ 최솟값은 $-3$이다.
⑤ 그래프는 점 $(\pi, 0)$을 지난다.

## 1-2

함수 $y=\tan\left(3x+\frac{\pi}{2}\right)$에 대한 설명 중 옳은 것만을 보기에서 있는 대로 고르시오.

보기
ㄱ. 주기는 $\frac{\pi}{3}$이다.
ㄴ. 치역은 $\{y\mid -1\leq y\leq 1\}$이다.
ㄷ. 그래프를 평행이동하면 $y=\tan 3x$의 그래프와 겹친다.

## 전략 ❷ 삼각함수의 미정계수의 결정

함수 $y=a\sin(bx+c)+d$, $y=a\cos(bx+c)+d$에서

① 최댓값: $|a|+$ ❶ [ ], 최솟값: $-|a|+d$, 주기: $\dfrac{❷\ [\ ]}{|b|}$

② $y=a\sin bx$, $y=a\cos bx$의 그래프를 $x$축의 방향으로 $-\dfrac{c}{b}$만큼, $y$축의 방향으로 $d$만큼 평행이동한 것이다.

답 ❶ $d$ ❷ $2\pi$

### 필수예제 2

**(1)** 함수 $f(x)=a\sin bx+c$의 최댓값이 2이고 주기가 $\frac{2}{3}\pi$, $f\left(\frac{2}{3}\pi\right)=-1$일 때, 상수 $a, b, c$에 대하여 $abc$의 값을 구하시오. (단, $a<0$, $b>0$)

**(2)** 함수 $y=a\cos bx+c$의 그래프가 오른쪽 그림과 같을 때, 상수 $a$, $b$, $c$에 대하여 $a+b+c$의 값은? (단, $a>0$, $b>0$)

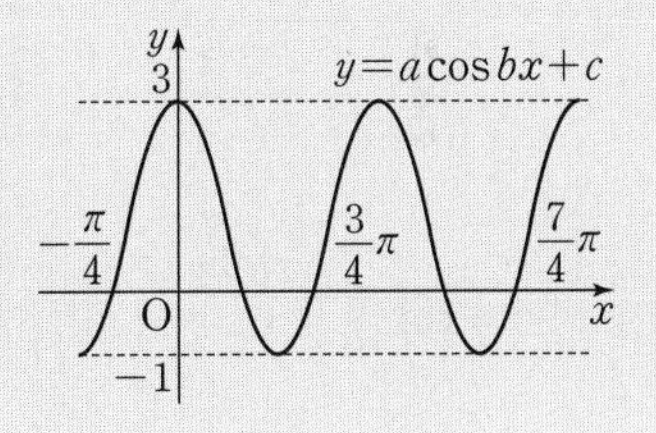


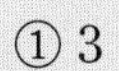 ① 3　　② 4　　③ 5
 ④ 6　　 ⑤ 7

| 풀이 |

**(1)** 함수 $y=a\sin bx+c$의 주기가 $\frac{2}{3}\pi$이고 $b>0$이므로

$\frac{2\pi}{b}=\frac{2}{3}\pi$　　$\therefore b=3$

함수의 최댓값이 2이고 $a<0$이므로

$-a+c=2$　　…… ㉠

$f\left(\frac{2}{3}\pi\right)=-1$에서 $a\sin 2\pi+c=-1$이므로 $c=-1$

$c=-1$을 ㉠에 대입하면 $a=-3$

$\therefore abc=-3\times3\times(-1)=9$

**(2)** $y=a\cos bx+c$의 그래프에서 최댓값은 3, 최솟값은 $-1$이고 $a>0$이므로

$a+c=3$, $-a+c=-1$　　$\therefore a=2, c=1$

주기는 $\frac{3}{4}\pi-\left(-\frac{\pi}{4}\right)=\pi$이고 $b>0$이므로

$\frac{2\pi}{b}=\pi$　　$\therefore b=2$

$\therefore a+b+c=5$

답 **(1)** 9 **(2)** ③

## 2-1

함수 $f(x)=a\cos bx+2$의 최댓값이 4이고 주기가 $\pi$일 때, $f(\pi)$의 값은? (단, $a>0$, $b>0$)

① 1　　② 2　　③ 3
④ 4　　⑤ 5

## 2-2

함수 $y=a\sin(bx-c)$의 그래프가 오른쪽 그림과 같을 때, 상수 $a$, $b$, $c$에 대하여 $abc$의 값을 구하시오.

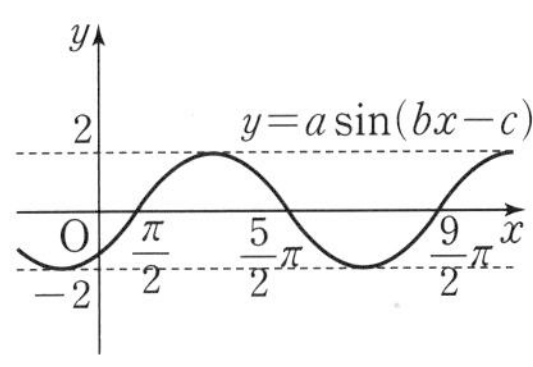


$\left(\text{단, } a>0, b>0, 0<c<\frac{\pi}{2}\right)$

**전략 ③ | 삼각함수의 성질**

(1) $\pi+x$의 삼각함수

① $\sin(\pi+x)=-\sin x$ ② $\cos(\pi+x)=-\cos x$

③ $\tan(\pi+x)=$ ❶

(2) $\frac{\pi}{2}+x$의 삼각함수

① $\sin\left(\frac{\pi}{2}+x\right)=$ ❷ ② $\cos\left(\frac{\pi}{2}+x\right)=-\sin x$

③ $\tan\left(\frac{\pi}{2}+x\right)=-\frac{1}{\tan x}$

답 ❶ $\tan x$ ❷ $\cos x$

**필수예제 3**

$\sin\frac{7}{6}\pi+\tan\frac{9}{4}\pi+\cos\frac{2}{3}\pi$의 값은?

① $-\sqrt{3}$ ② $-1$ ③ $0$ ④ $1$ ⑤ $\sqrt{3}$

| 풀이 |

$\sin\frac{7}{6}\pi+\tan\frac{9}{4}\pi+\cos\frac{2}{3}\pi$

$=\sin\left(\pi+\frac{\pi}{6}\right)+\tan\left(2\pi+\frac{\pi}{4}\right)+\cos\left(\pi-\frac{\pi}{3}\right)$

$=-\sin\frac{\pi}{6}+\tan\frac{\pi}{4}-\cos\frac{\pi}{3}$

$=-\frac{1}{2}+1-\frac{1}{2}=0$

| 다른 풀이 |

$\cos\frac{2}{3}\pi=\cos\left(\frac{\pi}{2}+\frac{\pi}{6}\right)=-\sin\frac{\pi}{6}=-\frac{1}{2}$

참고

(1) $\pi-x$의 삼각함수

① $\sin(\pi-x)=\sin x$

② $\cos(\pi-x)=-\cos x$

③ $\tan(\pi-x)=-\tan x$

(2) $\frac{\pi}{2}-x$의 삼각함수

① $\sin\left(\frac{\pi}{2}-x\right)=\cos x$

② $\cos\left(\frac{\pi}{2}-x\right)=\sin x$

③ $\tan\left(\frac{\pi}{2}-x\right)=\frac{1}{\tan x}$

답 ③

## 3-1

$\sin\frac{7}{3}\pi\tan\frac{2}{3}\pi-\cos\frac{11}{6}\pi\tan\frac{13}{3}\pi$의 값은?

① $-3$ ② $-1$ ③ $0$
④ $1$ ⑤ $3$

## 3-2

$\sin\left(\frac{\pi}{2}+\theta\right)+\cos(\pi-\theta)+\cos\left(\frac{3}{2}\pi+\theta\right)+\sin(-\theta)$

를 간단히 하시오.

## 전략 ❹ | 삼각함수를 포함한 방정식과 부등식

(1) 삼각함수를 포함한 방정식을 풀 때는

➡ 주어진 방정식을 $\sin x=k$ 꼴로 고친 후 $y=\sin x$의 그래프와 직선 ❶ [　　] 의 교점의 $x$좌표를 구한다.

(2) 삼각함수를 포함한 부등식을 풀 때는

➡ 주어진 부등식을 $\sin x>k$ 꼴로 고친 후 $y=\sin x$의 그래프가 직선 $y=k$보다 ❷ [　　]에 있는 $x$의 값의 범위를 구한다.

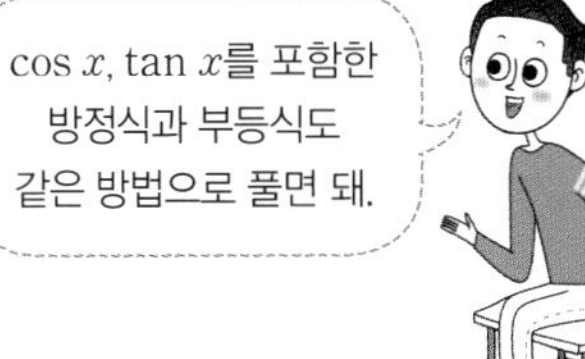


답 ❶ $y=k$ ❷ 위쪽

### 필수예제 4

**(1)** $0\le x<2\pi$일 때, 방정식 $2\cos x=\sqrt{3}$을 만족시키는 모든 $x$의 값의 합은?

① $\pi$　② $2\pi$　③ $3\pi$　④ $4\pi$　⑤ $5\pi$

**(2)** $0\le x<2\pi$일 때, 부등식 $0\le \sin x\le \frac{1}{2}$을 푸시오.

| 풀이 |

**(1)** $2\cos x=\sqrt{3}$에서 $\cos x=\frac{\sqrt{3}}{2}$

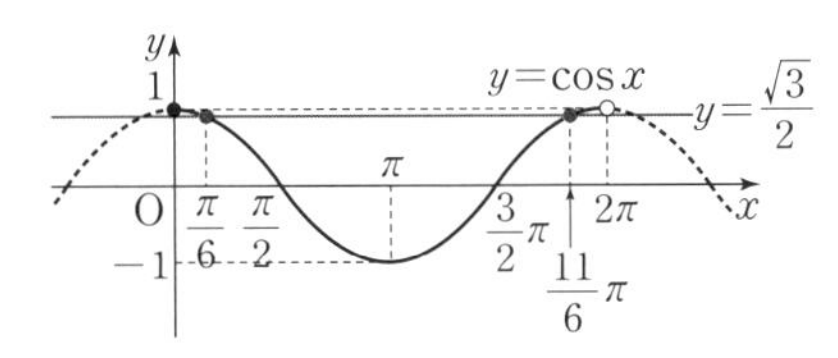

$0\le x<2\pi$에서 $y=\cos x$의 그래프와 직선 $y=\frac{\sqrt{3}}{2}$의 교점의 $x$좌표를 구하면 $x=\frac{\pi}{6}$ 또는 $x=\frac{11}{6}\pi$

따라서 구하는 모든 $x$의 값의 합은 $2\pi$

**(2)** $0\le x<2\pi$에서 $y=\sin x$의 그래프와 직선 $y=\frac{1}{2}$을 나타내면 다음 그림과 같다.

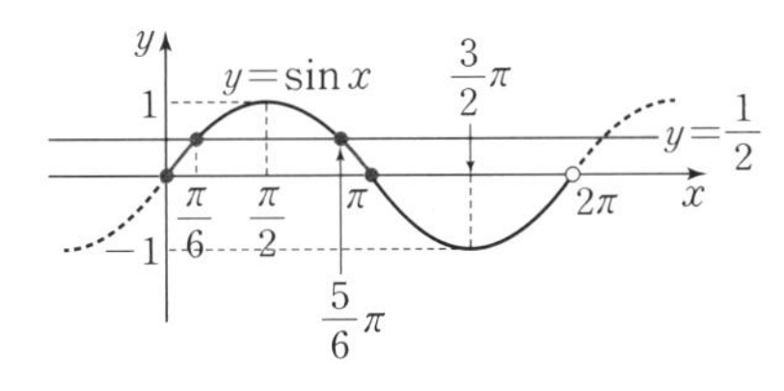

$y=\sin x$의 그래프가 0보다 크거나 같고 직선 $y=\frac{1}{2}$과 만나거나 아래쪽에 있는 $x$의 값의 범위는

$0\le x\le \frac{\pi}{6}$ 또는 $\frac{5}{6}\pi\le x\le \pi$

답 **(1)** ② **(2)** $0\le x\le \frac{\pi}{6}$ 또는 $\frac{5}{6}\pi\le x\le \pi$

## 4-1

$0\le x<2\pi$일 때, 방정식 $2\cos^2 x+\sin x=1$을 만족시키는 모든 근의 합은?

① $2\pi$　② $\frac{5}{2}\pi$　③ $3\pi$　④ $\frac{7}{2}\pi$　⑤ $4\pi$

## 4-2

$0\le x<\pi$일 때, 부등식 $|\tan x|<\sqrt{3}$을 푸시오.

# 2주 3일 필수 체크 전략 ②

**1** 함수 $y=\sin x\ (0\le x\le 4\pi)$의 그래프와 직선 $y=k\ (0<k<1)$의 교점의 $x$좌표를 작은 것부터 차례로 $a, b, c, d$라 할 때, $a+b+c+d$의 값은?

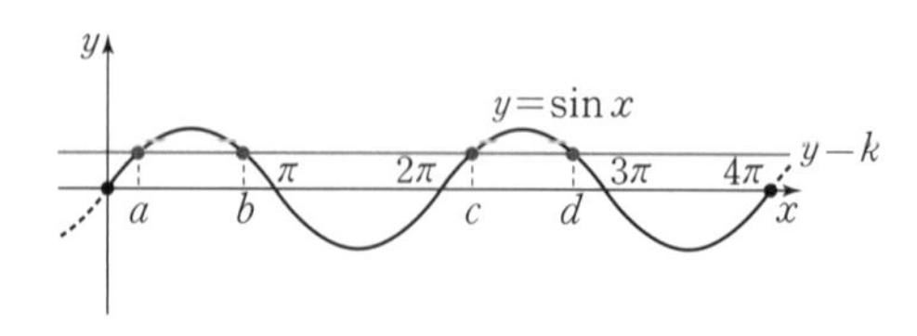


① $2\pi$　② $3\pi$　③ $4\pi$
④ $5\pi$　⑤ $6\pi$

**Tip**

함수 $y=\sin x$의 그래프는 직선
$\cdots, x=\frac{\pi}{2}, x=\frac{❶}{2}\pi, x=\frac{5}{2}\pi, x=\frac{7}{2}\pi, \cdots$
에 대하여 ❷ 이다.

답 ❶ 3 ❷ 대칭

**2** 함수 $f(x)=a\cos\left(bx-\frac{\pi}{2}\right)+c$의 최댓값은 3이고 주기는 $4\pi$이다. $f(2\pi)=-1$일 때, 상수 $a, b, c$에 대하여 $abc$의 값은? (단, $a>0, b>0$)

① $-2$　② $-1$　③ 0
④ 1　⑤ 2

**Tip**

함수 $f(x)$의 최댓값은 $a+c=$ ❶ ,
주기는 $\frac{❷}{b}=4\pi$임을 이용한다.

답 ❶ 3 ❷ $2\pi$

**3** 다음 그림은 함수 $y=\tan(ax-b)+2$의 그래프의 일부이다. 상수 $a, b$에 대하여 $ab$의 값은? $\left(단, a>0, 0<b<\frac{\pi}{2}\right)$

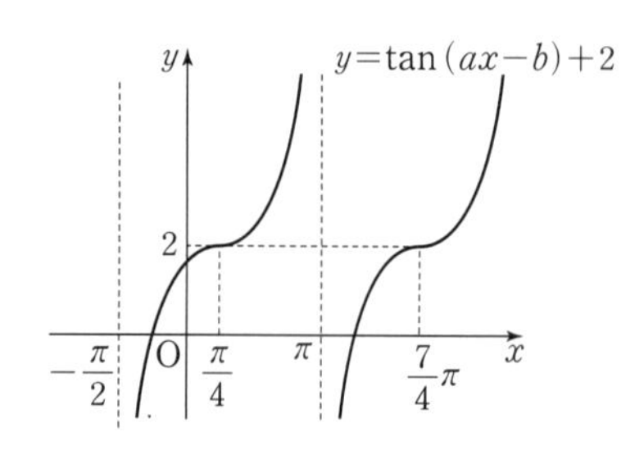


① $\frac{\pi}{9}$　② $\frac{\pi}{6}$　③ $\frac{\pi}{3}$
④ $\frac{2}{3}\pi$　⑤ $\frac{5}{6}\pi$

**Tip**

함수 $y=\tan(ax-b)+2$의 그래프는 주기가 $\frac{7}{4}\pi-\frac{\pi}{4}=$ ❶ 이고, 점 $\left(\frac{\pi}{4}, ❷\right)$를 지난다.

답 ❶ $\frac{3}{2}\pi$ ❷ 2

**4** $\sin^2 1^\circ + \sin^2 2^\circ + \cdots + \sin^2 89^\circ + \sin^2 90^\circ$의 값은?

① 0 ② $\frac{1}{2}$ ③ $\frac{3}{2}$
④ $\frac{45}{2}$ ⑤ $\frac{91}{2}$

**Tip**

$\sin(90^\circ - \theta) =$ ❶ ☐ 이므로 식을 변형한 후 $\sin^2\theta + \cos^2\theta =$ ❷ ☐ 을 이용한다.

답 ❶ $\cos\theta$ ❷ 1

**5** $-\pi \le x \le \pi$일 때, 방정식 $\cos x = -\sqrt{3}\sin x$의 해가 $x = \theta_1$ 또는 $x = \theta_2$이다. 이때 $\sin(\theta_2 - \theta_1)$의 값은? (단, $\theta_1 < \theta_2$)

① 0 ② $\frac{1}{2}$ ③ $\frac{\sqrt{2}}{2}$
④ $\frac{\sqrt{3}}{2}$ ⑤ 1

**Tip**

$\frac{\sin x}{\cos x} =$ ❶ ☐ 이므로 $y =$ ❷ ☐ 의 그래프와 직선 $y = -\frac{\sqrt{3}}{3}$의 교점의 $x$좌표를 구한다.

답 ❶ $\tan x$ ❷ $\tan x$

**6** 모든 실수 $x$에 대하여 부등식 $x^2 - 2(\cos\theta + 1)x + \cos^2\theta + 2 > 0$이 항상 성립할 때, $\theta$의 값의 범위는 $\alpha < \theta < \beta$이다. $\frac{\beta}{\alpha}$의 값은?

(단, $0 \le \theta < 2\pi$)

① 1 ② 2 ③ 3
④ 4 ⑤ 5

**Tip**

이차방정식의 ❶ ☐ 을 이용하여 ❷ ☐ 에 대한 부등식을 푼다.

답 ❶ 판별식 ❷ $\cos\theta$

# 교과서 대표 전략 ①

## 대표 예제 1

각 $\theta$가 제3사분면의 각일 때, 각 $\frac{\theta}{3}$를 나타내는 동경이 존재할 수 없는 사분면은?

① 제1사분면 ② 제2사분면 ③ 제3사분면
④ 제4사분면 ⑤ 제2, 3사분면

**개념 가이드**

각 $\theta$를 나타내는 동경이 존재하는 ❶ ☐에 따라 $\theta$의 값의 범위를 ❷ ☐으로 나타낸다.

답 ❶ 사분면 ❷ 일반각

## 대표 예제 2

크기가 다음과 같은 각을 나타내는 동경 중 $135°$를 나타내는 동경과 일치하는 것은?

① $-\frac{7}{2}\pi$ ② $-\frac{5}{4}\pi$ ③ $\frac{11}{5}\pi$
④ $\frac{7}{3}\pi$ ⑤ $\frac{13}{4}\pi$

**개념 가이드**

동경이 나타내는 한 각의 크기가 $\alpha°$일 때, 일반각의 크기는
$360°\times n+$ ❶ ☐ $°$ ($n$은 ❷ ☐)

❶ $\alpha$ ❷ 정수

## 대표 예제 3

각 $\theta$를 나타내는 동경과 각 $7\theta$를 나타내는 동경이 일치할 때, $\cos\frac{\theta}{2}$의 값은? $\left(\text{단, } \frac{\pi}{2}<\theta<\pi\right)$

① $-1$ ② $0$ ③ $\frac{1}{2}$
④ $\frac{\sqrt{2}}{2}$ ⑤ $\frac{\sqrt{3}}{2}$

**개념 가이드**

각 $\alpha$, $\beta$를 나타내는 두 동경이 일치하면
$\alpha$ ❶ ☐ $\beta=2n\pi$ ($n$은 ❷ ☐)

답 ❶ $-$ ❷ 정수

## 대표 예제 4

호의 길이가 $9\pi$이고 넓이가 $54\pi$인 부채꼴의 중심각의 크기는?

① $\frac{\pi}{3}$ ② $\frac{\pi}{2}$ ③ $\frac{3}{4}\pi$
④ $\frac{4}{3}\pi$ ⑤ $\frac{3}{2}\pi$

부채꼴의 반지름의 길이를 먼저 구해 봐.

**개념 가이드**

반지름의 길이가 $r$, 중심각의 크기가 $\theta$ (라디안)인 부채꼴의 호의 길이를 $l$, 넓이를 $S$라 하면

① $l=$ ❶ ☐ ② $S=\frac{1}{2}$ ❷ ☐ $=\frac{1}{2}rl$

답 ❶ $r\theta$ ❷ $r^2\theta$

## 대표 예제 5

각 $\theta$가 제4사분면의 각이고 $\tan\theta=-\frac{1}{2}$일 때, $5\sin\theta\cos\theta$의 값은?

① $-2$ ② $-1$ ③ $1$
④ $2$ ⑤ $3$

**개념 가이드**

각 $\theta$를 나타내는 동경과 원점 O를 중심으로 하고 반지름의 길이가 $r$인 원의 교점의 좌표를 $(x, y)$라 하면

$\sin\theta=\frac{❶}{r}$, $\cos\theta=\frac{❷}{r}$, $\tan\theta=\frac{y}{x}\ (x\neq0)$

답 ❶ $y$ ❷ $x$

## 대표 예제 7

$0<\theta<\frac{\pi}{2}$이고 $\sin\theta\cos\theta=\frac{1}{3}$일 때, $\sin^3\theta+\cos^3\theta$의 값은?

① $\frac{\sqrt{3}}{9}$ ② $\frac{4\sqrt{3}}{9}$ ③ $\frac{\sqrt{15}}{9}$
④ $\frac{2\sqrt{15}}{9}$ ⑤ $\frac{8\sqrt{15}}{9}$

**개념 가이드**

$\sin\theta\pm\cos\theta$의 값 또는 $\sin\theta\cos\theta$의 값이 주어진 경우에는 다음을 이용한다.

$(\sin\theta\pm\cos\theta)^2=$ ❶ $\pm2\sin\theta\cos\theta+\cos^2\theta$
$=$ ❷ $\pm2\sin\theta\cos\theta$ (복호동순)

답 ❶ $\sin^2\theta$ ❷ $1$

## 대표 예제 6

$\sin\theta\cos\theta>0$, $\cos\theta\tan\theta<0$을 동시에 만족시키는 각 $\theta$가 존재하는 사분면을 말하시오.

**개념 가이드**

각 사분면에서 양의 값을 가지는 삼각함수는

① 제1사분면 : 모두 양 ② 제2사분면 : ❶
③ 제3사분면 : ❷ ④ 제4사분면 : $\cos\theta$

답 ❶ $\sin\theta$ ❷ $\tan\theta$

## 대표 예제 8

이차방정식 $3x^2-2\sqrt{2}x+a=0$의 두 근이 $\sin\theta$, $\cos\theta$일 때, 상수 $a$의 값은?

① $-\frac{1}{2}$ ② $-\frac{1}{4}$ ③ $-\frac{1}{6}$
④ $\frac{1}{6}$ ⑤ $\frac{1}{4}$

이차방정식의 근과 계수의 관계를 이용해야 해.

**개념 가이드**

이차방정식 $ax^2+bx+c=0$의 두 근을 $\alpha$, $\beta$라 하면

① $\alpha+\beta=$ ❶ ② $\alpha\beta=$ ❷

답 ❶ $-\frac{b}{a}$ ❷ $\frac{c}{a}$

## 대표 예제 9

함수 $y=\sin \pi x$의 그래프를 $x$축의 방향으로 $a$만큼, $y$축의 방향으로 1만큼 평행이동하면 함수 $y=\sin(\pi x+\pi)+b$의 그래프와 일치한다. 상수 $a$, $b$에 대하여 $a+b$의 값은? (단, $-2<a<0$)

① $-2$ ② $-1$ ③ $0$
④ $1$ ⑤ $2$

**개념 가이드**

함수 $y=\sin x$의 그래프를 $x$축의 방향으로 $m$만큼, $y$축의 방향으로 $n$만큼 평행이동하면 $y=\sin(x-$ ❶ $)+$ ❷

답 ❶ $m$ ❷ $n$

## 대표 예제 11

함수 $y=a\cos(2x+b)$의 그래프가 오른쪽 그림과 같을 때, 상수 $a$, $b$에 대하여 $ab$의 값은?

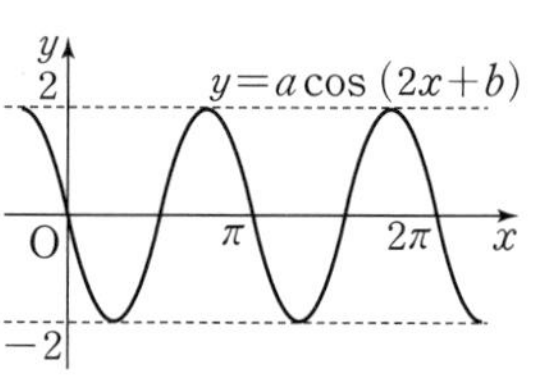


(단, $a>0$, $0<b\le\pi$)

① $\frac{\pi}{4}$ ② $\frac{\pi}{2}$ ③ $\frac{3}{4}\pi$
④ $\pi$ ⑤ $\frac{5}{4}\pi$

최댓값, 최솟값을 먼저 확인해 봐.

**개념 가이드**

함수 $y=a\cos bx\ (a>0)$의 그래프에서 최댓값은 ❶ 이고, 점 (0, ❷ )를 지난다.

답 ❶ $a$ ❷ $a$

## 대표 예제 10

함수 $f(x)=2\tan ax+b$의 그래프의 점근선의 방정식이 $x=2n\pi+\pi$ ($n$은 정수)이고, $f\left(\frac{\pi}{2}\right)=3$일 때, 상수 $a$, $b$에 대하여 $a+b$의 값은? (단, $a>0$)

① $\frac{1}{2}$ ② $1$ ③ $\frac{3}{2}$
④ $2$ ⑤ $\frac{5}{2}$

**개념 가이드**

함수 $y=2\tan ax+b$의 그래프의 점근선의 방정식은
$x=\frac{1}{a}(n\pi+$ ❶ $)$ ($n$은 ❷ )

답 ❶ $\frac{\pi}{2}$ ❷ 정수

## 대표 예제 12

$\sin\frac{11}{3}\pi\cos\frac{7}{6}\pi+\cos\frac{2}{3}\pi\tan\frac{5}{4}\pi$의 값은?

① $-\frac{1}{2}$ ② $-\frac{1}{4}$ ③ $0$
④ $\frac{1}{4}$ ⑤ $\frac{1}{2}$

**개념 가이드**

$\cos(\pi+\theta)=$ ❶ , $\cos(\pi-\theta)=-\cos\theta$
$\tan(\pi+\theta)=$ ❷

답 ❶ $-\cos\theta$ ❷ $\tan\theta$

## 대표 예제 13

각 $\theta$가 제2사분면의 각이고 $\sin\theta=\frac{3}{5}$일 때,

$5\left\{\sin\left(\frac{3}{2}\pi-\theta\right)+\cos\left(\frac{\pi}{2}-\theta\right)\right\}$의 값은?

① $-7$　② $-1$　③ $1$
④ $6$　⑤ $7$

**개념 가이드**

각이 $\frac{n}{2}\pi\pm\theta$ ($n$은 정수) 꼴인 삼각함수에서

$n$이 ❶ 　　 일 때, $\sin\rightarrow\cos$, $\cos\rightarrow$ ❷ 　　, $\tan\rightarrow\frac{1}{\tan}$

답 ❶ 홀수 ❷ sin

## 대표 예제 15

$0\le x<2\pi$일 때, 방정식 $\sqrt{2}\cos^2 x+\sin x=\sqrt{2}$의 모든 $x$의 값의 합은?

① $\pi$　② $2\pi$　③ $3\pi$
④ $4\pi$　⑤ $5\pi$

**개념 가이드**

한 종류의 삼각함수만 포함된 방정식으로 바꾼 후 삼각함수의 ❶ 　　 를 그려 주어진 방정식이 성립하는 ❷ 　　 의 값을 구한다.

답 ❶ 그래프 ❷ $x$

## 대표 예제 14

함수 $y=\cos^2\left(\frac{\pi}{2}+\theta\right)+4\sin(\pi-\theta)$의 최댓값을 $M$, 최솟값을 $m$이라 할 때, $M+m$의 값은?

(단, $0\le\theta<2\pi$)

① $-2$　② $-1$　③ $0$
④ $1$　⑤ $2$

**개념 가이드**

이차함수 $f(x)=a(x-p)^2+q$ $(\alpha\le x\le\beta)$에서 $p$가 $x$의 값의 범위에 포함될 때, ❶ 　　, $f(\alpha)$, $f(\beta)$ 중 가장 큰 값이 ❷ 　　, 가장 작은 값이 최솟값이다.

답 ❶ $f(p)$ ❷ 최댓값

## 대표 예제 16

$0\le x<2\pi$일 때, $\cos\left(x-\frac{\pi}{3}\right)\le-\frac{1}{2}$을 만족시키는 $x$의 값의 범위는 $\alpha\le x\le\beta$이다. $\frac{\beta}{\alpha}$의 값을 구하시오.

**개념 가이드**

$\cos t\le k$ ($k$는 상수)와 같은 기본형으로 변형한 후 삼각함수의 ❶ 　　 를 그려 주어진 부등식이 성립하는 $t$의 값의 ❷ 　　 를 구한다.

답 ❶ 그래프 ❷ 범위

# 교과서 대표 전략 ②

## 1

다음 각을 $360^\circ \times n + \alpha^\circ$ ($n$은 정수, $0^\circ \le \alpha^\circ < 360^\circ$) 꼴로 나타낼 때, $\alpha$의 값이 가장 작은 것은?

① $-580^\circ$　② $-175^\circ$　③ $475^\circ$
④ $\frac{10}{3}\pi$　⑤ $\frac{17}{4}\pi$

**Tip**

호도법의 각을 ❶ [　] 으로 바꿀 때 (호도법)$\times \frac{❷ [\quad]^\circ}{\pi}$

답 ❶ 육십분법 ❷ 180

## 2

$0 < \theta < 2\pi$이고 각 $\theta$를 나타내는 동경과 각 $2\theta$를 나타내는 동경이 직선 $y=x$에 대하여 대칭일 때, 이를 만족시키는 각 $\theta$의 개수는?

① 1　② 2　③ 3
④ 4　⑤ 5

**Tip**

두 각 $\alpha$, $\beta$를 나타내는 동경이 직선 $y=x$에 대하여 대칭이면
$\alpha+\beta=2n\pi+$ ❶ [　] ($n$은 ❷ [　])

답 ❶ $\frac{\pi}{2}$ ❷ 정수

## 3

$\sqrt{\cos\theta}\sqrt{\tan\theta} = -\sqrt{\cos\theta\tan\theta}$일 때, 다음 보기에서 옳은 것만을 있는 대로 고른 것은? (단, $\sin\theta \ne 0$)

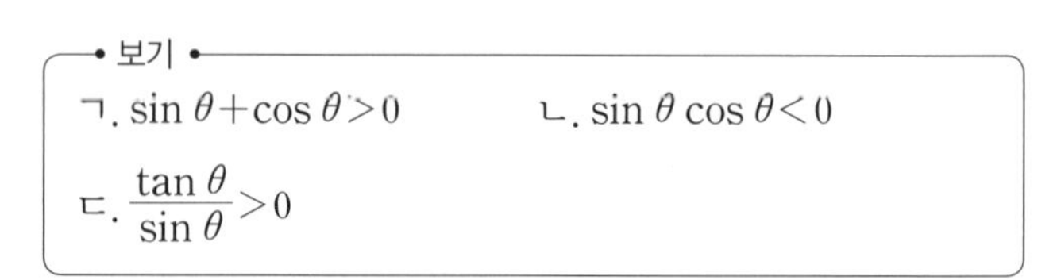
보기
ㄱ. $\sin\theta+\cos\theta>0$　ㄴ. $\sin\theta\cos\theta<0$
ㄷ. $\frac{\tan\theta}{\sin\theta}>0$

① ㄱ　② ㄴ　③ ㄷ
④ ㄱ, ㄴ　⑤ ㄴ, ㄷ

**Tip**

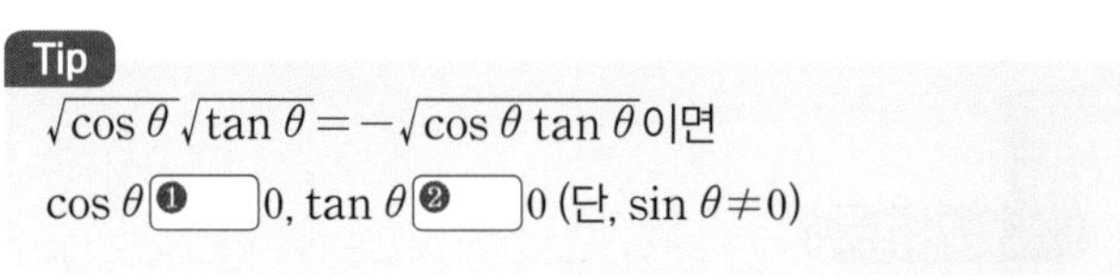
$\sqrt{\cos\theta}\sqrt{\tan\theta} = -\sqrt{\cos\theta\tan\theta}$이면
$\cos\theta$ ❶ [　] $0$, $\tan\theta$ ❷ [　] $0$ (단, $\sin\theta \ne 0$)

답 ❶ < ❷ <

## 4

$\sin\theta+\cos\theta=\frac{1}{2}$일 때, 다음 식의 값을 구하시오.

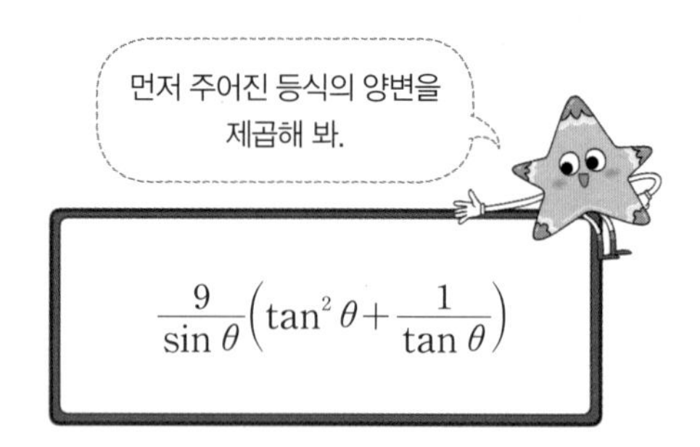


$$\frac{9}{\sin\theta}\left(\tan^2\theta+\frac{1}{\tan\theta}\right)$$

**Tip**

$\sin\theta+\cos\theta=\frac{1}{2}$의 양변을 ❶ [　] 한 후
$\sin^2\theta+\cos^2\theta=$ ❷ [　] 을 이용하여 $\sin\theta\cos\theta$의 값을 구한다.

답 ❶ 제곱 ❷ 1

## 5

$0 \leq x < 2\pi$일 때, 함수 $f(x)=\cos 2x$의 그래프가 직선 $y=\frac{3}{4}$과 만나는 점의 $x$좌표를 작은 것부터 차례로 $a, b, c, d$라 할 때, $f\left(\frac{a+b+c+d}{4}\right)$의 값을 구하시오.

**Tip**

삼각함수 $f(x)=\cos x$ $(0 \leq x < 2\pi)$에서 $f(\alpha)=f(\beta)=k$ $(-1<k<1)$이면 $\alpha+\beta=$ ❶ ☐ $(\alpha \neq \beta)$이다.

답 ❶ $2\pi$

## 6

다음 중 함수 $y=f(x)$의 그래프가 오른쪽 그림과 같은 것은?

① $f(x)=\sin x-1$

② $f(x)=2\sin 2x-1$

③ $f(x)=2\cos x+1$

④ $f(x)=3\sin 2x-1$

⑤ $f(x)=3\cos 2x-1$

**Tip**

$f(x)=a\sin bx+c$ 또는 $f(x)=a\cos bx+c$ $(a>0, b>0)$에서 최댓값 : $a+$ ❶ ☐, 최솟값 : $-a+c$, 주기 : $\frac{2\pi}{❷ ☐}$

답 ❶ $c$ ❷ $b$

## 7

$0 \leq x < 2\pi$일 때, 방정식

$$\sin\left(\frac{\pi}{2}+x\right)+\sin(\pi+x)=\cos\left(\frac{\pi}{2}-x\right)+\cos(\pi-x)$$

를 만족시키는 모든 $x$의 값의 합은?

① $\pi$ ② $\frac{3}{2}\pi$ ③ $2\pi$ ④ $\frac{5}{2}\pi$ ⑤ $3\pi$

**Tip**

$\sin\left(\frac{\pi}{2}+x\right)=\cos x$, $\sin(\pi+x)=$ ❶ ☐

$\cos\left(\frac{\pi}{2}-x\right)=$ ❷ ☐, $\cos(\pi-x)=-\cos x$

답 ❶ $-\sin x$ ❷ $\sin x$

## 8

이차방정식 $x^2+2x\sin\theta+1-\cos\theta=0$이 실근을 갖도록 하는 $\theta$의 값이 될 수 없는 것은? (단, $0 \leq \theta < 2\pi$)

① $0$ ② $\frac{\pi}{6}$ ③ $\frac{\pi}{2}$ ④ $\frac{2}{3}\pi$ ⑤ $\frac{7}{4}\pi$

**Tip**

부등식 $\alpha<\cos\theta<\beta$의 해는 함수 $y=\cos\theta$의 그래프가 직선 $y=\alpha$보다 ❶ ☐에 있고 직선 $y=\beta$보다 ❷ ☐에 있는 $\theta$의 값의 범위이다.

답 ❶ 위쪽 ❷ 아래쪽

# 2주 누구나 합격 전략

## 1

다음 중 각을 나타내는 동경이 나머지 넷과 다른 하나는?

① $420°$ ② $-660°$ ③ $1140°$
④ $\frac{8}{3}\pi$ ⑤ $-\frac{5}{3}\pi$

## 2

반지름의 길이가 $6$이고, 호의 길이가 $4\pi$인 부채꼴의 중심각의 크기를 $a\pi$, 넓이를 $b\pi$라 할 때, $\frac{b}{a}$의 값은?

① 4 ② 8 ③ 10
④ 12 ⑤ 18

## 3

각 $\theta$가 제$3$사분면의 각이고 $\sin\theta=-\frac{12}{13}$일 때, $13\cos\theta+10\tan\theta$의 값은?

① 15 ② 17 ③ 19
④ 21 ⑤ 23

## 4

각 $\theta$가 제$2$사분면의 각이고 $\sin\theta\cos\theta=-\frac{1}{4}$일 때, $\frac{1}{\sin\theta}-\frac{1}{\cos\theta}$의 값은?

① $\sqrt{2}$ ② $\sqrt{3}$ ③ $2\sqrt{3}$
④ $\sqrt{6}$ ⑤ $2\sqrt{6}$

## 5

이차방정식 $9x^2-3x+k=0$의 두 근이 $\sin\theta$, $\cos\theta$일 때, 상수 $k$의 값은?

① $-4$ ② $-2$ ③ $-1$
④ 2 ⑤ 4

## 6

함수 $y=a\sin\frac{\pi x}{b}+2$의 최솟값이 0이고 주기는 8일 때, 두 양수 $a$, $b$에 대하여 $a+b$의 값은?

① 3 ② 4 ③ 5
④ 6 ⑤ 7

## 7

함수 $y=\tan 2\left(x-\frac{\pi}{2}\right)+1$에 대한 설명 중 옳지 않은 것은?

①

그래프를 평행이동하면 $y=\tan 2x$의 그래프와 겹쳐.

②

그래프는 점 $(0, 0)$을 지나.

③

그래프의 점근선의 방정식은 $x=\frac{n}{2}\pi+\frac{3}{4}\pi$ ($n$은 정수)야.

④

치역은 실수 전체의 집합이야.

⑤

주기는 $\frac{\pi}{2}$야.

## 8

$0\le x<2\pi$에서 함수 $y=-2\sin^2 x+\sin x+1$의 최댓값과 최솟값의 합을 구하시오.

## 9

$\cos\left(\frac{\pi}{2}-\theta\right)\sin(\pi+\theta)+\cos(\pi-\theta)\sin\left(\frac{\pi}{2}+\theta\right)$를 간단히 하면?

① $-2$ ② $-1$ ③ 0
④ 1 ⑤ 2

## 10

방정식 $4\cos^2 x-4\sin x=5$를 만족시키는 모든 $x$의 값의 합은? (단, $0\le x<2\pi$)

① $2\pi$ ② $3\pi$ ③ $4\pi$
④ $5\pi$ ⑤ $6\pi$

# 2주 창의·융합·코딩 전략 ①

## 1

다음 그림은 길이가 40 cm인 어느 자동차 와이퍼가 $\frac{3}{5}\pi$만큼 회전한 모양을 나타낸 것이다. 이 와이퍼에서 유리창을 닦는 고무판의 길이가 30 cm일 때, 이 와이퍼의 고무판이 회전하면서 닦은 부분의 넓이를 구하시오.

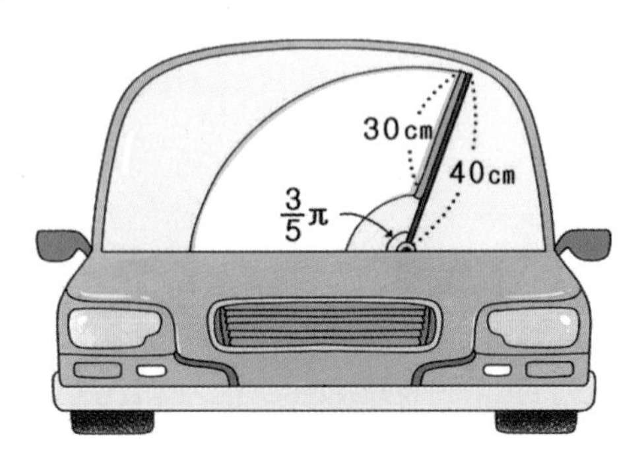


**Tip**

구하는 넓이는 ❶ [  ] 부채꼴의 넓이에서 ❷ [  ] 부채꼴의 넓이를 뺀 부분의 넓이이다.

답 ❶ 큰 ❷ 작은

## 2

길이가 50 m인 철조망으로 부채꼴 모양의 닭장을 만들려고 한다. 닭장의 넓이가 최대가 되도록 할 때, 다음 중 그 모양으로 적절한 것은?

①
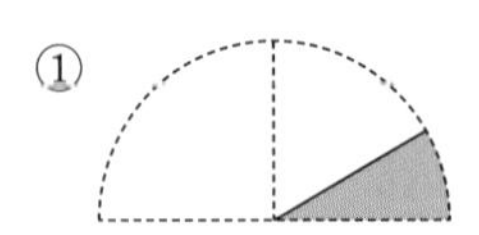

②
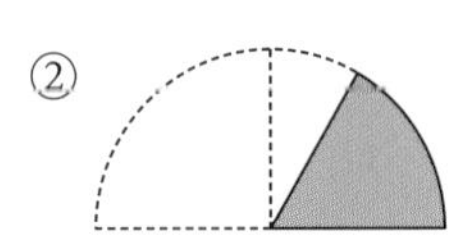

③
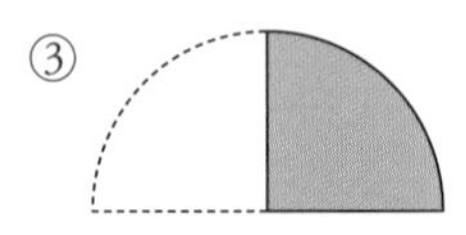

④
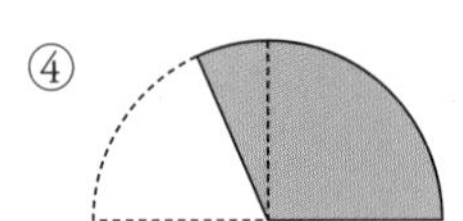

⑤

**Tip**

부채꼴의 반지름의 길이를 $r$라 하면 둘레의 길이가 ❶ [  ] m이므로 호의 길이는 (50−❷ [  ]) m이다.

답 ❶ 50 ❷ $2r$

# 3

오른쪽 그림은 반지름의 길이가 1인 원에 중심각의 크기가 1(라디안)인 부채꼴을 나타낸 것이다. 이 원에 중심각의 크기가 $\frac{4}{3}$(라디안)인 부채꼴을 겹치지 않게 최대 몇 개까지 그릴 수 있는가?

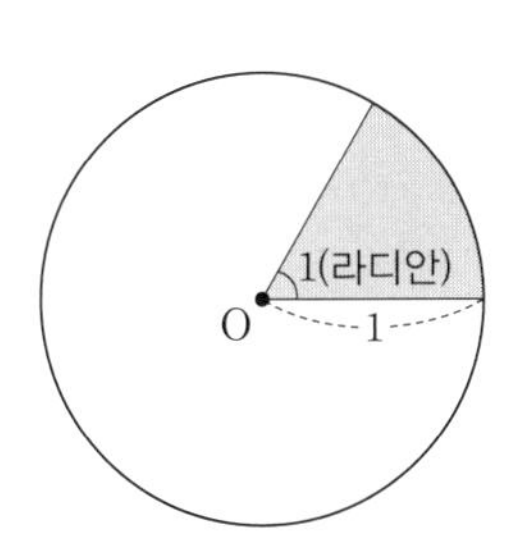


① 3　　② 4　　③ 5
④ 6　　⑤ 7

반지름의 길이와 중심각의 크기가 1인 부채꼴의 넓이는 $\frac{1}{2}$이야.

그럼 중심각의 크기가 $\frac{4}{3}$인 부채꼴의 넓이는 얼마가 되지?

**Tip**

반지름의 길이가 $r$, 중심각의 크기가 $\theta$ (라디안)인 부채꼴의 넓이는 $S=\frac{1}{2}r^2$ ❶ ☐이므로 반지름의 길이가 1, 중심각의 크기가 1(라디안)인 부채꼴의 넓이는 ❷ ☐이다.

답 ❶ $\theta$ ❷ $\frac{1}{2}$

# 4

어느 건물에 휠체어를 이용하는 사람들을 위해 경사로를 만들려고 한다.

경사로의 경사도가 $\frac{7}{100}$이 되도록 할 때, 지면과 경사로가 이루는 각 $\theta$의 크기를 다음 삼각함수표를 이용하여 구하시오.

| $\theta$ | $\sin\theta$ | $\cos\theta$ | $\tan\theta$ |
|---|---|---|---|
| $3°$ | 0.0523 | 0.9986 | 0.0524 |
| $4°$ | 0.0698 | 0.9976 | 0.0699 |
| $5°$ | 0.0872 | 0.9962 | 0.0875 |

**Tip**

경사도는 수직 거리를 ❶ ☐ 거리로 나눈 값이므로 ❷ ☐와 같다.

답 ❶ 수평 ❷ $\tan\theta$

# 창의·융합·코딩 전략 ②

## 5

다음 그림과 같이 사다리차의 사다리의 길이는 $13\text{ m}$이고 사다리가 지면에 닿은 지점으로부터 아파트 벽면까지의 거리는 $5\text{ m}$이다. 지면과 사다리차의 사다리가 이루는 각의 크기를 $\theta$라 할 때, $\dfrac{\sin\theta}{\cos\theta}$와 $\tan\theta$의 값을 비교하시오.

**Tip**

지면에서 사다리의 끝이 아파트 벽면과 만나는 지점까지의 거리는 $\sqrt{13^2-\boxed{❶}^2}=\boxed{❷}$ (m)이다.

답 ❶ 5 ❷ 12

## 6

이 용수철을 아래로 $5\text{ cm}$ 당긴 후에 놓으면 $t$초 후 용수철의 길이 $x$는 $x=5\cos 2\pi t+10\ (\text{cm})$가 된다. 이때 다음 물음에 답하시오.

(1) 용수철의 길이가 가장 짧을 때의 길이를 구하시오.

(2) 용수철의 길이는 몇 초마다 $15\text{ cm}$가 되는지 구하시오.

**Tip**

용수철의 길이가 가장 짧을 때의 길이는 주어진 함수의 $\boxed{❶}$이고, 용수철의 길이는 주기가 $\boxed{❷}$인 함수이다.

답 ❶ 최솟값 ❷ 1

# 7

$\alpha=\dfrac{\pi}{22}$일 때,

$$\sin\alpha\cos10\alpha+\sin2\alpha\cos9\alpha+\sin3\alpha\cos8\alpha+\cdots+\sin9\alpha\cos2\alpha+\sin10\alpha\cos\alpha$$

의 값은?

① 0　　② 2　　③ $2\sqrt{3}$
④ $3\sqrt{2}$　　⑤ 5

**Tip**

$\alpha=\dfrac{\pi}{22}$에서 $11\alpha=\dfrac{\pi}{2}$이므로

$\sin\alpha\cos10\alpha=\sin\alpha\cos\left(\dfrac{\pi}{2}-\alpha\right)=$ ❶ ______,

$\sin2\alpha\cos9\alpha=\sin2\alpha\cos\left(\dfrac{\pi}{2}-2\alpha\right)=$ ❷ ______, …

답 ❶ $\sin^2\alpha$ ❷ $\sin^2 2\alpha$

# 8

어느 섬의 선착장에서 시각이 $x$시일 때, 해수면의 높이를 $h(x)$ m라 하면

$$h(x)=5+4.8\sin\frac{\pi}{6}x$$

라 한다. 이 섬의 선착장에서 해수면의 높이가 $7.4$ m 이상일 때만 여객선을 댈 수 있다고 할 때, 여객선을 댈 수 있는 시간은 하루에 몇 시간 동안인가? (단, $0\le x<24$)

① 4　　② 5　　③ 6
④ 7　　⑤ 8

**Tip**

$\dfrac{\pi}{6}x=t$로 놓으면 $0\le t<$ ❶ ______ 이므로 조건에 맞는 부등식은

$5+4.8\sin t\ge$ ❷ ______

답 ❶ $4\pi$ ❷ $7.4$

# 중간고사 마무리 전략

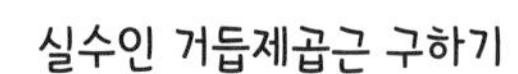

실수인 거듭제곱근 구하기

27의 세제곱근 중에서 실수인 것
➡ $\sqrt[3]{27}=3$

$-27$의 세제곱근 중에서 실수인 것
➡ $\sqrt[3]{-27}=-3$

81의 네제곱근 중에서 실수인 것
➡ $\sqrt[4]{81}=3,\ -\sqrt[4]{81}=-3$

$-81$의 네제곱근 중에서 실수인 것
➡ 없다.

로그의 밑의 변환

$a>0,\ a\neq1,\ b>0,\ c>0,\ c\neq1$일 때

① $\log_a b=\dfrac{\log_c b}{\log_c a}$ ② $\log_a b=\dfrac{1}{\log_b a}$ (단, $b\neq1$)

지수부등식의 풀이
밑을 같게 할 수 있는 경우

① $a>1$일 때, $a^{f(x)}<a^{g(x)} \Longleftrightarrow f(x)<g(x)$ ← 부등호의 방향은 그대로

② $0<a<1$일 때, $a^{f(x)}<a^{g(x)} \Longleftrightarrow f(x)>g(x)$ ← 부등호의 방향은 반대로

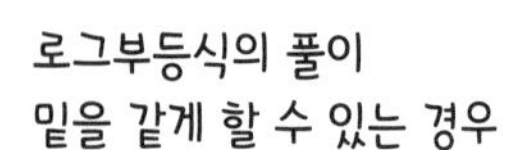

로그부등식의 풀이
밑을 같게 할 수 있는 경우

① $a>1$일 때, $\log_a f(x)<\log_a g(x) \Longleftrightarrow 0<f(x)<g(x)$ ← 부등호의 방향은 그대로

② $0<a<1$일 때, $\log_a f(x)<\log_a g(x) \Longleftrightarrow f(x)>g(x)>0$ ← 부등호의 방향은 반대로

## 이어서 공부할 내용

- ✔ 신유형·신경향·서술형 전략
- ✔ 적중 예상 전략 ❶, ❷회

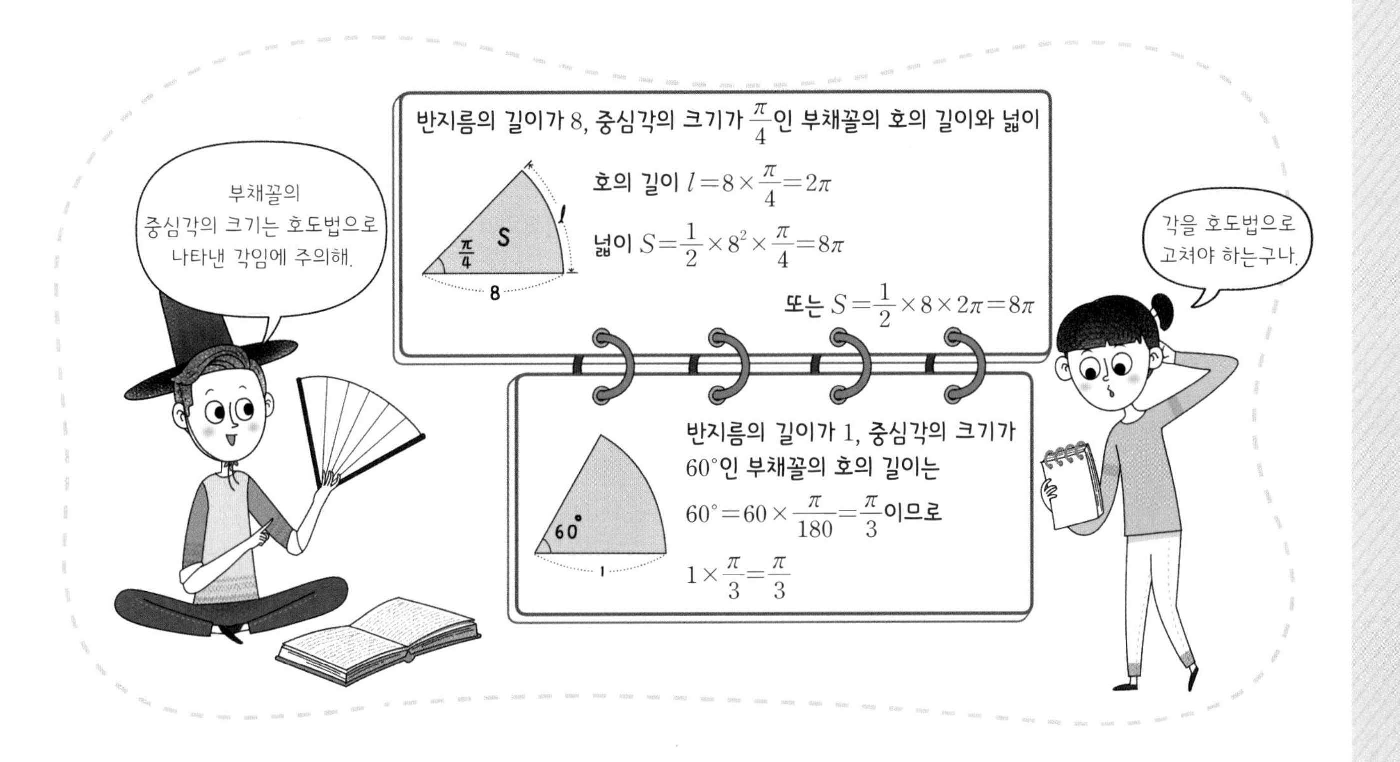


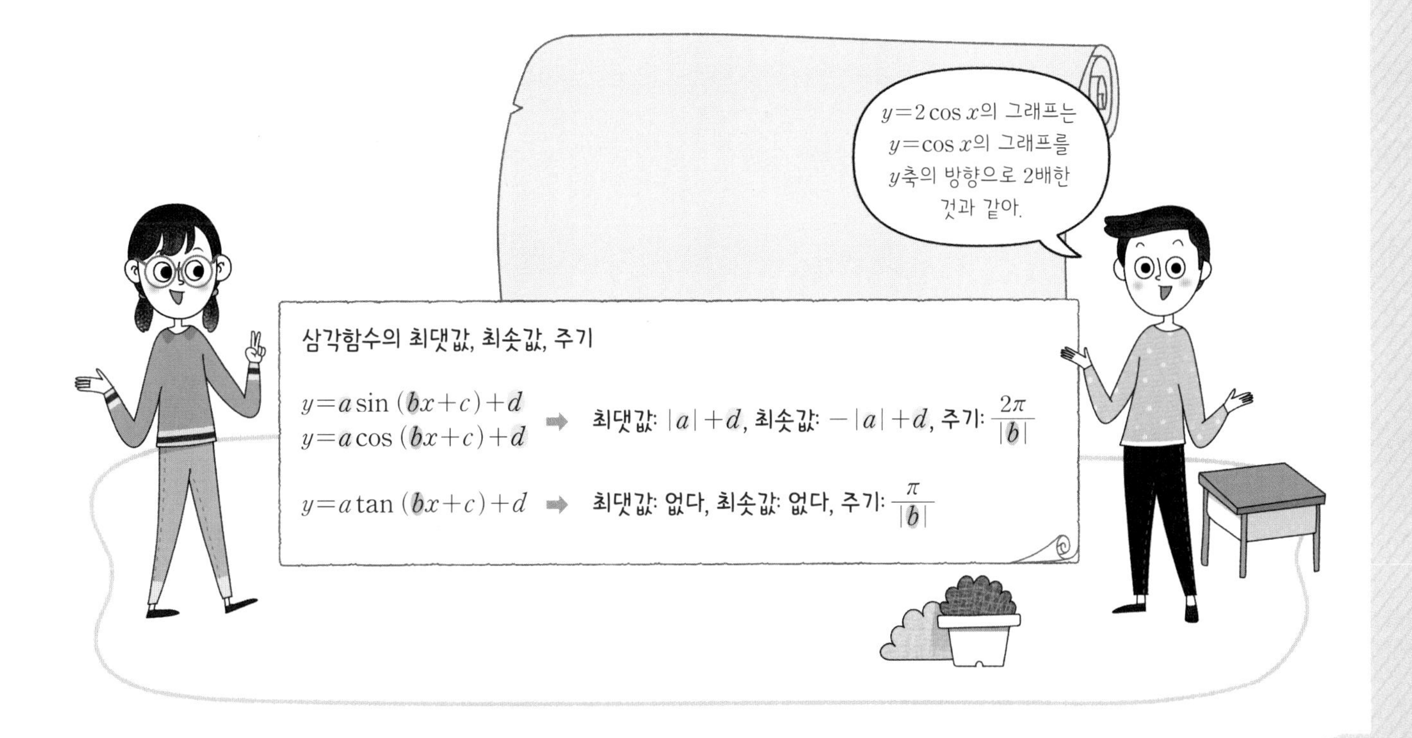

# 신유형·신경향·서술형 전략

## 1

실수 $a$의 $n$제곱근 중 실수인 것의 개수를 $\mathrm{P}(a, n)$이라 하자. $\mathrm{P}(a, n)=1$인 것을 말한 사람을 모두 찾으시오.

(단, $n\geq2$인 자연수이다.)

은선

$\mathrm{P}(0, 2)$

수민

$\mathrm{P}(-125, 3)$

소영

$\mathrm{P}(-1, 4)$

민호

$\mathrm{P}\left(\frac{1}{81}, 5\right)$

애린

$\mathrm{P}(64, 6)$

**Tip**

$\mathrm{P}(-125, 3)$에서 $-125$의 세제곱근을 $x$라 하면 $x^3=$ ❶

$\mathrm{P}(-1, 4)$에서 $-1$의 네제곱근을 $x$라 하면 $x^4=$ ❷

답 ❶ $-125$ ❷ $-1$

## 2

다음은 $\sqrt{\frac{n}{10}}$, $\sqrt[3]{\frac{n}{6}}$이 모두 자연수가 되도록 하는 자연수 $n$의 최솟값을 구하는 과정이다.

> $\sqrt{\frac{n}{10}}$이 자연수가 되기 위해서는
> $n=$ (가) $\times p^2$ ($p$는 자연수) 꼴이어야 한다.
> $\sqrt[3]{\frac{n}{6}}$이 자연수가 되기 위해서는
> $n=$ (나) $\times q^3$ ($q$는 자연수) 꼴이어야 한다.
> (가) $\times p^2=$ (나) $\times q^3$에서
> $p$는 3의 배수, $q$는 5의 배수이어야 한다.
> 따라서 $p=$ (다), $q=$ (라)일 때, $n$의 값이 최소이므로
> 구하는 $n$의 최솟값은
> $n=2\times$ (마) $\times5^3$

위의 (가), (나), (다), (라), (마)에 알맞은 값을 각각 $a, b, c, d, e$라 할 때, $\frac{9abc}{de}$의 값은?

① 3 ② 12 ③ 20 ④ 25 ⑤ 32

**Tip**

$\sqrt{\frac{n}{10}}=p$ ($p$는 자연수)라 하면 $\frac{n}{10}=p^2$에서 $n=10p^2$

$\sqrt[3]{\frac{n}{6}}=q$ ($q$는 자연수)라 하면 $\frac{n}{6}=$ ❶ 에서 $n=$ ❷

답 ❶ $q^3$ ❷ $6q^3$

## 3

두 수 $\log_3 4$, $\log_9 19$의 대소를 다음 두 학생의 방법으로 각각 비교하시오.

경욱

$\log_3 4$를 9를 밑으로 하는 로그로 나타내 비교할 거야.

승희

$\log_9 19$를 3을 밑으로 하는 로그로 나타내 비교해 볼까?

**Tip**

$\log_3 4=\log_{3^2} 4^2=\log_9$ ❶ $\square$, $\log_9 19=\dfrac{\log_3 19}{\log_3 9}=\dfrac{\log_3 19}{2\log_3 3}$

와 같이 로그는 경우에 따라 ❷ $\square$을 다른 수로 바꾸어 나타낼 수 있다.

답 ❶ 16 ❷ 밑

## 4

한 번 통과하면 불순물의 11 %가 제거되는 정수 필터가 있다. 다음 물음에 답하시오.

(1) 처음 불순물의 양을 $a$라 할 때, 정수 필터를 $n$번 통과한 후 남은 불순물의 양을 식으로 나타내시오.

(2) 불순물의 양을 처음 불순물의 양의 20 % 이하가 되게 하려면 정수 필터를 최소한 몇 번 통과시켜야 하는지 구하시오. (단, $\log 2=0.3$, $\log 8.9=0.95$로 계산한다.)

**Tip**

처음 불순물의 양을 $a$라 하면 정수 필터를 한 번 통과할 때, 남아 있는 불순물의 양은 $\dfrac{❶\ \square}{100}a$이다.

답 ❶ 89

## 5

**두 각 $\theta$와 $5\theta$를 나타내는 두 동경이 $x$축에 대하여 대칭일 때, 다음 물음에 답하시오.**

(1) 각 $\theta$의 크기를 모두 구하시오. (단, $0^\circ<\theta<180^\circ$)

(2) 다음 조건을 만족시키는 상수 $a$, $b$, $c$의 값을 구하시오.

> (가) $\sin 5\theta=a\sin\theta$
> (나) $\cos 5\theta=b\cos\theta$
> (다) $\tan 5\theta=c\tan\theta$

**Tip**
두 각 $\theta$와 $5\theta$를 나타내는 두 동경이 $x$축에 대하여 대칭이면
$\theta+5\theta=$ ❶ $\square\,^\circ\times n$ ($n$은 정수)이다.

답 ❶ 360

## 6

**오른쪽 그림과 같은 두 부채꼴 AOB, COD에 대하여 $\widehat{\mathrm{AB}}=3\pi$, $\widehat{\mathrm{CD}}=2\pi$이고 색칠한 부분의 넓이가 $10\pi$일 때, $\overline{\mathrm{AC}}$의 길이는?**

① 2
② 3
③ 4
④ 5
⑤ 6

부채꼴의 반지름의 길이와 중심각의 크기를 알면 호의 길이와 넓이를 구할 수 있어.

**Tip**
부채꼴의 중심각의 크기를 $\theta$라 하면
$\overline{\mathrm{OA}}\times\theta=$ ❶ $\square$, $\overline{\mathrm{OC}}\times\theta=2\pi$
$\frac{1}{2}\times\overline{\mathrm{OA}}\times\widehat{\mathrm{AB}}-\frac{1}{2}\times\overline{\mathrm{OC}}\times\widehat{\mathrm{CD}}=$ ❷ $\square$

답 ❶ $3\pi$ ❷ $10\pi$

## 7

지면과 이루는 각의 크기를 $\theta$로 하여 초속 $v$ m로 골프공을 쳤을 때, 골프공의 수평 이동 거리 $R$ m는

$$R=\frac{v^2 \sin 3\theta}{10\sqrt{3}}$$

로 나타낼 수 있다. 홀까지의 거리가 120 m인 지점에서 골프 선수가 초속 $20\sqrt{6}$ m로 골프공을 쳤을 때, 골프공이 홀에 바로 들어갈 수 있는 각의 크기는? $\left(단, \frac{\pi}{6}<\theta<\frac{\pi}{3}\right)$

① $\frac{7}{36}\pi$ ② $\frac{2}{9}\pi$ ③ $\frac{\pi}{4}$

④ $\frac{5}{18}\pi$ ⑤ $\frac{11}{36}\pi$

**Tip**

$R=120$, $v=$ ❶ 을 주어진 식에 대입하여 $\sin 3\theta$의 값을 구한다. 이때 $\frac{\pi}{6}<\theta<\frac{\pi}{3}$에서 $\frac{\pi}{2}<3\theta<$ ❷ 이다.

답 ❶ $20\sqrt{6}$ ❷ $\pi$

## 8

서술형

어떤 놀이공원의 열차가 출발점에서 수평 방향으로 $x$ m만큼 떨어진 위치에 있을 때, 지면으로부터 이 열차의 높이를 $y$ m라 하면

$$y=a\sin bx+c \ (0\le x\le 20)$$

라 한다. 열차의 위치와 높이 사이의 그래프가 오른쪽 그림과 같을 때, 양수 $a$, $b$, $c$에 대하여 $abc$의 값을 구하시오.

**Tip**

$a>0$일 때, 함수 $y=a\sin(bx+c)+d$의 최댓값은 ❶ , 최솟값은 $-a+d$이고 주기는 $\frac{❷}{|b|}$이다.

답 ❶ $a+d$ ❷ $2\pi$

# 적중 예상 전략 1회

## 1

다음 설명 중 옳은 것은?

① 0의 세제곱근은 없다.
② $-9$의 세제곱근 중에서 실수인 것은 2개이다.
③ 7의 네제곱근 중에서 실수인 것은 $\sqrt[4]{7}$이다.
④ $n$이 2 이상인 홀수일 때, 3의 $n$제곱근 중에서 실수인 것은 2개이다.
⑤ $n$이 2 이상인 짝수일 때, $-2$의 $n$제곱근 중에서 실수인 것은 없다.

## 2

다음 중 옳지 <u>않은</u> 것은?

① $(\sqrt[3]{4})^6=16$
② $\dfrac{\sqrt[3]{27}}{\sqrt[3]{9}}=\sqrt[3]{3}$
③ $\sqrt[3]{2}\times\sqrt[5]{2}=\sqrt[15]{2}$
④ $\sqrt[3]{\sqrt[4]{2}}=\sqrt[12]{2}$
⑤ $\sqrt[3]{\sqrt{2}}\times\sqrt[6]{32}=2$

## 3

$a>1$이고 $\sqrt{a^4}=\sqrt[3]{a^5\sqrt{a^k}}$일 때, 상수 $k$의 값은?

① $-3$　② $-2$　③ $-1$　④ 1　⑤ 2

## 4

다음 중 옳지 <u>않은</u> 것은?

① $(a^{\frac{7}{6}}\times\sqrt{a})^{\frac{3}{5}}=a$
② $\sqrt[4]{ab^2}\times\sqrt[6]{a^2b^4}\times\sqrt{a^3b}=\sqrt[12]{a^{25}b^5}$
③ $(a^{\frac{1}{2}}+a^{-\frac{1}{2}})^2+(a^{\frac{1}{2}}-a^{-\frac{1}{2}})^2=2(a+a^{-1})$
④ $a^{\frac{3}{2}}\times a^{\frac{1}{6}}\div a^{-\frac{1}{3}}=a^2$
⑤ $\sqrt{\dfrac{\sqrt[5]{a}}{\sqrt[5]{a^2}}}\times\sqrt[5]{\dfrac{\sqrt{a^2}}{\sqrt[4]{a^2}}}=1$

## 5

실수 $x$에 대하여 $\frac{a^x+a^{-x}}{a^x-a^{-x}}=\frac{4}{3}$일 때, $a^{6x}$의 값은?

① 5 ② 49 ③ 300
④ 343 ⑤ 2401

## 6

$a=2\log_2 \sqrt{2}+3\log_2 \sqrt[3]{2}$, $b=\log_3 12-4\log_3 \sqrt{6}$일 때, $a+b$의 값은?

① 0 ② 1 ③ 2
④ 3 ⑤ 4

## 7

세 수 $A$, $B$, $C$가

$$A=\log_5 45-\log_5 9,\ B=\frac{1}{2}\log_3 \frac{3}{7}+\log_3 \sqrt{7},$$
$$C=\log_3 8\sqrt{2}+\log_3 \frac{1}{24}-\log_3 \sqrt{2}$$

일 때, $A$, $B$, $C$의 대소 관계로 옳은 것은?

① $A<B<C$ ② $A<C<B$ ③ $B<C<A$
④ $C<A<B$ ⑤ $C<B<A$

## 8

세 실수 $x$, $y$, $z$에 대하여 $\frac{6}{x}+\frac{4}{y}+\frac{2}{z}=2$일 때, $2^x=3^y=5^z=k\ (xyz\neq0)$를 만족시키는 실수 $k$의 값은?

① 240 ② 320 ③ 360
④ 400 ⑤ 420

$x$, $y$, $z$를 $k$를 밑으로 하는 로그로 나타내 봐.

## 9

log 4.34=0.6385일 때

$\log 43400=a$, $\log b=-1.3615$

이다. 이때 $a+b$의 값은?

① 3.3615 ② 3.6385 ③ 3.6819
④ 4.6385 ⑤ 4.6819

## 10

지수함수 $y=-\left(\frac{1}{3}\right)^{x}+1$에 대한 설명으로 옳은 것은?

① 그래프는 점 $(0, 1)$을 지난다.
② 치역은 $\{y|y>1\}$이다.
③ $x$의 값이 증가하면 $y$의 값도 증가한다.
④ 그래프의 점근선은 $x$축이다.
⑤ 그래프는 함수 $y=\left(\frac{1}{3}\right)^{x}$의 그래프를 $y$축에 대하여 대칭이동한 다음 $x$축의 방향으로 1만큼 평행이동한 것이다.

## 11

함수 $y=\log_3(x^2-6x+12)+6$은 $x=a$일 때, 최솟값 $m$을 갖는다. $a+m$의 값은?

① 9 ② 10 ③ 11
④ 12 ⑤ 13

## 12

방정식 $\left(\log_3 \frac{x}{3}\right)^2-20\log_9 x+26=0$의 두 근을 $\alpha$, $\beta$라 할 때, $\alpha\beta$의 값은?

① $3^6$ ② $3^9$ ③ $3^{12}$
④ $3^{15}$ ⑤ $3^{18}$

## 13

부등식 $\frac{27}{9^x} \geq 3^{x-9}$을 만족시키는 모든 자연수 $x$의 값의 합은?

① 6 ② 7 ③ 8
④ 9 ⑤ 10

## 서술형

### 14

서로 다른 세 양의 실수 $a$, $b$, $c$가 다음 조건을 만족시킬 때, 양수 $k$의 값을 구하시오.

(가) $a^2b-a^2c-ab^2+b^2c=0$
(나) $a=b\log_2 3=c\log_2 k$

### 15

$1$이 아닌 서로 다른 세 양의 실수 $a$, $b$, $c$가 $a^3=b^4=c^5$을 만족시킬 때, $\log_{\frac{b}{a}} b+\log_{\frac{c}{b}} c+\log_{\frac{a}{c}} a$의 값을 구하시오.

### 16

정의역이 $\{x\,|\,1\le x\le 2\}$인 함수 $y=9^x-2\times3^{x+1}+a$의 최댓값이 $18$일 때, 상수 $a$의 값을 구하시오.

### 17

다음 그림과 같이 두 곡선 $y=\log_2 x$, $y=\log_2 4x$와 두 직선 $x=1$, $x=4$로 둘러싸인 도형의 넓이를 구하시오.

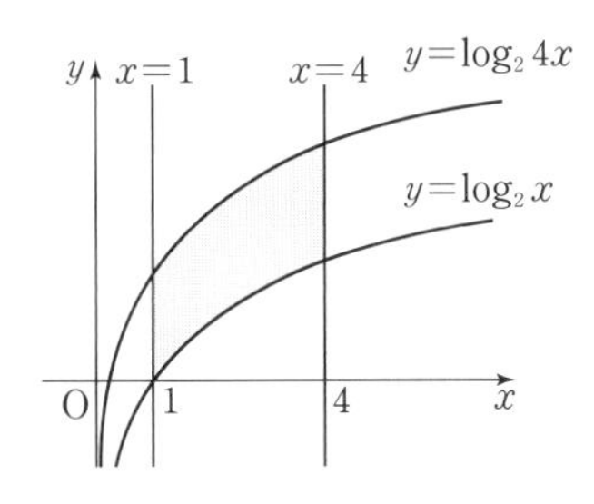


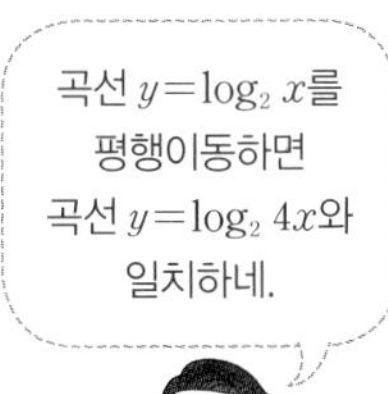

# 적중 예상 전략 2회



## 1

다음 보기에서 옳은 것만을 있는 대로 고른 것은?

보기

ㄱ. $\frac{17}{4}\pi$, $1480°$는 제1사분면의 각이다.

ㄴ. $-\frac{5}{6}\pi$, $930°$를 나타내는 동경은 일치한다.

ㄷ. 중심각의 크기가 2이고 넓이가 36인 부채꼴의 호의 길이는 12이다.

ㄹ. $\sin\theta>0$, $\cos\theta<0$일 때, $\theta$는 제4사분면의 각이다.

① ㄱ, ㄴ ② ㄷ, ㄹ ③ ㄱ, ㄴ, ㄷ
④ ㄱ, ㄴ, ㄹ ⑤ ㄱ, ㄴ, ㄷ, ㄹ

## 2

두 각 $\theta$와 $5\theta$를 나타내는 두 동경이 일치할 때, 모든 각 $\theta$의 값의 합은? (단, $0<\theta<2\pi$)

① $\pi$ ② $\frac{3}{2}\pi$ ③ $2\pi$
④ $\frac{5}{2}\pi$ ⑤ $3\pi$

## 3

오른쪽 그림과 같이 반지름의 길이가 1인 반원에서 호 AP의 길이와 지름 AB의 길이가 같도록 원의 둘레 위에 점 P를 잡을 때, 부채꼴 BOP의 넓이는?

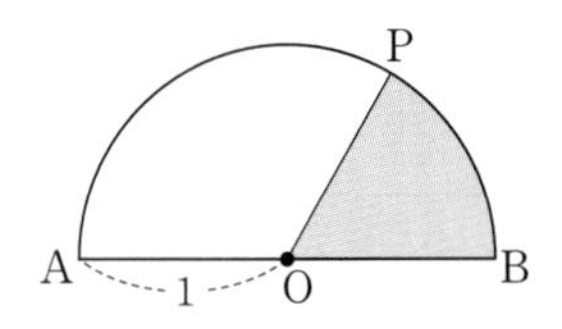


① 1 ② $\frac{\pi}{4}$ ③ $\frac{\pi}{6}$
④ $\frac{\pi}{2}-1$ ⑤ $\pi-1$

## 4

원점 O와 점 $P(-3, a)$를 지나는 동경 OP가 나타내는 각을 $\theta$라 할 때, $\cos\theta=-\frac{1}{3}$이다. 이때 양수 $a$의 값은?

① $4\sqrt{3}$ ② $6\sqrt{2}$ ③ $4\sqrt{5}$
④ $3\sqrt{10}$ ⑤ $6\sqrt{3}$

## 5

$\sin\theta+\cos\theta=\sqrt{2}$일 때, $\frac{1}{\cos\theta}\left(\tan\theta+\frac{1}{\tan^2\theta}\right)$의 값은?

① $\sqrt{2}$ ② $2\sqrt{2}$ ③ $3\sqrt{2}$
④ $4\sqrt{2}$ ⑤ $5\sqrt{2}$

## 6

다음 함수 중 주기가 가장 큰 것은?

① $y=\cos 6x$ ② $y=\sin(-x+3)$
③ $y=-2\cos\left(\frac{x}{2}-\frac{\pi}{4}\right)$ ④ $y=\sin\frac{x}{4}$
⑤ $y=\tan(2x-1)$

$y=\sin x$, $y=\cos x$의 주기는 $2\pi$, $y=\tan x$의 주기는 $\pi$였지?

## 7

함수 $f(x)=a\sin\frac{x}{3}+b$의 최댓값이 2이고 $f\left(\frac{\pi}{2}\right)=\frac{4}{3}$일 때, 상수 $a$, $b$에 대하여 $\frac{a}{b}$의 값은? (단, $a>0$)

① $\frac{3}{2}$ ② 2 ③ $\frac{5}{2}$
④ 3 ⑤ $\frac{7}{2}$

## 8

함수 $y=a\cos(bx-c)$의 그래프가 다음 그림과 같을 때, 상수 $a$, $b$, $c$에 대하여 $abc$의 값은? (단, $a>0$, $b>0$, $0<c<\pi$)

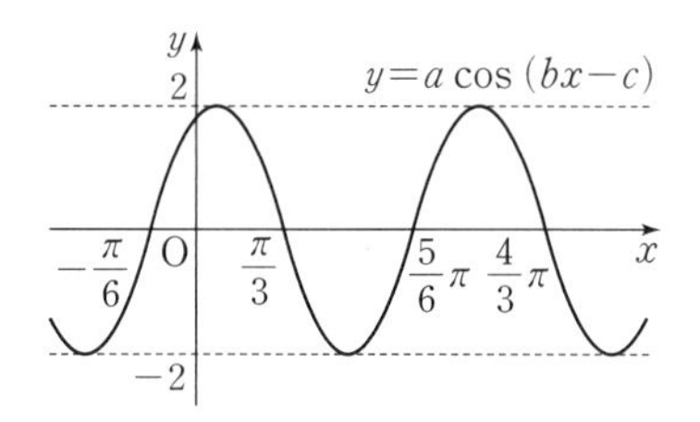


① $\frac{\pi}{3}$ ② $\frac{2}{3}\pi$ ③ $\frac{4}{3}\pi$
④ $\frac{5}{3}\pi$ ⑤ $2\pi$

## 9

$\sin\left(-\frac{\pi}{3}\right)-\cos\frac{7}{6}\pi+\tan\frac{13}{4}\pi$의 값은?

① $-1$ ② $1$ ③ $-\sqrt{3}-1$
④ $-\sqrt{3}+1$ ⑤ $2$

## 10

$\sin^2\left(\frac{\pi}{2}+\theta\right)+\sin^2(\pi-\theta)-\cos^2(2\pi-\theta)+\sin^2\left(\frac{3}{2}\pi-\theta\right)$ 의 값은?

① $\frac{1}{4}$ ② $\frac{1}{2}$ ③ $1$
④ $2$ ⑤ $4$

## 11

함수 $y=-\sin(x+\pi)+2\cos\left(\frac{\pi}{2}-x\right)-1$의 최댓값을 $M$, 최솟값을 $m$이라 할 때, $M+m$의 값은?

① $-4$ ② $-2$ ③ $0$
④ $2$ ⑤ $4$

## 12

부등식 $2\cos^2 x-3\sin x<0$의 해가 $m<x<n$일 때, $n-m$의 값은? (단, $0\leq x<2\pi$)

① $\frac{2}{3}\pi$ ② $\frac{5}{3}\pi$ ③ $2\pi$
④ $\frac{5}{2}\pi$ ⑤ $3\pi$

## 서술형

## 13

$\sin\theta\cos\theta<0$, $\sin\theta\tan\theta<0$을 동시에 만족시키는 각 $\theta$에 대하여 $\cos\theta=-\frac{4}{5}$일 때, $20(\sin\theta-\tan\theta)$의 값을 구하시오.

## 14

함수 $y=-6\cos^2 x+6\cos\left(\frac{\pi}{2}+x\right)+k$의 최댓값이 $11$일 때, 최솟값을 구하시오. (단, $k$는 상수이다.)

## 15

방정식 $2\cos^2 x+2\sin\left(\frac{\pi}{2}+x\right)-\sin^2 x=0$의 모든 실근의 합을 구하시오. (단, $0\le x<2\pi$)

## 16

모든 실수 $x$에 대하여 이차부등식

$$x^2-2x\cos\theta-2\cos\theta>0$$

이 항상 성립할 때, $\theta$의 값의 범위를 구하시오.

(단, $-\pi\le\theta\le\pi$)

Memo

**고등 내신 필수 기본서**

2022 신간

내신을 대비하고 실력을 쌓는 필수 기본서

# 고등 내신전략 시리즈

## 국어 / 영어 / 수학

**효율적인 내신 대비**

고등 과정에서 꼭 익혀야 할
주요 개념을 중심으로 정리하여
실력을 확실하게 UP!

**체계적인 학습 구성**

주 4일, 하루 6쪽 구성으로
2주간 전략적으로 빠르게
끝낼 수 있는 체계적인 학습 구성!

**편리한 미니북 제공**

핵심 개념만 모은 미니북으로
언제 어디서나 개념 체크!
필수 내신 개념 완성!

국·영·수 내신을 확실하게!

국어: 예비고~고1(문학/문법)

영어: 고1~2(구문/문법/어휘/독해)

수학: 고1~3(수학(상)/수학(하)/수학 I/수학 II/미적분/확률과 통계)

book.chunjae.co.kr

교재 내용 문의 ·································· 교재 홈페이지 ▸ 고등 ▸ 교재상담
교재 내용 외 문의 ······························ 교재 홈페이지 ▸ 고객센터 ▸ 1:1문의
발간 후 발견되는 오류 ························· 교재 홈페이지 ▸ 고등 ▸ 학습지원 ▸ 학습자료실

★고등 9종 수학 교과서
필수 학습 내용 반영!

중간고사 기말고사
고득점을 예약하자!

# 내신전략

고등 수학 I

BOOK 2
기말고사 대비

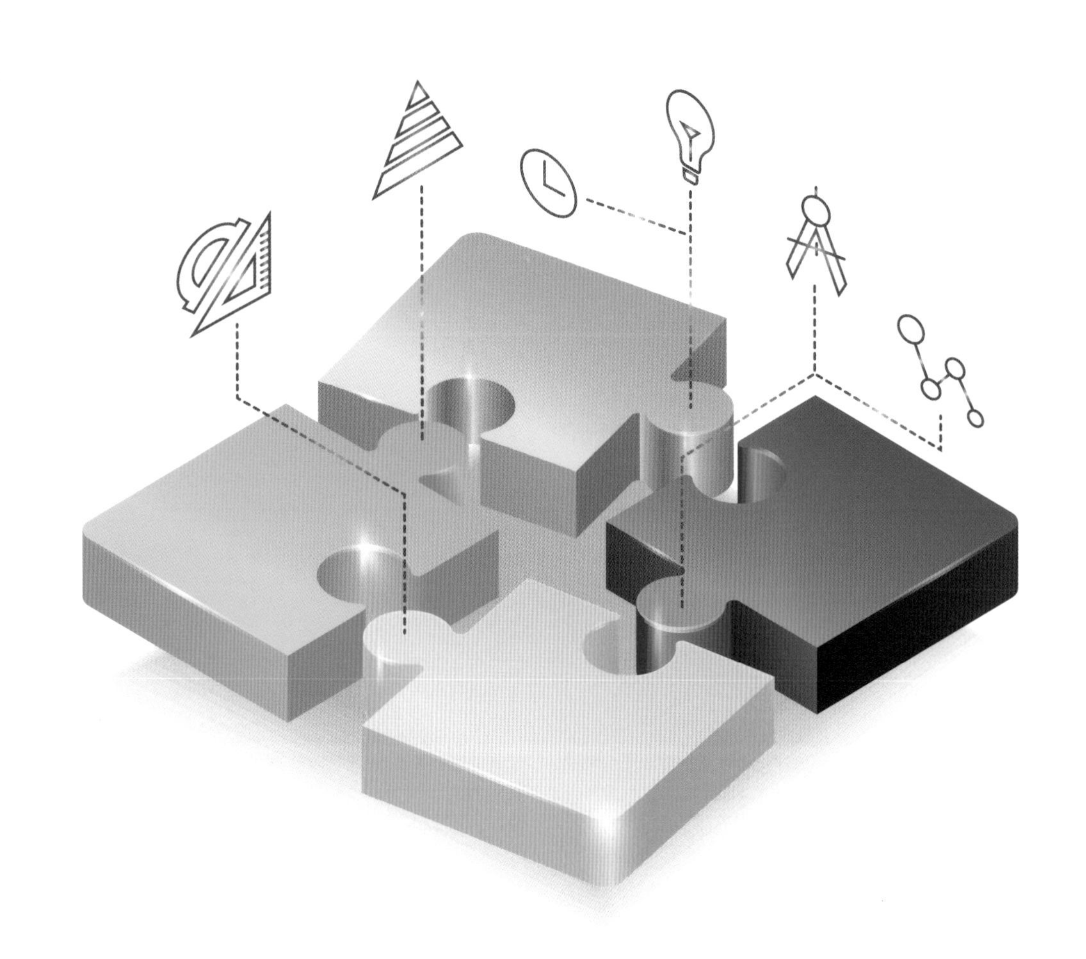

천재교육

내신전략

고등 수학 Ⅰ

# 내신전략

## 고등 수학 I

BOOK 2

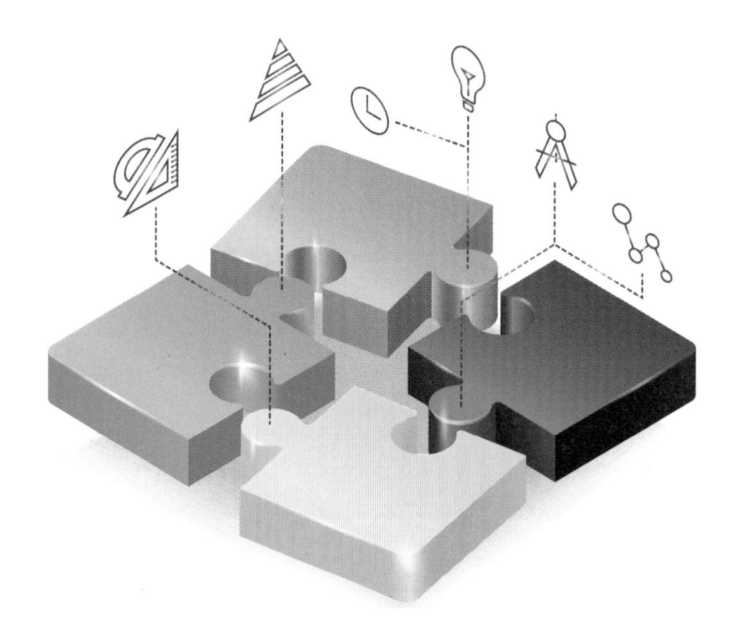

# 이 책의 차례

BOOK 1

## 1주 지수함수와 로그함수

- 지수
- 로그
- 지수함수와 로그함수
- 지수함수와 로그함수의 활용



## 2주 삼각함수

- 일반각과 호도법
- 삼각함수
- 삼각함수의 그래프



권 마무리 코너

## 1주 삼각함수의 활용과 등차수열

- 사인법칙과 코사인법칙
- 삼각형의 넓이
- 등차수열
- 등차수열의 합



## 2주 수열

- 등비수열
- 수열의 합
- 수열의 귀납적 정의
- 수학적 귀납법



### 권 마무리 코너

# 1주 삼각함수의 활용과 등차수열

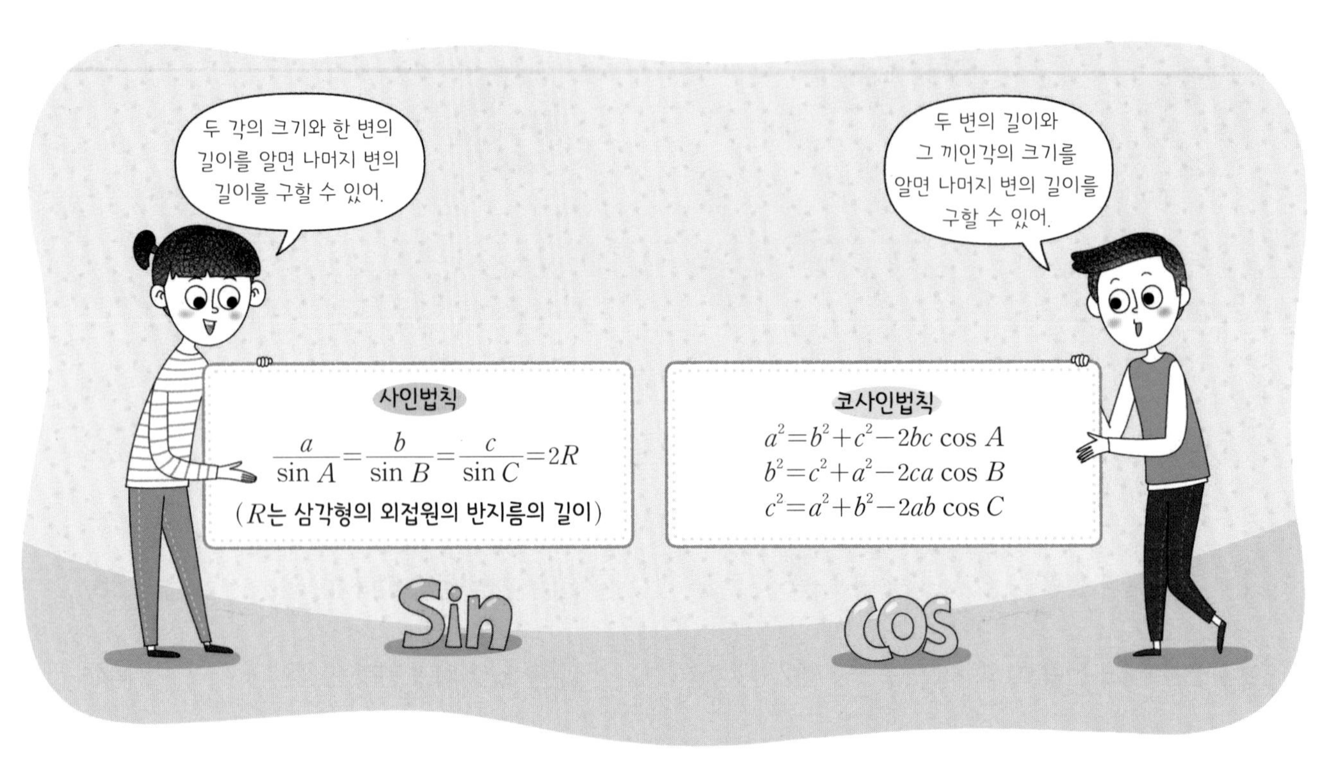


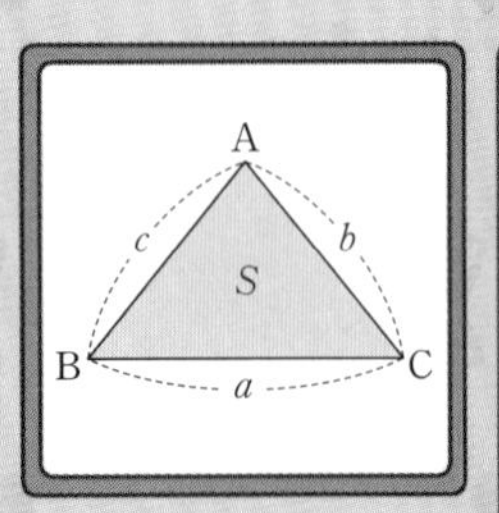


**삼각형 ABC의 넓이 $S$를 구하는 방법**

(1) 두 변의 길이와 그 끼인각의 크기를 알 때

➡ $S=\frac{1}{2}ab\sin C=\frac{1}{2}bc\sin A=\frac{1}{2}ca\sin B$

(2) 외접원의 반지름의 길이 $R$를 알 때

➡ $S=\frac{abc}{4R}=2R^2\sin A\sin B\sin C$

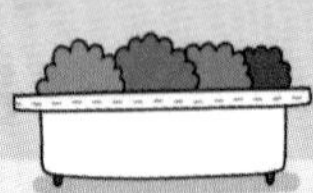

**공부할 내용** **1.** 사인법칙과 코사인법칙 **2.** 삼각형의 넓이 **3.** 등차수열 **4.** 등차수열의 합

# 1주 1일 개념 돌파 전략 ① _ 1. 삼각함수의 활용과 등차수열

## 개념 ❶ 사인법칙

삼각형 ABC의 외접원의 반지름의 길이를 $R$라 하면

(1) 사인법칙

$$\frac{\boxed{❶}}{\sin A}=\frac{b}{\sin B}=\frac{c}{\sin C}=\boxed{❷}$$

(2) 사인법칙의 변형

① $\sin A=\frac{a}{2R}$, $\sin B=\frac{b}{2R}$, $\sin C=\frac{\boxed{❸}}{2R}$

② $a=2R\sin A$, $b=2R\sin B$, $c=2R\sin C$

③ $a : b : c=\sin A : \sin B : \sin C$

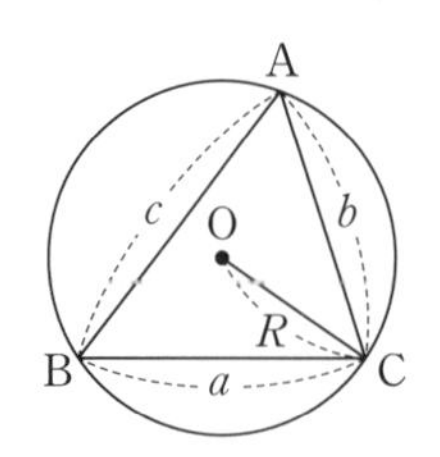


답 ❶ $a$ ❷ $2R$ ❸ $c$

**Quiz**

오른쪽 그림과 같은 삼각형 ABC에서

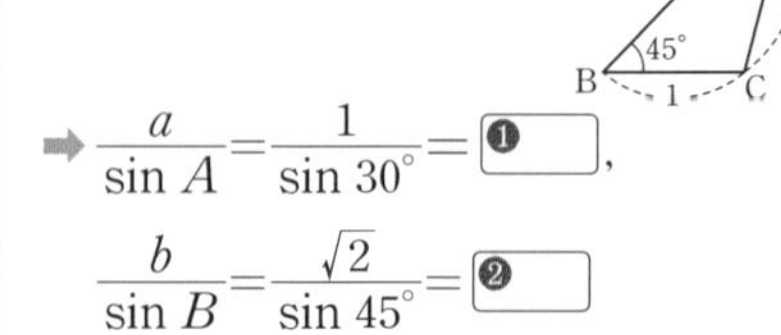

➡ $\frac{a}{\sin A}=\frac{1}{\sin 30^\circ}=\boxed{❶}$,

$\frac{b}{\sin B}=\frac{\sqrt{2}}{\sin 45^\circ}=\boxed{❷}$

$\therefore \frac{a}{\sin A}=\frac{b}{\sin B}$

답 ❶ 2 ❷ 2

## 개념 ❷ 코사인법칙

삼각형 ABC에서

(1) 코사인법칙

$a^2=b^2+c^2-2bc\boxed{❶}$

$b^2=c^2+\boxed{❷}-2ca\cos B$

$c^2=a^2+b^2-2\boxed{❸}\cos C$

(2) 코사인법칙의 변형

$$\cos A=\frac{b^2+c^2-a^2}{2bc},\ \cos B=\frac{c^2+a^2-b^2}{2ca},\ \cos C=\frac{a^2+b^2-c^2}{2ab}$$

답 ❶ $\cos A$ ❷ $a^2$ ❸ $ab$

**Quiz**

삼각형 ABC에서 $a=3$, $b=\sqrt{2}$, $C=45^\circ$일 때, $c$의 값을 구하면

➡ 코사인법칙에 의하여

$c^2=a^2+b^2-2ab\boxed{❶}$

$=3^2+(\sqrt{2})^2-2\times3\times\sqrt{2}\times\cos 45^\circ$

$=5$

$\therefore c=\boxed{❷}$ ($\because c>0$)

답 ❶ $\cos C$ ❷ $\sqrt{5}$

## 개념 ❸ 삼각형, 사각형의 넓이

(1) 삼각형의 넓이

삼각형 ABC의 넓이를 $S$라 하면

$$S=\frac{1}{2}ab\boxed{❶}=\frac{1}{2}bc\sin A=\frac{1}{2}ca\sin B$$

(2) 평행사변형의 넓이

이웃하는 두 변의 길이가 $a$, $b$이고 그 끼인각의 크기가 $\theta$인 평행사변형의 넓이를 $S$라 하면

$S=\boxed{❷}\sin\theta$

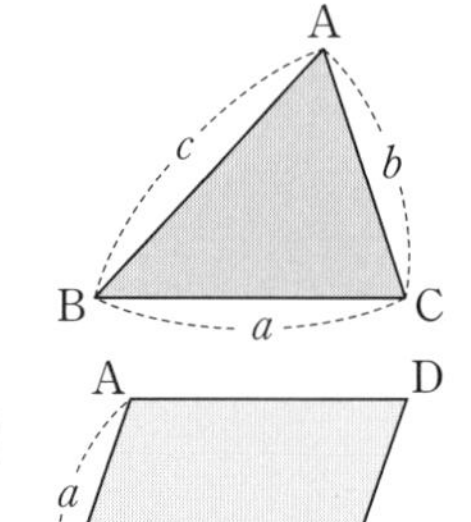


답 ❶ $\sin C$ ❷ $ab$

**Quiz**

오른쪽 그림과 같은 평행사변형 ABCD의 넓이 $S$를 구하면

➡ $S=\triangle ABC+\triangle ADC$

$=\boxed{❶}\triangle ABC$

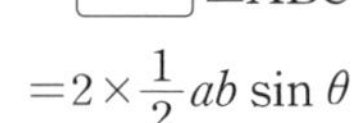

$=2\times\frac{1}{2}ab\sin\theta$

$=ab\boxed{❷}$

답 ❶ 2 ❷ $\sin\theta$

## 1-1

삼각형 ABC에서 $b=\sqrt{3}$, $A=30°$, $B=60°$일 때, $a$의 값은?

① 1　　② $\sqrt{2}$　　③ $\sqrt{3}$
④ 2　　⑤ $\sqrt{5}$

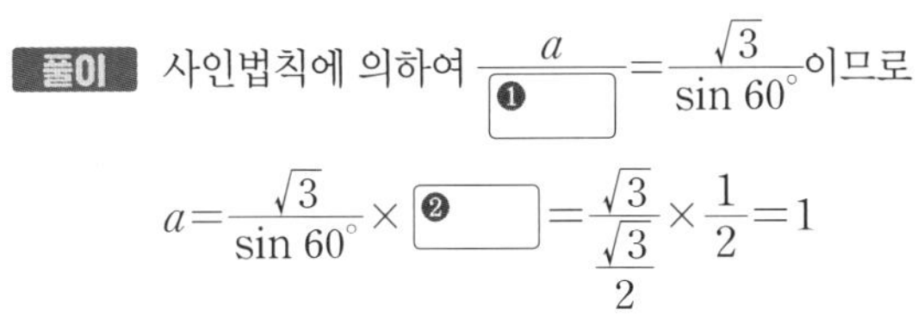

**풀이** 사인법칙에 의하여 $\dfrac{a}{❶\ \square}=\dfrac{\sqrt{3}}{\sin 60°}$이므로

$a=\dfrac{\sqrt{3}}{\sin 60°}\times ❷\ \square=\dfrac{\sqrt{3}}{\frac{\sqrt{3}}{2}}\times\dfrac{1}{2}=1$

❶ $\sin 30°$ ❷ $\sin 30°$ 답 ①

## 1-2

삼각형 ABC에서 $a=4$, $A=45°$, $B=75°$일 때, $c$의 값을 구하시오.

## 2-1

삼각형 ABC에서 $b=4$, $c=5$, $A=60°$일 때, $a$의 값은?

① $2\sqrt{5}$　　② $\sqrt{21}$　　③ $\sqrt{22}$
④ $\sqrt{23}$　　⑤ $2\sqrt{6}$

**풀이** 코사인법칙에 의하여

$a^2=4^2+5^2-2\times4\times5\times\cos 60°$

$=16+25-2\times4\times5\times ❶\ \square$

$=21$

$\therefore a=❷\ \square\ (\because a>0)$

❶ $\dfrac{1}{2}$ ❷ $\sqrt{21}$ 답 ②

## 2-2

삼각형 ABC에서 $a=5$, $c=3$, $B=120°$일 때, $b$의 값을 구하시오.

## 3-1

오른쪽 그림과 같은 삼각형 ABC의 넓이 $S$는?

① 6　　② $6\sqrt{2}$
③ $6\sqrt{3}$　　④ 12
⑤ $12\sqrt{2}$

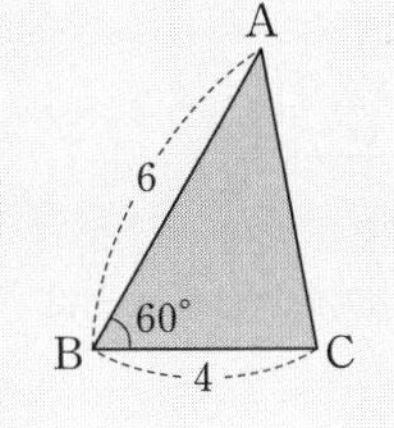


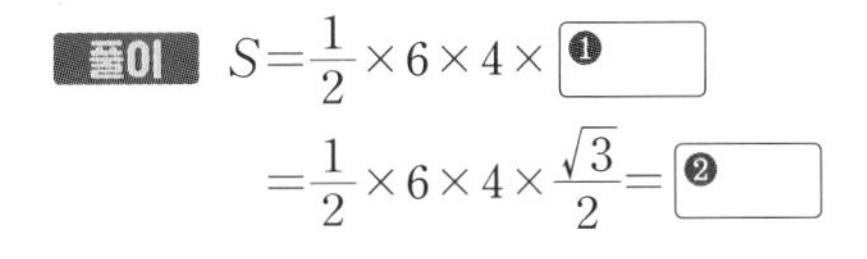

**풀이** $S=\dfrac{1}{2}\times6\times4\times ❶\ \square$

$=\dfrac{1}{2}\times6\times4\times\dfrac{\sqrt{3}}{2}=❷\ \square$

❶ $\sin 60°$ ❷ $6\sqrt{3}$ 답 ③

## 3-2

삼각형 ABC에서 $a=4$, $b=3$, $C=150°$일 때, 삼각형 ABC의 넓이를 구하시오.

## 개념 ④ 등차수열

(1) 등차수열의 뜻

첫째항에 차례로 일정한 수를 더하여 만든 수열을 등차수열이라 하고, 더하는 일정한 수를 ❶ ☐ 라 한다.

(2) 등차수열의 일반항

첫째항이 $a$, 공차가 $d$인 등차수열 $\{a_n\}$의 일반항은

$a_n=$ ❷ ☐ $+(n-1)d\ (n=1, 2, 3, \cdots)$

(3) 등차중항

세 수 $a, b, c$가 이 순서대로 등차수열을 이룰 때, $b$를 $a$와 ❸ ☐ 의 등차중항이라 한다.

이때 $b-a=c-b$이므로 $b=\frac{a+c}{2}$가 성립한다.

답 ❶ 공차 ❷ $a$ ❸ $c$

**Quiz**

수열

2, 5, ☐, 11, ☐, 17, ⋯

이 등차수열을 이룰 때, ☐ 안에 들어갈 알맞은 수를 써넣으면

➡ $5-2=3$에서 공차가 ❶ ☐ 이므로 주어진 수열은

2, 5, ❷ ☐, 11, ❸ ☐, 17, ⋯

+3 +3 +3 +3 +3

답 ❶ 3 ❷ 8 ❸ 14

## 개념 ⑤ 등차수열의 합

등차수열의 첫째항부터 제$n$항까지의 합 $S_n$은

(1) 첫째항이 $a$, 제$n$항이 $l$일 때, $S_n=\frac{❶\ ☐\ (a+l)}{2}$

(2) 첫째항이 $a$, 공차가 $d$일 때, $S_n=\frac{n\{2a+(n-1)d\}}{❷\ ☐}$

답 ❶ $n$ ❷ 2

**Quiz**

첫째항이 3이고 제10항이 21인 등차수열의 첫째항부터 제10항까지의 합 $S_{10}$의 값을 구하면

➡ $S_{10}=\frac{10\times(3+❶\ ☐)}{2}=$ ❷ ☐

답 ❶ 21 ❷ 120

## 개념 ⑥ 수열의 합과 일반항 사이의 관계

수열 $\{a_n\}$의 첫째항부터 제$n$항까지의 합을 $S_n$이라 하면

$a_1=$ ❶ ☐, $a_n=S_n-S_{n-1}\ (n\geq$ ❷ ☐ $)$

참고

$S_n=An^2+Bn+C$ ($A, B, C$는 상수)일 때

(1) $C=0$이면 수열 $\{a_n\}$은

➡ 첫째항부터 등차수열을 이룬다.

(2) $C\neq0$이면 수열 $\{a_n\}$은

➡ 제2항부터 등차수열을 이룬다.

답 ❶ $S_1$ ❷ 2

**Quiz**

수열 $\{a_n\}$의 첫째항부터 제$n$항까지의 합 $S_n$이 $S_n=2n^2$일 때, 일반항 $a_n$을 구하면

➡ $a_n=S_n-$ ❶ ☐ $=2n^2-2(n-1)^2$

$=4n-2\ (n\geq2)$ ⋯⋯ ㉠

$a_1=S_1=2\times$ ❷ ☐ $^2=2$ ⋯⋯ ㉡

이때 ㉡은 ㉠에 $n=1$을 대입한 것과 같으므로

$a_n=4n-2$

답 ❶ $S_{n-1}$ ❷ 1

## 4-1

첫째항이 20, 공차가 $-4$인 등차수열 $\{a_n\}$의 일반항 $a_n$은?

① $a_n=-4n+20$　　② $a_n=-4n+22$
③ $a_n=-4n+24$　　④ $a_n=-4n+26$
⑤ $a_n=-4n+28$

**풀이** 첫째항이 20, [❶ ] 가 $-4$이므로

$a_n=$[❷ ]$+(n-1)\times(-4)=-4n+24$

❶ 공차 ❷ 20　답 ③

## 4-2

등차수열 $-3, 5, 13, 21, 29, \cdots$의 일반항 $a_n$을 구하시오.

## 5-1

첫째항이 $-3$, 공차가 3인 등차수열의 첫째항부터 제20항까지의 합은?

① 498　② 501　③ 504
④ 507　⑤ 510

**풀이** 주어진 등차수열의 첫째항부터 제20항까지의 합은

$$\frac{20\{2\times(-3)+(20-1)\times\boxed{❶}\}}{2}=\boxed{❷}$$

❶ 3 ❷ 510　답 ⑤

## 5-2

등차수열 $10, 6, 2, -2, -6, \cdots$의 첫째항부터 제11항까지의 합을 구하시오.

## 6-1

수열 $\{a_n\}$의 첫째항부터 제$n$항까지의 합 $S_n$이 $S_n=n^2-n$일 때, 일반항 $a_n$은?

① $a_n=2n-2$　　② $a_n=2n-1$
③ $a_n=2n$　　④ $a_n=2n+1$
⑤ $a_n=2n+2$

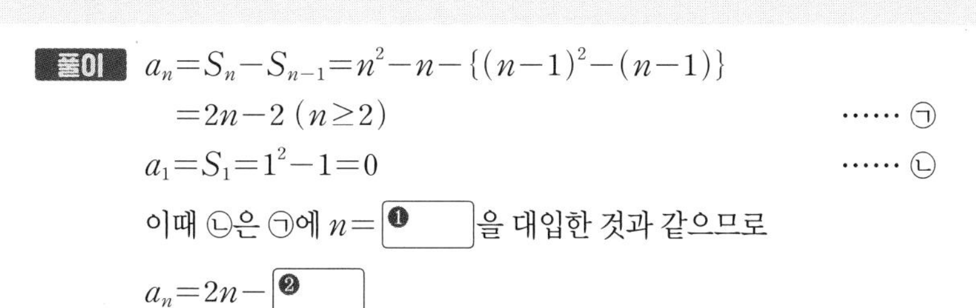

**풀이** $a_n=S_n-S_{n-1}=n^2-n-\{(n-1)^2-(n-1)\}$

$=2n-2\ (n\geq2)$ …… ㉠

$a_1=S_1=1^2-1=0$ …… ㉡

이때 ㉡은 ㉠에 $n=$[❶ ]을 대입한 것과 같으므로

$a_n=2n-$[❷ ]

❶ 1 ❷ 2　답 ①

## 6-2

수열 $\{a_n\}$의 첫째항부터 제$n$항까지의 합 $S_n$이 $S_n=2n^2+3n$일 때, 일반항 $a_n$을 구하시오.

# 개념 돌파 전략 ② _ 1. 삼각함수의 활용과 등차수열

**바탕 문제**

삼각형 ABC에서 $a=3$, $b=\sqrt{3}$, $A=60^\circ$일 때, $\sin B$의 값을 구하시오.

➡ ❶ [ ]에 의하여 $\frac{3}{\sin 60^\circ}=\frac{\sqrt{3}}{\sin B}$이므로

$3\sin B=\sqrt{3}\sin 60^\circ$

$\therefore \sin B=\sqrt{3}\times\frac{\sqrt{3}}{2}\times\frac{1}{3}=$ ❷ [ ]

답 ❶ 사인법칙 ❷ $\frac{1}{2}$

**1** 삼각형 ABC에서 $a=5$, $c=5\sqrt{2}$, $A=30^\circ$일 때, $B$의 크기는? (단, $0^\circ<C<90^\circ$)

① $60^\circ$ ② $90^\circ$ ③ $105^\circ$ ④ $120^\circ$ ⑤ $135^\circ$

**바탕 문제**

삼각형 ABC에서 $a=6$, $b=7$, $c=8$일 때, $\cos C$의 값을 구하시오.

➡ 코사인법칙에 의하여

$\cos C=\frac{6^2+7^2-❶[\ ]^2}{2\times6\times7}=$ ❷ [ ]

답 ❶ 8 ❷ $\frac{1}{4}$

**2** 세 변의 길이가 3, 5, 7인 삼각형의 세 내각 중 가장 큰 내각의 크기는?

① $75^\circ$ ② $90^\circ$ ③ $120^\circ$ ④ $135^\circ$ ⑤ $150^\circ$

**바탕 문제**

삼각형 ABC에서 $a=12$, $b=3\sqrt{2}$이고 넓이가 18일 때, $\sin C$의 값을 구하시오.

➡ 삼각형 ABC의 넓이가 18이므로

$\frac{1}{2}\times12\times3\sqrt{2}\times\sin C=$ ❶ [ ]

$\therefore \sin C=$ ❷ [ ]

답 ❶ 18 ❷ $\frac{\sqrt{2}}{2}$

**3** 삼각형 ABC에서 $b=8$, $c=7$이고 넓이가 $14\sqrt{3}$일 때, $\cos A$의 값은? (단, $0^\circ<A<90^\circ$)

① $-\frac{1}{2}$ ② $0$ ③ $\frac{1}{2}$ ④ $\frac{\sqrt{2}}{2}$ ⑤ $\frac{\sqrt{3}}{2}$

**바탕 문제**

첫째항이 5, 공차가 $-4$인 등차수열 $\{a_n\}$에서 $a_{15}$의 값을 구하시오.

➡ $a_n=$ ❶ $+(n-1)\times(-4)=-4n+9$

$\therefore a_{15}=-4\times$ ❷ $+9=-51$

답 ❶ 5 ❷ 15

**4** 첫째항이 6, 공차가 6인 등차수열 $\{a_n\}$에서 72는 제몇 항인가?

① 제11항 ② 제12항 ③ 제13항
④ 제14항 ⑤ 제15항

72를 제$k$항이라 할 때 $a_k=72$를 만족시키는 $k$의 값을 구해 봐.

**바탕 문제**

등차수열 $\{a_n\}$에서 $a_1=2$, $a_6=27$일 때, 공차 $d$를 구하시오.

➡ $a_6=2+$ ❶ $d=27$이므로

$5d=25$ $\therefore d=$ ❷

답 ❶ 5 ❷ 5

**5** 등차수열 $\{a_n\}$에서 $a_2=5$, $a_{10}=29$일 때, $a_{18}$의 값은?

① 50 ② 51 ③ 52
④ 53 ⑤ 54

**바탕 문제**

첫째항이 50, 제$n$항이 $-10$인 등차수열 $\{a_n\}$의 첫째항부터 제$n$항까지의 합이 220일 때, $n$의 값을 구하시오.

➡ $\frac{n\{❶+(-10)\}}{2}=220$이므로

$20n=220$ $\therefore n=$ ❷

답 ❶ 50 ❷ 11

**6** 첫째항이 3, 공차가 4인 등차수열 $\{a_n\}$의 첫째항부터 제$n$항까지의 합이 210일 때, $n$의 값은?

① 10 ② 11 ③ 12
④ 13 ⑤ 14

**바탕 문제**

수열 $\{a_n\}$의 첫째항부터 제$n$항까지의 합 $S_n$이 $S_n=3n^2+1$일 때, $a_8$의 값을 구하시오.

➡ $a_8=$ ❶ $-$ ❷

$=(3\times8^2+1)-(3\times7^2+1)=45$

답 ❶ $S_8$ ❷ $S_7$

**7** 수열 $\{a_n\}$의 첫째항부터 제$n$항까지의 합 $S_n$이 $S_n=n^2+2n+1$일 때, $a_1+a_{10}$의 값은?

① 21 ② 22 ③ 23
④ 24 ⑤ 25

# 필수 체크 전략 ①

시험에 많이 출제되는 문제를 모아놓았어.

## 전략 ❶ | 사인법칙

삼각형 ABC에서

(1) 한 ❶ ☐ 와 두 각의 크기를 알 때

(2) 두 변의 길이와 그 끼인각이 아닌 다른 한 각의 크기를 알 때

➡ 사인법칙 $\frac{a}{\sin A}=\frac{❷☐}{\sin B}=\frac{c}{\sin C}=2R$를 이용한다. (단, $R$는 삼각형 ABC의 외접원의 반지름의 길이이다.)

답 ❶ 변의 길이 ❷ $b$

### 필수예제 1

**(1)** 삼각형 ABC에서 $c=4$, $A=30^\circ$, $B=105^\circ$ 일 때, $a$의 값과 외접원의 반지름의 길이 $R$를 구하시오.

**(2)** 삼각형 ABC에서 $a=2\sqrt{3}$, $b=2$, $A=120^\circ$ 일 때, $c$의 값은?

① 1 ② $\sqrt{3}$ ③ 2 ④ 3 ⑤ $2\sqrt{3}$

| 풀이 |

**(1)** $A+B+C=180^\circ$이므로

$C=180^\circ-(30^\circ+105^\circ)=45^\circ$

사인법칙에 의하여 $\frac{a}{\sin 30^\circ}=\frac{4}{\sin 45^\circ}$이므로

$a=\frac{4}{\sin 45^\circ}\times\sin 30^\circ=\frac{4}{\frac{\sqrt{2}}{2}}\times\frac{1}{2}=2\sqrt{2}$

또 사인법칙에 의하여 $\frac{2\sqrt{2}}{\sin 30^\circ}=2R$이므로

$R=\frac{\sqrt{2}}{\sin 30^\circ}=\frac{\sqrt{2}}{\frac{1}{2}}=2\sqrt{2}$

**(2)** 사인법칙에 의하여 $\frac{2\sqrt{3}}{\sin 120^\circ}=\frac{2}{\sin B}$이므로

$2\sqrt{3}\sin B=2\sin 120^\circ$

$\therefore \sin B=2\times\frac{\sqrt{3}}{2}\times\frac{1}{2\sqrt{3}}=\frac{1}{2}$

$0^\circ<B<180^\circ$이므로 $B=30^\circ$ 또는 $B=150^\circ$

그런데 $B=150^\circ$이면 $A+B>180^\circ$이므로 $B=30^\circ$

$\therefore C=180^\circ-(120^\circ+30^\circ)=30^\circ$

즉, $B=C=30^\circ$이므로 삼각형 ABC는 $b=c$인 이등변삼각형이다.

$\therefore c=2$

답 **(1)** $a=2\sqrt{2}$, $R=2\sqrt{2}$ **(2)** ③

## 1-1

삼각형 ABC의 외접원의 반지름의 길이가 4이고 $b=4\sqrt{3}$, $A=45^\circ$일 때, $C$의 크기는? (단, $0^\circ<B<90^\circ$)

① $60^\circ$ ② $75^\circ$ ③ $90^\circ$

④ $105^\circ$ ⑤ $120^\circ$

## 1-2

삼각형 ABC에서 $a=10\sqrt{2}$, $b=5\sqrt{6}$, $B=60^\circ$ 일 때, $c$의 값을 구하시오.

## 전략 ❷ 코사인법칙

삼각형 ABC에서

(1) 두 변의 길이와 그 끼인각의 크기를 알 때

➡ 코사인법칙 $a^2=b^2+c^2-2bc\cos A$, $b^2=c^2+a^2-2ca$ ❶ ____, $c^2=a^2+b^2-2ab\cos C$를 이용한다.

(2) 세 변의 길이를 알 때

➡ 코사인법칙의 변형 $\cos A=\dfrac{b^2+c^2-\text{❷ ____}}{2bc}$, $\cos B=\dfrac{c^2+a^2-b^2}{2ca}$, $\cos C=\dfrac{a^2+b^2-c^2}{2ab}$을 이용한다.

답 ❶ $\cos B$ ❷ $a^2$

### 필수예제 2

**(1) 삼각형 ABC에서 $b=6$, $c=3\sqrt{3}$, $A=30^\circ$일 때, $a$의 값과 $B$, $C$의 크기를 구하시오.**

**(2) 삼각형 ABC에서 $\sin A : \sin B : \sin C=1 : \sqrt{2} : 2$일 때, $\cos A$의 값은?**

① $\frac{5}{8}$ ② $\frac{5\sqrt{2}}{8}$ ③ $\frac{5\sqrt{3}}{8}$ ④ $\frac{5}{4}$ ⑤ $\frac{5\sqrt{5}}{8}$

| 풀이 |

**(1)** 코사인법칙에 의하여

$a^2=6^2+(3\sqrt{3})^2-2\times6\times3\sqrt{3}\times\cos30^\circ$

$=36+27-2\times6\times3\sqrt{3}\times\frac{\sqrt{3}}{2}=9$

$\therefore a=3\ (\because a>0)$

사인법칙에 의하여 $\frac{3}{\sin30^\circ}=\frac{6}{\sin B}$이므로

$3\sin B=6\sin30^\circ$

$\therefore \sin B=6\times\frac{1}{2}\times\frac{1}{3}=1$

$0^\circ<B<180^\circ$이므로 $B=90^\circ$, $C=180^\circ-(30^\circ+90^\circ)=60^\circ$

**(2)** 사인법칙에 의하여

$\sin A : \sin B : \sin C=a : b : c=1 : \sqrt{2} : 2$

따라서 $a=k$, $b=\sqrt{2}k$, $c=2k\ (k>0)$로 놓으면 코사인법칙에 의하여

$\cos A=\frac{(\sqrt{2}k)^2+(2k)^2-k^2}{2\times\sqrt{2}k\times2k}=\frac{5k^2}{4\sqrt{2}k^2}=\frac{5\sqrt{2}}{8}$

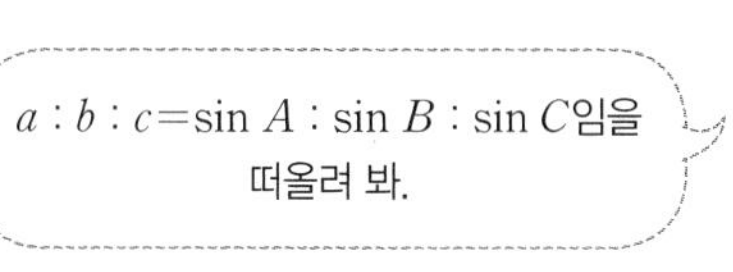


답 (1) $a=3$, $B=90^\circ$, $C=60^\circ$ (2) ②

## 2-1

삼각형 ABC에서 $a=\sqrt{3}+1$, $c=2$, $B=60^\circ$일 때, $A$의 크기는?

① $30^\circ$ ② $45^\circ$ ③ $60^\circ$
④ $75^\circ$ ⑤ $90^\circ$

## 2-2

삼각형 ABC에서 $a : b : c=2 : 3 : 4$일 때, $\sin A$의 값을 구하시오.

## 전략 ❸ | 삼각형의 모양 결정

삼각형 ABC의 세 각 $A$, $B$, $C$에 대한 관계식이 주어질 때

(1) 사인에 대한 식

➡ $\sin A=\frac{a}{2R}$, $\sin B=\frac{b}{2R}$, $\sin C=\frac{c}{\boxed{❶\quad}}$임을 이용하여 $a$, $b$, $c$에 대한 식으로 나타낸다.

(단, $R$는 삼각형 ABC의 외접원의 반지름의 길이이다.)

(2) 코사인에 대한 식

➡ 코사인법칙의 변형을 이용하여 $a$, $b$, $c$에 대한 식으로 나타낸다.

답 ❶ $2R$

**필수예제 3**

**삼각형 ABC에서 $\sin A=2\sin B\cos C$가 성립할 때, 이 삼각형은 어떤 삼각형인가?**

① $a=b$인 이등변삼각형
② $b=c$인 이등변삼각형
③ 정삼각형
④ $B=90°$인 직각삼각형
⑤ $C=90°$인 직각삼각형

| 풀이 |

삼각형 ABC의 외접원의 반지름의 길이를 $R$라 하면 주어진 등식에서 사인법칙과 코사인법칙에 의하여

$\frac{a}{2R}=2\times\frac{b}{2R}\times\frac{a^2+b^2-c^2}{2ab}$

$a^2=a^2+b^2-c^2$, $b^2=c^2$

$\therefore b=c$ ($\because b>0, c>0$)

따라서 삼각형 ABC는 $b=c$인 이등변삼각형이다.

참고

삼각형 ABC에서

(1) $a=b$ 또는 $b=c$ 또는 $c=a$ ➡ 삼각형 ABC는 이등변삼각형

(2) $a=b=c$ ➡ 삼각형 ABC는 정삼각형

(3) 가장 긴 변의 길이가 $c$일 때

① $a^2+b^2<c^2$ ➡ 삼각형 ABC는 $C>90°$인 둔각삼각형

② $a^2+b^2=c^2$ ➡ 삼각형 ABC는 $C=90°$인 직각삼각형

③ $a^2+b^2>c^2$ ➡ 삼각형 ABC는 $C<90°$인 예각삼각형

답 ②

## 3-1

등식 $a\sin A=b\sin B=c\sin C$를 만족시키는 삼각형 ABC는 어떤 삼각형인가?

① $a=b$인 이등변삼각형
② $b=c$인 이등변삼각형
③ 정삼각형
④ $A=90°$인 직각삼각형
⑤ $B=90°$인 직각삼각형

## 3-2

삼각형 ABC에서 $\tan A\cos B=\sin B$가 성립할 때, 이 삼각형은 어떤 삼각형인지 말하시오.

## 전략 ❹ 삼각형의 넓이

삼각형 ABC의 넓이를 $S$라 하면 두 변의 길이와 그 끼인각의 크기를 알 때

➡ $S=\frac{1}{2}ab$ ❶ $=\frac{1}{2}$ ❷ $\sin A=\frac{1}{2}ca\sin B$

참고

(1) 외접원의 반지름의 길이 $R$를 알 때 ➡ $S=\frac{abc}{4R}=2R^2\sin A\sin B\sin C$

(2) 내접원의 반지름의 길이 $r$를 알 때 ➡ $S=\frac{1}{2}r(a+b+c)$

(3) 세 변의 길이를 알 때 ➡ $S=\sqrt{s(s-a)(s-b)(s-c)}$ $\left(\text{단, } s=\frac{a+b+c}{2}\right)$

답 ❶ $\sin C$ ❷ $bc$

**필수예제 4**

**(1)** 삼각형 ABC에서 $a=2\sqrt{2}$, $b=16$이고 넓이가 16일 때, $c$의 값을 구하시오. (단, $0^\circ<C<90^\circ$)

**(2)** 삼각형 ABC에서 $a=5$, $b=6$, $c=7$일 때, 삼각형 ABC의 넓이는?

① $6\sqrt{6}$ ② $6\sqrt{7}$ ③ $12\sqrt{2}$ ④ $18$ ⑤ $6\sqrt{10}$

| 풀이 |

**(1)** 삼각형 ABC의 넓이가 16이므로

$\frac{1}{2}\times2\sqrt{2}\times16\times\sin C=16$ $\therefore \sin C=\frac{\sqrt{2}}{2}$

$0^\circ<C<90^\circ$이므로 $C=45^\circ$

코사인법칙에 의하여

$c^2=(2\sqrt{2})^2+16^2-2\times2\sqrt{2}\times16\times\cos 45^\circ=200$

$\therefore c=10\sqrt{2}$ ($\because c>0$)

**(2)** 코사인법칙에 의하여

$\cos C=\frac{5^2+6^2-7^2}{2\times5\times6}=\frac{1}{5}$

$0^\circ<C<180^\circ$이므로

$\sin C=\sqrt{1-\cos^2 C}=\sqrt{1-\left(\frac{1}{5}\right)^2}=\frac{2\sqrt{6}}{5}$

$\therefore \triangle ABC=\frac{1}{2}\times5\times6\times\frac{2\sqrt{6}}{5}=6\sqrt{6}$

| 다른 풀이 |

$s=\frac{5+6+7}{2}=9$이므로 헤론의 공식에 의하여

$\triangle ABC=\sqrt{9(9-5)(9-6)(9-7)}=6\sqrt{6}$

답 **(1)** $10\sqrt{2}$ **(2)** ①

## 4-1

삼각형 ABC에서 $b=5$, $c=8$이고 넓이가 $5\sqrt{15}$일 때, $a$의 값은? (단, $A$는 예각이다.)

① $\sqrt{69}$ ② $\sqrt{70}$ ③ $\sqrt{71}$
④ $6\sqrt{2}$ ⑤ $\sqrt{73}$

## 4-2

삼각형 ABC에서 $\overline{BC}=7$, $\overline{AC}=8$, $\overline{AB}=9$일 때, 삼각형 ABC의 넓이를 구하시오.

# 필수 체크 전략 ②

**1** 오른쪽 그림과 같은 삼각형 ABC에서 $B=45°$, $\overline{AB}=\sqrt{2}$, $\overline{AC}=\sqrt{5}$일 때, $\sin A$의 값은?

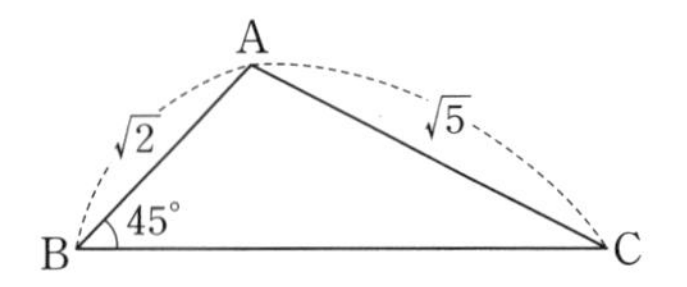


① $\frac{3\sqrt{10}}{10}$　② $\frac{3\sqrt{11}}{10}$
③ $\frac{3\sqrt{3}}{5}$　④ $\frac{3\sqrt{13}}{10}$
⑤ $\frac{3\sqrt{14}}{10}$

**Tip**

삼각형 ABC에서 ❶ [　　]에 의하여 $\frac{❷\ [\quad]}{\sin A}=\frac{\overline{AC}}{\sin 45°}$임을 이용한다.

답 ❶ 사인법칙 ❷ $\overline{BC}$

**2** 오른쪽 그림과 같은 평행사변형 ABCD에서 $\overline{AB}=5$, $\overline{AD}=3$, $A=60°$일 때, $\overline{AC}$의 길이는?

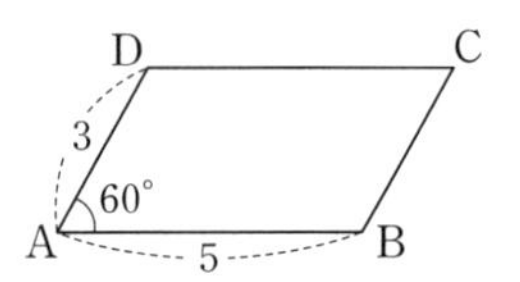


① 6　② 7
③ 8　④ 9
⑤ 10

**Tip**

삼각형 ACD에서 코사인법칙에 의하여
$\overline{AC}^2=$ ❶ [　　]$^2+\overline{AD}^2$
$-2\times$ ❷ [　　] $\times\overline{AD}\times\cos D$
임을 이용한다.

답 ❶ $\overline{CD}$ ❷ $\overline{CD}$

**3** 오른쪽 그림과 같은 삼각형 ABC에서 $\overline{AD}$의 길이는?

A, B, C, D, 7, $2\sqrt{10}$, 6, 3

① $2\sqrt{5}$　② $\sqrt{22}$
③ $\sqrt{23}$　④ $2\sqrt{6}$
⑤ 5

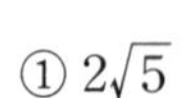

**Tip**

삼각형 ABC에서 코사인법칙을 이용하여 $\cos B$의 값을 구한 후 삼각형 ❶ [　　]에서 ❷ [　　]을 이용하여 $\overline{AD}$의 길이를 구한다.

답 ❶ ABD ❷ 코사인법칙

**4** 삼각형 ABC에서 $\frac{\sin A}{2}=\frac{\sin B}{3}=\frac{\sin C}{4}$일 때, $\sin\frac{A+B-C}{2}$의 값은?

① $-\frac{1}{2}$　② $-\frac{1}{4}$　③ $\frac{1}{4}$
④ $\frac{1}{2}$　⑤ $\frac{3}{4}$

**Tip**

$\frac{\sin A}{2}=\frac{\sin B}{3}=\frac{\sin C}{4}$에서
$a : b : c=\sin A :$ ❶ $: \sin C$
$=2 : 3 :$ ❷
임을 이용한다.

답 ❶ $\sin B$ ❷ 4

**5** 삼각형 ABC에서 $a\cos B=c+b\cos A$가 성립할 때, 이 삼각형은 어떤 삼각형인가?

① $a=b$인 이등변삼각형　② $b=c$인 이등변삼각형
③ $A=90°$인 직각삼각형　④ $B=90°$인 직각삼각형
⑤ $C=90°$인 직각삼각형

**Tip**

코사인법칙에 의하여
$\cos A=\frac{b^2+c^2-a^2}{❶}$, $\cos B=\frac{c^2+a^2-b^2}{❷}$
이므로 이것을 주어진 등식에 대입한다.

답 ❶ $2bc$ ❷ $2ca$

**6** 삼각형 ABC에서 $b=4$, $c=4\sqrt{3}$, $B=30°$일 때, 삼각형 ABC의 넓이의 최댓값은?

① $4\sqrt{3}$　② $5\sqrt{3}$　③ $6\sqrt{3}$
④ $7\sqrt{3}$　⑤ $8\sqrt{3}$

**Tip**

삼각형 ABC에서 사인법칙을 이용하여 $A$, $C$의 크기를 구한 후 $\triangle ABC=\frac{1}{2}bc$ ❶ 임을 이용한다.

답 ❶ $\sin A$

**7** 세 변의 길이가 각각 5, 7, 8인 삼각형 ABC에 내접하는 원의 반지름의 길이를 $r$, 외접하는 원의 반지름의 길이를 $R$라 할 때, $\frac{r}{R}$의 값은?

① $\frac{1}{7}$　② $\frac{2}{7}$　③ $\frac{3}{7}$
④ $\frac{4}{7}$　⑤ $\frac{5}{7}$

**Tip**

삼각형 ABC에서
$\triangle ABC=\frac{abc}{❶}=$ ❷ $(a+b+c)$
임을 이용한다.

답 ❶ $4R$ ❷ $\frac{1}{2}r$

# 필수 체크 전략 ①

## 전략 ❶ | 등차수열의 일반항

등차수열의 일반항은 다음과 같은 순서로 구한다.

(i) 주어진 조건을 등차수열의 첫째항 $a$, 공차 $d$에 대한 식으로 나타낸다.

(ii) (i)의 두 식을 ❶ [ ] 하여 푼다.

(iii) 등차수열의 ❷ [ ] $a_n=a+(n-1)d$를 구한다.

답 ❶ 연립 ❷ 일반항

### 필수예제 1

**제5항이 18, 제13항이 $-14$인 등차수열 $\{a_n\}$에서 처음으로 음수가 되는 항은?**

① 제8항 ② 제9항 ③ 제10항 ④ 제11항 ⑤ 제12항

| 풀이 |

등차수열 $\{a_n\}$의 첫째항을 $a$, 공차를 $d$라 하면

$a_5=a+4d=18$ ...... ㉠

$a_{13}=a+12d=-14$ ...... ㉡

㉠, ㉡을 연립하여 풀면 $a=34$, $d=-4$

$\therefore a_n=34+(n-1)\times(-4)=-4n+38$

처음으로 음수가 되는 항은 $a_n<0$을 만족시키는 최초의 항이므로

$-4n+38<0$에서

$-4n<-38 \quad \therefore n>\frac{38}{4}=9.5$

따라서 처음으로 음수가 되는 항은 제10항이다.

참고

첫째항이 $a$, 공차가 $d$인 등차수열 $\{a_n\}$에서

(1) 처음으로 양수가 되는 항
➡ $a+(n-1)d>0$을 만족시키는 자연수 $n$의 최솟값을 구한다.

(2) 처음으로 음수가 되는 항
➡ $a+(n-1)d<0$을 만족시키는 자연수 $n$의 최솟값을 구한다.

답 ③

## 1-1

등차수열 $\{a_n\}$에서 $a_9=5a_2$, $a_7-a_4=12$일 때, 63은 제몇 항인가?

① 제16항 ② 제17항 ③ 제18항
④ 제19항 ⑤ 제20항

## 1-2

$a_6=-30$, $a_{18}=42$인 등차수열 $\{a_n\}$에서 처음으로 양수가 되는 항은 제몇 항인지 구하시오.

## 전략 ❷ | 등차중항과 등차수열을 이루는 세 수

(1) 세 수 $a$, $b$, $c$가 이 순서대로 등차수열을 이루면

➡ $2b=a+c \Longleftrightarrow b=\dfrac{a+c}{❶\ \square}$

(2) 세 수가 등차수열을 이루면

➡ 세 수를 $a-d$, $a$, $a+$ ❷ $\square$로 놓고 식을 세운다.

네 수가 등차수열을 이루면

➡ 네 수를 $a-3d$, $a-d$, $a+d$, $a+3d$로 놓고 식을 세운다.

등차수열을 이루는 세 수를 $a-d$, $a$, $a+d$로 놓으면 세 수를 더했을 때 $d$가 소거되어 계산이 편리하구나.

답 ❶ 2 ❷ $d$

### 필수예제 2

**(1) 세 수 $x+2$, $x^2+1$, $3x-2$가 이 순서대로 등차수열을 이룰 때, $x$의 값은?**

① 1 ② 2 ③ 3 ④ 4 ⑤ 5

**(2) 등차수열을 이루는 세 수의 합이 15이고, 제곱의 합이 83일 때, 세 수를 구하시오.**

| 풀이 |

**(1)** 세 수 $x+2$, $x^2+1$, $3x-2$가 이 순서대로 등차수열을 이루므로

$2(x^2+1)=(x+2)+(3x-2)$

$x^2-2x+1=0$, $(x-1)^2=0$ $\therefore x=1$

참고

$x=1$일 때, 주어진 세 수는 3, 2, 1이므로 공차가 $-1$인 등차수열이다.

**(2)** 세 수를 $a-d$, $a$, $a+d$로 놓으면

$(a-d)+a+(a+d)=15$ …… ㉠

$(a-d)^2+a^2+(a+d)^2=83$ …… ㉡

㉠에서 $3a=15$ $\therefore a=5$

$a=5$를 ㉡에 대입하면

$(5-d)^2+5^2+(5+d)^2=83$

$2d^2+75=83$, $d^2=4$ $\therefore d=\pm2$

따라서 세 수는 3, 5, 7이다.

답 **(1)** ① **(2)** 3, 5, 7

## 2-1

세 수 $2x-2$, $x^2+2x$, 6이 이 순서대로 등차수열을 이룰 때, 양수 $x$의 값은?

① 1 ② 2 ③ 3
④ 4 ⑤ 5

## 2-2

등차수열을 이루는 서로 다른 네 수의 합이 8이고, 가장 작은 수와 가장 큰 수의 곱이 $-140$일 때, 네 수 중 가장 큰 수를 구하시오.

## 전략 ❸ 등차수열의 합

첫째항이 $a$, 제$n$항이 $l$, 공차가 $d$인 등차수열의 첫째항부터 제$n$항까지의 합을 $S_n$이라 하면

(1) 첫째항과 제$n$항이 주어질 때 ➡ $S_n=\frac{n(\boxed{❶}+l)}{2}$

(2) 첫째항과 공차가 주어질 때 ➡ $S_n=\frac{n\{\boxed{❷}+(n-1)d\}}{2}$

답 ❶ $a$ ❷ $2a$

### 필수예제 3

**(1)** 제2항이 $-20$, 제6항이 $-4$인 등차수열 $\{a_n\}$의 첫째항부터 제10항까지의 합은?

① $-60$　② $-30$　③ $10$　④ $30$　⑤ $60$

**(2)** 등차수열 $\{a_n\}$의 첫째항부터 제$n$항까지의 합을 $S_n$이라 할 때, $S_{10}=130$, $S_{20}=460$이다. 이때 $S_{30}$의 값을 구하시오.

| 풀이 |

**(1)** 등차수열 $\{a_n\}$의 첫째항을 $a$, 공차를 $d$라 하면

$a_2=a+d=-20$ …… ㉠

$a_6=a+5d=-4$ …… ㉡

㉠, ㉡을 연립하여 풀면 $a=-24$, $d=4$

따라서 등차수열 $\{a_n\}$의 첫째항부터 제10항까지의 합은

$\frac{10\{2\times(-24)+(10-1)\times4\}}{2}=-60$

**(2)** 등차수열 $\{a_n\}$의 첫째항을 $a$, 공차를 $d$라 하면

$S_{10}=\frac{10\{2a+(10-1)d\}}{2}=130$

$\therefore 2a+9d=26$ …… ㉠

$S_{20}=\frac{20\{2a+(20-1)d\}}{2}=460$

$\therefore 2a+19d=46$ …… ㉡

㉠, ㉡을 연립하여 풀면 $a=4$, $d=2$

$\therefore S_{30}=\frac{30\{2\times4+(30-1)\times2\}}{2}=990$

답 **(1)** ① **(2)** 990

### 3-1

등차수열 $\{a_n\}$에서 $a_3=-4$, $a_{10}=10$일 때, 첫째항부터 제10항까지의 합은?

① 10　② 20　③ 30
④ 40　⑤ 50

### 3-2

등차수열 $\{a_n\}$의 첫째항부터 제$n$항까지의 합을 $S_n$이라 할 때, $S_8=40$, $S_{17}=-68$이다. 이때 $S_{10}$의 값을 구하시오.

## 전략 ❹ | 수열의 합과 일반항 사이의 관계

수열 $\{a_n\}$의 첫째항부터 제$n$항까지의 합 $S_n$이 주어진 경우

① $a_1=S_1$

② $a_n=S_n-$ ❶ ( $n\geq$ ❷ )

임을 이용하여 일반항 $a_n$을 구한다.

답 ❶ $S_{n-1}$ ❷ 2

### 필수예제 4

**수열 $\{a_n\}$의 첫째항부터 제$n$항까지의 합 $S_n$이 $S_n=n^2-9n$일 때, $a_n<0$을 만족시키는 자연수 $n$의 개수는?**

① 1 ② 2 ③ 3 ④ 4 ⑤ 5

| 풀이 |

$S_n=n^2-9n$에서

$a_n=S_n-S_{n-1}$

$=n^2-9n-\{(n-1)^2-9(n-1)\}$

$=2n-10\ (n\geq 2)$ …… ㉠

$a_1=S_1=1^2-9\times 1=-8$ …… ㉡

이때 ㉡은 ㉠에 $n=1$을 대입한 값과 같으므로

$a_n=2n-10$

$a_n<0$에서 $2n-10<0$

$2n<10$ $\therefore n<5$

따라서 구하는 자연수 $n$의 개수는 1, 2, 3, 4의 4이다.

참고

수열 $\{a_n\}$의 첫째항부터 제$n$항까지의 합 $S_n$과 일반항 $a_n$ 사이의 관계는 다음과 같다.

$S_1=a_1$

$S_2=a_1+a_2=S_1+a_2$

$S_3=a_1+a_2+a_3=S_2+a_3$

⋮

$S_n=a_1+a_2+a_3+\cdots+a_{n-1}+a_n=S_{n-1}+a_n$

이므로 $a_1=S_1$, $a_n=S_n-S_{n-1}(n\geq 2)$의 관계가 성립한다.

답 ④

## 4-1

수열 $\{a_n\}$의 첫째항부터 제$n$항까지의 합 $S_n$이 $S_n=3n^2-2n$일 때, $1\leq a_n\leq 25$를 만족시키는 자연수 $n$의 개수는?

① 2 ② 3 ③ 4

④ 5 ⑤ 6

## 4-2

수열 $\{a_n\}$의 첫째항부터 제$n$항까지의 합 $S_n$이 $S_n=n^2+2n-4$일 때, $a_k=15$가 되도록 하는 자연수 $k$의 값을 구하시오.

# 필수 체크 전략 ②

**1** 등차수열 $\{a_n\}$에서 $a_{10}$과 $a_{30}$은 절댓값이 같고 부호가 반대이며, $a_5=45$일 때, 처음으로 음수가 되는 항은?

① 제21항 ② 제22항 ③ 제23항
④ 제24항 ⑤ 제25항

**Tip**

$a_{10}$과 $a_{30}$은 절댓값이 같고 부호가 반대이므로 $a_{10}+a_{30}=$ ❶ [ ] 임을 이용한다.

답 ❶ 0

**2** 다항식 $f(x)=x^2+ax+4$를 $x-2$, $x$, $x+1$로 나누었을 때의 나머지가 이 순서대로 등차수열을 이룰 때, 상수 $a$의 값은?

① $-5$ ② $-3$ ③ $1$
④ $3$ ⑤ $5$

**Tip**

나머지정리에 의하여 $f(x)$를 $x-2$, $x$, $x+1$로 나누었을 때의 나머지는 각각 $f($❶ [ ]$)$, $f(0)$, $f($❷ [ ]$)$임을 이용한다.

답 ❶ 2 ❷ $-1$

**3** 삼차방정식 $x^3+3x^2+px+q=0$의 세 실근이 등차수열을 이룰 때, 상수 $p$, $q$에 대하여 $p-q$의 값은?

① 1 ② 2 ③ 3
④ 4 ⑤ 5

**Tip**

삼차방정식 $x^3+3x^2+px+q=0$의 세 근을 $a-d$, $a$, ❶ [ ] 로 놓으면 근과 계수의 관계에서 $(a-d)+a+(a+d)=$ ❷ [ ] 임을 이용한다.

답 ❶ $a+d$ ❷ $-3$

**4** 5와 45 사이에 10개의 수 $a_1, a_2, a_3, \cdots, a_{10}$을 넣어서 등차수열 $5, a_1, a_2, a_3, \cdots, a_{10}, 45$를 만들 때, $a_1+a_2+a_3+\cdots+a_{10}$의 값은?

① 210 ② 220 ③ 230
④ 240 ⑤ 250

**Tip**

수열 $5, a_1, a_2, a_3, \cdots, a_{10}, 45$는 첫째항이 ❶ [ ], 끝항이 45, 항수가 ❷ [ ]인 등차수열임을 이용한다.

답 ❶ 5 ❷ 12

**5** 등차수열 $\{a_n\}$의 첫째항부터 제5항까지의 합이 30, 제6항부터 제10항까지의 합이 80일 때, 제11항부터 제15항까지의 합은?

① 110 ② 120 ③ 130
④ 140 ⑤ 150

**Tip**

등차수열 $\{a_n\}$의 제6항부터 제10항까지의 합은 $S_{10}-$ ❶ [ ], 제11항부터 제15항까지의 합은 ❷ [ ] $-S_{10}$이다.

답 ❶ $S_5$ ❷ $S_{15}$

**6** 제5항이 7, 제14항이 $-11$인 등차수열 $\{a_n\}$의 첫째항부터 제$n$항까지의 합을 $S_n$이라 할 때, $S_n$의 최댓값은?

① 62 ② 64 ③ 66
④ 68 ⑤ 70

**Tip**

등차수열 $\{a_n\}$이 최초로 음수가 되는 항을 $a_{k+1}$이라 하면 $S_n$의 ❶ [ ]은 첫째항부터 제 ❷ [ ] 항까지의 합이다.

답 ❶ 최댓값 ❷ $k$

**7** 수열 $\{a_n\}$의 첫째항부터 제$n$항까지의 합 $S_n$이 $S_n=n^2+4n$일 때, $a_2+a_4+a_6+\cdots+a_{50}$의 값은?

① 1370 ② 1375 ③ 1380
④ 1385 ⑤ 1390

**Tip**

$a_1=$ ❶ [ ], $a_n=S_n-S_{n-1}$ ($n\geq$ ❷ [ ])임을 이용하여 수열 $\{a_n\}$의 일반항을 구한다.

답 ❶ $S_1$ ❷ 2

# 교과서 대표 전략 ①

## 대표 예제 1

오른쪽 그림과 같은 삼각형 ABC에서 선분 AC의 길이는?

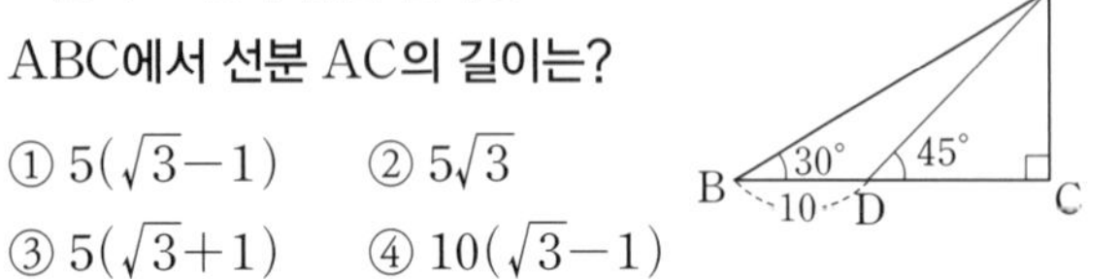


① $5(\sqrt{3}-1)$ ② $5\sqrt{3}$
③ $5(\sqrt{3}+1)$ ④ $10(\sqrt{3}-1)$
⑤ $10\sqrt{3}$

**개념 가이드**

삼각형 ABC에서 $\frac{a}{\sin A}=\frac{b}{\sin B}=\frac{\boxed{❶}}{\sin C}$를 이용하는 경우

➡ (1) 한 변의 길이와 두 각의 크기를 알 때
(2) 두 변의 길이와 그 ❷ ☐이 아닌 한 각의 크기를 알 때

답 ❶ $c$ ❷ 끼인각

## 대표 예제 2

삼각형 ABC에서 $A:B:C=1:1:4$일 때, $a:b:c$는?

① $1:1:\sqrt{3}$ ② $1:\sqrt{3}:1$ ③ $\sqrt{3}:1:1$
④ $1:2:\sqrt{3}$ ⑤ $1:\sqrt{3}:2$

**개념 가이드**

삼각형 ABC의 세 변의 길이의 비를 ❶ ☐을 이용하여 구한다.

➡ $a:b:c=\sin A:$ ❷ ☐ $:\sin C$

답 ❶ 사인법칙 ❷ $\sin B$

## 대표 예제 3

삼각형 ABC에서 $a=13$, $b=8$, $c=7$일 때, $A$의 크기는?

① 60° ② 90° ③ 120°
④ 135° ⑤ 150°

**개념 가이드**

삼각형 ABC에서 세 변의 길이를 알 때

➡ ❶ ☐을 이용하여 세 각의 크기를 구할 수 있다.

➡ $\cos A=\frac{b^2+c^2-a^2}{2bc}$, $\cos B=\frac{c^2+a^2-b^2}{2\boxed{❷}}$

$\cos C=\frac{a^2+b^2-c^2}{2ab}$

답 ❶ 코사인법칙 ❷ $ca$

## 대표 예제 4

삼각형 ABC에서 $b\cos A=a\cos B$가 성립할 때, 삼각형 ABC는 어떤 삼각형인가?

① $a=b$인 이등변삼각형
② $b=c$인 이등변삼각형
③ 정삼각형
④ $A=90°$인 직각삼각형
⑤ $C=90°$인 직각삼각형

**개념 가이드**

삼각형 ABC의 모양을 결정할 때, ❶ ☐을 이용하여 각에 대한 식을 ❷ ☐에 대한 식으로 고친다.

답 ❶ 코사인법칙 ❷ 변

## 대표 예제 5

삼각형 ABC에서 $A=120°$, $B=30°$이고 외접원의 반지름의 길이가 4일 때, 삼각형 ABC의 넓이는?

① 4　② $4\sqrt{2}$　③ $4\sqrt{3}$
④ 8　⑤ $8\sqrt{2}$

**개념 가이드**

삼각형 ABC의 넓이를 $S$라 하면

➡ $S=\frac{1}{2}ab$ ❶ $=\frac{1}{2}bc\sin A=\frac{1}{2}ca$ ❷

답 ❶ $\sin C$ ❷ $\sin B$

## 대표 예제 6

오른쪽 그림과 같이 $\overline{AB}=5$, $\overline{BC}=6$이고 넓이가 $15\sqrt{3}$인 평행사변형 ABCD에서 $\tan B$의 값은? (단, $0°<B<90°$)

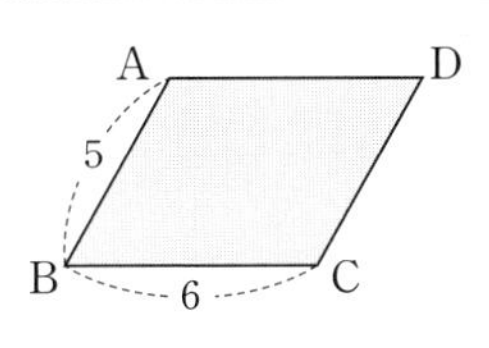


① $\frac{\sqrt{3}}{6}$　② $\frac{\sqrt{3}}{3}$　③ 1
④ $\sqrt{3}$　⑤ $2\sqrt{3}$

**개념 가이드**

이웃하는 두 변의 길이가 $a$, $b$이고 그 끼인각의 크기가 $\theta$인 평행사변형 ABCD의 넓이 $S$는

➡ $S=ab$ ❶

답 ❶ $\sin\theta$

## 대표 예제 7

등차수열 $\{a_n\}$에서 $a_4=14$, $a_6 : a_{16}=2 : 5$일 때, $a_{21}$의 값은?

① 65　② 68　③ 71
④ 74　⑤ 77

**개념 가이드**

첫째항이 $a$, 공차가 $d$인 등차수열 $\{a_n\}$의 일반항은

➡ $a_n=$ ❶ $+(n-1)d$

답 ❶ $a$

## 대표 예제 8

첫째항이 32, 공차가 $-3$인 등차수열 $\{a_n\}$에서 처음으로 음수가 되는 항은?

① 제11항　② 제12항　③ 제13항
④ 제14항　⑤ 제15항

**개념 가이드**

첫째항이 $a$, 공차가 $d$인 등차수열 $\{a_n\}$에서 처음으로 음수가 되는 항은

➡ $a+(n-1)d$ ❶ 0을 만족시키는 자연수 $n$의 ❷ 을 구한다.

답 ❶ $<$ ❷ 최솟값

# 1주 4일 교과서 대표 전략 ①

## 대표 예제 9

4와 42 사이에 $n$개의 수 $x_1, x_2, x_3, \cdots, x_n$을 넣어 등차수열 $4, x_1, x_2, x_3, \cdots, x_n, 42$를 만들었다. 이 수열의 공차가 2일 때, $n$의 값은?

① 16　② 17　③ 18　④ 19　⑤ 20

**개념 가이드**

두 수 $a$, $b$ 사이에 $n$개의 수를 넣어서 만든 등차수열에서 $a$는 첫째항, $b$는 제(❶ ☐)항이다.

답 ❶ $n+2$

## 대표 예제 10

세 수 $x, 4, y$와 세 수 $x^2, 25, y^2$이 이 순서대로 등차수열을 이룰 때, $xy$의 값은?

① 4　② 5　③ 6　④ 7　⑤ 8

**개념 가이드**

세 수 $a, b, c$가 이 순서대로 등차수열을 이루면

➡ $2b=$ ❶ ☐ $+c \iff b=\frac{❷ ☐ +c}{2}$

답 ❶ $a$ ❷ $a$

## 대표 예제 11

등차수열을 이루는 세 수의 합이 3이고, 세 수의 곱이 $-15$일 때, 세 수 중 가장 작은 수는?

① $-3$　② $-1$　③ 1　④ 3　⑤ 5

**개념 가이드**

등차수열을 이루는 세 수는 ➡ $a-d, a,$ ❶ ☐

등차수열을 이루는 네 수는 ➡ $a-3d, a-d,$ ❷ ☐, $a+3d$

답 ❶ $a+d$ ❷ $a+d$

## 대표 예제 12

등차수열 $\{a_n\}$에서 $a_2+a_{10}=58$, $a_6+a_{12}=88$일 때, 첫째항부터 제20항까지의 합은?

① 1010　② 1015　③ 1020　④ 1025　⑤ 1030

**개념 가이드**

등차수열의 첫째항부터 제$n$항까지의 합을 $S_n$이라 하면

(1) 첫째항 $a$와 제$n$항 $l$이 주어질 때 ➡ $S_n=\frac{n(a+❶ ☐)}{2}$

(2) 첫째항 $a$와 공차 $d$가 주어질 때 ➡ $S_n=\frac{n\{2a+(n-1)d\}}{❷ ☐}$

답 ❶ $l$ ❷ 2

## 대표 예제 13

첫째항이 5, 공차가 4인 등차수열 $\{a_n\}$의 첫째항부터 제$n$항까지의 합이 860일 때, $n$의 값은?

① 10 ② 15 ③ 20
④ 25 ⑤ 30

**개념 가이드**

첫째항이 $a$, 공차가 $d$인 등차수열 $\{a_n\}$의 첫째항부터 제$n$항까지의 합은 ➡ $\frac{n\{❶\square+(n-1)d\}}{2}$

답 ❶ $2a$

## 대표 예제 14

100 이하의 자연수 중 5로 나누었을 때의 나머지가 2인 수의 합은?

① 975 ② 980 ③ 985
④ 990 ⑤ 995

**개념 가이드**

자연수 $d$로 나누었을 때의 나머지가 $a(0<a<d)$인 자연수를 작은 것부터 차례대로 나열하면 $a, a+d, a+$❷$\square$, …
➡ 첫째항이 $a$, 공차가 $d$인 ❷$\square$이다.

답 ❶ $2d$ ❷ 등차수열

## 대표 예제 15

등차수열 $\{a_n\}$의 첫째항부터 제6항까지의 합이 42, 첫째항부터 제10항까지의 합이 150일 때, 첫째항부터 제15항까지의 합은?

① 371 ② 372 ③ 373
④ 374 ⑤ 375

**개념 가이드**

등차수열 $\{a_n\}$의 첫째항부터 주어진 항까지의 합을 첫째항 $a$와 공차 $d$에 대한 식으로 나타낸 후 두 식을 ❶$\square$하여 $a, d$의 값을 구한다.

답 ❶ 연립

## 대표 예제 16

수열 $\{a_n\}$의 첫째항부터 제$n$항까지의 합 $S_n$이 $S_n=3n^2+n-1$일 때, $a_1+a_3+a_5$의 값은?

① 46 ② 47 ③ 48
④ 49 ⑤ 50

**개념 가이드**

수열 $\{a_n\}$의 첫째항부터 제$n$항까지의 합을 $S_n$이라 하면
➡ $a_1=$❶$\square$, $a_n=S_n-$❷$\square$ $(n\geq2)$

답 ❶ $S_1$ ❷ $S_{n-1}$

# 교과서 대표 전략 ②

## 1

삼각형 ABC에서 $\frac{a+b}{5}=\frac{b+c}{6}=\frac{c+a}{7}$일 때,

$\sin A : \sin B : \sin C$는?

① 1 : 2 : 3 ② 2 : 1 : 3 ③ 3 : 2 : 4
④ 4 : 3 : 5 ⑤ 5 : 6 : 7

**Tip**

❶ [ ]에 의하여 $\sin A : \sin B : \sin C$는 삼각형 ABC의 세 변의 길이의 비 $a$ : ❷ [ ] : $c$와 같다.

답 ❶ 사인법칙 ❷ $b$

## 2

오른쪽 그림과 같이 길이가 $2\sqrt{13}$인 선분 AB를 지름으로 하는 원 $O$ 위의 한 점을 P라 하자. $\overline{AP}=6$이고 $\angle PAB=\theta$일 때, $\cos 2\theta$의 값은?

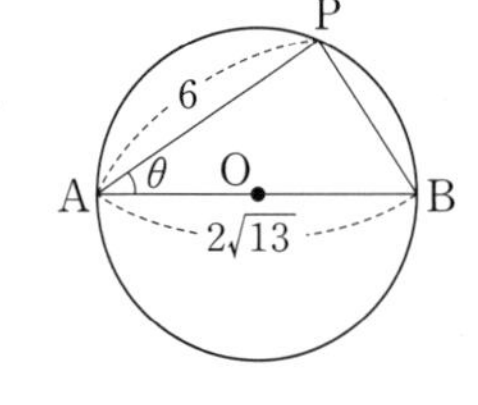


① $\frac{3}{5}$ ② $\frac{5}{13}$
③ $\frac{5}{26}$ ④ $\frac{3\sqrt{13}}{13}$
⑤ $\frac{5\sqrt{26}}{26}$

**Tip**

선분 AB가 원 $O$의 지름이므로 $\angle APB=$ ❶ [ ]이고, 호 BP에 대한 원주각 $\angle PAB$의 크기는 중심각 $\angle POB$의 크기의 ❷ [ ]임을 이용한다.

답 ❶ $90°$ ❷ $\frac{1}{2}$

## 3

삼각형 ABC에서 $a=7$, $b=3$, $c=6$일 때, 삼각형 ABC의 내접원의 반지름의 길이는?

① $\frac{\sqrt{5}}{5}$ ② $\frac{1}{2}$ ③ 1
④ $\frac{\sqrt{5}}{2}$ ⑤ $\sqrt{5}$

**Tip**

삼각형 ABC의 넓이를 $S$라 할 때, 삼각형 ABC의 내접원의 반지름의 길이를 $r$라 하면
➡ $S=\frac{1}{2}$ ❶ [ ] $(a+b+$ ❷ [ ]$)$

답 ❶ $r$ ❷ $c$

## 4

다음 그림과 같이 $a=7$, $A=120°$인 삼각형 ABC에서 $b+c=8$일 때, 삼각형 ABC의 넓이를 구하시오.

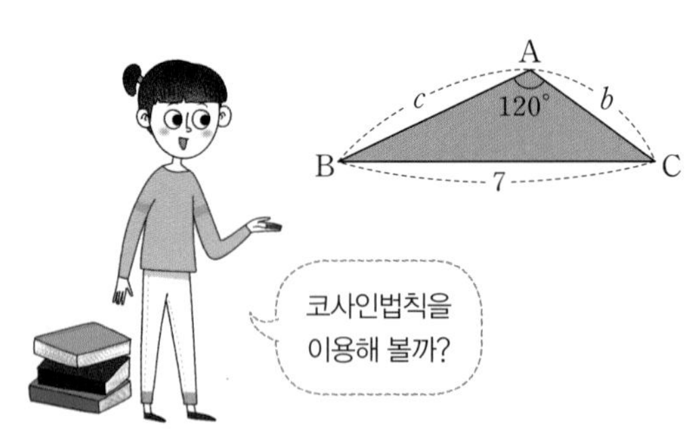


**Tip**

$c=$ ❶ [ ] $-b$로 변형한 후 ❷ [ ]에 대입하여 변의 길이를 구한다.

답 ❶ 8 ❷ 코사인법칙

## 5

등차수열 $\{a_n\}$에서 $a_3=-12$, $a_4+a_6+a_8=0$일 때, $a_k>100$을 만족시키는 자연수 $k$의 최솟값은?

① 31 ② 32 ③ 33
④ 34 ⑤ 35

**Tip**
주어진 관계식을 등차수열 $\{a_n\}$의 첫째항과 ❶ [ ]에 대한 식으로 나타낸 후 등차수열 $\{a_n\}$의 ❷ [ ]을 구한다.

답 ❶ 공차 ❷ 일반항

처음으로 음수가 되는 항을 $a_{k+1}$이라 하면
$|a_{k+1}|+|a_{k+2}|+\cdots+|a_{20}|$
$=-a_{k+1}-a_{k+2}-\cdots-a_{20}$
$=-(a_{k+1}+a_{k+2}+\cdots+a_{20})$

## 6

등차수열 $\{a_n\}$에서 $a_3=9$, $a_{15}=-15$일 때,
$|a_1|+|a_2|+|a_3|+\cdots+|a_{20}|$의 값은?

① 170 ② 182 ③ 194
④ 206 ⑤ 218

**Tip**
등차수열 $\{a_n\}$의 ❶ [ ]을 구한 후 처음으로 ❷ [ ]가 되는 항을 찾는다.

답 ❶ 일반항 ❷ 음수

## 7

$-3$과 $35$ 사이에 $n$개의 수 $a_1, a_2, a_3, \cdots, a_n$을 넣어 등차수열 $-3, a_1, a_2, a_3, \cdots, a_n, 35$를 만들었다. 이 수열의 모든 항의 합이 $320$일 때, 공차 $d$의 값은?

① 2 ② 3 ③ 4
④ 5 ⑤ 6

**Tip**
두 수 $-3$, $35$ 사이에 $n$개의 수를 넣어서 만든 등차수열은 첫째항이 $-3$, 끝항이 ❶ [ ], 항수가 ❷ [ ]이다.

답 ❶ 35 ❷ $n+2$

## 8

첫째항이 $-5$, 공차가 $\frac{2}{3}$인 등차수열 $\{a_n\}$에서 첫째항부터 제$n$항까지의 합을 $S_n$이라 할 때, $S_n$의 값이 최소가 되도록 하는 $n$의 값은?

① 5 ② 6 ③ 7
④ 8 ⑤ 9

**Tip**
등차수열 $\{a_n\}$이 처음으로 ❶ [ ]가 되는 항을 $a_{k+1}$이라 하면 $S_n$의 최솟값은 첫째항부터 제 ❷ [ ]항까지의 합이다.

답 ❶ 양수 ❷ $k$

## 9

두 수열 $\{a_n\}$, $\{b_n\}$의 첫째항부터 제$n$항까지의 합이 각각 $n^2+5n$, $2n^2-kn$이고 두 수열의 제6항이 서로 같을 때, 상수 $k$의 값을 구하시오.

**Tip**
두 수열 $\{a_n\}$, $\{b_n\}$의 첫째항부터 제$n$항까지의 합을 각각 $S_n$, $T_n$이라 하면
➡ $a_6=S_6-$ ❶ [ ], $b_6=$ ❷ [ ] $-T_5$

답 ❶ $S_5$ ❷ $T_6$

# 누구나 합격 전략

## 1

삼각형 ABC에서 $a=2\sqrt{2}$, $A=45^\circ$일 때, 외접원의 반지름의 길이는?

① 1　② $\sqrt{2}$　③ $\sqrt{3}$
④ 2　⑤ 3

## 2

반지름의 길이가 4인 원에 내접하는 삼각형 ABC의 둘레의 길이가 12일 때, $\sin A+\sin B+\sin C$의 값은?

① $\frac{1}{2}$　② 1　③ $\frac{3}{2}$
④ 2　⑤ $\frac{5}{2}$

## 3

삼각형 ABC에서 $a=2\sqrt{2}$, $b=3$, $C=45^\circ$일 때, $c$의 값은?

① $\sqrt{2}$　② $\sqrt{3}$　③ 2
④ $\sqrt{5}$　⑤ $\sqrt{6}$

## 4

삼각형 ABC에서 $\sin^2 A=\sin^2 B+\sin^2 C$가 성립할 때, 이 삼각형은 어떤 삼각형인지 바르게 말한 학생을 찾으시오.

은선: $a=b$인 이등변삼각형이야.

시우: $b=c$인 이등변삼각형이야.

효주: 정삼각형이야.

형선: $A=90^\circ$인 직각삼각형이야.

지현: $B=90^\circ$인 직각삼각형이야.

## 5

삼각형 ABC에서 $a=6$, $c=14$, $B=60^\circ$일 때, 삼각형 ABC의 넓이는?

① 21　② $21\sqrt{3}$　③ 42
④ $42\sqrt{2}$　⑤ $42\sqrt{3}$

## 6

등차수열 $\{a_n\}$에서 $a_5-a_3=6$, $a_2+a_3=11$일 때, $a_7$의 값은?

① 14 ② 17 ③ 19
④ 26 ⑤ 34

## 7

두 수 13과 25 사이에 세 수 $a$, $b$, $c$를 넣어 만든 수열이 등차수열일 때, 세 수 $a$, $b$, $c$의 합은?

① 56 ② 57 ③ 58
④ 59 ⑤ 60

## 8

등차수열 $\{a_n\}$의 일반항이 $a_n=3n+4$일 때, 등차수열 $\{a_n\}$의 첫째항부터 제11항까지의 합은?

① 242 ② 244 ③ 246
④ 248 ⑤ 250

## 9

100과 200 사이의 자연수 중 6의 배수의 총합은?

① 1974 ② 2160 ③ 2352
④ 2550 ⑤ 2754

100과 200 사이의 자연수 중 6의 배수로 이루어진 수열에서 첫째항, 끝항, 항수를 찾아봐.

## 10

등차수열 $\{a_n\}$의 첫째항부터 제$n$항까지의 합 $S_n$이 $S_n=-4n^2+5n$일 때, 공차는?

① $-9$ ② $-8$ ③ $-7$
④ $-6$ ⑤ $-5$

# 창의·융합·코딩 전략 ①

## 1

삼각측량은 측량의 기준이 되는 삼각점을 몇 개 정한 후 각의 크기와 특정한 두 지점 사이의 거리를 측정하여 지형을 측량하는 방법이다. 다음 그림과 같이 B지점에서 30 km 떨어진 곳에 C 지점을 정하였다. 두 지점 B, C에서 측정한 각의 크기가 각각 $75°$, $45°$일 때, 두 지점 A, B 사이의 거리는?

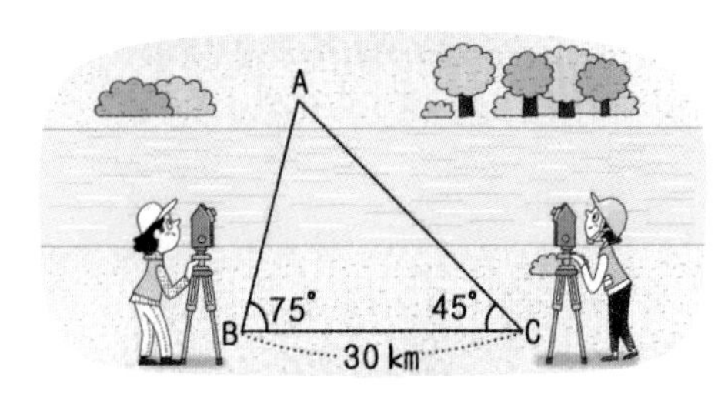


① 10 km ② $10\sqrt{2}$ km ③ $10\sqrt{3}$ km
④ $10\sqrt{6}$ km ⑤ 20 km

**Tip**
삼각형의 세 내각의 크기의 합은 ❶ 이므로 삼각형 ABC에서 $A=$ ❷ 이다.

답 ❶ $180°$ ❷ $60°$

## 2

다음 그림과 같이 인명 구조 훈련을 위해 높이가 각각 20 m, 30 m인 두 빌딩 A, B의 옥상에 로프를 직선으로 연결하였다. C 지점에서 두 빌딩 A, B를 올려다 본 각의 크기가 모두 $30°$일 때, 로프의 길이 $\overline{AB}$를 구하시오.

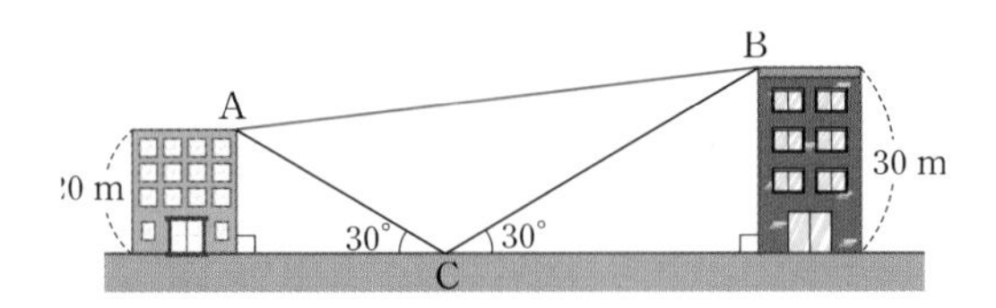


**Tip**
삼각형 ABC에서 $\angle ACB=180°-(30°+$ ❶ $)$이고
$\overline{AC}=\dfrac{20}{\sin ❷}$, $\overline{BC}=\dfrac{30}{\sin 30°}$

답 ❶ $30°$ ❷ $30°$

## 3

다음 그림과 같이 두 건물 A, B의 앞 광장에 사각형 모양의 공원을 조성하려고 한다. 네 변의 길이가 각각 50 m, 80 m, 30 m, 30 m일 때, 이 공원의 넓이는?

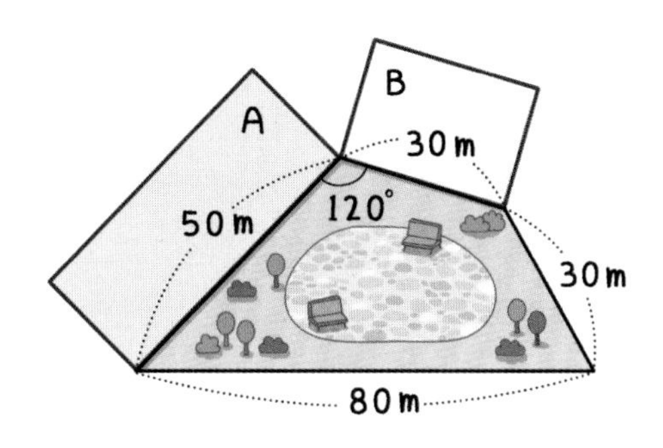


① $975\ \mathrm{m}^2$　② $975\sqrt{2}\ \mathrm{m}^2$　③ $975\sqrt{3}\ \mathrm{m}^2$
④ $976\sqrt{2}\ \mathrm{m}^2$　⑤ $976\sqrt{3}\ \mathrm{m}^2$

**Tip**

사각형 모양의 공원의 넓이를 두 ❶ ☐의 넓이의 ❷ ☐으로 나타낸다.

답 ❶ 삼각형 ❷ 합

## 4

다음 보기에서 수열 $-1, 2, -3, 4, -5, \cdots$의 일반항 $a_n$이 될 수 있는 것만을 있는대로 고른 것은?

보기

ㄱ. $a_n = n \sin \frac{n}{2}\pi$　　ㄴ. $a_n = n \cos \frac{n}{2}\pi$

ㄷ. $a_n = n \sin n\pi$　　ㄹ. $a_n = n \cos n\pi$

ㅁ. $a_n = n(-1)^n$　　ㅂ. $a_n = n \sin \left(\frac{2n+1}{2}\pi\right)$

① ㄱ, ㄴ　② ㄷ, ㄹ　③ ㅁ, ㅂ
④ ㄱ, ㄷ, ㅂ　⑤ ㄹ, ㅁ, ㅂ

**Tip**

$a_n = n \sin \frac{n}{2}\pi$에서

$n=1$일 때 $a_1 = 1 \times \sin \frac{\pi}{2} =$ ❶ ☐

$n=2$일 때 $a_2 = 2 \times \sin \pi =$ ❷ ☐

답 ❶ 1 ❷ 0

# 창의·융합·코딩 전략 ②

## 5

다음 그림과 같은 어느 해 4월의 달력에서 ㄴ자 모양으로 세 수를 선택할 때, 다음 중 이들 세 수의 합이 될 수 있는 것은?

| 일 | 월 | 화 | 수 | 목 | 금 | 토 |
|---|---|---|---|---|---|---|
| | | | 1 | 2 | 3 | 4 |
| 5 | 6 | 7 | 8 | 9 | 10 | 11 |
| 12 | 13 | 14 | 15 | 16 | 17 | 18 |
| 19 | 20 | 21 | 22 | 23 | 24 | 25 |
| 26 | 27 | 28 | 29 | 30 | | |

① 27 ② 50 ③ 66
④ 74 ⑤ 83

**Tip**

ㄴ자 중앙에 있는 수를 $n$이라 하면 나머지 두 수는 ❶ [ ], ❷ [ ]이다.

답 ❶ $n-7$ ❷ $n+1$

## 6

아래 설명을 보고 물음에 답하시오.

> 다음 그림과 같이 사각형의 한 꼭짓점에서 대각선을 그으면 사각형은 2개의 삼각형으로 나누어진다.
> 이때 삼각형의 세 내각의 크기의 합은 $180°$이므로 사각형의 내각의 크기의 합은 $180° \times 2 = 360°$이다.
>
> 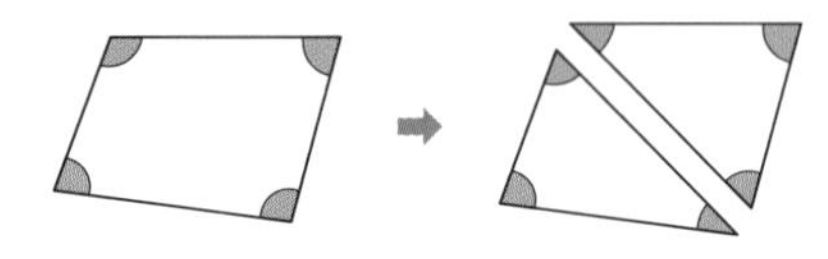

어떤 볼록사각형에서 4개의 내각의 크기가 순서대로 등차수열을 이룬다고 한다. 이 사각형의 최소각의 크기가 $75°$일 때, 최대각의 크기를 구하시오.

볼록사각형이란 모든 내각이 $180°$보다 작은 사각형이야.

**Tip**

최소각의 크기가 $75°$이므로 네 각을 각각 $75$, $75+d$, $75+2d$, ❶ [ ]로 놓고 사각형의 내각의 크기의 합은 ❷ [ ]임을 이용한다.

답 ❶ $75+3d$ ❷ $360°$

## 7

민희는 문항 수가 $x$인 수학책을 다음 두 가지 방법으로 풀려고 한다.

(i) 첫째 날에는 15문항을 풀고, 둘째 날부터 매일 문항 수를 전날보다 $d$만큼씩 증가시키면서 아홉째 날까지 문제를 푼다.
(ii) 첫째 날에는 30문항을 풀고, 둘째 날부터 매일 문항 수를 전날보다 $d$만큼씩 증가시키면서 일곱째 날까지 문제를 푼다.

(i)의 방법으로 풀면 24문항, (ii)의 방법으로 풀면 39문항이 남는다고 할 때, 이 수학책의 문항 수 $x$의 값을 구하시오.

**Tip**
(i), (ii)의 방법 모두 매일 푸는 문항 수는 공차가 ❶ ☐인 등차수열을 이루고, 두 수열의 ❷ ☐은 같다.

답 ❶ $d$ ❷ 합

## 8

전자 제품 판매점 A와 B는 각각 1월부터 핸드폰을 판매하기 시작하였다. A 판매점은 1월에 24대를 판매한 후 매달 판매 수가 전달보다 7대씩 증가하였고, B 판매점은 1월에 80대를 판매한 후 매달 판매 수가 전달보다 3대씩 감소하였다고 할 때, 1년 동안 어느 판매점이 몇 대 더 판매했는지 구하시오.

**Tip**
두 판매점에서 매달 판매한 핸드폰의 대수는 각각 항수가 ❶ ☐인 ❷ ☐이다.

답 ❶ 12 ❷ 등차수열

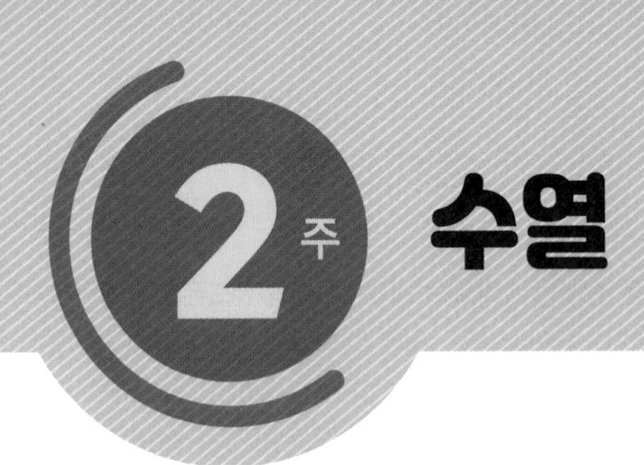

# 2주 수열

첫째항에 차례로
일정한 수를 곱하여 만든 수열을
등비수열이라 하지.

**등비수열의 뜻**

공비가 $r(r\neq0)$인 등비수열 $\{a_n\}$에서

➡ $a_{n+1}=ra_n \Leftrightarrow \dfrac{a_{n+1}}{a_n}=r\ (n=1, 2, 3, \cdots)$

**등비수열의 일반항**

첫째항이 $a$, 공비가 $r(r\neq0)$인 등비수열의 일반항 $a_n$은

➡ $a_n=ar^{n-1}\ (n=1, 2, 3, \cdots)$

**등비수열의 합**

첫째항이 $a$, 공비가 $r\ (r\neq0)$인 등비수열의 첫째항부터 제$n$항까지의 합 $S_n$은

(1) $r\neq1$일 때 ➡ $S_n=\dfrac{a(1-r^n)}{1-r}=\dfrac{a(r^n-1)}{r-1}$

(2) $r=1$일 때 ➡ $S_n=na$

두 수열 $\{a_n\}$, $\{b_n\}$과 상수 $c$에 대하여

(1) $\sum_{k=1}^{n}(a_k+b_k)=\sum_{k=1}^{n}a_k+\sum_{k=1}^{n}b_k$

(2) $\sum_{k=1}^{n}(a_k-b_k)=\sum_{k=1}^{n}a_k-\sum_{k=1}^{n}b_k$

(3) $\sum_{k=1}^{n}ca_k=c\sum_{k=1}^{n}a_k$ (4) $\sum_{k=1}^{n}c=cn$

**자연수의 거듭제곱의 합**

(1) $1+2+3+\cdots+n=\sum_{k=1}^{n}k=\dfrac{n(n+1)}{2}$

(2) $1^2+2^2+3^2+\cdots+n^2=\sum_{k=1}^{n}k^2=\dfrac{n(n+1)(2n+1)}{6}$

(3) $1^3+2^3+3^3+\cdots+n^3=\sum_{k=1}^{n}k^3=\left\{\dfrac{n(n+1)}{2}\right\}^2$

$\sum_{k=1}^{n}a_k$에서 $k$ 대신 $i$ 또는 $j$ 등의
다른 문자를 사용해도 돼.

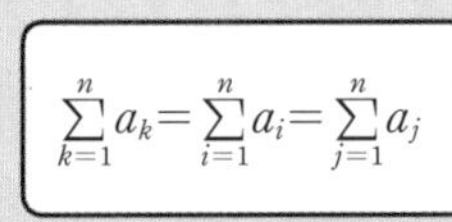

**공부할 내용** **1.** 등비수열 **2.** 수열의 합 **3.** 수열의 귀납적 정의 **4.** 수학적 귀납법

(1) 첫째항이 $a$, 공차가 $d$인 등차수열 $\{a_n\}$의 귀납적 정의

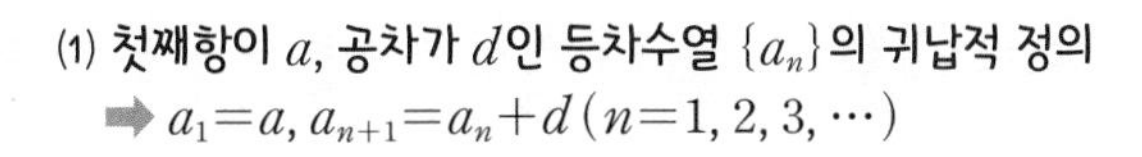

➡ $a_1=a$, $a_{n+1}=a_n+d$ $(n=1, 2, 3, \cdots)$

(2) 첫째항이 $a$, 공비가 $r$인 등비수열 $\{a_n\}$의 귀납적 정의

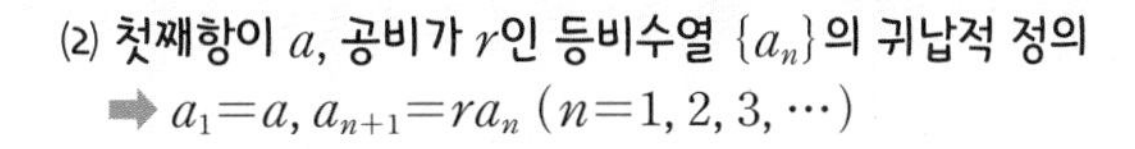

➡ $a_1=a$, $a_{n+1}=ra_n$ $(n=1, 2, 3, \cdots)$

# 개념 돌파 전략 ① _ 2. 수열

## 개념 ❶ 등비수열

(1) 등비수열의 뜻

첫째항에 차례로 일정한 수를 곱하여 만든 수열을 ❶ ☐ 이라 하고, 곱하는 일정한 수를 공비라 한다.

(2) 등비수열의 일반항

첫째항이 $a$, 공비가 $r$ $(r\neq0)$인 등비수열 $\{a_n\}$의 일반항은

$a_n=a$ ❷ ☐ $(n=1, 2, 3, \cdots)$

(3) 등비중항

0이 아닌 세 수 $a$, $b$, $c$가 이 순서대로 등비수열을 이룰 때, $b$를 $a$와 $c$의 등비중항이라 한다.

이때 $\frac{b}{a}=\frac{c}{b}$이므로 $b^2=$ ❸ ☐ 가 성립한다.

답 ❶ 등비수열 ❷ $r^{n-1}$ ❸ $ac$

**Quiz**

수열

$1$, ☐, $\frac{1}{9}$, $\frac{1}{27}$, ☐, $\cdots$

이 등비수열을 이룰 때, ☐ 안에 들어갈 알맞은 수를 써넣으면

➡ $\frac{1}{27}\div\frac{1}{9}=\frac{1}{3}$에서 공비가 ❶ ☐ 이므로 주어진 수열은

$1$, ❷ ☐, $\frac{1}{9}$, $\frac{1}{27}$, ❸ ☐, $\cdots$

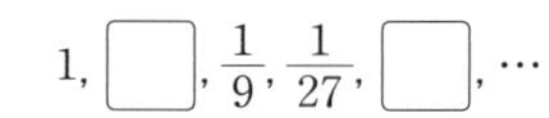


답 ❶ $\frac{1}{3}$ ❷ $\frac{1}{3}$ ❸ $\frac{1}{81}$

## 개념 ❷ 등비수열의 합

등비수열의 첫째항부터 제$n$항까지의 합 $S_n$은

(1) $r\neq1$일 때, $S_n=\frac{a(1-\text{❶ ☐})}{1-r}=\frac{a(r^n-1)}{r-1}$

(2) $r=1$일 때, $S_n=$ ❷ ☐ $a$

답 ❶ $r^n$ ❷ $n$

**Quiz**

첫째항이 1이고 공비가 2인 등비수열의 첫째항부터 제10항까지의 합 $S_{10}$의 값을 구하면

➡ $S_{10}=\frac{1\times(2^{10}-1)}{\text{❶ ☐}-1}=$ ❷ ☐

답 ❶ 2 ❷ 1023

## 개념 ❸ 합의 기호 $\sum$

(1) 합의 기호 $\sum$

수열 $\{a_n\}$의 첫째항부터 제$n$항까지의 합을 합의 기호 $\sum$를 사용하여 다음과 같이 나타낸다.

$a_1+a_2+a_3+\cdots+a_n=\sum_{k=1}^{n}a_k$

(2) 합의 기호 $\sum$의 성질

① $\sum_{k=1}^{n}(a_k+b_k)=\sum_{k=1}^{n}a_k$ ❶ ☐ $\sum_{k=1}^{n}b_k$

② $\sum_{k=1}^{n}(a_k-b_k)=\sum_{k=1}^{n}a_k-\sum_{k=1}^{n}b_k$

③ $\sum_{k=1}^{n}ca_k=c\sum_{k=1}^{n}a_k$ (단, $c$는 상수)

④ $\sum_{k=1}^{n}c=$ ❷ ☐ (단, $c$는 상수)

답 ❶ + ❷ $cn$

**Quiz**

$2+4+6+\cdots+2n$을 합의 기호 $\sum$를 사용하여 나타내면

➡ $2+4+6+\cdots+2n=\sum_{k=1}^{n}$ ❶ ☐

답 ❶ $2k$

## 1-1

첫째항이 4, 공비가 $\frac{1}{2}$인 등비수열 $\{a_n\}$의 일반항 $a_n$은?

① $a_n=\left(\frac{1}{4}\right)^{n-3}$ ② $a_n=\left(\frac{1}{4}\right)^{n-1}$ ③ $a_n=\left(\frac{1}{2}\right)^{n-3}$

④ $a_n=\left(\frac{1}{2}\right)^{n-1}$ ⑤ $a_n=\left(\frac{1}{2}\right)^{n+1}$

**풀이** 첫째항이 4, 공비가 $\frac{1}{2}$이므로

$a_n=$ ❶ $\times\left(\frac{1}{2}\right)^{n-1}=\left(\frac{1}{2}\right)^{❷}\times\left(\frac{1}{2}\right)^{n-1}$

$=\left(\frac{1}{2}\right)^{❸}$

❶ 4 ❷ $-2$ ❸ $n-3$ 답 ③

## 1-2

등비수열 $-2$, 6, $-18$, 54, $\cdots$의 일반항 $a_n$을 구하시오.

## 2-1

첫째항이 3, 공비가 4인 등비수열의 첫째항부터 제5항까지의 합은?

① 63 ② 127 ③ 255

④ 511 ⑤ 1023

**풀이** 주어진 등비수열의 첫째항부터 제5항까지의 합은

$\frac{❶(4^5-1)}{4-1}=4^5-1=2^{❷}-1=1023$

❶ 3 ❷ 10 답 ⑤

## 2-2

등비수열 2, 2, 2, 2, $\cdots$의 첫째항부터 제20항까지의 합을 구하시오.

## 3-1

$\sum_{k=1}^{10} a_k=10$, $\sum_{k=1}^{10} b_k=5$일 때, $\sum_{k=1}^{10}(2a_k-b_k)$의 값은?

① 5 ② 10 ③ 15

④ 20 ⑤ 25

**풀이** $\sum_{k=1}^{10}(2a_k-b_k)=2\sum_{k=1}^{10}a_k-\sum_{k=1}^{10}b_k$

$=2\times$ ❶ $-$ ❷ $=$ ❸

❶ 10 ❷ 5 ❸ 15 답 ③

## 3-2

$\sum_{k=1}^{20} a_k=7$, $\sum_{k=1}^{20} b_k=3$일 때,

$\sum_{k=1}^{20} 4(2a_k-5b_k+1)$의 값을 구하시오.

## 개념 ❹ 자연수의 거듭제곱의 합

(1) 1부터 $n$까지의 자연수의 합

$$1+2+3+\cdots+n=\sum_{k=1}^{n}k=\frac{❶\square(n+1)}{2}$$

(2) 1부터 $n$까지의 자연수의 제곱의 합

$$1^2+2^2+3^2+\cdots+n^2=\sum_{k=1}^{n}k^2=\frac{n(n+1)(2n+1)}{❷\square}$$

(3) 1부터 $n$까지의 자연수의 세제곱의 합

$$1^3+2^3+3^3+\cdots+n^3=\sum_{k=1}^{n}k^3=\left\{\frac{n(n+1)}{❸\square}\right\}^2$$

답 ❶ $n$ ❷ 6 ❸ 2

**Quiz**

다음 식의 값을 구하면

➡ (1) $\sum_{k=1}^{10}k=\frac{10\times ❶\square}{2}=55$

(2) $\sum_{k=1}^{10}k^2=\frac{10\times11\times ❷\square}{6}=385$

(3) $\sum_{k=1}^{10}k^3=\left(\frac{10\times11}{2}\right)^2=3025$

답 ❶ 11 ❷ 21

## 개념 ❺ 수열의 귀납적 정의

일반적으로 수열 $\{a_n\}$을

① 처음 몇 개의 ❶☐의 값

② 이웃하는 여러 항 사이의 ❷☐

으로 정의하는 것을 수열의 귀납적 정의라 한다.

참고

(1) 첫째항이 $a$, 공차가 $d$인 등차수열 $\{a_n\}$의 귀납적 정의는

➡ $a_1=a$, $a_{n+1}=a_n+d$ $(n=1, 2, 3, \cdots)$

(2) 첫째항이 $a$, 공비가 $r$인 등비수열 $\{a_n\}$의 귀납적 정의는

➡ $a_1=a$, $a_{n+1}=ra_n$ $(n=1, 2, 3, \cdots)$

②의 관계식의 $n$에 1, 2, 3, ⋯을 차례로 대입하면 수열 $\{a_n\}$의 모든 항을 구할 수 있어.

답 ❶ 항 ❷ 관계식

**Quiz**

수열 $\{a_n\}$이

$a_1=2$, $a_{n+1}=a_n+n$ $(n=1, 2, 3, \cdots)$

으로 정의될 때, 첫째항부터 제4항까지 차례로 나열하면

➡ $a_2=a_1+1=$ ❶☐

$a_3=a_2+2=$ ❷☐

$a_4=a_3+3=$ ❸☐

이므로 2, 3, 5, 8

답 ❶ 3 ❷ 5 ❸ 8

## 개념 ❻ 수학적 귀납법

자연수 $n$에 대한 명제 $p(n)$이 모든 자연수 $n$에 대하여 성립함을 증명하려면 다음 두 가지를 보이면 된다.

(i) $n=$ ❶☐일 때, 명제 $p(n)$이 성립한다.

(ii) $n=k$일 때, 명제 $p(n)$이 성립한다고 가정하면 $n=$ ❷☐일 때도 명제 $p(n)$이 성립한다.

이와 같은 방법으로 자연수에 대한 어떤 명제가 참임을 증명하는 방법을 수학적 귀납법이라 한다.

답 ❶ 1 ❷ $k+1$

**Quiz**

수학적 귀납법의 원리는

➡ (i)에 의하여 명제 $p(1)$이 성립한다.

(ii)에 의하여 $n=2$일 때도 명제 $p(n)$이 성립한다. 즉, ❶☐가 성립한다.

(ii)에 의하여 $n=3$일 때도 명제 $p(n)$이 성립한다. 즉, ❷☐이 성립한다.

⋮

이와 같이 (ii)를 반복하면 모든 자연수 $n$에 대하여 명제 $p(n)$이 성립함을 확인할 수 있다.

답 ❶ $p(2)$ ❷ $p(3)$

## 4-1

$\sum_{k=1}^{7}(k^2-k+1)$의 값은?

① 116 ② 117 ③ 118
④ 119 ⑤ 120

**풀이** $\sum_{k=1}^{7}(k^2-k+1)=\sum_{k=1}^{7}k^2-\sum_{k=1}^{7}k+\sum_{k=1}^{7}1$

$=\frac{7\times8\times[❶]}{6}-\frac{7\times8}{2}+1\times7$

$=[❷]-28+7=119$

❶ 15 ❷ 140 답 ④

## 4-2

$\sum_{k=1}^{n}(3k^2+k)$를 간단히 하시오.

## 5-1

수열 $\{a_n\}$이 $a_1=1, a_2=2, a_{n+2}=a_{n+1}+a_n$ $(n=1, 2, 3, \cdots)$으로 정의될 때, 제5항은?

① 3 ② 5 ③ 8
④ 13 ⑤ 21

**풀이** $a_{n+2}=a_{n+1}+a_n$의 $n$에 1, 2, 3을 차례로 대입하면

$a_3=[❶]+a_1=2+1=3$

$a_4=a_3+a_2=3+2=5$

$a_5=a_4+[❷]=5+[❸]=8$

❶ $a_2$ ❷ $a_3$ ❸ 3 답 ③

## 5-2

수열 $\{a_n\}$이

$a_1=3, a_{n+1}=a_n+2^n$ $(n=1, 2, 3, \cdots)$

으로 정의될 때, $a_5$의 값을 구하시오.

## 6-1

모든 자연수 $n$에 대하여 등식

$1+3+5+7+\cdots+(2n-1)=n^2$ …… ㉠

이 성립함을 수학적 귀납법을 이용하여 증명하시오.

**풀이** (i) $n=1$일 때, (좌변)$=1$, (우변)$=1^2=1$
따라서 $n=1$일 때 등식 ㉠이 성립한다.

(ii) $n=k$일 때, 등식 ㉠이 성립한다고 가정하면

$1+3+5+7+\cdots+(2k-1)=[❶]$

위의 식의 좌변에 $2k+1$을 더하면

$1+3+5+7+\cdots+(2k-1)+(2k+1)=k^2+(2k+1)$

$=([❷])^2$

따라서 $n=k+1$일 때도 등식 ㉠이 성립한다.

(i), (ii)에서 모든 자연수 $n$에 대하여 등식 ㉠이 성립한다.

❶ $k^2$ ❷ $k+1$ 답 풀이 참조

## 6-2

모든 자연수 $n$에 대하여 등식

$1+2+2^2+\cdots+2^{n-1}=2^n-1$ …… ㉠

이 성립함을 수학적 귀납법을 이용하여 증명하시오.

# 개념 돌파 전략 ② _2. 수열

바탕 문제

첫째항이 3, 공비가 2인 등비수열 $\{a_n\}$에서 제5항을 구하시오.

➡ 첫째항이 3, 공비가 2이므로

$a_5=3\times$ ❶ $\square^{5-1}=$ ❷ $\square$

답 ❶ 2 ❷ 48

**1** 등비수열 $6,\ -3,\ \frac{3}{2},\ -\frac{3}{4},\ \cdots$에서 $-\frac{3}{256}$은 제몇 항인가?

① 제9항 ② 제10항 ③ 제11항
④ 제12항 ⑤ 제13항

바탕 문제

세 수 4, $x$, 16이 이 순서대로 등비수열을 이룰 때, $x$의 값을 구하시오.

➡ $x$가 4와 16의 ❶ $\square$ 이므로

❷ $\square=4\times16=64$

$\therefore x=-8$ 또는 $x=8$

답 ❶ 등비중항 ❷ $x^2$

**2** 세 양수 $x,\ x+10,\ 9x$가 이 순서대로 등비수열을 이룰 때, $x$의 값은?

① 1 ② 2 ③ 3
④ 4 ⑤ 5

바탕 문제

$\sum_{k=1}^{15}a_k=4,\ \sum_{k=1}^{15}{a_k}^2=8$일 때, $\sum_{k=1}^{15}(a_k-2)^2$의 값을 구하시오.

➡ $\sum_{k=1}^{15}(a_k-2)^2=\sum_{k=1}^{15}({a_k}^2-4a_k+$ ❶ $\square)$

$=\sum_{k=1}^{15}{a_k}^2-4\sum_{k=1}^{15}a_k+\sum_{k=1}^{15}4$

$=8-4\times4+4\times$ ❷ $\square$

$=52$

답 ❶ 4 ❷ 15

**3** $\sum_{k=1}^{20}(a_k+b_k)^2=50,\ \sum_{k=1}^{20}a_kb_k=30$일 때, $\sum_{k=1}^{20}({a_k}^2+{b_k}^2)$의 값은?

① $-20$ ② $-10$ ③ 10
④ 20 ⑤ 30

바탕 문제

$\sum_{k=1}^{5}(k+1)(k-1)$의 값을 구하시오.

➡ $\sum_{k=1}^{5}(k+1)(k-1)$

$=\sum_{k=1}^{5}(k^2-1)=\sum_{k=1}^{5}k^2-\sum_{k=1}^{5}1$

$=\frac{❶\square\times6\times11}{6}-1\times5$

$=$ ❷ $\square-5=50$

답 ❶ 5 ❷ 55

**4** $\sum_{k=1}^{10}k(k^2-3)$의 값은?

① 2860 ② 2861 ③ 2862
④ 2863 ⑤ 2864

**바탕 문제**

수열 $\{a_n\}$이

$a_1=3,\ a_{n+1}=a_n+2\,(n=1, 2, 3, \cdots)$

로 정의될 때, 일반항 $a_n$을 구하시오.

➡ 수열 $\{a_n\}$은 공차가 ❶ ☐인 등차수열이다. 이때 첫째항이 $a_1=3$이므로

$a_n=3+(n-1)\times2=2n+$ ❷ ☐

답 ❶ 2 ❷ 1

**바탕 문제**

수열 $\{a_n\}$이

$a_1=1,\ a_{n+1}=-2a_n\,(n=1, 2, 3, \cdots)$

으로 정의될 때, 일반항 $a_n$을 구하시오.

➡ 수열 $\{a_n\}$은 공비가 ❶ ☐인 등비수열이다. 이때 첫째항이 $a_1=1$이므로

$a_n=1\times(-2)^{n-1}=($ ❷ ☐ $)^{n-1}$

답 ❶ $-2$ ❷ $-2$

**바탕 문제**

모든 자연수 $n$에 대하여 등식

$$1+2+3+\cdots+n=\frac{n(n+1)}{2} \quad \cdots\cdots \text{㉠}$$

이 성립함을 수학적 귀납법을 이용하여 증명하시오.

➡ (i) $n=1$일 때

(좌변)$=1$, (우변)$=\frac{1\times2}{2}=$ ❶ ☐

따라서 $n=1$일 때 등식 ㉠이 성립한다.

(ii) $n=$ ❷ ☐일 때, 등식 ㉠이 성립한다고 가정하면

$$1+2+3+\cdots+k=\frac{k(k+1)}{2}$$

위의 식의 좌변에 ❸ ☐을 더하면

$$1+2+3+\cdots+k+(k+1)$$
$$=\frac{k(k+1)}{2}+(k+1)$$
$$=\frac{(k+1)(k+2)}{2}$$

따라서 $n=k+1$일 때도 등식 ㉠이 성립한다.

(i), (ii)에서 모든 자연수 $n$에 대하여 등식 ㉠이 성립한다.

답 ❶ 1 ❷ $k$ ❸ $k+1$

**5** 수열 $\{a_n\}$이 $a_1=5,\ a_{n+1}-a_n=-4\,(n=1, 2, 3, \cdots)$로 정의될 때, $a_{20}$의 값은?

① $-83$　② $-79$　③ $-75$　④ $-71$　⑤ $-67$

**6** 수열 $\{a_n\}$이 $a_1=1,\ a_{n+1}\div a_n=4\,(n=1, 2, 3, \cdots)$로 정의될 때, $a_5$의 값은?

① 64　② 128　③ 256　④ 512　⑤ 1024

**7** 다음은 모든 자연수 $n$에 대하여 등식

$$1^2+2^2+3^2+\cdots+n^2=\frac{n(n+1)(2n+1)}{6} \quad \cdots\cdots \text{㉠}$$

이 성립함을 수학적 귀납법을 이용하여 증명한 것이다.

• 증명 •

(i) $n=1$일 때

(좌변)$=$ (가), (우변)$=\frac{1\times2\times3}{6}=1$

따라서 $n=1$일 때 등식 ㉠이 성립한다.

(ii) $n=k$일 때, 등식 ㉠이 성립한다고 가정하면

$$1^2+2^2+3^2+\cdots+k^2=\frac{k(k+1)(2k+1)}{6}$$

위의 식의 좌변에 (나)을 더하면

$$1^2+2^2+3^2+\cdots+k^2+\text{(나)}=\frac{k(k+1)(2k+1)}{6}+\text{(나)}$$
$$=\frac{(k+1)(k+2)(2k+3)}{6}$$

따라서 $n=k+1$일 때도 등식 ㉠이 성립한다.

(i), (ii)에서 모든 자연수 $n$에 대하여 등식 ㉠이 성립한다.

위의 증명 과정에서 (가), (나)에 알맞은 것은?

| | (가) | (나) |
|---|---|---|
| ① | 0 | $(k-1)^2$ |
| ② | 0 | $k^2$ |
| ③ | 1 | $(k-1)^2$ |
| ④ | 1 | $k^2$ |
| ⑤ | 1 | $(k+1)^2$ |

# 필수 체크 전략 ①

## 전략 ❶ 등비수열의 일반항

등비수열의 일반항은 다음과 같은 순서로 구한다.

(i) 주어진 조건을 등비수열의 첫째항 $a$, ❶ ☐ $r$에 대한 식으로 나타낸다.

(ii) (i)의 두 식을 연립하여 푼다.

(iii) 등비수열의 ❷ ☐ $a_n=ar^{n-1}$을 구한다.

답 ❶ 공비 ❷ 일반항

### 필수예제 1

**각 항이 양수인 등비수열 $\{a_n\}$에서 $a_2=15$, $a_4=135$일 때, 다음 물음에 답하시오.**

**(1) $a_6$의 값은?**

① 1210 ② 1215 ③ 1220 ④ 1225 ⑤ 1230

**(2) 처음으로 10000보다 커지는 항은 제몇 항인지 구하시오.**

| 풀이 |

**(1)** 등비수열 $\{a_n\}$의 첫째항을 $a$, 공비를 $r$라 하면

$a_2=ar=15$ …… ㉠

$a_4=ar^3=135$ …… ㉡

㉡÷㉠을 하면 $r^2=9$ $\quad\therefore r=-3$ 또는 $r=3$

이때 각 항이 양수이므로 $r>0$ $\quad\therefore r=3$

$r=3$을 ㉠에 대입하면

$3a=15$ $\quad\therefore a=5$

따라서 $a_n=5\times3^{n-1}$이므로

$a_6=5\times3^{6-1}=1215$

**(2)** $5\times3^{n-1}>10000$에서

$3^{n-1}>2000$

이때 $3^6=729$, $3^7=2187$이므로

$n-1\ge7$ $\quad\therefore n\ge8$

따라서 처음으로 10000보다 커지는 항은 제8항이다.

답 (1) ② (2) 제8항

## 1-1

등비수열 $\{a_n\}$에서 $a_2+a_3=240$, $a_5+a_6=30$일 때, $\frac{5}{16}$는 제몇 항인가?

① 제10항 ② 제11항 ③ 제12항
④ 제13항 ⑤ 제14항

## 1-2

각 항이 양수이고 제2항이 14, 제6항이 224인 등비수열 $\{a_n\}$에서 처음으로 7000보다 커지는 항은 제몇 항인지 구하시오.

## 전략 ❷ | 등비중항과 등비수열을 이루는 세 수

(1) 0이 아닌 세 수 $a$, $b$, $c$가 이 순서대로 등비수열을 이루면
➡ ❶ ______ $=ac$

(2) 등비수열을 이루는 세 수는
➡ $a$, $ar$, ❷ ______ 으로 놓고 식을 세운다.

답 ❶ $b^2$ ❷ $ar^2$

### 필수예제 2

**(1) 세 수 $4$, $a$, $b$는 이 순서대로 등차수열을 이루고, 세 수 $a$, $b$, $18$은 이 순서대로 등비수열을 이룰 때, 두 양수 $a$, $b$에 대하여 $a+b$의 값은?**

① 12 ② 14 ③ 16 ④ 18 ⑤ 20

**(2) 등비수열을 이루는 세 수의 합이 $-9$이고 곱이 $216$일 때, 세 수를 구하시오.**

| 풀이 |

**(1)** 세 수 $4$, $a$, $b$가 이 순서대로 등차수열을 이루므로

$2a=4+b$ …… ㉠

세 수 $a$, $b$, $18$이 이 순서대로 등비수열을 이루므로

$b^2=18a$ …… ㉡

㉠을 ㉡에 대입하면

$b^2=9(4+b)$, $b^2-9b-36=0$

$(b+3)(b-12)=0 \quad \therefore b=12\ (\because b>0)$

$b=12$를 ㉠에 대입하면

$2a=16 \quad \therefore a=8$

$\therefore a+b=20$

**(2)** 등비수열을 이루는 세 수를 $a$, $ar$, $ar^2$으로 놓으면

$a+ar+ar^2=-9$에서 $a(1+r+r^2)=-9$ …… ㉠

$a\times ar\times ar^2=216$에서 $(ar)^3=216$ …… ㉡

㉡에서 $ar=6 \quad \therefore a=\dfrac{6}{r}$

$a=\dfrac{6}{r}$을 ㉠에 대입하면

$\dfrac{6}{r}(1+r+r^2)=-9$, $2r^2+5r+2=0$

$(2r+1)(r+2)=0 \quad \therefore r=-\dfrac{1}{2}$ 또는 $r=-2$

$r=-\dfrac{1}{2}$일 때 $a=-12$, $r=-2$일 때 $a=-3$

이므로 세 수는 $-12$, $6$, $-3$이다.

답 **(1)** ⑤ **(2)** $-12$, $6$, $-3$

## 2-1

세 수 $12$, $a$, $b$는 이 순서대로 등차수열을 이루고, 세 수 $a$, $b$, $32$는 이 순서대로 등비수열을 이룰 때, 두 양수 $a$, $b$에 대하여 $b-a$의 값은?

① 3 ② 4 ③ 5
④ 6 ⑤ 7

## 2-2

등비수열을 이루는 세 수의 합이 $21$이고 곱이 $64$일 때, 세 수 중 가장 작은 수를 구하시오.

# 필수 체크 전략 ①

## 전략 ❸ | 등비수열의 합

첫째항이 $a$, 공비가 $r$인 등비수열의 첫째항부터 제$n$항까지의 합을 $S_n$이라 하면

(1) $r\neq1$일 때 ➡ $S_n=\frac{a(1-r^n)}{1-r}=\frac{a(\boxed{❶}-1)}{r-1}$

(2) $r=1$일 때 ➡ $S_n=n\boxed{❷}$

참고

$r<1$이면 $S_n=\frac{a(1-r^n)}{1-r}$, $r>1$이면 $S_n=\frac{a(r^n-1)}{r-1}$을 이용하면 편리하다.

답 ❶ $r^n$ ❷ $a$

## 필수예제 3

**(1)** 공비가 양수인 등비수열 $\{a_n\}$에서 $a_4=32$, $a_8=512$일 때, 이 등비수열의 첫째항부터 제8항까지의 합을 구하시오.

**(2)** 등비수열 $\{a_n\}$의 첫째항부터 제5항까지의 합이 20이고, 첫째항부터 제10항까지의 합이 80일 때, 첫째항부터 제15항까지의 합은?

① 220 ② 240 ③ 260 ④ 280 ⑤ 300

| 풀이 |

**(1)** 등비수열 $\{a_n\}$의 첫째항을 $a$, 공비를 $r$ $(r>0)$라 하면

$a_4=ar^3=32$ …… ㉠

$a_8=ar^7=512$ …… ㉡

㉡÷㉠을 하면 $r^4=16$ $\quad\therefore r=2\ (\because r>0)$

$r=2$를 ㉠에 대입하면

$8a=32$ $\quad\therefore a=4$

따라서 등비수열 $\{a_n\}$의 첫째항부터 제8항까지의 합은

$\frac{4(2^8-1)}{2-1}=1020$

**(2)** 등비수열 $\{a_n\}$의 첫째항을 $a$, 공비를 $r$, 첫째항부터 제$n$항까지의 합을 $S_n$이라 하면

$S_5=\frac{a(r^5-1)}{r-1}=20$ …… ㉠

$S_{10}=\frac{a(r^{10}-1)}{r-1}=\frac{a(r^5-1)(r^5+1)}{r-1}=80$ …… ㉡

㉠을 ㉡에 대입하면 $20(r^5+1)=80$

$r^5+1=4$ $\quad\therefore r^5=3$

$\therefore S_{15}=\frac{a(r^{15}-1)}{r-1}=\frac{a(r^5-1)(r^{10}+r^5+1)}{r-1}$

$=20(3^2+3+1)=260$

답 **(1)** 1020 **(2)** ③

## 3-1

등비수열 2, $-6$, 18, $-54$, …의 첫째항부터 제$n$항까지의 합을 $S_n$이라 할 때, $S_k=-364$를 만족시키는 자연수 $k$의 값은?

① 4 ② 5 ③ 6
④ 7 ⑤ 8

## 3-2

등비수열 $\{a_n\}$의 첫째항부터 제3항까지의 합이 21이고, 첫째항부터 제6항까지의 합이 $-147$일 때, $a_5$의 값을 구하시오.

## 전략 ❹ | 자연수의 거듭제곱의 합

(1) $1+2+3+\cdots+n=\sum_{k=1}^{n} k=\frac{n(n+\boxed{❶\ })}{2}$

(2) $1^2+2^2+3^2+\cdots+n^2=\sum_{k=1}^{n} k^2=\frac{n(n+1)(\boxed{❷\ }+1)}{6}$

(3) $1^3+2^3+3^3+\cdots+n^3=\sum_{k=1}^{n} k^3=\left\{\frac{n(n+1)}{2}\right\}^2$

$\Sigma$의 성질과 자연수의 거듭제곱의 합을 이용하여 식의 값을 구하는 문제가 주로 나와.

답 ❶ 1 ❷ $2n$

### 필수예제 4

**(1)** $\sum_{k=1}^{16} \frac{1+2+3+\cdots+k}{k}$ 의 값은?

① 72 ② 73 ③ 74 ④ 75 ⑤ 76

**(2)** 다음 식의 값을 구하시오.

$1\times2+2\times3+3\times4+\cdots+20\times21$

| 풀이 |

**(1)** $\sum_{k=1}^{16} \frac{1+2+3+\cdots+k}{k}=\sum_{k=1}^{16}\frac{\frac{k(k+1)}{2}}{k}$

$=\sum_{k=1}^{16}\frac{k+1}{2}=\frac{1}{2}\sum_{k=1}^{16}(k+1)$

$=\frac{1}{2}\left(\sum_{k=1}^{16}k+\sum_{k=1}^{16}1\right)$

$=\frac{1}{2}\left(\frac{16\times17}{2}+1\times16\right)=76$

**(2)** 주어진 수열의 제$k$항을 $a_k$라 하면

$a_k=k(k+1)=k^2+k$

주어진 식은 수열 $\{a_n\}$의 첫째항부터 제20항까지의 합이므로

(주어진 식)$=\sum_{k=1}^{20}a_k=\sum_{k=1}^{20}(k^2+k)=\sum_{k=1}^{20}k^2+\sum_{k=1}^{20}k$

$=\frac{20\times21\times41}{6}+\frac{20\times21}{2}$

$=3080$

답 **(1)** ⑤ **(2)** 3080

## 4-1

$\sum_{k=1}^{n-1}(2k+5)=160$일 때, 자연수 $n$의 값은?

① 11 ② 12 ③ 13
④ 14 ⑤ 15

## 4-2

수열의 합 $1\times3+2\times5+3\times7+\cdots+10\times21$의 값을 구하시오.

# 필수 체크 전략 ②

**1** 공비가 실수인 등비수열 $\{a_n\}$에서

$a_1+a_2+a_3=4$, $a_4+a_5+a_6=16$

일 때, $\dfrac{a_4+a_6}{a_1+a_3}$의 값은?

① 2　② 4　③ 6
④ 8　⑤ 10

**Tip**

등비수열 $\{a_n\}$의 첫째항을 $a$, 공비를 $r$라 하면 $a_n=a$ ❶ 임을 이용하여 주어진 식을 $a$와 ❷ 에 대한 식으로 나타낸다.

답 ❶ $r^{n-1}$ ❷ $r$

**2** 다항식 $f(x)=x^2+2x+a$를 $x+1$, $x-1$, $x-2$로 나누었을 때의 나머지가 이 순서대로 등비수열을 이룰 때, $f(x)$를 $x+2$로 나누었을 때의 나머지는? (단, $a$는 상수이다.)

① 16　② 17　③ 18
④ 19　⑤ 20

**Tip**

나머지정리에 의하여 $f(x)$를 $x+1$, $x-1$, $x-2$로 나누었을 때의 나머지는 각각 $f(-1)$, $f($❶$)$, $f($❷$)$임을 이용한다.

답 ❶ 1 ❷ 2

**3** 삼차방정식 $x^3-px^2+126x-216=0$의 세 실근이 등비수열을 이룰 때, 상수 $p$의 값은?

① 18　② 19　③ 20
④ 21　⑤ 22

**Tip**

삼차방정식 $x^3-px^2+126x-216=0$의 세 근을 $a$, $ar$, ❶ 으로 놓고 근과 ❷ 의 관계를 이용한다.

답 ❶ $ar^2$ ❷ 계수

**4** 각 항이 실수인 등비수열 $\{a_n\}$에서 제$3$항이 $4$, 제$7$항이 $16$일 때, $a_1{}^2+a_2{}^2+a_3{}^2+\cdots+a_{10}{}^2$의 값은?

① $2(2^9-1)$ ② $2(2^{10}-1)$ ③ $4(2^9-1)$
④ $4(2^{10}-1)$ ⑤ $16(2^{10}-1)$

**Tip**

등비수열 $\{a_n\}$의 첫째항을 $a$, 공비를 $r$라 하면 $a_1{}^2+a_2{}^2+a_3{}^2+\cdots+a_{10}{}^2$은 첫째항이 $a_1{}^2$, 공비가 ❶ ☐ 인 등비수열의 첫째항부터 제❷ ☐ 항까지의 합과 같다.

답 ❶ $r^2$ ❷ $10$

**5** 등비수열 $1, 2, 2^2, 2^3, \cdots$의 첫째항부터 제$n$항까지의 합 $S_n$이 처음으로 $3000$보다 커지는 자연수 $n$의 값은?

① $10$ ② $11$ ③ $12$
④ $13$ ⑤ $14$

**Tip**

주어진 등비수열의 첫째항이 ❶ ☐, 공비가 $2$이므로 $S_n=\dfrac{❷\ ☐ \times(2^n-1)}{2-1}>3000$을 만족시키는 자연수 $n$의 최솟값을 구한다.

답 ❶ $1$ ❷ $1$

**6** 이차방정식 $x^2-3x-5=0$의 서로 다른 두 실근을 $\alpha$, $\beta$라 할 때, $\sum_{k=1}^{10}(k-\alpha)(k-\beta)$의 값은?

① $160$ ② $170$ ③ $180$
④ $190$ ⑤ $200$

**Tip**

이차방정식 $x^2-3x-5=0$의 서로 다른 두 실근이 $\alpha$, $\beta$이므로 근과 계수의 관계에서 $\alpha+\beta=$ ❶ ☐, $\alpha\beta=$ ❷ ☐ 임을 이용한다.

답 ❶ $3$ ❷ $-5$

주어진 이차방정식을 인수분해하면 $(x-\alpha)(x-\beta)=0$이야.

**7** 수열 $\{a_n\}$이

$1, 1+3, 1+3+5, 1+3+5+7, \cdots$

일 때, $\sum_{k=1}^{10}a_k$의 값은?

① $381$ ② $382$ ③ $383$
④ $384$ ⑤ $385$

**Tip**

수열 $\{a_n\}$의 일반항 $a_n$은
$a_n=1+3+5+\cdots+($❶ ☐$)=\sum_{k=1}^{n}($❷ ☐$)$

답 ❶ $2n-1$ ❷ $2k-1$

# 필수 체크 전략 ①

### 전략 ❶ | 분수 꼴로 주어진 수열의 합

수열 $\{a_n\}$의 제$k$항 $a_k$를 [❶ ] 로 변형한다.

➡ $a_k=\dfrac{1}{(k+a)(k+b)}=\dfrac{1}{[❷\ ]}\left(\dfrac{1}{k+a}-\dfrac{1}{k+b}\right)$ (단, $a\neq b$)

답 ❶ 부분분수 ❷ $b-a$

**필수예제 1**

수열의 합 $\dfrac{1}{3^2-1}+\dfrac{1}{5^2-1}+\dfrac{1}{7^2-1}+\cdots+\dfrac{1}{33^2-1}$의 값이 $\dfrac{q}{p}$일 때, $p+q$의 값은? (단, $p$, $q$는 서로소인 자연수이다.)

① 20 ② 21 ③ 22 ④ 23 ⑤ 24

| 풀이 |

주어진 수열의 제$k$항을 $a_k$라 하면

$$a_k=\frac{1}{(2k+1)^2-1}=\frac{1}{4k^2+4k}$$
$$=\frac{1}{4k(k+1)}=\frac{1}{4}\left(\frac{1}{k}-\frac{1}{k+1}\right)$$

주어진 식은 수열 $\{a_n\}$의 첫째항부터 제16항까지의 합이므로

$$\sum_{k=1}^{16}a_k=\sum_{k=1}^{16}\frac{1}{4}\left(\frac{1}{k}-\frac{1}{k+1}\right)$$
$$=\frac{1}{4}\left\{\left(1-\frac{1}{2}\right)+\left(\frac{1}{2}-\frac{1}{3}\right)+\left(\frac{1}{3}-\frac{1}{4}\right)+\cdots+\left(\frac{1}{16}-\frac{1}{17}\right)\right\}$$
$$=\frac{1}{4}\left(1-\frac{1}{17}\right)=\frac{4}{17}$$

따라서 $p=17$, $q=4$이므로 $p+q=21$

참고

$\dfrac{1}{AB}=\dfrac{1}{B-A}\left(\dfrac{1}{A}-\dfrac{1}{B}\right)$ (단, $A\neq B$)

로 변형하는 것을 부분분수의 변형 또는 이항분리라고 한다.

답 ②

## 1-1

수열 $\dfrac{1}{1\times3}$, $\dfrac{1}{2\times4}$, $\dfrac{1}{3\times5}$, $\cdots$의 첫째항부터 제8항까지의 합을 구하시오.

## 1-2

수열 $\{a_n\}$에서 $\sum_{k=1}^{n}a_k=n^2+3n$일 때, $\sum_{k=1}^{12}\dfrac{1}{a_ka_{k+1}}$의 값은?

① $\dfrac{1}{28}$ ② $\dfrac{3}{28}$ ③ $\dfrac{5}{28}$ ④ $\dfrac{1}{4}$ ⑤ $\dfrac{9}{28}$

## 전략 ❷ | 근호 또는 로그가 포함된 수열의 합

(1) 근호가 포함된 수열의 합을 구할 때는 수열 $\{a_n\}$의 제$k$항 $a_k$의 분모를 ❶ ___ 한다.

➡ $a_k=\frac{1}{\sqrt{k}+\sqrt{k+c}}=\frac{\sqrt{k}-\sqrt{k+c}}{(\sqrt{k}+\sqrt{k+c})(\sqrt{k}-\sqrt{k+c})}=\frac{1}{c}(\sqrt{k+c}-$ ❷ ___ $)$ (단, $c\neq0$)

(2) 로그가 포함된 수열의 합을 구할 때는 수열 $\{a_n\}$의 제$k$항 $a_k$를 로그의 성질을 이용하여 변형한다.

➡ $\log xy=\log x+\log y$, $\log\frac{x}{y}=\log x-\log y$ (단, $x>0$, $y>0$)

답 ❶ 유리화 ❷ $\sqrt{k}$

### 필수예제 2

**(1)** 수열 $\frac{1}{1+\sqrt{2}}, \frac{1}{\sqrt{2}+\sqrt{3}}, \frac{1}{\sqrt{3}+\sqrt{4}}, \cdots$의 첫째항부터 제99항까지의 합을 구하시오.

**(2)** $\sum_{k=1}^{99}\log\frac{k+1}{k}$의 값은?

① 1 ② 2 ③ 3 ④ 4 ⑤ 5

| 풀이 |

**(1)** 주어진 수열의 제$k$항을 $a_k$라 하면

$$a_k=\frac{1}{\sqrt{k}+\sqrt{k+1}}=\frac{\sqrt{k}-\sqrt{k+1}}{(\sqrt{k}+\sqrt{k+1})(\sqrt{k}-\sqrt{k+1})}$$
$$=\sqrt{k+1}-\sqrt{k}$$

$$\therefore \sum_{k=1}^{99}a_k=\sum_{k=1}^{99}(\sqrt{k+1}-\sqrt{k})$$
$$=(\sqrt{2}-1)+(\sqrt{3}-\sqrt{2})+(\sqrt{4}-\sqrt{3})+\cdots+(\sqrt{100}-\sqrt{99})$$
$$=\sqrt{100}-1=9$$

**(2)** $\sum_{k=1}^{99}\log\frac{k+1}{k}$

$$=\sum_{k=1}^{99}\{\log(k+1)-\log k\}$$
$$=(\log 2-\log 1)+(\log 3-\log 2)+(\log 4-\log 3)+\cdots+(\log 100-\log 99)$$
$$=\log 100-\log 1=2$$

| 다른 풀이 |

$$\sum_{k=1}^{99}\log\frac{k+1}{k}=\log\frac{2}{1}+\log\frac{3}{2}+\log\frac{4}{3}+\cdots+\log\frac{100}{99}$$
$$=\log\left(\frac{2}{1}\times\frac{3}{2}\times\frac{4}{3}\times\cdots\times\frac{100}{99}\right)$$
$$=\log 100=2$$

답 **(1)** 9 **(2)** ②

## 2-1

$\sum_{k=1}^{60}\left(\frac{1}{\sqrt{2k-1}+\sqrt{2k+1}}\right)$의 값은?

① 5 ② 6 ③ 7 ④ 8 ⑤ 9

## 2-2

$\sum_{k=2}^{50}\log\left(1-\frac{1}{k^2}\right)$의 값을 구하시오.

# 필수 체크 전략 ①

## 전략 ③ 등차수열, 등비수열의 귀납적 정의

수열 $\{a_n\}$에서 $n=1, 2, 3, \cdots$일 때

(1) $a_{n+1}-a_n=d$ 또는 $a_{n+1}=a_n+d$ ➡ 공차가 ❶ ☐ 인 등차수열

$a_{n+2}-a_{n+1}=a_{n+1}-a_n$ 또는 $2a_{n+1}=a_n+a_{n+2}$ ➡ 등차수열

(2) $a_{n+1}\div a_n=r$ 또는 $a_{n+1}=ra_n$ ➡ 공비가 ❷ ☐ 인 등비수열

$a_{n+2}\div a_{n+1}=a_{n+1}\div a_n$ 또는 $a_{n+1}{}^2=a_n a_{n+2}$ ➡ 등비수열

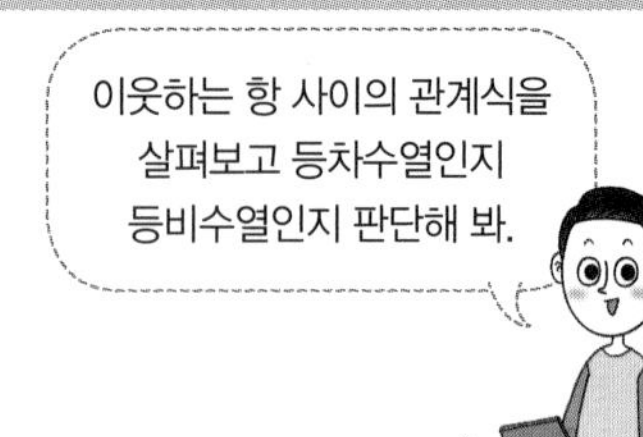


답 ❶ $d$ ❷ $r$

### 필수예제 3

**(1) 수열 $\{a_n\}$이 $a_1=200$, $a_{n+1}-a_n=-3$ $(n=1, 2, 3, \cdots)$으로 정의될 때, $a_k=23$을 만족시키는 자연수 $k$의 값은?**

① 40 ② 45 ③ 50 ④ 55 ⑤ 60

**(2) 수열 $\{a_n\}$이 $a_1=6$, $a_2=12$, $a_{n+1}{}^2=a_n a_{n+2}$ $(n=1, 2, 3, \cdots)$로 정의될 때, $\sum_{k=1}^{10} a_k$의 값을 구하시오.**

| 풀이 |

**(1)** $a_{n+1}-a_n=-3$에서 수열 $\{a_n\}$은 공차가 $-3$인 등차수열이다.

이때 첫째항이 $a_1=200$이므로

$a_n=200+(n-1)\times(-3)=-3n+203$

$a_k=23$에서 $-3k+203=23$

$-3k=-180$ $\therefore k=60$

**(2)** $a_{n+1}{}^2=a_n a_{n+2}$에서 수열 $\{a_n\}$은 등비수열이다.

이때 첫째항은 $a_1=6$, 공비는 $\frac{a_2}{a_1}=\frac{12}{6}=2$이므로

$\sum_{k=1}^{10} a_k=\frac{6(2^{10}-1)}{2-1}=6138$

답 **(1)** ⑤ **(2)** 6138

### 3-1

수열 $\{a_n\}$이

$$a_1=-15,\ a_2=-5,\ a_{n+1}=\frac{a_n+a_{n+2}}{2}\ (n=1, 2, 3, \cdots)$$

로 정의될 때, $a_{10}$의 값은?

① 60 ② 65 ③ 70

④ 75 ⑤ 80

### 3-2

수열 $\{a_n\}$이

$$a_1=9,\ a_{n+1}=3a_n\ (n=1, 2, 3, \cdots)$$

으로 정의될 때, 처음으로 2000 이상이 되는 항은 제몇 항인지 구하시오.

## 전략 ❹ | 여러 가지 수열의 귀납적 정의

| $a_{n+1}=a_n+f(n)$ 꼴 | $a_{n+1}=a_n f(n)$ 꼴 |
|---|---|
| $n$에 1, 2, 3, …을 차례로 대입하여 규칙을 찾는다.<br>$a_2=a_1+f(1)$<br>$a_3=a_2+f(2)=a_1+f(1)+f(2)$<br>$a_4=a_3+f(3)=$ ❶ $\square$ $+f(1)+f(2)+f(3)$<br>⋮<br>➡ $a_n=a_1+f(1)+f(2)+f(3)+\cdots+f(n-1)$ | $n$에 1, 2, 3, …을 차례로 대입하여 규칙을 찾는다.<br>$a_2=a_1 f(1)$<br>$a_3=a_2 f(2)=a_1 f(1)f(2)$<br>$a_4=a_3 f(3)=a_1 f(1)f(2)$ ❷ $\square$<br>⋮<br>➡ $a_n=a_1 f(1)f(2)f(3)\cdots f(n-1)$ |

답 ❶ $a_1$ ❷ $f(3)$

### 필수예제 4

**(1)** 수열 $\{a_n\}$이 $a_1=1$, $a_{n+1}=a_n+3n$ $(n=1, 2, 3, \cdots)$으로 정의될 때, $a_{12}$의 값은?

① 196 ② 197 ③ 198 ④ 199 ⑤ 200

**(2)** $a_1=1$, $a_{n+1}=2^n a_n$ $(n=1, 2, 3, \cdots)$으로 정의된 수열 $\{a_n\}$의 일반항 $a_n$을 구하시오.

| 풀이 |

**(1)** $a_{n+1}=a_n+3n$의 $n$에 1, 2, 3, …, 11을 차례로 대입하면

$a_2=a_1+3\times1$

$a_3=a_2+3\times2=a_1+3\times1+3\times2$

$a_4=a_3+3\times3=a_1+3\times1+3\times2+3\times3$

⋮

$\therefore a_{12}=a_{11}+3\times11$

$=a_1+3\times1+3\times2+3\times3+\cdots+3\times11$

$=1+\sum_{k=1}^{11}3k=1+3\times\frac{11\times12}{2}=199$

**(2)** $a_{n+1}=2^n a_n$의 $n$에 1, 2, 3, …을 차례로 대입하면

$a_2=2a_1$

$a_3=2^2 a_2=2^2\times2a_1$

$a_4=2^3 a_3=2^3\times2^2\times2a_1$

⋮

$\therefore a_n=2^{n-1}\times\cdots\times2^3\times2^2\times2a_1$

$=2^{1+2+3+\cdots+(n-1)}\times1=2^{\frac{(n-1)n}{2}}$

답 (1) ④ (2) $a_n=2^{\frac{(n-1)n}{2}}$

## 4-1

수열 $\{a_n\}$이

$a_1=4$, $a_{n+1}=a_n+2^n$ $(n=1, 2, 3, \cdots)$

으로 정의될 때, $a_k=1026$을 만족시키는 자연수 $k$의 값은?

① 8 ② 9 ③ 10
④ 11 ⑤ 12

## 4-2

수열 $\{a_n\}$이

$a_1=2$, $a_{n+1}=\frac{n+2}{n+1}a_n$ $(n=1, 2, 3, \cdots)$

으로 정의될 때, $a_{99}$의 값을 구하시오.

# 필수 체크 전략 ②

**1** 수열 $\{a_n\}$에서 $a_n=1^2+2^2+3^2+\cdots+n^2$일 때, $\sum_{k=1}^{10}\frac{2k+1}{a_k}$의 값은?

① $\frac{11}{5}$　② $\frac{31}{5}$　③ $\frac{15}{7}$
④ $\frac{25}{7}$　⑤ $\frac{60}{11}$

**Tip**

$a_n=\sum_{k=1}^{n}$ ❶ $=\frac{n(n+1)(❷\;+1)}{6}$

임을 이용한다.

답 ❶ $k^2$ ❷ $2n$

**2** 수열 $\{a_n\}$에서 $a_n=\frac{1}{\sqrt{n+1}+\sqrt{n}}$일 때, $\sum_{k=1}^{n}a_k=2$를 만족시키는 자연수 $n$의 값은?

① 6　② 7　③ 8
④ 9　⑤ 10

**Tip**

$a_n=\frac{1}{\sqrt{n+1}+\sqrt{n}}$의 분모를 ❶ 한 다음 $\sum_{k=1}^{n}a_k$를 ❷ 에 대한 식으로 나타낸다.

답 ❶ 유리화 ❷ $n$

**3** 수열 $\{a_n\}$에서 $a_{2n-1}=2^n$이고 $a_{2n}=5^n$일 때, $\sum_{k=1}^{10}\log a_k$의 값은?

① 10　② 15　③ 20
④ 25　⑤ 30

**Tip**

$a_{2n-1}a_{2n}=2^n\times5^n=$ ❶

에서

$\log a_1+\log a_2=\log a_1a_2$

$=\log$ ❷

답 ❶ $10^n$ ❷ 10

**4** 수열 $\{a_n\}$이 $a_1=-43$, $a_{n+1}=a_n+3$ $(n=1, 2, 3, \cdots)$으로 정의된다. 수열 $\{a_n\}$의 첫째항부터 제$n$항까지의 합을 $S_n$이라 할 때, $S_n$의 값이 최소가 되도록 하는 $n$의 값은?

① 15 ② 16 ③ 17
④ 18 ⑤ 19

**Tip**

$a_{n+1}=a_n+3$에서 수열 $\{a_n\}$은 공차가 ❶ ☐ 인 ❷ ☐ 임을 이용한다.

답 ❶ 3 ❷ 등차수열

**5** 수열 $\{a_n\}$이

$a_1=8$, $a_2=4$, $2\log a_{n+1}=\log a_n+\log a_{n+2}$ $(n=1, 2, 3, \cdots)$

로 정의될 때, $a_{10}$의 값은?

① $\frac{1}{1024}$ ② $\frac{1}{256}$ ③ $\frac{1}{128}$
④ $\frac{1}{64}$ ⑤ $\frac{1}{32}$

**Tip**

주어진 관계식에서 로그의 성질에 의하여 $a_{n+1}{}^{❶\square}=a_n$❷ ☐ 임을 이용한다.

답 ❶ 2 ❷ $a_{n+2}$

**6** 수열 $\{a_n\}$이 $a_1=2$, $a_{n+1}=a_n+\dfrac{1}{n(n+1)}$ $(n=1, 2, 3, \cdots)$로 정의될 때, $a_{50}-a_{25}$의 값은?

① $\frac{1}{50}$ ② $\frac{1}{25}$ ③ $\frac{3}{50}$
④ $\frac{2}{25}$ ⑤ $\frac{1}{10}$

**Tip**

$\dfrac{1}{n(n+1)}=\dfrac{1}{❶\square}-\dfrac{1}{❷\square}$임을 이용하여 식을 변형한 후 $n$에 $1, 2, 3, \cdots$을 차례로 대입한다.

답 ❶ $n$ ❷ $n+1$

**7** 수열 $\{a_n\}$이 $a_1=1$, $a_{n+1}=(n+1)a_n$ $(n=1, 2, 3, \cdots)$으로 정의될 때, $a_3+a_4+a_5+\cdots+a_{200}$을 20으로 나누었을 때의 나머지는?

① 2 ② 4 ③ 6
④ 8 ⑤ 10

**Tip**

$a_{n+1}=(n+1)a_n$의 $n$에 $1, 2, 3, \cdots,$ ❶ ☐ 를 차례로 ❷ ☐ 하여 규칙을 찾는다.

답 ❶ 199 ❷ 대입

# 2주 4일 교과서 대표 전략 ①

## 대표 예제 

공비가 양수이고 제5항이 24, 제7항이 96인 등비수열 $\{a_n\}$에서 $a_9$의 값은?

① 192　　② 288　　③ 384
④ 576　　⑤ 768

**개념 가이드**

주어진 항 또는 항 사이의 ❶ [　　] 를 첫째항 $a$와 공비 $r$에 대한 식으로 나타낸 후 두 식을 ❷ [　　] 하여 푼다.

답 ❶ 관계 ❷ 연립

## 대표 예제 2

첫째항이 3, 공비가 3인 등비수열 $\{a_n\}$에서 처음으로 3000보다 커지는 항은?

① 제6항　　② 제7항　　③ 제8항
④ 제9항　　⑤ 제10항

**개념 가이드**

첫째항이 $a$, 공비가 $r$ $(r>1)$인 등비수열 $\{a_n\}$에서 처음으로 $k$보다 커지는 항

➡ $ar^{n-1}$ ❶ [　　] $k$를 만족시키는 자연수 $n$의 ❷ [　　] 을 구한다.

답 ❶ > ❷ 최솟값

## 대표 예제 3

등비수열 27, $a_1$, $a_2$, $\cdots$, $a_n$, $\frac{256}{243}$의 공비가 $\frac{2}{3}$일 때, 자연수 $n$의 값은?

① 3　　② 4　　③ 5
④ 6　　⑤ 7

**개념 가이드**

두 수 $a$, $b$ 사이에 $n$개의 수를 넣어서 만든 등비수열에서 $a$는 ❶ [　　], $b$는 제( ❷ [　　] )항이다.

답 ❶ 첫째항 ❷ $n+2$

## 대표 예제 4

세 수 4, $a$, $b$는 이 순서대로 등차수열을 이루고, 세 수 $a$, 4, $b$는 이 순서대로 등비수열을 이룰 때, $a-b$의 값은? (단, $a>b$)

① 2　　② 4　　③ 6
④ 8　　⑤ 10

**개념 가이드**

0이 아닌 세 수 $a$, $b$, $c$가 이 순서대로

(1) 등차수열을 이룬다. ➡ $2b=$ ❶ [　　]

(2) 등비수열을 이룬다. ➡ $b^2=$ ❷ [　　]

답 ❶ $a+c$ ❷ $ac$

## 대표 예제 5

등비수열 $\{a_n\}$에서 $a_2+a_3=4$, $a_4 : a_5=1 : 2$일 때, 첫째항부터 제6항까지의 합은?

① 10 ② $\frac{62}{3}$ ③ 42 ④ $\frac{254}{3}$ ⑤ 170

**개념 가이드**

첫째항이 $a$, 공비가 $r$ $(r\neq0)$인 등비수열의 첫째항부터 제$n$항까지의 합을 $S_n$이라 하면

(1) $r\neq1$일 때 ➡ $S_n=\frac{a(1-r^n)}{❶\square}=\frac{a(r^n-1)}{r-1}$

(2) $r=1$일 때 ➡ $S_n=$ ❷ $\square$

답 ❶ $1-r$ ❷ $na$

## 대표 예제 6

첫째항부터 제4항까지의 합이 30, 첫째항부터 제8항까지의 합이 510인 등비수열의 첫째항부터 제10항까지의 합은? (단, 공비는 양수이다.)

① 2046 ② 2047 ③ 2048 ④ 2049 ⑤ 2050

**개념 가이드**

$r\neq1$일 때, $S_n=\frac{a(r^n-1)}{r-1}$에서

$S_{2n}=\frac{a(r^{2n}-1)}{r-1}=\frac{a(r^n-1)(❶\square)}{r-1}=S_n(❷\square)$

답 ❶ $r^n+1$ ❷ $r^n+1$

## 대표 예제 7

$\sum_{k=1}^{7}(a_k+b_k)=50$, $\sum_{k=1}^{7}(a_k-b_k)=60$일 때, $\sum_{k=1}^{7}(a_k+2b_k)$의 값은?

① 30 ② 35 ③ 40 ④ 45 ⑤ 50

**개념 가이드**

(1) $\sum_{k=1}^{n}(a_k+b_k)=\sum_{k=1}^{n}a_k$ ❶ $\square$ $\sum_{k=1}^{n}b_k$

(2) $\sum_{k=1}^{n}(a_k-b_k)=\sum_{k=1}^{n}a_k$ ❷ $\square$ $\sum_{k=1}^{n}b_k$

답 ❶ + ❷ −

## 대표 예제 8

$\sum_{n=1}^{5}\left(\sum_{m=1}^{n}mn\right)$의 값은?

① 136 ② 138 ③ 140 ④ 142 ⑤ 144

변수를 나타내는 문자를 찾고,
그 외의 문자는 상수로
생각하여 계산해 봐.

**개념 가이드**

$\Sigma$를 여러 개 포함한 식은 ❶ $\square$에 주의한다. 즉, ❷ $\square$인 것과 상수가 아닌 것을 구별하여 계산한다.

답 ❶ 변수 ❷ 상수

# 2주 4일 교과서 대표 전략 ①

## 대표 예제 9

수열 $\{a_n\}$에서 $\sum_{k=1}^{n} a_k = n^2 - 3n$일 때, $\sum_{k=1}^{10} a_{2k+1}$의 값은?

① 200 ② 210 ③ 220
④ 230 ⑤ 240

**개념 가이드**

$S_n = \sum_{k=1}^{n} a_k$가 주어진 경우 다음을 이용하여 $a_n$을 구한다.

① $S_1 = \sum_{k=1}^{1} a_k =$ ❶ [ ]

② $S_n - S_{n-1} = \sum_{k=1}^{n} a_k - \sum_{k=1}^{n-1} a_k =$ ❷ [ ] $(n \ge 2)$

답 ❶ $a_1$ ❷ $a_n$

## 대표 예제 10

$\sum_{k=1}^{30} \frac{1}{2+4+6+\cdots+2k}$의 값을 구하시오.

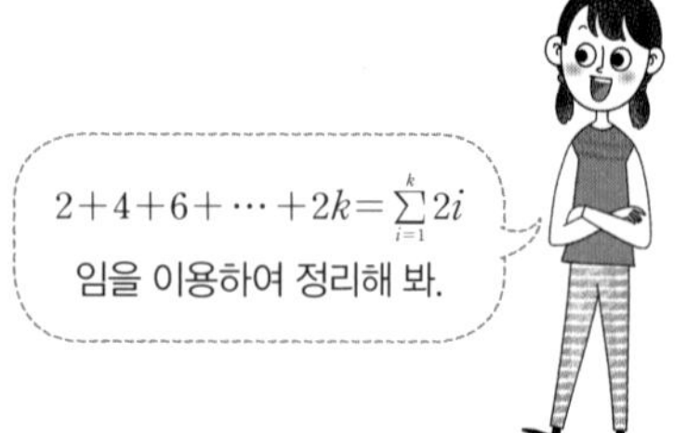


**개념 가이드**

분수 꼴로 주어진 수열의 합은 수열 $\{a_n\}$의 제$k$항 $a_k$를 ❶ [ ]로 변형하여 계산한다.

➡ $a_k = \frac{1}{(k+a)(k+b)} = \frac{1}{❷ [\ ]}\left(\frac{1}{k+a} - \frac{1}{k+b}\right)$ (단, $a \ne b$)

답 ❶ 부분분수 ❷ $b-a$

## 대표 예제 11

$\frac{2}{1+\sqrt{3}} + \frac{2}{\sqrt{2}+\sqrt{4}} + \frac{2}{\sqrt{3}+\sqrt{5}} + \cdots + \frac{2}{\sqrt{48}+\sqrt{50}}$의 값은?

① $5-4\sqrt{2}$ ② $6-4\sqrt{2}$ ③ 5
④ 6 ⑤ $6+4\sqrt{2}$

**개념 가이드**

분모에 근호가 포함된 수열의 합은 수열 $\{a_n\}$의 제$k$항 $a_k$의 분모를 ❶ [ ]하여 계산한다.

➡ $a_k = \frac{1}{\sqrt{k}+\sqrt{k+c}} = \frac{1}{❷ [\ ]}(\sqrt{k+c} - \sqrt{k})$ (단, $c \ne 0$)

답 ❶ 유리화 ❷ $c$

## 대표 예제 12

수열 $\{a_n\}$이

$$a_1 = 1,\ a_4 = 125,\ a_{n+1} = \sqrt{a_n a_{n+2}}\ (n = 1, 2, 3, \cdots)$$

로 정의될 때, $\frac{a_{15}}{a_{13}} + \frac{a_{16}}{a_{14}} + \frac{a_{17}}{a_{15}}$의 값은?

① 50 ② 75 ③ 100
④ 300 ⑤ 375

**개념 가이드**

수열 $\{a_n\}$에서 $n = 1, 2, 3, \cdots$일 때

${a_{n+1}}^2 = a_n a_{n+2}$ 또는 $a_{n+1} = \sqrt{a_n a_{n+2}}$

➡ ❶ [ ]수열

답 ❶ 등비

## 대표 예제 13

수열 $\{a_n\}$이

$$a_1=3,\ a_{n+1}=a_n+(-1)^n\ (n=1, 2, 3, \cdots)$$

으로 정의될 때, $a_{50}$의 값은?

① 1 ② 2 ③ 3
④ 4 ⑤ 5

**개념 가이드**

$a_{n+1}=a_n+f(n)$ 꼴의 수열은 $n$에 1, 2, 3, …을 대입하여 규칙을 찾는다.

➡ $a_2=a_1+$ ❶ ☐, $a_3=a_2+f(2)=a_1+f(1)+$ ❷ 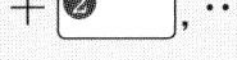, …

답 ❶ $f(1)$ ❷ $f(2)$

## 대표 예제 14

수열 $\{a_n\}$이

$$a_1=1,\ \sqrt{n+2}\,a_{n+1}=\sqrt{n}\,a_n\ (n=1, 2, 3, \cdots)$$

으로 정의될 때, $a_{49}$의 값은?

① $\frac{1}{49}$ ② $\frac{1}{35}$ ③ $\frac{1}{28}$
④ 35 ⑤ 49

**개념 가이드**

$a_{n+1}=a_n f(n)$ 꼴의 수열은 $n$에 1, 2, 3, …을 대입하여 규칙을 찾는다.

➡ $a_2=a_1$ ❶ ☐, $a_3=a_2 f(2)=a_1 f(1)$ ❷ ☐, …

답 ❶ $f(1)$ ❷ $f(2)$

## 대표 예제 15

다음은 $n\geq 4$인 모든 자연수 $n$에 대하여 부등식

$$2^n\geq n^2 \qquad \cdots\cdots ㉠$$

이 성립함을 수학적 귀납법을 이용하여 증명한 것이다.

**증명**

(i) $n=4$일 때
(좌변)$=2^4=16\geq 4^2=16=$(우변)
따라서 $n=4$일 때 부등식 ㉠이 성립한다.

(ii) $n=k\ (k\geq 4)$일 때, 부등식 ㉠이 성립한다고 가정하면
$2^k\geq k^2$
위의 식의 양변에 2를 곱하면
$2^{k+1}\geq 2k^2$
그런데 $k\geq 4$이면
$2k^2-(k+1)^2=k^2-2k-1$
$=$ (가) $-2>0$
이므로 $2k^2>(k+1)^2$
$\therefore 2^{k+1}\geq 2k^2>$ (나)
따라서 $n=k+1$일 때도 부등식 ㉠이 성립한다.

(i), (ii)에서 $n\geq 4$인 모든 자연수 $n$에 대하여 부등식 ㉠이 성립한다.

위의 증명 과정에서 (가), (나)에 알맞은 것은?

| | (가) | (나) |
|---|---|---|
| ① | $(k+1)^2$ | $k^2+2k$ |
| ② | $(k+1)^2$ | $(k+1)^2$ |
| ③ | $(k-1)^2$ | $k^2+2k$ |
| ④ | $(k-1)^2$ | $(k+1)^2$ |
| ⑤ | $(2k+1)^2$ | $k^2+2k$ |

**개념 가이드**

자연수 $n$에 대한 명제 $p(n)$이 모든 자연수 $n$에 대하여 성립함을 증명하려면

(i) $n=$ ❶ ☐일 때, 명제 $p(n)$이 성립함을 보인다.

(ii) $n=k$일 때, 명제 $p(n)$이 성립한다고 가정하면 $n=$ ❷ ☐일 때도 명제 $p(n)$이 성립함을 보인다.

답 ❶ 1 ❷ $k+1$

# 교과서 대표 전략 ②

## 1

등비수열 $\{a_n\}$에서 $\log a_3=1$, $\log a_6=\frac{5}{2}$일 때, $10<a_n<1000$을 만족시키는 자연수 $n$의 개수는?

① 1 ② 2 ③ 3 ④ 4 ⑤ 5

**Tip**

로그의 정의에 의하여 $a_3=$ ❶ , $a_6=$ ❷ 이므로 첫째항 $a$와 공비 $r$에 대한 식으로 나타낸다.

답 ❶ 10 ❷ $10^{\frac{5}{2}}$

## 2

공비가 양수인 등비수열 $\{a_n\}$에서

$$a_1+a_2+a_3+\cdots+a_6=30,\ a_7+a_8+a_9+\cdots+a_{12}=240$$

일 때, 공비는?

① $\sqrt{2}$ ② $\sqrt{3}$ ③ 2 ④ $\sqrt{5}$ ⑤ $\sqrt{6}$

**Tip**

등비수열 $\{a_n\}$의 첫째항부터 제$n$항까지의 합을 $S_n$이라 하면 $a_7+a_8+a_9+\cdots+a_{12}=S_{12}-$ ❶ 임을 이용한다.

답 ❶ $S_6$

## 3

수열 $\{a_n\}$에서

$$a_1+2a_2+3a_3+\cdots+na_n=\frac{n(n+1)(n+2)}{6}$$

일 때, $\sum_{k=1}^{10} a_k$의 값은?

① 32 ② $\frac{65}{2}$ ③ 33 ④ $\frac{67}{2}$ ⑤ 34

**Tip**

$a_1+2a_2+3a_3+\cdots+na_n=S_n$으로 놓고

$a_1=$ ❶ , ❷ $=S_n-S_{n-1}\ (n\geq 2)$

임을 이용하여 $a_n$을 구한다.

답 ❶ $S_1$ ❷ $na_n$

## 4

자연수 전체의 집합을 정의역으로 하는 두 함수

$$f(n)=(n+1)(n+5),\ g(n)=2n-1$$

에 대하여 $\sum_{n=1}^{10}\frac{8}{(f\circ g)(n)}=\frac{q}{p}$일 때, $q-p$의 값은?

(단, $p$, $q$는 서로소인 자연수이다.)

① 41 ② 42 ③ 43 ④ 44 ⑤ 45

**Tip**

두 함수 $f$, $g$에 대하여 $(f\circ g)(n)=f(g(n))=f($ ❶ $)$임을 이용한다.

답 ❶ $2n-1$

## 5

$a_1=2$, $a_2=1$인 수열 $\{a_n\}$에 대하여 이차방정식

$$a_nx^2-2a_{n+1}x+a_{n+2}=0\ (n=1, 2, 3, \cdots)$$

이 중근 $b_n$을 가질 때, $\sum_{k=1}^{100} b_k$의 값은?

① 50 ② 55 ③ 60
④ 65 ⑤ 70

**Tip**
이차방정식 $ax^2+bx+c=0$이 중근을 가지려면 판별식 $D$가 $D=b^2-4ac$ ❶ ☐ 0이어야 함을 이용한다.

답 ❶ =

## 6

수열 $\{a_n\}$이 $a_1=4$, $a_{n+1}=\frac{n}{n+1}a_n\ (n=1, 2, 3, \cdots)$으로 정의될 때, $a_k=\frac{1}{7}$을 만족시키는 자연수 $k$의 값은?

① 21 ② 28 ③ 35
④ 42 ⑤ 49

**Tip**
주어진 관계식의 $n$에 1, 2, 3, …을 차례로 대입하여 수열 $\{a_n\}$의 ❶ ☐을 구한다.

답 ❶ 일반항

## 7

수열 $\{a_n\}$이

$a_1=1$, $a_{n+1}=$($4a_n$을 7로 나누었을 때의 나머지)
$(n=1, 2, 3, \cdots)$

로 정의될 때, $a_{200}-a_{201}+a_{202}$의 값을 구하시오.

**Tip**
주어진 식의 $n$에 1, 2, 3, …을 차례로 대입하여 같은 수가 반복되는 ❶ ☐을 찾는다.

답 ❶ 규칙

## 8

다음은 $n\geq2$인 모든 자연수 $n$에 대하여 부등식

$$1+\frac{1}{2^2}+\frac{1}{3^2}+\cdots+\frac{1}{n^2}<2-\frac{1}{n} \quad \cdots\cdots ㉠$$

이 성립함을 수학적 귀납법을 이용하여 증명한 것이다.

증명

(i) $n=2$일 때

(좌변)$=1+\frac{1}{2^2}=\frac{5}{4}<2-\frac{1}{2}=\frac{3}{2}=$(우변)

따라서 $n=2$일 때 부등식 ㉠이 성립한다.

(ii) $n=k\ (k\geq2)$일 때 부등식 ㉠이 성립한다고 가정하면

$1+\frac{1}{2^2}+\frac{1}{3^2}+\cdots+\frac{1}{k^2}<2-\frac{1}{k}$

위의 식의 양변에 (가) 을 더하면

$1+\frac{1}{2^2}+\frac{1}{3^2}+\cdots+\frac{1}{k^2}+$ (가) $<2-\frac{1}{k}+$ (가)

이때

$2-\frac{1}{k}+$ (가) $-($ (나) $)$

$=-\frac{1}{k}+\frac{1}{k+1}+\frac{1}{(k+1)^2}$

$=-\frac{1}{k(k+1)^2}<0$

이므로

$2-\frac{1}{k}+$ (가) $<$ (나)

$\therefore 1+\frac{1}{2^2}+\frac{1}{3^2}+\cdots+\frac{1}{k^2}+$ (가) $<$ (나)

따라서 $n=k+1$일 때도 부등식 ㉠이 성립한다.

(i), (ii)에서 $n\geq2$인 모든 자연수 $n$에 대하여 부등식 ㉠이 성립한다.

위의 증명 과정에서 (가), (나)에 알맞은 식을 각각 $f(k)$, $g(k)$라 할 때, $\frac{g(8)}{f(2)}$의 값은?

① 16 ② 17 ③ 18
④ 19 ⑤ 20

**Tip**
$n=k\ (k\geq$ ❶ ☐$)$일 때 주어진 부등식이 성립한다고 가정하면 $n=$ ❷ ☐일 때도 부등식이 성립함을 보인다.

답 ❶ 2 ❷ $k+1$

# 2주 누구나 합격 전략

## 1

모든 항이 양수인 등비수열 $\{a_n\}$에서 $\frac{a_5}{a_3}-\frac{a_7}{a_6}=2$일 때, $\frac{a_{10}}{a_8}$의 값은?

① 2 ② 3 ③ 4
④ 5 ⑤ 6

## 2

$\sin 30^\circ$, $\cos 30^\circ$, $\tan\theta$가 이 순서대로 등비수열을 이룰 때, $\tan\theta+\frac{1}{\tan\theta}$의 값은?

① $\frac{3}{2}$ ② $\frac{13}{6}$ ③ $\frac{5}{2}$
④ $\frac{10}{3}$ ⑤ $\frac{17}{4}$

## 3

첫째항이 1, 제4항이 $\frac{1}{8}$인 등비수열 $\{a_n\}$의 첫째항부터 제8항까지의 합은?

① $\frac{127}{128}$ ② $\frac{255}{256}$ ③ $\frac{127}{64}$
④ $\frac{255}{128}$ ⑤ $\frac{511}{256}$

## 4

등비수열 $\{a_n\}$의 첫째항부터 제$n$항까지의 합 $S_n$에 대하여 $\frac{S_4}{S_2}=10$일 때, $\frac{a_4}{a_2}$의 값은?

① 7 ② 8 ③ 9
④ 10 ⑤ 11

## 5

수열의 합을 합의 기호 $\sum$를 이용하여 나타낼 때, 다음 중 옳지 않은 것은?

① $3+6+9+12+15+18=\sum_{k=1}^{6}3k$

② $3+5+7+9+11+13+15=\sum_{k=1}^{7}(2k+1)$

③ $1-1+1-1+1-1+1-1=\sum_{k=1}^{8}(-1)^{k-1}$

④ $3+9+27+81+243=\sum_{k=1}^{5}3^{k-1}$

⑤ $2+1+\frac{1}{2}+\frac{1}{4}+\frac{1}{8}=\sum_{k=1}^{5}\left(\frac{1}{2}\right)^{k-2}$

## 6

$\sum_{k=1}^{10} a_k=10$, $\sum_{k=1}^{10} a_k^2=15$일 때, $\sum_{k=1}^{10} (a_k-1)(a_k+2)$의 값은?

① 5 ② 10 ③ 15
④ 20 ⑤ 25

## 7

$\sum_{i=1}^{10} (i+1)^2-\sum_{k=1}^{10} (k-1)^2$의 값은?

① 200 ② 210 ③ 220
④ 230 ⑤ 240

## 8

수열 $\{a_n\}$이 모든 자연수 $n$에 대하여 $a_n=\sum_{k=1}^{n} (n-k)$일 때, $\sum_{k=2}^{20} \frac{1}{a_k}$의 값은?

① $\frac{9}{10}$ ② $\frac{11}{10}$ ③ $\frac{19}{10}$
④ $\frac{10}{21}$ ⑤ $\frac{22}{21}$

## 9

어떤 편의점에서 다음 그림처럼 정육면체 모양의 제품을 진열하고 있다. 이와 같은 방법에 따라 7층으로 쌓은 정육면체 모양의 제품의 총 개수는?

① 345 ② 375 ③ 395
④ 425 ⑤ 455

## 10

수열 $\{a_n\}$이 $a_1=1$이고

$$a_{n+1}=\begin{cases} a_n+1 & (n\text{이 홀수}) \\ 3a_n & (n\text{이 짝수}) \end{cases}$$

일 때, $a_6$의 값은?

① 18 ② 19 ③ 20
④ 21 ⑤ 22

# 창의·융합·코딩 전략 ①

## 1

한 변의 길이가 $4$인 정사각형을 사등분한 후 한 조각을 버리고, 나머지 세 개의 정사각형을 다시 사등분한 후 각각 한 조각씩을 버린다. 이와 같은 과정을 $10$회 반복하였을 때, 버린 조각들의 넓이의 합은?

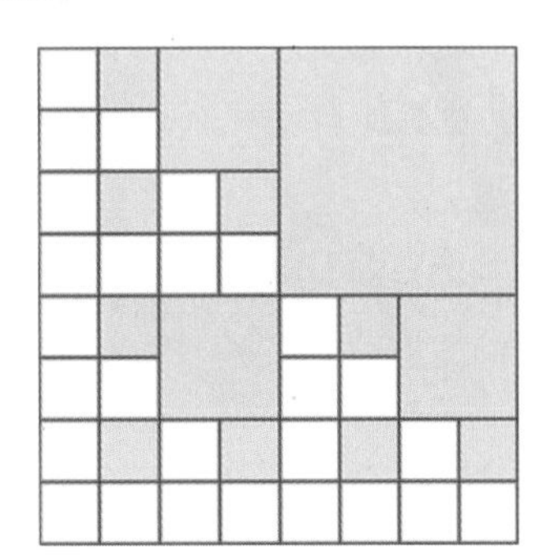

① $4\left\{1-\left(\frac{1}{4}\right)^{10}\right\}$
② $4\left\{1-\left(\frac{3}{4}\right)^{10}\right\}$
③ $16\left\{1-\left(\frac{1}{4}\right)^{10}\right\}$
④ $16\left\{1-\left(\frac{3}{4}\right)^{10}\right\}$
⑤ $32\left\{1-\left(\frac{3}{4}\right)^{10}\right\}$

**Tip**

$n$번째 시행에서 버린 조각들의 넓이를 $a_n$이라 하면

$a_1=16\times$ ❶, $a_2=\left(16\times\frac{3}{4}\right)\times$ ❷,

$a_3=\left(16\times\frac{3}{4}\times\frac{3}{4}\right)\times\frac{1}{4}$, …이다.

답 ❶ $\frac{1}{4}$ ❷ $\frac{1}{4}$

## 2

다음은 원리합계에 대한 설명이다.

> 은행에 예금을 하거나 적금을 들면 은행은 약속한 기간 후에 원금과 함께 이자를 지불한다. 이때 은행으로부터 받는 원금과 이자의 합계를 원리합계라 한다.
> 이자를 계산하는 방법에는 단리법과 복리법이 있는데, 단리법은 원금에만 이율을 적용하는 계산법이고, 복리법은 원금에 이자를 더한 원리합계를 새로운 원금으로 하여 이율을 적용하는 계산법이다.

월이율이 $0.4\ \%$이고 $1$개월마다 복리로 매월 초에 만 원씩 적립하였을 때, $36$개월 후의 원리합계를 구하시오.

(단, $1.004^{36}=1.15$로 계산한다.)

**Tip**

처음 적립한 만 원에 대한 $36$개월 후의 원리합계는 $10^4(1+$ ❶ $)^{36}$원이고, $36$개월 초에 적립한 만 원에 대한 원리합계는 $10^4(1+0.004)^{❷}$원이다.

답 ❶ $0.004$ ❷ $1$

## 3

일반항을 이용하여 다음 수열의 합

$$3^4+3^5+3^6+3^7+3^8+3^9+3^{10}+3^{11}+3^{12}$$

을 여러 가지 방법으로 나타낸 것 중 옳지 않은 것은?

① $\sum_{k=0}^{8} 3^{k+4}$　　② $\sum_{k=1}^{9} 3^{k+3}$

③ $\sum_{k=4}^{12} 3^{k}$　　④ $\sum_{k=1}^{12} 3^{k}-\sum_{k=1}^{4} 3^{k-1}$

⑤ $\sum_{k=0}^{11} 3^{k+1}-\sum_{k=1}^{3} 3^{k}$

**Tip**

$\sum_{k=1}^{n} a_k$는 일반항이 $a_k$인 수열의 첫째항부터 제❶ ☐ 항까지의 ❷ ☐ 을 뜻한다.

답 ❶ $n$ ❷ 합

## 4

다음 그림과 같은 모양의 4층 탑을 쌓을 때, 크기가 같은 정육면체가 44개 필요하였다. 이와 같은 규칙으로 10층 탑이 쌓여 있다고 할 때, 11층 탑을 쌓기 위해서는 몇 개의 정육면체가 더 필요하겠는가?

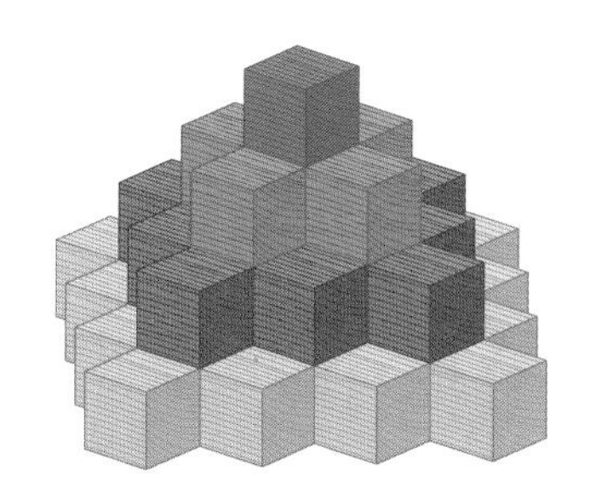

① 219개　　② 221개　　③ 223개
④ 225개　　⑤ 227개

**Tip**

각 층의 정육면체의 개수는 위에서부터 차례로

1, 1+4, 1+4+❶ ☐, 1+4+8+❷ ☐, ⋯

임을 이용하여 규칙을 찾는다.

답 ❶ 8 ❷ 12

# 창의·융합·코딩 전략 ②

## 5

어떤 부부 동반 모임에서 모인 사람끼리 서로 악수를 할 때, 다음 규칙을 따른다고 한다.

(가) 부부끼리는 악수하지 않는다.
(나) 부부가 아닌 사람끼리는 반드시 악수한다.

$n$쌍의 부부가 악수하는 횟수를 $a_n$이라 하자. $n$쌍의 부부가 악수를 한 후 나중에 한 쌍의 부부가 더 왔을 때, 악수하는 총횟수에 대한 $a_n$과 $a_{n+1}$ 사이의 관계식은?

① $a_{n+1}=2a_n$
② $a_{n+1}=2a_n+n$
③ $a_{n+1}=a_n+4n$
④ $a_{n+1}=a_n+2n$
⑤ $a_{n+1}=a_n+4(n-1)$

**Tip**

한 쌍의 부부가 더 오게 되면 먼저 온 $n$쌍의 부부 ❶ [  ] 명과 각각 악수를 하게 된다.

답 ❶ $2n$

## 6

100 L의 물이 들어 있는 어항이 있다. 이번 주부터 매주 말에 어항에 들어 있던 물의 절반을 퍼내고, 40 L의 물을 새로 넣으려고 한다. $n$번째 주말에 어항에 남아 있는 물의 양을 $a_n$ L라 할 때, 다음을 구하시오.

(1) $a_1$의 값을 구하시오.

(2) $a_n$과 $a_{n+1}$ 사이의 관계식을 구하여 4번째 주말에 어항에 남아 있는 물의 양을 구하시오.

**Tip**

$n$번째 주말에 어항에 남아 있는 물의 양이 $a_n$이므로

$a_1=\frac{1}{2}\times$ ❶ [  ] $+40$이고, $a_{n+1}=\frac{1}{2}a_n+$ ❷ [  ] 이다.

답 ❶ 100 ❷ 40

# 7

다음과 같은 규칙으로 수열의 각 항을 구한다.

수열의 각 항은 바로 앞항의 수를 보고 왼쪽부터 연속된 같은 숫자와 그 개수를 묶어 읽는 방식으로 만든다.

이 수열은 베르나르 베르베르의 소설 '개미'에 소개된 이후 개미 수열이라 불리기도 한다. 위 규칙대로 첫째항이 1인 수열의 각 항을 구하면 다음과 같다.

첫째항 1을 보고 '1이 1개'라 말하므로 ➡ 11
제2항 11을 보고 '1이 2개'라 말하므로 ➡ 12
제3항 12를 보고 '1이 1개, 2가 1개'라 말하므로 ➡ 1121
⋮

위와 같은 규칙으로 만든 개미 수열의 제6항을 구하시오.

**Tip**
첫째항이 2일 경우 '2가 ❶ 개'이므로 제2항은 21이고, 제2항 21은 '2가 1개, 1이 1개'이므로 제3항은 ❷ 이다.

답 ❶ 1 ❷ 2111

# 8

자연수 $n$에 대하여 명제 $p(n)$이 참이면 명제 $p(2n)$이 참일 때, 다음 중 옳은 말을 한 사람을 찾으시오.

도균: $p(1)$이 참이면 $p(12)$도 참이야.

태원: $p(2)$가 참이면 $p(24)$도 참이야.

송이: $p(3)$이 참이면 $p(48)$도 참이야.

인영: $p(5)$가 참이면 $p(30)$도 참이야.

**Tip**
명제 $p(n)$이 참이면 명제 $p(2n)$이 참이므로
$p(1)$이 참이면 $p(2)$가 참, $p(2)$가 참이면 ❶ 가 참,
$p(3)$이 참이면 ❷ 이 참이다.

답 ❶ $p(4)$ ❷ $p(6)$

# 기말고사 마무리 전략

**사인법칙의 변형**

(1) $\sin A=\frac{a}{2R}$, $\sin B=\frac{b}{2R}$, $\sin C=\frac{c}{2R}$

(2) $a=2R\sin A$, $b=2R\sin B$, $c=2R\sin C$

(3) $a:b:c=\sin A:\sin B:\sin C$

($R$는 삼각형의 외접원의 반지름의 길이)

**코사인법칙의 변형**

$\cos A=\frac{b^2+c^2-a^2}{2bc}$

$\cos B=\frac{c^2+a^2-b^2}{2ca}$

$\cos C=\frac{a^2+b^2-c^2}{2ab}$

사인법칙과 코사인법칙만 암기하면 변형 공식은 쉽게 알 수 있어.

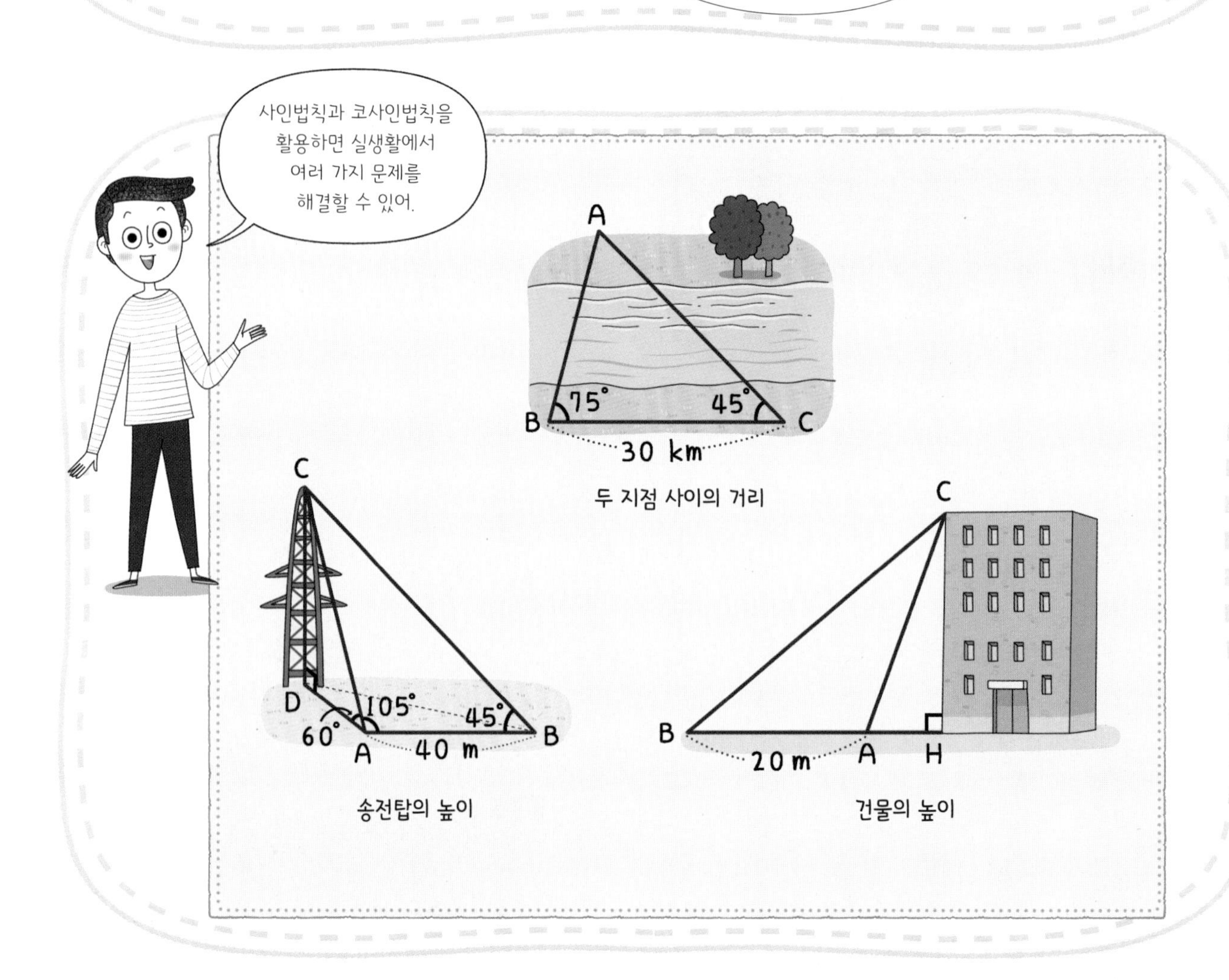


두 지점 사이의 거리

송전탑의 높이

건물의 높이

## 이어서 공부할 내용

- ☑ 신유형·신경향·서술형 전략
- ☑ 적중 예상 전략 ❶, ❷회

$\sum$의 성질과 자연수의 거듭제곱의 합을 이용하면 여러 가지 식의 계산을 할 수 있구나.

**자연수의 거듭제곱의 합**

(1) $1+2+3+\cdots+n=\sum_{k=1}^{n} k=\frac{n(n+1)}{2}$

(2) $1^2+2^2+3^2+\cdots+n^2=\sum_{k=1}^{n} k^2=\frac{n(n+1)(2n+1)}{6}$

(3) $1^3+2^3+3^3+\cdots+n^3=\sum_{k=1}^{n} k^3=\left\{\frac{n(n+1)}{2}\right\}^2$

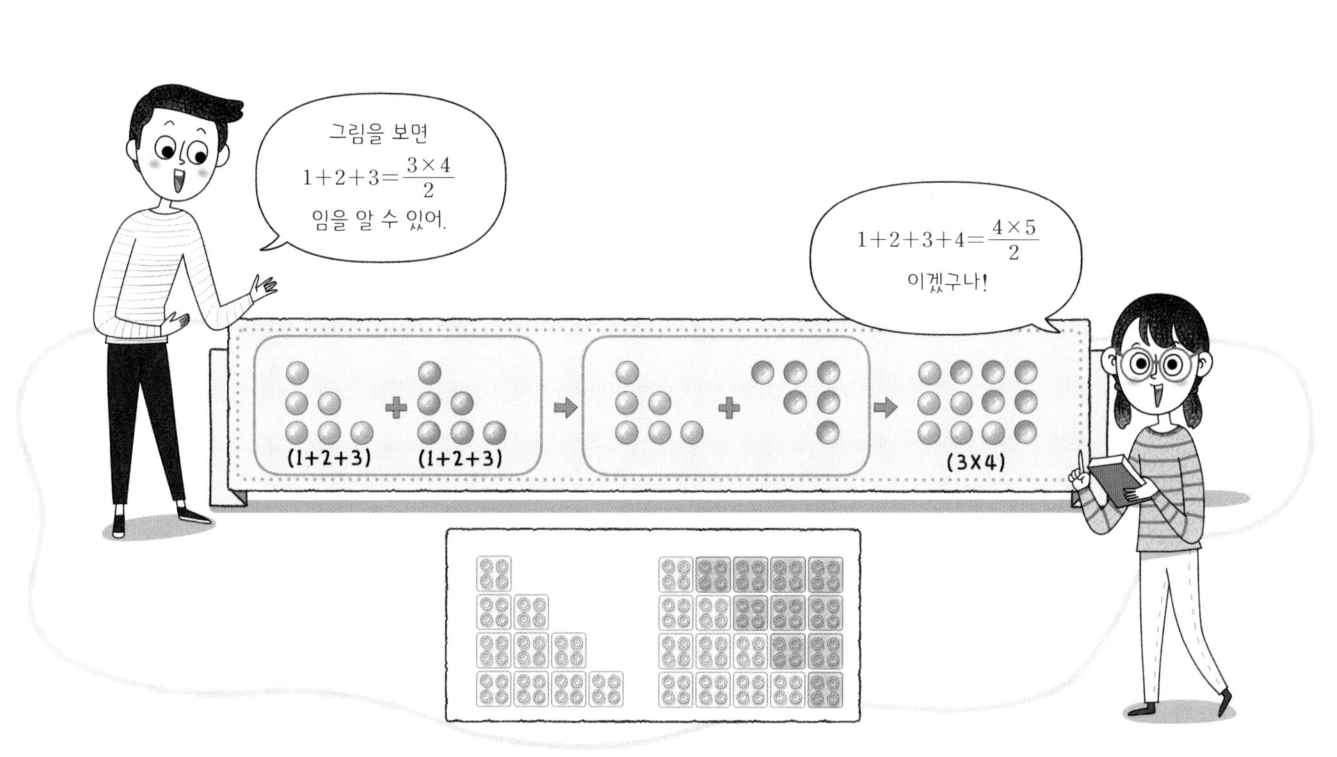

# 신유형·신경향·서술형 전략

## 1

규민이는 마을 앞에 세워진 송전탑의 높이 $\overline{CD}$를 재기 위하여 서로 $40$ m 떨어진 지면의 두 지점 A, B에서 송전탑을 올려다 본 각의 크기를 측정해 보았다.
$\angle CAB=105^\circ$, $\angle ABC=45^\circ$, $\angle CAD=60^\circ$일 때, 송전탑의 높이는?

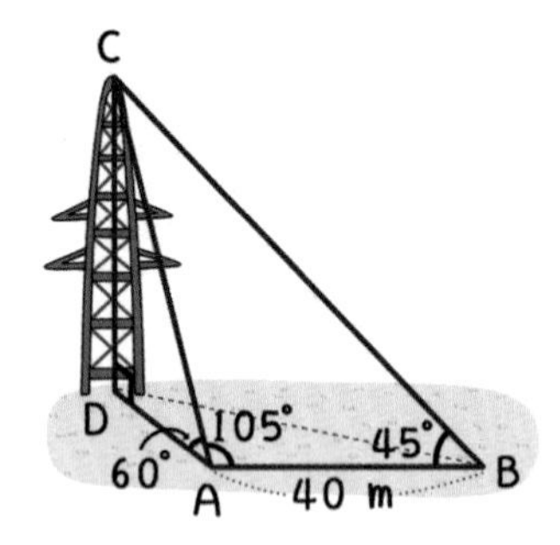


① 20 m ② $20\sqrt{6}$ m ③ $21\sqrt{6}$ m
④ $24\sqrt{2}$ m ⑤ 45 m

Tip

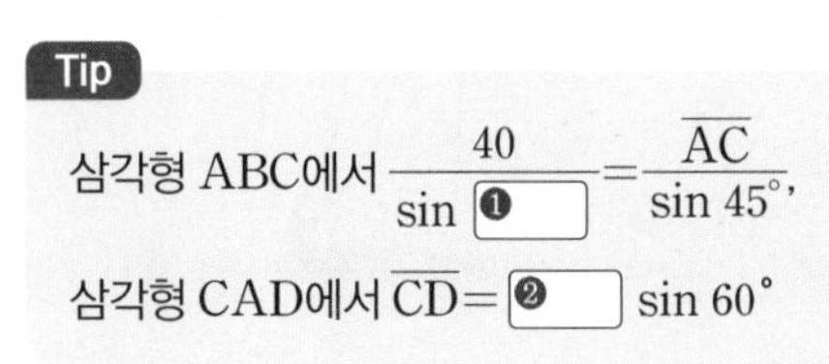
삼각형 ABC에서 $\dfrac{40}{\sin \boxed{❶}}=\dfrac{\overline{AC}}{\sin 45^\circ}$,
삼각형 CAD에서 $\overline{CD}=\boxed{❷}\sin 60^\circ$

답 ❶ $30^\circ$ ❷ $\overline{AC}$

## 2

다음 중 삼각형 ABC가 항상 직각삼각형이 되도록 하는 조건을 말한 사람을 모두 고르시오.

은선

$a\sin A+b\sin B=c\sin C$

시우

$a\sin A=b\sin B$

효주

$a\cos A=b\cos B$

형선

$\sin A=\cos B\sin C$

Tip

삼각형 ABC의 외접원의 반지름의 길이를 $R$라 하면
사인법칙에 의하여 $\sin A=\dfrac{\boxed{❶}}{2R}$,
코사인법칙에 의하여 $\cos A=\dfrac{b^2+c^2-a^2}{\boxed{❷}}$이다.

답 ❶ $a$ ❷ $2bc$

## 3

오른쪽 그림과 같이 세 변의 길이가 각각 5, 6, 7인 삼각형 모양의 색종이에서 그 넓이가 최대가 되는 원을 오려내려고 한다. 이때 원의 반지름의 길이는?

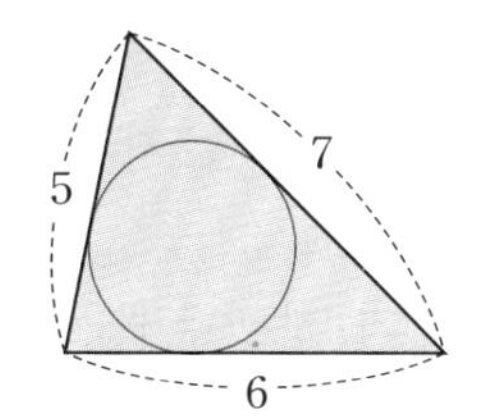


① $\frac{2\sqrt{5}}{3}$ ② $\frac{2\sqrt{6}}{3}$ ③ $\frac{2\sqrt{7}}{3}$
④ $\sqrt{5}$ ⑤ $\sqrt{6}$

## 4

다음 대화를 읽고 조건을 만족시키는 삼각형의 개수를 구하면?

① 10 ② 20 ③ 30
④ 40 ⑤ 50

**Tip**

원의 넓이가 최대가 될 때는 원이 삼각형에 ❶ ☐ 할 때이다. 삼각형의 내접원의 반지름의 길이를 $r$라 하면 삼각형의 넓이는 $\frac{1}{2}$ ❷ ☐ $(5+6+7)$

답 ❶ 내접 ❷ $r$

**Tip**

삼각형의 세 변의 길이가 등차수열을 이루므로 세 변의 길이를 $a-d, a,$ ❶ ☐ 로 놓는다. 이때 삼각형의 결정 조건에서 $(a-d)+a$ ❷ ☐ $a+d$

답 ❶ $a+d$ ❷ $>$

## 5

다음은 첫째항이 34, 공차가 $-4$인 등차수열 $\{a_n\}$에 대하여 첫째항부터 제$n$항까지의 합을 $S_n$이라 할 때, $S_n$이 최대가 되는 $n$의 값을 구하는 과정을 나타낸 것이다. 물음에 답하시오.

**수민이의 풀이**

등차수열의 합의 공식을 이용하면

$$S_n=\frac{n\{2\times \boxed{(가)}+(n-1)\times(\boxed{(나)})\}}{2}$$

$$=\frac{n(72-4n)}{2}=-2n^2+36n$$

$$=-2(n-9)^2+162$$

따라서 $S_n$이 최대가 되는 $n$의 값은 $\boxed{(다)}$이다.

**명신이의 풀이**

수열의 일반항 $a_n$을 이용하면

$a_n=34+(n-1)\times(-4)=-4n+38$

$a_n<0$에서 $-4n+38<0$ $\quad\therefore n>\boxed{(가)}$

따라서 제$\boxed{(나)}$항부터 항의 값이 음수가 되므로

$S_n$이 최대가 되는 $n$의 값은 $\boxed{(다)}$이다.

(1) 수민이의 풀이에서 (가), (나), (다)에 알맞은 수를 구하시오.

(2) 명신이의 풀이에서 (가), (나), (다)에 알맞은 수를 구하시오.

**Tip**

등차수열의 합 $S_n$은 이차함수 $S_n=a(x-p)^2+q\,(a<0)$꼴로 나타낼 수 있고 $x=$ ❶ $\square$ 일 때, 최댓값 ❷ $\square$ 를 갖는다.

답 ❶ $p$ ❷ $q$

## 6

크기가 같은 구슬로 다음 규칙에 따라 그림처럼 도형 $A_1$, $A_2$, $A_3$, $A_4$, $\cdots$을 차례로 만든다.

• 규칙 •

(가) 첫 번째 구슬 하나를 놓아 도형 $A_1$을 만든다.

(나) 도형 $A_k$의 위, 아래, 오른쪽에 구슬을 하나씩 놓아 도형 $A_{k+1}$을 만든다.

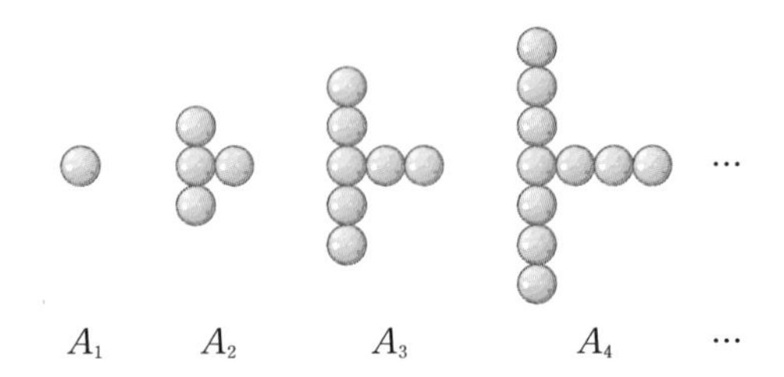


구슬 200개를 사용할 때 만들 수 있는 도형의 개수는?

(단, 완성되지 않은 도형은 개수에 포함하지 않는다.)

① 9 ② 10 ③ 11 ④ 12 ⑤ 13

**Tip**

도형 $A_n$을 만들 때 필요한 구슬의 개수를 $a_n$이라 하면 $a_1=1$, $a_2=$ ❶ $\square$, $a_3=$ ❷ $\square$, $\cdots$이다.

답 ❶ 4 ❷ 7

## 7

서술형

다음은 아래와 같이 놓여 있는 바둑돌의 개수를 구하는 방법이다.

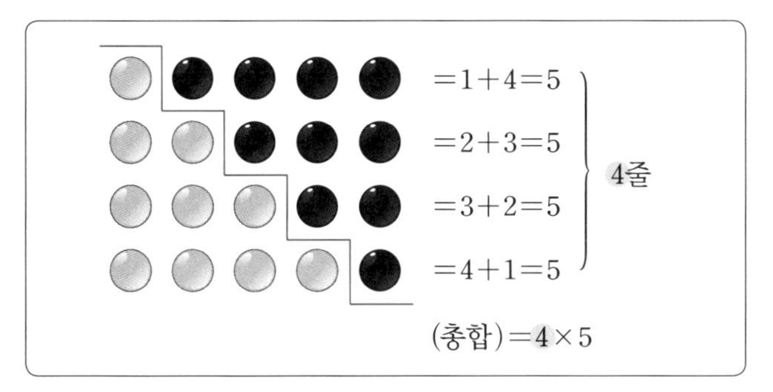


위와 같은 방법으로 그림을 이용하여

$1+2+3+\cdots+100$

의 값을 구할 때, (가), (나)에 알맞은 수를 구하시오.

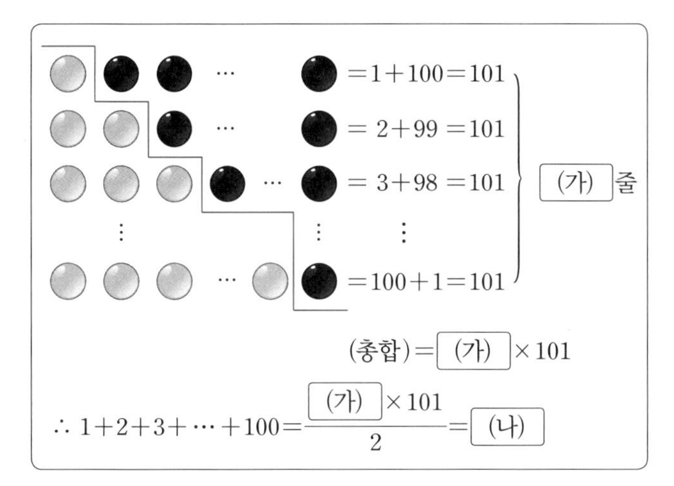


**Tip**

흰색 돌은 아래로 내려갈수록 하나씩 늘고, 검은색 돌은 하나씩 ❶ ☐ 있으므로 가로줄에는 항상 ❷ ☐ 개의 바둑돌이 놓이게 된다.

답 ❶ 줄고 ❷ 101

## 8

다음은 어느 회사에서 제품을 만드는 규정이다.

(가) 제품을 만드는 인원은 매일 1명씩 늘린다.
(나) 각 인원이 만든 제품의 수는 매일 2개씩 감소한다.
(다) 같은 날 제품을 만든 인원은 모두 같은 개수의 제품을 만든다.

위와 같은 방법으로 7일 동안 총 791개의 제품을 만들 때, 첫째 날 제품을 만드는 인원수는?

① 5 ② 6 ③ 7 ④ 8 ⑤ 9

**Tip**

첫째 날 제품을 만드는 인원수를 $a$, 한 명이 만드는 제품의 수를 $b$라 하면 2일째의 인원수는 ❶ ☐, 총 제품의 수는 ❷ ☐이다.

답 ❶ $a+1$ ❷ $(a+1)(b-2)$

# 적중 예상 전략 1회

## 1

삼각형 ABC에서 $a=8$, $b=5$, $c=4$일 때,

$\dfrac{\sin C}{\sin(B+C)}$의 값은?

① $\frac{1}{3}$ ② $\frac{1}{2}$ ③ $\frac{5}{8}$
④ $\frac{2}{3}$ ⑤ $\frac{4}{5}$

## 2

삼각형 ABC에서 $A:B:C=1:3:2$일 때, 세 변의 길이의 비 $a:b:c$는?

① $1:1:\sqrt{2}$ ② $1:1:\sqrt{3}$
③ $1:1:4$ ④ $1:2:\sqrt{3}$
⑤ $1:3:2$

## 3

삼각형 ABC에서

$$(a+b+c)(a-b-c)+3bc=0$$

이 성립할 때, $A$의 크기는?

① $30^\circ$ ② $60^\circ$ ③ $90^\circ$
④ $120^\circ$ ⑤ $150^\circ$

## 4

삼각형 ABC에서

$$\frac{\sin A}{5}=\frac{\sin B}{7}=\frac{\sin C}{3}$$

가 성립할 때, $\sin\left(\dfrac{A+C-B}{2}\right)$의 값은?

① $-\frac{\sqrt{3}}{2}$ ② $-\frac{1}{2}$ ③ $\frac{1}{2}$
④ $\frac{\sqrt{2}}{2}$ ⑤ $\frac{\sqrt{3}}{2}$

## 5

오른쪽 그림과 같이 두 직선 $y=2x$와 $y=\frac{1}{2}x$가 이루는 각의 크기를 $\theta$라 할 때, $\sin\theta$의 값은?

① $\frac{1}{5}$ ② $\frac{2}{5}$

③ $\frac{\sqrt{5}}{5}$ ④ $\frac{3}{5}$

⑤ $\frac{4}{5}$

## 6

삼각형 ABC에서 $a=9$, $b=4$, $c=7$일 때, 삼각형 ABC의 넓이는?

① $4\sqrt{5}$ ② $5\sqrt{5}$ ③ $6\sqrt{5}$

④ $7\sqrt{5}$ ⑤ $8\sqrt{5}$

## 7

세 변의 길이가 각각 13, 14, 15인 삼각형 ABC에 내접하는 원의 반지름의 길이를 $r$, 외접하는 원의 반지름의 길이를 $R$라 할 때, $\frac{r}{R}$의 값은?

① $\frac{4}{65}$ ② $\frac{8}{65}$ ③ $\frac{16}{65}$

④ $\frac{32}{65}$ ⑤ $\frac{64}{65}$

## 8

오른쪽 그림과 같이 $\overline{AB}=8$, $\overline{BC}=15$, $\overline{CD}=10$, $\overline{DA}=7$, $B=60^\circ$인 사각형 ABCD의 넓이는?

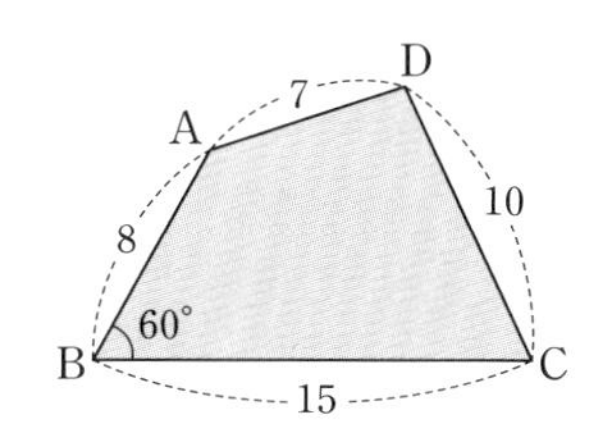


① $9\sqrt{3}$ ② $14\sqrt{3}$

③ $25\sqrt{3}$ ④ $30\sqrt{3}$

⑤ $50\sqrt{3}$

## 9

자연수 $n$에 대하여 수열 $\{a_n\}$이

$a_n=$($3^n$을 $10$으로 나누었을 때의 나머지)

로 정의될 때, $a_{202}$의 값은?

① 1　② 3　③ 5
④ 7　⑤ 9

## 10

등차수열 $\{a_n\}$에서 제4항과 제8항은 절댓값이 같고 부호가 반대이며 제7항은 4이다. 이때 24는 제몇 항인가?

① 제12항　② 제13항　③ 제14항
④ 제15항　⑤ 제16항

## 11

함수 $y=x^3-3x^2+kx+3$의 그래프가 $x$축과 서로 다른 세 점에서 만나고 교점의 $x$좌표가 등차수열을 이룰 때, 상수 $k$의 값은?

① $-3$　② $-2$　③ $-1$
④ 1　⑤ 0

## 12

두 수 $-10$과 $17$ 사이에 $n$개의 수를 넣어 만든 등차수열

$-10,\ a_1,\ a_2,\ a_3,\ \cdots,\ a_n,\ 17$

의 합이 35일 때, $a_5$의 값은?

① $-4$　② $-1$　③ 3
④ 5　⑤ 7

## 13

수열 $\{a_n\}$의 첫째항부터 제$n$항까지의 합 $S_n$이 $S_n=4n^2+2n-1$일 때, $a_1+a_4$의 값은?

① 32　② 33　③ 34
④ 35　⑤ 36

서술형

## 14

다음 그림과 같이 두 지점 A, B에서 건물 꼭대기 지점 C를 올려본 각의 크기가 각각 $30^\circ$, $20^\circ$이고 두 지점 A, B 사이의 거리가 30 m일 때, 이 건물의 높이를 구하시오.

(단, $\sin 10^\circ=0.17$, $\sin 20^\circ=0.34$로 계산한다.)

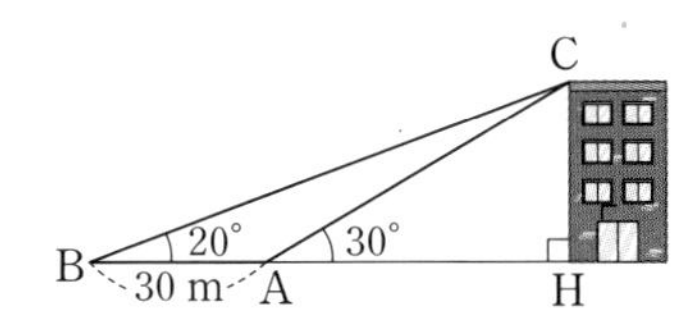


## 15

원 모양의 호수의 넓이를 구하기 위하여 호수의 가장자리의 세 지점 A, B, C에서 거리와 각을 측정한 결과가

$\overline{AB}=80$ m, $\overline{AC}=100$ m,

$\angle CAB=60^\circ$

일 때, 이 호수의 넓이를 구하시오.

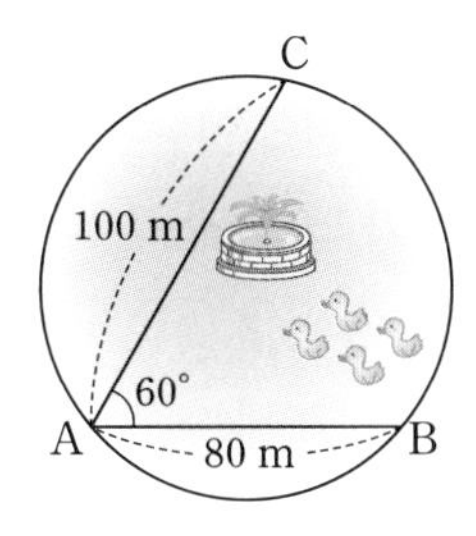


## 16

등차수열 $\{a_n\}$에서 $a_2=-16$, $a_5=-7$일 때, 첫째항부터 제 $n$항까지의 합 $S_n$의 값이 최소가 되도록 하는 $n$의 값을 구하시오.

## 17

첫째항부터 제8항까지의 합이 40, 첫째항부터 제15항까지의 합이 $-30$인 등차수열의 첫째항부터 제10항까지의 합을 구하시오.

# 적중 예상 전략 2회



## 1

공비가 양수인 등비수열 $\{a_n\}$이

$a_1+a_2=6,\ a_3+a_4=24$

를 만족시킬 때, $a_5$의 값은?

① 4 ② 8 ③ 16
④ 32 ⑤ 64

## 2

두 수 $\frac{1}{4}$과 64 사이에 3개의 양수 $x, y, z$를 넣어 만든 수열 $\frac{1}{4}, x, y, z, 64$가 이 순서대로 등비수열을 이룰 때, $x+y+z$의 값은?

① 15 ② 18 ③ 21
④ 25 ⑤ 27

## 3

$x$에 대한 다항식 $x^2-ax+3a+2$를 $x+1, x-1, x-3$으로 나누었을 때의 나머지를 각각 $p, q, r$라 하자. 세 수 $p, q, r$가 이 순서대로 등비수열을 이룰 때, 실수 $a$의 값의 합은?

① 6 ② 7 ③ 8
④ 9 ⑤ 10

## 4

우리나라 인구수는 매년 일정한 비율로 증가해서 1950년에 1900년의 인구수의 2배가 되었다. 이때 1950년의 인구수의 4배가 되는 해는?

① 2010년 ② 2030년 ③ 2050년
④ 2070년 ⑤ 2090년

## 5

첫째항부터 제$4$항까지의 합이 $5$, 첫째항부터 제$8$항까지의 합이 $85$인 등비수열의 첫째항부터 제$12$항까지의 합은?

① 1325 ② 1335 ③ 1345
④ 1355 ⑤ 1365

## 6

$\sum_{k=1}^{10}(a_k-1)^2=26$, $\sum_{k=1}^{10}(a_k+1)^2=58$일 때, $\sum_{k=1}^{10}a_k$의 값은?

① 6 ② 8 ③ 10
④ 12 ⑤ 14

## 7

다음 그림과 같은 규칙으로 마름모 속에 수가 적혀 있다. 이때 $10$번째 마름모 속에 적혀 있는 수의 총합은?

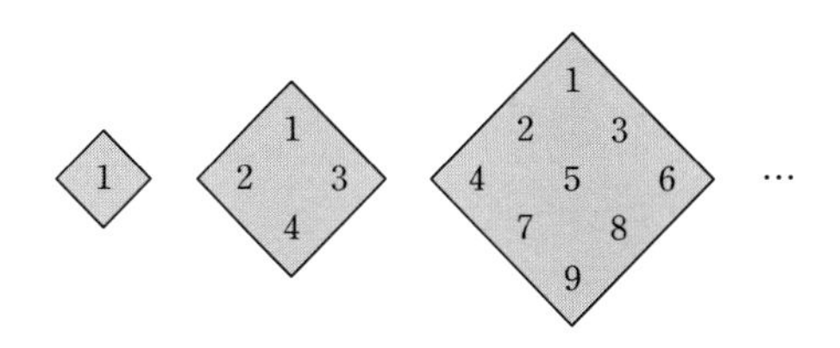


① 4950 ② 5000 ③ 5050
④ 5100 ⑤ 5150

## 8

자연수 $n$에 대하여 $x$에 대한 이차방정식
$x^2-2nx-2n=0$의 두 근을 $a_n$, $b_n$이라 할 때,

$\sum_{k=1}^{10}\frac{1}{a_k^2+b_k^2}$의 값은?

① $\frac{5}{22}$ ② $\frac{5}{11}$ ③ $\frac{15}{22}$
④ $\frac{10}{11}$ ⑤ $\frac{25}{22}$

## 9

$a_1=1$, $a_{n+1}=na_n$ $(n=1, 2, 3, \cdots)$으로 정의된 수열 $\{a_n\}$에서 $a_1+a_2+a_3+\cdots+a_{50}$을 30으로 나누었을 때의 나머지는?

① 1　② 2　③ 3
④ 4　⑤ 5

## 10

$a_1=1$, $a_{n+1}=\dfrac{n+2}{n}a_n$ $(n=1, 2, 3, \cdots)$으로 정의된 수열 $\{a_n\}$에서 $a_k=66$일 때, 자연수 $k$의 값은?

① 11　② 12　③ 13
④ 14　⑤ 15

## 11

다음은 모든 자연수 $n$에 대하여 $6^n-1$이 5의 배수임을 수학적 귀납법을 이용하여 증명한 것이다.

> 증명
>
> (i) $n=1$일 때, $6^1-1=5$는 5의 배수이다.
> 따라서 $n=1$일 때 $6^n-1$은 5의 배수이다.
>
> (ii) $n=k$일 때, $6^k-1$이 5의 배수라고 가정하면
> $6^k-1=5a$ ($a$는 자연수)이므로 $6^k=5a+1$로 놓을 수 있다.
> 이때 $n=k+1$이면
> $6^{k+1}-1=6\times6^k-1$
> $=6(\boxed{\text{(가)}})-1$
> $=5(\boxed{\text{(나)}})$
> 이므로 $n=k+1$일 때도 $6^n-1$은 5의 배수이다.
>
> (i), (ii)에서 모든 자연수 $n$에 대하여 $6^n-1$은 5의 배수이다.

위의 증명 과정에서 (가), (나)에 알맞은 식을 각각 $f(a)$, $g(a)$라 할 때, $f(1)g(2)$의 값은?

① 64　② 68　③ 72
④ 76　⑤ 78

## 서술형

### 12

세 수 $x$, $4$, $y$가 이 순서대로 등차수열을 이루고, 세 수 $\frac{1}{x}$, $\frac{1}{5}$, $\frac{1}{y}$이 이 순서대로 등비수열을 이룰 때, $x^2+y^2$의 값을 구하시오.

### 13

등비수열 $\{a_n\}$이 다음 조건을 만족시킬 때, 첫째항부터 제$9$항까지의 합을 구하시오.

(가) $\frac{a_5}{a_2}=4$
(나) $a_4+a_5+a_6=8$

### 14

수열 $\{a_n\}$에 대하여

$$\sum_{k=1}^{n} a_k=n^2+2n$$

일 때, $\sum_{k=1}^{9} ka_{4k+1}$의 값을 구하시오.

### 15

윤지가 물통에 물을 채우는데 첫날은 $15\text{ L}$를 채우고, 다음날은 전날 채운 물의 양의 $\frac{6}{5}$배보다 $2\text{ L}$ 적은 양을 채웠다. 이와 같이 매일 물을 채울 때, $11$일째 되는 날에는 얼마만큼의 물을 채우게 되는지 구하시오. $\left(\text{단, } \left(\frac{6}{5}\right)^{10}=6.2\text{로 계산한다.}\right)$

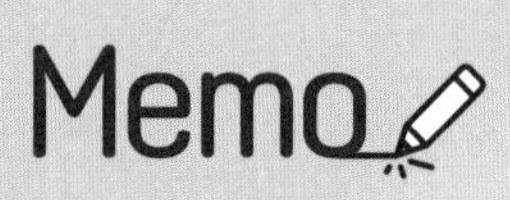
Memo

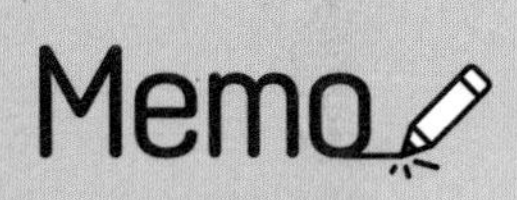

**고등 수학 상위권 심화 문제집**

상위권에게만 허락되는 도전

# 최강 TOT

**최상위 기출**

주요학군의 기출문제 중
최상위 수준의 문제를 분석하여 만든
수학 1등급의 비밀을 담은 문제집

**1등의 변별력**

1등급 준비하기→굳히기→뛰어넘기의
3단계 구성과 다양한 변별력 문제로
흔들리지 않는 수학 최강자에 도전

**실수 ZERO 도전**

단 하나의 실수도 용납하지 않는다!
다시 풀고 싶거나 틀린 문제를 체크하면
나만의 오답노트 자동 생성(수학(상), (하), 수학Ⅰ, Ⅱ)

고등수학 Top of the Top
내신 1등의 비밀을 담다!
고1~3(수학(상), 수학(하), 수학Ⅰ,
수학Ⅱ, 확률과 통계, 미적분)

# book.chunjae.co.kr

교재 내용 문의 ·························· 교재 홈페이지 ▸ 고등 ▸ 교재상담
교재 내용 외 문의 ······················ 교재 홈페이지 ▸ 고객센터 ▸ 1:1문의
발간 후 발견되는 오류 ················· 교재 홈페이지 ▸ 고등 ▸ 학습지원 ▸ 학습자료실

★고등 9종 수학 교과서
필수 학습 내용 반영!

중간고사 기말고사
고득점을 예약하자!

# 내신전략

## 고등 수학 I

BOOK 3
정답과 해설

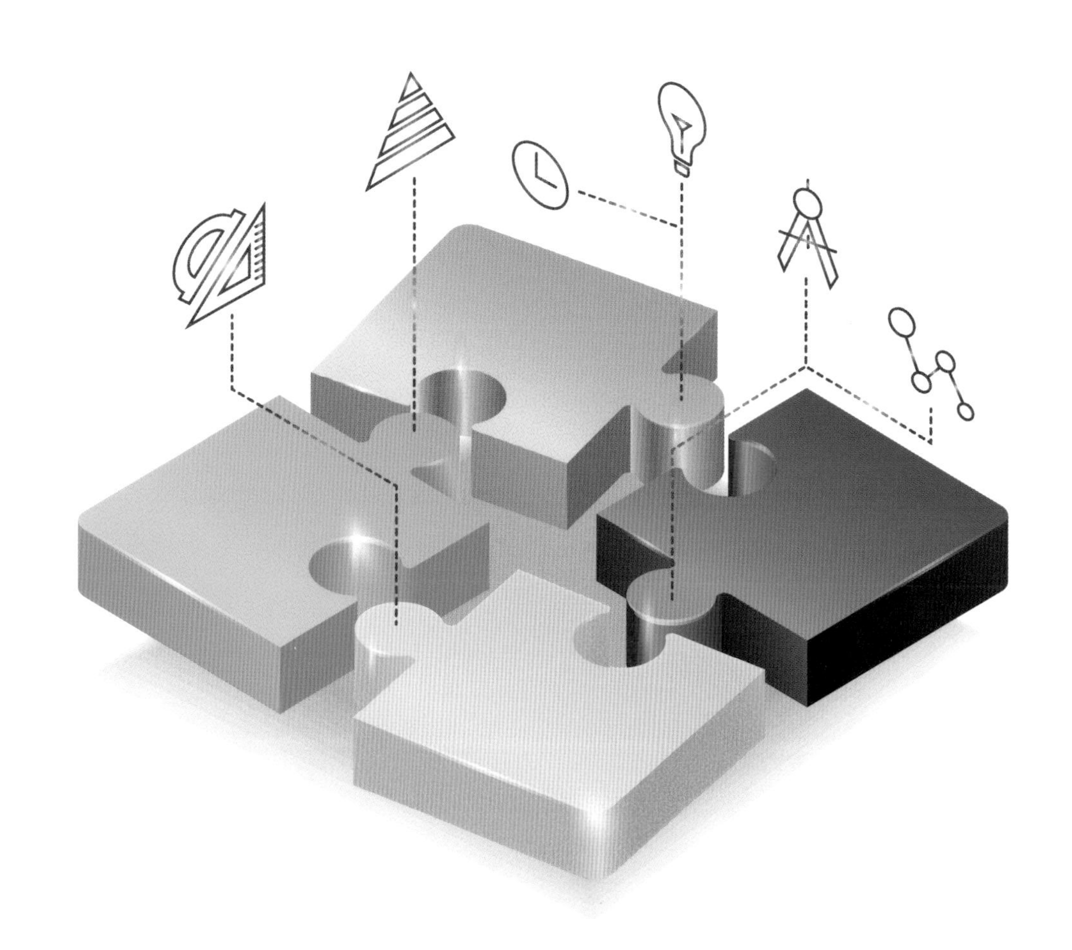

## 정답과 해설
## 포인트 3가지

- 혼자서도 이해할 수 있는 친절한 문제 풀이
- 문제 해결에 필요한 핵심 내용 또는
  알아 두면 좋은 배경 지식을 담은 참고 BOX
- 예시 답안과 구체적 평가 요소 제시로 실전 서술형 문항 완벽 대비

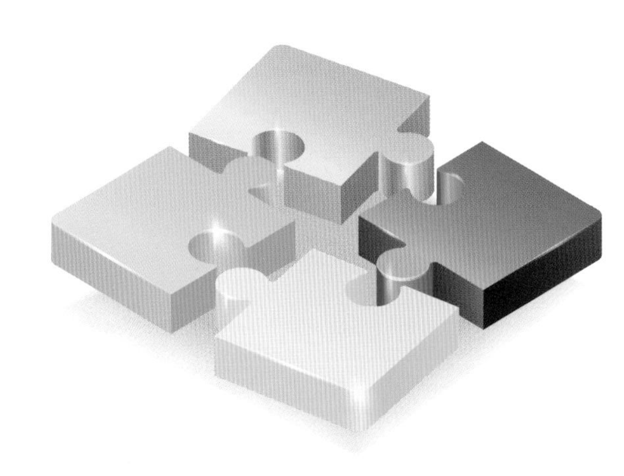

# 정답과 해설

Book 1 중간



Book 2 기말

# 정답과 해설 | 중간

## 1주 1일 개념 돌파 전략 ①

9, 11쪽

| | | |
|---|---|---|
| **1-2** 16 | **2-2** 2 | **3-2** $-3$ |
| **4-2** 6 | **5-2** $\frac{1}{5}$ | **6-2** $x=1$ |

**1-2**

$(2^{\frac{8}{3}})^{\frac{3}{2}}=2^{\frac{8}{3}\times\frac{3}{2}}=2^4=16$

**2-2**

$\log_3 54-\log_3 6=\log_3\frac{54}{6}=\log_3 9$

$=\log_3 3^2=2$

**3-2**

$\log 0.001=\log 10^{-3}=-3$

**4-2**

$f(0)=-1$에서

$-1=2^0-a \qquad \therefore a=2$

따라서 $f(x)=2^x-2$이므로

$f(3)=2^3-2=6$

**5-2**

함수 $y=\log_5 x$의 그래프가 점 $(a, -1)$을 지나므로

$-1=\log_5 a \qquad \therefore a=5^{-1}=\frac{1}{5}$

또 점 $(5, b)$를 지나므로

$b=\log_5 5=1$

$\therefore ab=\frac{1}{5}$

**6-2**

(진수)$>0$에서 $x+2>0$이므로 $x>-2$ …… ㉠

로그함수의 성질에 따라 $x+2=3$이므로 $x=1$

이때 $x=1$은 ㉠을 만족시키므로 주어진 방정식의 해이다.

$\therefore x=1$

## 1주 1일 개념 돌파 전략 ②

12, 13쪽

| | | | |
|---|---|---|---|
| **1** ⑤ | **2** ② | **3** ④ | **4** ④ |
| **5** ② | **6** ⑤ | **7** ⑤ | |

**1**

$27^{\frac{2}{3}}\times 3^{-1}\times\sqrt[4]{81}=(3^3)^{\frac{2}{3}}\times 3^{-1}\times\sqrt[4]{3^4}=3^2\times 3^{-1}\times 3$

$=3^2=9$

**2**

$\log_2\frac{2}{7}+\log_2\frac{5}{8}-\log_2\frac{5}{14}=\log_2\left(\frac{2}{7}\times\frac{5}{8}\div\frac{5}{14}\right)$

$=\log_2\left(\frac{2}{7}\times\frac{5}{8}\times\frac{14}{5}\right)$

$=\log_2\frac{1}{2}=\log_2 2^{-1}=-1$

**3**

$\log 512=\log(5.12\times 10^2)=\log 5.12+2=2.7093$

$\log 0.512=\log(5.12\times 10^{-1})=\log 5.12-1=-0.2907$

$\therefore \log 512+\log 0.512=2.7093-0.2907=2.4186$

**4**

$A=\sqrt[4]{8}=\sqrt[4]{2^3}=2^{\frac{3}{4}}$, $B=0.5^{-\frac{3}{5}}=\left(\frac{1}{2}\right)^{-\frac{3}{5}}=2^{\frac{3}{5}}$, $C=\sqrt[3]{4}=\sqrt[3]{2^2}=2^{\frac{2}{3}}$

이때 $\frac{3}{5}<\frac{2}{3}<\frac{3}{4}$이고 (밑)$>1$

$2^{\frac{3}{5}}<2^{\frac{2}{3}}<2^{\frac{3}{4}}$, 즉 $B<C<A$

**5**

$y=\log_2(x-a)+b$의 점근선의 방정식이 $x=1$이므로 $a=1$

이 그래프가 점 $(3, 0)$을 지나므로

$0=\log_2(3-1)+b$에서 $b=-1$

$\therefore a-b=2$

**6**

$\left(\frac{1}{5}\right)^{x+1}\geq\frac{1}{125}$에서 $\left(\frac{1}{5}\right)^{x+1}\geq\left(\frac{1}{5}\right)^3$

$0<$(밑)$<1$이므로 $x+1\leq 3 \qquad \therefore x\leq 2$

따라서 구하는 실수 $x$의 최댓값은 2이다.

**7**

(진수)$>0$에서 $x-1>0$

$\therefore x>1$ …… ㉠

(밑)$>1$이므로 $x-1\leq 5$

$\therefore x\leq 6$ …… ㉡

㉠, ㉡의 공통 범위를 구하면 $1<x\leq 6$

따라서 구하는 정수 $x$의 개수는 2, 3, 4, 5, 6의 5이다.

# 1주 2일 필수 체크 전략 ①

14~17쪽

| | | | |
|---|---|---|---|
| 1-1 ② | 1-2 $-4$ | 2-1 ⑤ | 2-2 $\frac{1}{2}$ |
| 3-1 ③ | 3-2 2 | 4-1 ② | 4-2 ㄱ, ㄷ |

## 1-1

81의 세제곱근 중 실수인 것은 $\sqrt[3]{81}=\sqrt[3]{3^4}=3^{\frac{4}{3}}$,

9의 네제곱근 중 양수인 것은 $\sqrt[4]{9}=\sqrt[4]{3^2}=3^{\frac{1}{2}}$

따라서 $a=3^{\frac{4}{3}}$, $b=3^{\frac{1}{2}}$이므로

$$(a\times b^{-1})^{\frac{3}{5}}=(3^{\frac{4}{3}}\times 3^{-\frac{1}{2}})^{\frac{3}{5}}=(3^{\frac{4}{3}-\frac{1}{2}})^{\frac{3}{5}}$$
$$=(3^{\frac{5}{6}})^{\frac{3}{5}}$$
$$=3^{\frac{1}{2}}=\sqrt{3}$$

## 1-2

$\frac{16}{25}$의 제곱근 중 양수인 것은 $\sqrt{\frac{16}{25}}=\sqrt{\left(\frac{4}{5}\right)^2}=\frac{4}{5}$

$-125$의 세제곱근 중 실수인 것은 $\sqrt[3]{-125}=\sqrt[3]{(-5)^3}=-5$

따라서 $a=\frac{4}{5}$, $b=-5$이므로

$ab=-4$

## 2-1

$$\left(\frac{2}{3}\right)^{-1}+\left\{\left(\frac{343}{8}\right)^{\frac{1}{2}}\right\}^{\frac{2}{3}}=\frac{3}{2}+\left(\frac{343}{8}\right)^{\frac{1}{3}}=\frac{3}{2}+\left\{\left(\frac{7}{2}\right)^3\right\}^{\frac{1}{3}}$$
$$=\frac{3}{2}+\frac{7}{2}=5$$

## 2-2

$$(2^{\sqrt{3}}\times 4)^{\sqrt{3}-2}=(2^{\sqrt{3}}\times 2^2)^{\sqrt{3}-2}$$
$$=2^{(\sqrt{3}+2)(\sqrt{3}-2)}$$
$$=2^{3-4}=2^{-1}=\frac{1}{2}$$

## 3-1

$\log_a c : \log_b c=2:1$에서 $2\log_b c=\log_a c$이므로

$\frac{2}{\log_c b}=\frac{1}{\log_c a}$, $2\log_c a=\log_c b$

$\frac{\log_c b}{\log_c a}=2$, 즉 $\log_a b=2$이므로

$\log_a b+2\log_b a=2+2\times\frac{1}{2}=3$

**다른 풀이**

$2\log_c a=\log_c b$에서

$\log_c a^2=\log_c b$ $\quad\therefore a^2=b$

$$\therefore \log_a b+2\log_b a=\log_a a^2+2\log_{a^2} a$$
$$=2+1=3$$

## 3-2

$$(\log_3 64-\log_{\sqrt{3}} 4)\times\log_2 3=(\log_3 2^6-\log_{3^{\frac{1}{2}}} 2^2)\times\log_2 3$$
$$=(6\log_3 2-4\log_3 2)\times\log_2 3$$
$$=2\log_3 2\times\log_2 3$$
$$=2\log_3 2\times\frac{1}{\log_3 2}$$
$$=2$$

## 4-1

함수 $f(x)=\left(\frac{1}{4}\right)^x-1$의 그래프는 오른쪽 그림과 같다.

① 정의역은 실수 전체의 집합이다.

② $0<(\text{밑})<1$이므로 $x_1<x_2$이면 $f(x_1)>f(x_2)$이다.

③ 그래프의 점근선의 방정식은 $y=-1$이다.

④ $\left(\frac{1}{4}\right)^x-1=0$, 즉 $\left(\frac{1}{4}\right)^x=1$에서 $x=0$이므로 $f(x)=0$인 실수 $x$가 존재한다.

⑤ 그래프는 제2사분면, 제4사분면을 지난다.

따라서 옳지 않은 것은 ②이다.

## 4-2

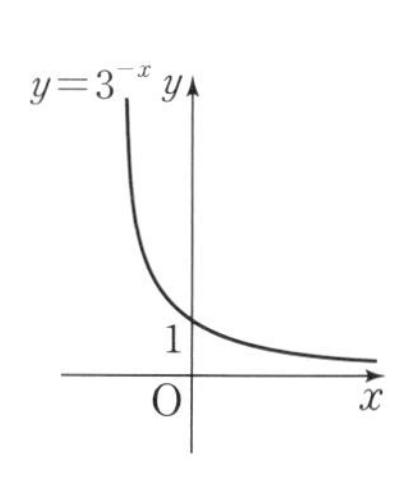


함수 $y=3^{-x}$의 그래프는 오른쪽 그림과 같다.

ㄱ. 그래프는 $y=3^x$의 그래프를 $y$축에 대하여 대칭이동한 것이다.

ㄴ. 치역은 양의 실수 전체의 집합이다.

ㄷ. 그래프의 점근선의 방정식은 $x$축이다.

따라서 옳은 것은 ㄱ, ㄷ이다.

# 1주 2일 필수 체크 전략 ②

18, 19쪽

| | | | |
|---|---|---|---|
| 1 ④ | 2 ② | 3 ① | 4 ③ |
| 5 ③ | 6 ④ | 7 ⑤ | |

## 1

$$\sqrt[5]{a\sqrt[4]{a^3\sqrt{a}}}=\{a\times(a^3\times a^{\frac{1}{2}})^{\frac{1}{4}}\}^{\frac{1}{5}}=\{a\times(a^{\frac{7}{2}})^{\frac{1}{4}}\}^{\frac{1}{5}}$$
$$=(a\times a^{\frac{7}{8}})^{\frac{1}{5}}=(a^{\frac{15}{8}})^{\frac{1}{5}}$$
$$=a^{\frac{3}{8}}$$

이때 $a^{\frac{3}{8}}=\sqrt[8]{a^3}$이므로 $m=8$, $n=3$

$\therefore m+n=11$

**2**

주어진 식의 분모, 분자에 각각 $a^x$을 곱하면

$$\frac{a^{3x}+a^{-x}}{a^x+a^{-3x}}=\frac{a^x(a^{3x}+a^{-x})}{a^x(a^x+a^{-3x})}=\frac{a^{4x}+1}{a^{2x}+a^{-2x}}=\frac{(a^{2x})^2+1}{a^{2x}+\frac{1}{a^{2x}}}$$

$$=\frac{9+1}{3+\frac{1}{3}}=\frac{10}{\frac{10}{3}}=3$$

**3**

$3^x=16$의 양변을 $\frac{1}{x}$제곱하면

$(3^x)^{\frac{1}{x}}=16^{\frac{1}{x}}$, $3=(2^4)^{\frac{1}{x}}$ $\therefore 3=2^{\frac{4}{x}}$ …… ㉠

$12^y=8$의 양변을 $\frac{1}{y}$제곱하면

$(12^y)^{\frac{1}{y}}=8^{\frac{1}{y}}$, $12=(2^3)^{\frac{1}{y}}$ $\therefore 12=2^{\frac{3}{y}}$ …… ㉡

㉠÷㉡을 하면

$2^{\frac{4}{x}}\div 2^{\frac{3}{y}}=3\div 12$, $2^{\frac{4}{x}-\frac{3}{y}}=\frac{1}{4}=2^{-2}$

$\therefore \frac{4}{x}-\frac{3}{y}=-2$

**4**

(진수)$>0$에서 모든 실수 $x$에 대하여 $x^2+ax+2a>0$이어야 하므로 이차방정식 $x^2+ax+2a=0$의 판별식을 $D$라 하면

$D=a^2-4\times 2a<0$

$a^2-8a<0$, $a(a-8)<0$

$\therefore 0<a<8$ …… ㉠

(밑)$>0$, (밑)$\neq 1$에서 $a-3>0$, $a-3\neq 1$

$a>3$, $a\neq 4$ $\therefore 3<a<4$ 또는 $a>4$ …… ㉡

㉠, ㉡의 공통 범위를 구하면

$3<a<4$ 또는 $4<a<8$

따라서 구하는 정수 $a$의 개수는 5, 6, 7의 3이다.

**5**

$abc=1$이므로 $bc=\frac{1}{a}$, $ac=\frac{1}{b}$, $ab=\frac{1}{c}$

$\therefore \log_a b+\log_b a+\log_b c+\log_c b+\log_c a+\log_a c$

$=(\log_a b+\log_a c)+(\log_b a+\log_b c)+(\log_c a+\log_c b)$

$=\log_a bc+\log_b ac+\log_c ab$

$=\log_a \frac{1}{a}+\log_b \frac{1}{b}+\log_c \frac{1}{c}$

$=\log_a a^{-1}+\log_b b^{-1}+\log_c c^{-1}$

$=-1-1-1=-3$

**6**

함수 $f(x)=a^x$에 대하여 $f(b)=2$, $f(c)=6$이므로

$a^b=2$, $a^c=6$

$\therefore f\left(\frac{b+c}{2}\right)=a^{\frac{b+c}{2}}=(a^{b+c})^{\frac{1}{2}}$

$=(a^b\times a^c)^{\frac{1}{2}}=(2\times 6)^{\frac{1}{2}}$

$=12^{\frac{1}{2}}=2\sqrt{3}$

**7**

함수 $y=2^x$의 그래프를 $y$축에 대하여 대칭이동한 그래프는

$y=2^{-x}$

이 그래프를 $x$축의 방향으로 $m$만큼, $y$축의 방향으로 $n$만큼 평행이동한 그래프는

$y=2^{-(x-m)}+n$

이 식이 $y=8\times\left(\frac{1}{2}\right)^x+1=2^{-(x-3)}+1$과 일치하므로

$m=3$, $n=1$

$\therefore m-n=2$

## 1주 3일 필수 체크 전략 ①

20~23쪽

**1-1** 최댓값: $\frac{27}{8}$, 최솟값: 1 **1-2** ①
**2-1** ⑤ **2-2** ㄱ, ㄴ **3-1** ③ **3-2** 2
**4-1** ⑤ **4-2** 2

**1-1**

오른쪽 그림과 같이 함수 $y=2^{-x}\times 3^x=\left(\frac{3}{2}\right)^x$은 $x$의 값이 증가하면 $y$의 값도 증가하므로

$x=3$일 때 최댓값 $\left(\frac{3}{2}\right)^3=\frac{27}{8}$,

$x=0$일 때 최솟값 $\left(\frac{3}{2}\right)^0=1$

을 갖는다.

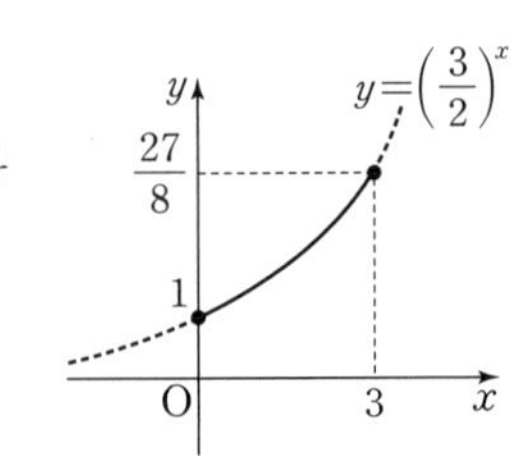


**1-2**

오른쪽 그림과 같이 함수 $y=\left(\frac{1}{3}\right)^x+k$의 그래프는 $x$의 값이 증가하면 $y$의 값이 감소하므로

$x=-2$일 때 최댓값

$\left(\frac{1}{3}\right)^{-2}+k=9+k$

를 갖는다. 이때 최댓값은 10이므로

$9+k=10$ $\therefore k=1$

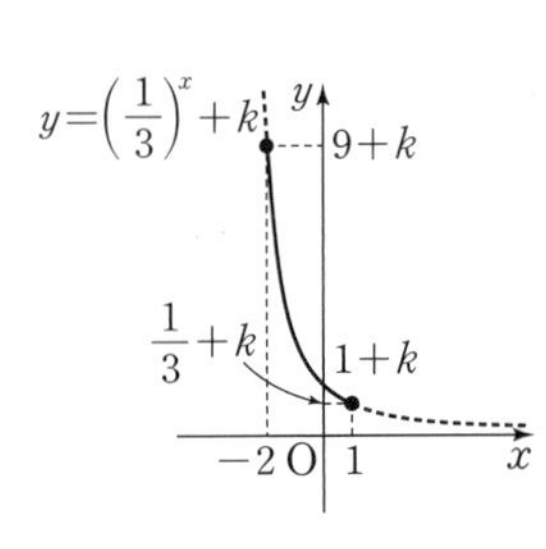


**2-1**

함수 $f(x)=\log_{\frac{1}{3}}(x-2)$의 그래프는 오른쪽 그림과 같다.

① 정의역은 $\{x|x>2\}$이다.

② 치역은 실수 전체의 집합이다.

③ $0<$(밑)$<1$이므로 $x_1<x_2$이면 $f(x_1)>f(x_2)$이다.

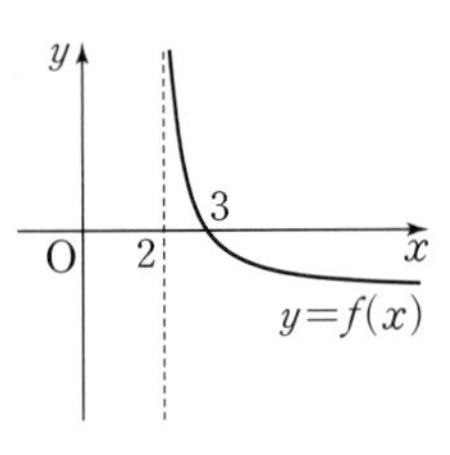

④ 그래프의 점근선의 방정식은 $x=2$이다.
⑤ 그래프는 제1사분면, 제4사분면을 지난다.
따라서 옳지 않은 것은 ⑤이다.

## 2-2

함수 $y=\log_5(-x)$의 그래프는 오른쪽 그림과 같다.

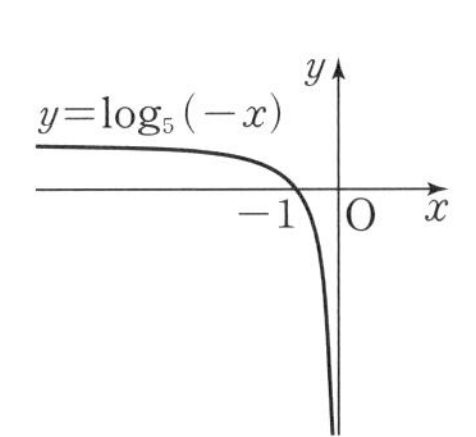


ㄱ. 그래프는 함수 $y=\log_5 x$의 그래프를 $y$축에 대하여 대칭이동한 것이다.
ㄴ. 정의역은 음의 실수 전체의 집합이다.
ㄷ. $x$의 값이 증가하면 $y$의 값은 감소한다.
따라서 옳은 것은 ㄱ, ㄴ이다.

## 3-1

함수 $y=a^{x-m}$의 그래프와 그 역함수의 그래프의 교점은 $y=a^{x-m}$의 그래프와 직선 $y=x$의 교점과 같다.
이때 두 교점의 $x$좌표가 각각 1, 2이므로 $y=a^{x-m}$의 그래프는 두 점 $(1, 1)$, $(2, 2)$를 지난다.
$1=a^{1-m}$에서 $1-m=0$ $\quad\therefore m=1$
$2=a^{2-m}$에 $m=1$을 대입하면 $a=2$
$\therefore a+m=3$

## 3-2

함수 $y=\log_3(x-1)+2$의 정의역은 $\{x|x>1\}$이고, 치역은 실수 전체의 집합이다.
$y=\log_3(x-1)+2$에서 $y-2=\log_3(x-1)$
로그의 정의에 따라 $x-1=3^{y-2}$
$x$와 $y$를 서로 바꾸면 $y-1=3^{x-2}$
따라서 구하는 역함수는 $y=3^{x-2}+1$이므로 $a=2$, $b=1$
$\therefore ab=2$

## 4-1

(진수)>0에서 $x+2>0$, $x-1>0$
$\therefore x>1$ …… ㉠
$\log_2(x+2)=\log_4(x-1)+2$에서
$\log_2(x+2)=\frac{1}{2}\log_2(x-1)+2$
$2\log_2(x+2)=\log_2(x-1)+4$
$\log_2(x+2)^2=\log_2 16(x-1)$
로그함수의 성질에 따라 $(x+2)^2=16(x-1)$
$x^2-12x+20=0$, $(x-2)(x-10)=0$
$\therefore x=2$ 또는 $x=10$
㉠에서 $x>1$이므로 구하는 해는 $x=2$ 또는 $x=10$
따라서 실수 $x$의 값의 합은 12이다.

## 4-2

(진수)>0에서 $x+2>0$, $x>0$, $x+6>0$
$\therefore x>0$ …… ㉠
$\log_{\frac{1}{5}}(x+2)+\log_{\frac{1}{5}}x\le\log_{\frac{1}{5}}(x+6)$에서
$\log_{\frac{1}{5}}x(x+2)\le\log_{\frac{1}{5}}(x+6)$
0<(밑)<1이므로 $x(x+2)\ge x+6$
$x^2+x-6\ge0$, $(x+3)(x-2)\ge0$
$\therefore x\le-3$ 또는 $x\ge2$ …… ㉡
㉠, ㉡의 공통 범위를 구하면 $x\ge2$이므로 구하는 실수 $x$의 최솟값은 2이다.

## 1주 3일 필수 체크 전략 ②

24, 25쪽

| | | | |
|---|---|---|---|
| 1 ② | 2 ⑤ | 3 ⑤ | 4 ② |
| 5 ④ | 6 ⑤ | 7 ④ | |

## 1

함수 $f(x)=2^{2x}=4^x$에서 (밑)>1이므로
최솟값은 $x=1$일 때 $4^1=4$
함수 $g(x)=\left(\frac{1}{2}\right)^{x+1}$에서 0<(밑)<1이므로
최솟값은 $x=a$일 때 $\left(\frac{1}{2}\right)^{a+1}$
이때 두 함수의 최솟값의 곱이 $\frac{1}{4}$이므로
$4\times\left(\frac{1}{2}\right)^{a+1}=\frac{1}{4}$, $\left(\frac{1}{2}\right)^{a+1}=\frac{1}{16}=\left(\frac{1}{2}\right)^4$
$a+1=4$ $\quad\therefore a=3$

## 2

$y=\left(\frac{1}{3}\right)^{x^2+2x-1}$에서 $f(x)=x^2+2x-1$이라 하면
$f(x)=(x+1)^2-2$
이때 $f(-2)=-1$, $f(-1)=-2$, $f(1)=2$이므로
$-2\le x\le1$에서 $-2\le f(x)\le2$
함수 $y=\left(\frac{1}{3}\right)^{f(x)}$에서 0<(밑)<1이므로 $f(x)=-2$,
즉 $x=-1$일 때 최댓값 $\left(\frac{1}{3}\right)^{-2}=9$를 갖는다.

### 3

$y=f(x)$의 그래프가 두 점 $(5, a)$, $(10, b)$를 지나므로

$\log_3 5=a$, $\log_3 10=b$

$\therefore f(20)=\log_3 20=\log_3 \frac{100}{5}$

$=\log_3 100-\log_3 5=2\log_3 10-\log_3 5$

$=2b-a$

### 4

함수 $y=\left(\frac{1}{3}\right)^{x-1}-2$의 그래프와 함수 $y=a\log_3(x+b)+c$의 그래프는 서로 역함수 관계이다.

함수 $y=\left(\frac{1}{3}\right)^{x-1}-2$의 정의역은 실수 전체의 집합이고, 치역은 $\{y|y>-2\}$이다.

$y=\left(\frac{1}{3}\right)^{x-1}-2$에서 $y+2=\left(\frac{1}{3}\right)^{x-1}$

로그의 정의에 따라 $x-1=\log_{\frac{1}{3}}(y+2)$

$x$와 $y$를 서로 바꾸면 $y-1=\log_{\frac{1}{3}}(x+2)$ (단, $x>-2$)

따라서 구하는 역함수는

$y=\log_{\frac{1}{3}}(x+2)+1=-\log_3(x+2)+1$

이므로 $a=-1$, $b=2$, $c=1$

$\therefore a+b+c=2$

### 5

함수 $y=\log_2 x$의 그래프는 점 $(1, 0)$을 지나므로 $x_1=1$

이때 함수 $y=2^x$의 그래프는 점 $(0, 1)$을 지나므로 함수 $y=\log_2 x$의 그래프는 점 $(x_2, 1)$을 지난다.

$1=\log_2 x_2 \quad \therefore x_2=2$

또 함수 $y=2^x$의 그래프는 점 $(1, 2)$를 지나므로 함수 $y=\log_2 x$의 그래프는 점 $(x_3, 2)$를 지난다.

$2=\log_2 x_3 \quad \therefore x_3=4$

$\therefore x_1+x_2+x_3=7$

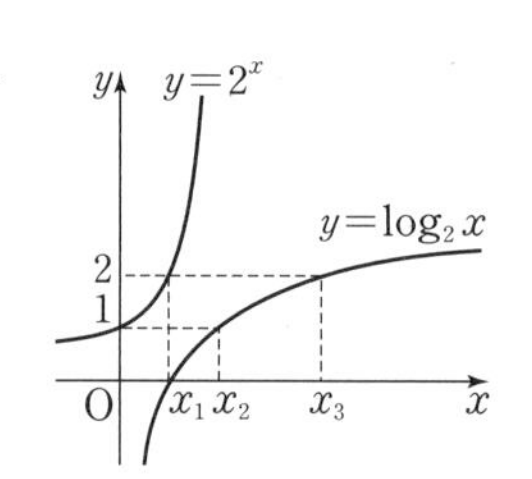

### 6

$4^x-2^{x+3}+15=0$에서 $(2^x)^2-8\times2^x+15=0$

$2^x=t\ (t>0)$로 치환하면 $t^2-8t+15=0$ …… ㉠

주어진 방정식의 두 실근이 $\alpha$, $\beta$이므로 방정식 ㉠의 두 근은 $2^\alpha$, $2^\beta$

이차방정식의 근과 계수의 관계에서

$2^\alpha+2^\beta=8$, $2^\alpha\times2^\beta=15$

$\therefore 4^\alpha+4^\beta=(2^\alpha+2^\beta)^2-2\times2^\alpha\times2^\beta$

$=8^2-2\times15=34$

### 7

(진수)$>0$에서 $x>0$, $\log_2 x>0$

$\therefore x>1$ …… ㉠

$0\le\log_3(\log_2 x)\le1$에서

$\log_3 1\le\log_3(\log_2 x)\le\log_3 3$

(밑)$>1$이므로 $1\le\log_2 x\le3$

$\log_2 2\le\log_2 x\le\log_2 8$

(밑)$>1$이므로 $2\le x\le8$ …… ㉡

㉠, ㉡의 공통 범위를 구하면 $2<x<8$

따라서 구하는 정수 $x$의 개수는 2, 3, 4, ⋯, 8의 7이다.

## 1주 4일 교과서 대표 전략 ①

26~29쪽

| | | | |
|---|---|---|---|
| 1 ② | 2 ① | 3 ① | 4 ④ |
| 5 ④ | 6 ③ | 7 ④ | 8 ⑤ |
| 9 ① | 10 ① | 11 ④ | 12 ② |
| 13 ④ | 14 ⑤ | 15 ② | 16 ③ |

### 1

$3^{60}$의 5제곱근 중 실수인 것은 $\sqrt[5]{3^{60}}=3^{12}$ $\quad\therefore x=3^{12}$

$3^{12}$의 네제곱근 중 음수인 것은 $-\sqrt[4]{3^{12}}=-3^3$ $\quad\therefore y=-3^3$

따라서 $-3^3$의 세제곱근 중 실수인 것은

$\sqrt[3]{-3^3}=\sqrt[3]{(-3)^3}=-3$

### 2

$(\sqrt[3]{9}-\sqrt[3]{4})(\sqrt[3]{81}+\sqrt[3]{36}+\sqrt[3]{16})$

$=(\sqrt[3]{9}-\sqrt[3]{4})(\sqrt[3]{9^2}+\sqrt[3]{9}\times\sqrt[3]{4}+\sqrt[3]{4^2})$

$=(\sqrt[3]{9})^3-(\sqrt[3]{4})^3$

$=9-4=5$

### 3

세 수의 지수인 20, 30, 50의 최대공약수는 10이므로 지수를 10으로 같게 하면

$A=5^{20}=(5^2)^{10}=25^{10}$, $B=3^{30}=(3^3)^{10}=27^{10}$,

$C=2^{50}=(2^5)^{10}=32^{10}$

$25<27<32$이므로 $25^{10}<27^{10}<32^{10}$

$\therefore A<B<C$

### 4

$\log_3 2=a$에서 $\log_2 3=\frac{1}{a}$

$\therefore \log_{36} 56=\frac{\log_2 56}{\log_2 36}=\frac{\log_2(2^3\times7)}{\log_2(2^2\times3^2)}=\frac{3+\log_2 7}{2+2\log_2 3}$

$=\frac{3+b}{2+\frac{2}{a}}=\frac{3a+ab}{2a+2}$

## 5

이차방정식의 근과 계수의 관계에서

$\log_2 a+\log_2 b=4$, $\log_2 a\times\log_2 b=2$

$$\therefore \log_a b+\log_b a=\frac{\log_2 b}{\log_2 a}+\frac{\log_2 a}{\log_2 b}=\frac{(\log_2 b)^2+(\log_2 a)^2}{\log_2 a\times\log_2 b}$$

$$=\frac{(\log_2 a+\log_2 b)^2-2\log_2 a\times\log_2 b}{\log_2 a\times\log_2 b}$$

$$=\frac{4^2-2\times2}{2}=6$$

## 6

$\log a=-1.4401=-2+0.5599=-2+\log 3.64$

$=\log 10^{-2}+\log 3.64=\log(10^{-2}\times3.64)=\log 0.0364$

$\therefore a=0.0364$

$b=\log 364=\log(3.64\times10^2)=\log 3.64+\log 10^2$

$=0.5599+2=2.5599$

$\therefore a+b=0.0364+2.5599=2.5963$

## 7

$f(x)=2^{x+p}+q$의 그래프의 점근선의 방정식이 $y=-4$이므로

$q=-4$

이때 $f(0)=0$이므로

$0=2^p-4$, $2^p=4$ $\quad\therefore p=2$

따라서 $f(x)=2^{x+2}-4$이므로

$f(2)=2^4-4=12$

## 8

두 점 $\mathrm{A}(a,\ 3)$, $\mathrm{B}(b,\ 12)$가 함수 $y=2^x$의 그래프 위의 점이므로

$2^a=3$, $2^b=12$

$\frac{2^b}{2^a}=4$, $2^{b-a}=4=2^2$에서 $b-a=2$

$\therefore \overline{\mathrm{AB}}=\sqrt{(b-a)^2+(12-3)^2}=\sqrt{2^2+9^2}=\sqrt{85}$

## 9

$y=\left(\frac{1}{2}\right)^{x-1}+k$의 그래프는 $y=\left(\frac{1}{2}\right)^x$의 그래프를 $x$축의 방향으로 1만큼, $y$축의 방향으로 $k$만큼 평행이동한 것이다.

이 그래프가 제3사분면을 지나지 않으려면 오른쪽 그림과 같이 $y$절편이 0보다 크거나 같아야 하므로

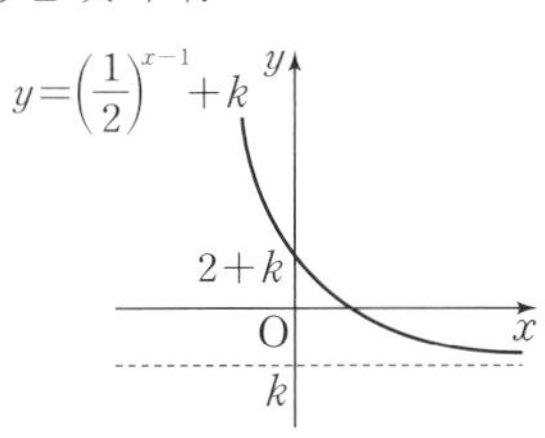


$2+k\ge0$ $\quad\therefore k\ge-2$

따라서 $k$의 최솟값은 $-2$이다.

## 10

$y=a^{-x}=\left(\frac{1}{a}\right)^x$에서 (밑)$>1$이므로 (→ $0<a<1$에서 $\frac{1}{a}>1$)

$x=2$일 때 최댓값 $\left(\frac{1}{a}\right)^2=\frac{1}{a^2}$, $x=-1$일 때 최솟값 $\left(\frac{1}{a}\right)^{-1}=a$

를 갖는다. 이때 최댓값과 최솟값의 곱이 8이므로

$\frac{1}{a^2}\times a=8$, $\frac{1}{a}=8$ $\quad\therefore a=\frac{1}{8}$

## 11

$\overline{\mathrm{OA}}=\log_2 a$, $\overline{\mathrm{OB}}=\log_2 b$이고 $\overline{\mathrm{AB}}=4$이므로

$\log_2 b-\log_2 a=4$, $\log_2\frac{b}{a}=4$

$\therefore \frac{b}{a}=2^4=16$

## 12

함수 $y=\log_3(x-2)+4$의 그래프를 $x$축의 방향으로 $a$만큼, $y$축의 방향으로 $b$만큼 평행이동한 그래프는

$y=\log_3(x-a-2)+4+b$ $\quad\cdots\cdots$ ㉠

이때 $y=\log_3(3x+6)=\log_3 3(x+2)=\log_3(x+2)+1$이 ㉠의 그래프와 일치하므로

$-a-2=2$, $4+b=1$에서 $a=-4$, $b=-3$

$\therefore a-b=-1$

## 13

함수 $y=\log_5\frac{x}{a}$의 그래프와 함수 $y=5^{x+1}$의 그래프는 서로 역함수 관계이다.

따라서 함수 $y=5^{x+1}$의 그래프가 점 $(-1,\ b)$를 지나므로

$b=5^0=1$

이때 함수 $y=\log_5\frac{x}{a}$의 그래프는 점 $(1,\ -1)$을 지나므로

$-1=\log_5\frac{1}{a}$, $\frac{1}{a}=5^{-1}=\frac{1}{5}$ $\quad\therefore a=5$

$\therefore ab=5$

**다른 풀이**

함수 $y=5^{x+1}$의 정의역은 실수 전체의 집합이고, 치역은 $\{y\,|\,y>0\}$이다.

로그의 정의에 따라 $x+1=\log_5 y$

$x$와 $y$를 서로 바꾸면 $y+1=\log_5 x$ (단, $x>0$)

따라서 구하는 역함수는 $y=\log_5 x-1$

이 식이 $y=\log_5\frac{x}{a}=\log_5 x-\log_5 a$와 일치해야 하므로

$\log_5 a=1$ $\quad\therefore a=5$

$y=\log_5\frac{x}{5}$의 그래프가 점 $(b,\ -1)$을 지나므로

$-1=\log_5\frac{b}{5}$, $\frac{b}{5}=5^{-1}=\frac{1}{5}$ $\quad\therefore b=1$

$\therefore ab=5$

**14**

$y=\log_2(x^2-2x+1)$에서 $f(x)=x^2-2x+1$이라 하면

$f(x)=(x-1)^2$

이때 $f(2)=1$, $f(3)=4$이므로

$2\le x\le 3$에서 $1\le f(x)\le 4$

함수 $y=\log_2 f(x)$에서 (밑)$>1$이므로

$f(x)=4$, 즉 $x=3$일 때 최댓값 $M=\log_2 4=2$,

$f(x)=1$, 즉 $x=2$일 때 최솟값 $m=\log_2 1=0$

을 갖는다.

$\therefore M-m=2$

**15**

$3^{x^2-3x}\le\left(\frac{1}{3}\right)^{2x}$에서 $3^{x^2-3x}\le 3^{-2x}$

(밑)$>1$이므로 $x^2-3x\le -2x$, $x^2-x\le 0$

$x(x-1)\le 0$ $\quad\therefore 0\le x\le 1$

따라서 구하는 실수 $x$의 최댓값은 1이다.

**16**

$\log a+2\ne 0$, $\log a\ne -2$

$\therefore a\ne 10^{-2}=\frac{1}{100}$ …… ㉠

(진수)$>0$에서 $a>0$ …… ㉡

주어진 이차방정식의 판별식을 $D$라 하면

$\frac{D}{4}=(\log a)^2-(\log a+2)<0$, $(\log a)^2-\log a-2<0$

$\log a=t$로 놓으면

$t^2-t-2<0$, $(t+1)(t-2)<0$ $\quad\therefore -1<t<2$

즉, $-1<\log a<2$이므로

$\log 10^{-1}<\log a<\log 10^2$

(밑)$>1$이므로 $\frac{1}{10}<a<100$ …… ㉢

㉠, ㉡, ㉢의 공통 범위를 구하면 $\frac{1}{10}<a<100$

따라서 구하는 정수 $a$의 최솟값은 1이다.

## 1주 4일 교과서 대표 전략 ②

30, 31쪽

| | | | |
|---|---|---|---|
| 1 ② | 2 ⑤ | 3 ③ | 4 ② |
| 5 ② | 6 ③ | 7 ④ | 8 $2<a<16$ |

**1**

$(\sqrt[3]{3})^{\frac{1}{4}}$이 어떤 자연수 $N$의 $n$제곱근이라 하면

$\{(\sqrt[3]{3})^{\frac{1}{4}}\}^n=(3^{\frac{1}{12}})^n=3^{\frac{n}{12}}=N$

따라서 $3^{\frac{n}{12}}$이 자연수가 되려면 $n$이 12의 배수이어야 한다.

이때 $2\le n\le 100$이므로 구하는 자연수 $n$의 개수는 12, 24, 36, $\cdots$, 96의 8이다.

**2**

$a^{\frac{1}{2}}-a^{-\frac{1}{2}}=2$의 양변을 제곱하면

$a-2+a^{-1}=4$ $\quad\therefore a+a^{-1}=6$

$a+a^{-1}=6$의 양변을 제곱하면

$a^2+2+a^{-2}=36$ $\quad\therefore a^2+a^{-2}=34$

$\therefore \frac{a^2+a^{-2}-4}{a+a^{-1}}=\frac{34-4}{6}=5$

**3**

$\log x^3+\log\frac{1}{x}=\log x^3+\log x^{-1}$

$=3\log x-\log x=2\log x$

$10<x<100$에서 $1<\log x<2$

$\therefore 2<2\log x<4$

이때 $2\log x$가 정수이므로 $2\log x=3$

따라서 $\log x=\frac{3}{2}$이므로 $x=10^{\frac{3}{2}}$

**4**

$\overline{AB}:\overline{BC}=1:1$에서 $\overline{AB}:\overline{AC}=1:2$이므로 두 점 B, C의 $x$좌표를 각각 $b$, $2b$ $(b>0)$로 놓으면

$k=2^b=a^{2b}$, $2^b=(a^2)^b$

$2=a^2$ $\quad\therefore a=\sqrt{2}$ $(\because 1<a<2)$

**5**

$(g\circ f)(x)=a^{f(x)}$

이때 $f(x)=x^2-4x+2=(x-2)^2-2$이고

$f(0)=2$, $f(2)=-2$, $f(3)=-1$이므로

$0\le x\le 3$에서 $-2\le f(x)\le 2$

함수 $(g\circ f)(x)=a^{f(x)}$에서 (밑)$>1$이므로

$f(x)=2$, 즉 $x=0$일 때 최댓값 $a^2$을 갖는다.

$\therefore a^2=2$

또 $f(x)=-2$, 즉 $x=2$일 때 최솟값

$a^{-2}=\frac{1}{a^2}=\frac{1}{2}$

을 갖는다.

따라서 $m=\frac{1}{2}$이므로 $4m=2$

## 6

① $y=\log_3 \frac{1}{x}=-\log_3 x$이므로 $y=\log_3 \frac{1}{x}$의 그래프는 $y=\log_3 x$의 그래프를 $x$축에 대하여 대칭이동한 것이다.

② $y=\log_3 3x=\log_3 x+1$이므로 $y=\log_3 3x$의 그래프는 $y=\log_3 x$의 그래프를 $y$축의 방향으로 1만큼 평행이동한 것이다.

③ $y=\log_3 x^2=2\log_3 |x|$이므로 $y=\log_3 x^2$의 그래프는 $y=\log_3 x$의 그래프를 평행이동하거나 대칭이동하여도 포갤 수 없다.

④ $y=3^{x-1}$의 그래프는 $y=\log_3 x$의 그래프를 직선 $y=x$에 대하여 대칭이동한 후 $x$축의 방향으로 1만큼 평행이동한 것이다.

⑤ $y=\left(\frac{1}{3}\right)^x=3^{-x}$이므로 $y=\left(\frac{1}{3}\right)^x$의 그래프는 $y=\log_3 x$의 그래프를 직선 $y=x$에 대하여 대칭이동한 후 $y$축에 대하여 대칭이동한 것이다.

따라서 $y=\log_3 x$의 그래프를 평행이동하거나 대칭이동하여 포갤 수 없는 것은 ③이다.

## 7

$25^x-2\times 5^{x+1}+k=0$에서

$(5^x)^2-10\times 5^x+k=0$

$5^x=t\ (t>0)$로 놓으면 주어진 방정식은

$t^2-10t+k=0$ …… ㉠

주어진 방정식의 서로 다른 두 실근을 $\alpha$, $\beta$라 하면

$\alpha+\beta=2$

이때 방정식 ㉠의 두 근은 $5^\alpha$, $5^\beta$이므로 이차방정식의 근과 계수의 관계에서

$k=5^\alpha\times 5^\beta=5^{\alpha+\beta}=5^2=25$

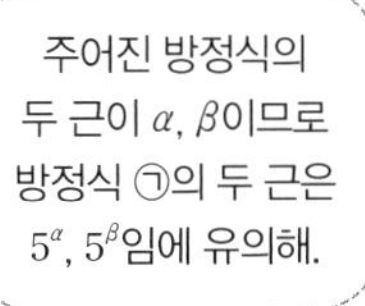

## 8

(진수)$>0$에서 $a>0$ …… ㉠

모든 실수 $x$에 대하여 주어진 부등식이 성립해야 하므로 이차방정식 $x^2+2x\log_2 a+5\log_2 a-4=0$의 판별식을 $D$라 하면

$\frac{D}{4}=(\log_2 a)^2-(5\log_2 a-4)<0$

$(\log_2 a)^2-5\log_2 a+4<0$

$\log_2 a=t$로 놓으면

$t^2-5t+4<0$, $(t-1)(t-4)<0$ $\quad\therefore 1<t<4$

즉, $1<\log_2 a<4$이므로

$\log_2 2<\log_2 a<\log_2 16$

(밑)$>1$이므로 $2<a<16$ …… ㉡

㉠, ㉡의 공통 범위를 구하면

$2<a<16$

# 1주 누구나 합격 전략

32, 33쪽

| | | | |
|---|---|---|---|
| 1 ④ | 2 ⑤ | 3 ④ | 4 ③ |
| 5 ① | 6 −1.5513 | 7 ② | 8 ③ |
| 9 ③ | 10 ④ | | |

## 1

$-27$의 세제곱근 중 실수인 것은

$\sqrt[3]{-27}=\sqrt[3]{(-3)^3}=-3 \qquad \therefore a=-3$

256의 네제곱근 중 양수인 것은

$\sqrt[4]{256}=\sqrt[4]{4^4}=4 \qquad \therefore b=4$

$\therefore a+b=1$

## 2

$\sqrt[3]{64}+125^{\frac{2}{3}}=\sqrt[3]{4^3}+(5^3)^{\frac{2}{3}}=4+5^2=29$

## 3

(밑)$>0$, (밑)$\neq 1$에서 $x-1>0$, $x-1\neq 1$

$\therefore 1<x<2$ 또는 $x>2$ …… ㉠

(진수)$>0$에서 $-x^2+5x+6>0$, $(x+1)(x-6)<0$

$\therefore -1<x<6$ …… ㉡

㉠, ㉡의 공통 범위를 구하면

$1<x<2$ 또는 $2<x<6$

따라서 구하는 정수 $x$의 값의 합은

$3+4+5=12$

## 4

$\frac{1}{2}\log_3 5-2\log_3 \frac{1}{3}-\log_3 \sqrt{15}$

$=\log_3 \sqrt{5}-\log_3 \left(\frac{1}{3}\right)^2-\log_3 \sqrt{15}$

$=\log_3 \left(\sqrt{5}\div\frac{1}{9}\div\sqrt{15}\right)=\log_3 \left(\sqrt{5}\times 9\times\frac{1}{\sqrt{15}}\right)$

$=\log_3 3\sqrt{3}=\frac{3}{2}$

## 5

$\log 6=\frac{\log_5 6}{\log_5 10}=\frac{\log_5 (2\times 3)}{\log_5 (2\times 5)}$

$=\frac{\log_5 2+\log_5 3}{\log_5 2+1}=\frac{a+b}{a+1}$

## 6

$\log 0.0281=\log (2.81\times 10^{-2})=\log 2.81+\log 10^{-2}$

$=-2+0.4487=-1.5513$

## 7

$y=2^{x-1}+a$의 그래프가 점 $(1, 3)$을 지나므로

$3=2^{1-1}+a$, $3=1+a \qquad \therefore a=2$

**8**

함수 $y=\log_2 x$의 그래프를 $x$축의 방향으로 $a$만큼, $y$축의 방향으로 $b$만큼 평행이동한 그래프는

$y=\log_2(x-a)+b$ …… ㉠

이때 $y=\log_2(2x-8)=\log_2 2(x-4)=\log_2(x-4)+1$이 ㉠의 그래프와 일치하므로

$a=4, b=1$ $\quad\therefore a-b=3$

**9**

$3^x=t\ (t>0)$로 치환하면 주어진 방정식은

$t^2+27=4\times 3t,\ t^2-12t+27=0$

$(t-3)(t-9)=0$ $\quad\therefore t=3$ 또는 $t=9$

$t=3$일 때 $3^x=3$에서 $x=1$,

$t=9$일 때 $3^x=9=3^2$에서 $x=2$

따라서 모든 실근의 합은 3이다.

**10**

(진수)$>0$에서 $x+9>0,\ x>0$이므로

$x>0$ …… ㉠

$\log_3(x+9)-\log_3 x\ge 1$에서

$\log_3(x+9)\ge 1+\log_3 x,\ \log_3(x+9)\ge\log_3 3x$

(밑)$>1$이므로 $x+9\ge 3x$ $\quad\therefore x\le\frac{9}{2}$ …… ㉡

㉠, ㉡의 공통 범위를 구하면 $0<x\le\frac{9}{2}$

따라서 구하는 정수 $x$의 개수는 1, 2, 3, 4의 4이다.

## 1주 창의·융합·코딩 전략 34~37쪽

| | | | |
|---|---|---|---|
| 1 ④ | 2 ④ | 3 ① | 4 ③ |
| 5 (1) 16 (2) 6 | 6 약 2.84배 | 7 은선 | 8 $\frac{200}{3}$분 |

**1**

반지름의 길이가 3인 구의 부피는

$\frac{4}{3}\pi\times 3^3=36\pi$

따라서 원기둥과 원뿔의 부피는 모두 $18\pi$이다.

이때 원기둥의 높이를 $a$라 하면 밑면의 반지름의 길이는 $\frac{1}{2}a$이므로

$\left(\frac{1}{2}a\right)^2\pi\times a=18\pi,\ \frac{a^3}{4}=18$

$a^3=72$ $\quad\therefore a=\sqrt[3]{72}=2\sqrt[3]{9}$

또 원뿔의 높이를 $b$라 하면 밑면의 반지름의 길이는 $\frac{1}{2}b$이므로

$\frac{1}{3}\times\left(\frac{1}{2}b\right)^2\pi\times b=18\pi,\ \frac{b^3}{12}=18$

$b^3=216$ $\quad\therefore b=\sqrt[3]{216}=6$

$\therefore ab=12\sqrt[3]{9}$

**2**

미생물 A의 개체수는

$2560 \xrightarrow{1\text{시간}} 2560\times 4 \xrightarrow{1\text{시간}} 2560\times 4^2 \xrightarrow{1\text{시간}} 2560\times 4^3 \longrightarrow \cdots$

과 같이 증가하므로 6시간이 지난 후 미생물 A의 개체수는

$2560\times 4^6=(5\times 2^9)\times 2^{12}=5\times 2^{21}$

미생물 B의 개체수는

$1 \xrightarrow{1\text{시간}} 2 \xrightarrow{1\text{시간}} 2\times 4 \xrightarrow{1\text{시간}} 2\times 4\times 8 \longrightarrow \cdots$

과 같이 증가하므로 6시간이 지난 후 미생물 B의 개체수는

$2\times 4\times 8\times 16\times 32\times 64=2\times 2^2\times 2^3\times 2^4\times 2^5\times 2^6$

$=2^{1+2+3+4+5+6}=2^{21}$

따라서 오후 6시에 조사한 미생물 A의 개체수는 미생물 B의 개체수의 5배이다.

**3**

두 번째 옥타브 '솔'의 진동수를 $N_a$라 하면

$m=2,\ p=7$이므로

$N_a=k\times 2^2\times(\sqrt[12]{2})^7=k\times 2^2\times 2^{\frac{7}{12}}=k\times 2^{\frac{31}{12}}$

세 번째 옥타브 '파'의 진동수를 $N_b$라 하면

$m=3,\ p=5$이므로

$N_b=k\times 2^3\times(\sqrt[12]{2})^5=k\times 2^3\times 2^{\frac{5}{12}}=k\times 2^{\frac{41}{12}}$

$\therefore \frac{N_b}{N_a}=\frac{k\times 2^{\frac{41}{12}}}{k\times 2^{\frac{31}{12}}}=2^{\frac{41}{12}-\frac{31}{12}}=2^{\frac{10}{12}}=2^{\frac{5}{6}}$

따라서 세 번째 옥타브 '파'의 진동수는 두 번째 옥타브 '솔'의 진동수의 $2^{\frac{5}{6}}$배이다.

**4**

$n$번 접은 종이의 두께를 $f(n)$ mm라 하면 $f(n)=0.1\times 2^n$

$\therefore f(12)=0.1\times 2^{12}=0.1\times 2^2\times 2^{10}$

$=0.4\times 10^3=400$

따라서 12번 접은 종이의 두께는 400 mm, 즉 40 cm이다.

**5**

$\log_a b=\log_b a$에서 $\log_a b=\frac{1}{\log_a b}$

$(\log_a b)^2=1$ $\quad\therefore \log_a b=-1$ 또는 $\log_a b=1$

(i) $\log_a b=-1$이면 $b=a^{-1}=\frac{1}{a}$

(ii) $\log_a b=1$이면 $a=b$이므로 조건을 만족시키지 않는다.

(i), (ii)에서 $b=\frac{1}{a}$

(1) $(a+1)(b+9)=(a+1)\left(\frac{1}{a}+9\right)=9a+\frac{1}{a}+10$

$a>0,\ \frac{1}{a}>0$이므로 산술평균과 기하평균의 관계에서

$9a+\frac{1}{a}+10\ge 2\sqrt{9a\times\frac{1}{a}}+10=16$

$\left(\text{단, 등호는 } a=\frac{1}{3}\text{일 때 성립한다.}\right)$

따라서 구하는 최솟값은 16이다.

(2) $2ab+a+4b=2+a+\frac{4}{a}$

$a>0$, $\frac{1}{a}>0$이므로 산술평균과 기하평균의 관계에서

$2+a+\frac{4}{a}\ge 2+2\sqrt{a\times\frac{4}{a}}=6$ (단, 등호는 $a=2$일 때 성립한다.)

따라서 구하는 최솟값은 6이다.

## 6

1단 기어의 속력을 $a$라 하면 기어를 1단씩 높일 때마다 속력은 11 %씩 증가하므로

2단 기어의 속력은 $1.11a$,

3단 기어의 속력은 $1.11^2a$,

$\vdots$

11단 기어의 속력은 $1.11^{10}a$

$x=1.11^{10}$이라 하고 양변에 상용로그를 취하면

$\log x=\log 1.11^{10}=10\log 1.11$

$=10\times 0.0453=0.453$

그런데 $\log 2.83=0.4518$, $\log 2.84=0.4533$이므로

$\log x\fallingdotseq\log 2.84$ $\quad\therefore x\fallingdotseq 2.84$

따라서 11단 기어의 속력은 1단 기어의 속력의 약 2.84배이다.

## 7

함수 $y=3^{-x+2}-1=\left(\frac{1}{3}\right)^{x-2}-1$의 그래프는 함수 $y=\left(\frac{1}{3}\right)^x$의 그래프를 $x$축의 방향으로 2만큼, $y$축의 방향으로 $-1$만큼 평행이동한 것이므로 오른쪽 그림과 같다.

따라서 점근선의 방정식은 $y=-1$이다.

$y=3^{-x+2}-1$에서 $y+1=3^{-x+2}$

로그의 정의에 의하여

$-x+2=\log_3(y+1)$, $x=2-\log_3(y+1)$

$x$와 $y$를 서로 바꾸면 주어진 함수의 역함수는

$y=2-\log_3(x+1)$

## 8

20분마다 2배로 증식하므로 $20n$분이면 $2^n$배로 증식한다.

이 효모균이 처음의 10배로 증식하는 데 걸리는 시간을 $20t$분이라 하면

$2^t=10$, $t=\log_2 10=\frac{1}{\log 2}=\frac{1}{0.30}=\frac{10}{3}$

따라서 처음의 10배로 증식하는 데 걸리는 시간은

$20t=20\times\frac{10}{3}=\frac{200}{3}$(분)

# 2주 1일 개념 돌파 전략 ①

41, 43쪽

**1-2** $225°$ **2-2** $\frac{8}{3}\pi$ **3-2** $-\frac{3}{5}$

**4-2** 주기: $\frac{2}{3}\pi$, 치역: $\{y\mid -2\le y\le 2\}$

**5-2** $x=2n\pi+\pi$ ($n$은 정수) **6-2** $-\frac{1}{2}$

## 1-2

1라디안$=\frac{180°}{\pi}$이므로

$\frac{5}{4}\pi=\frac{5}{4}\pi\times\frac{180°}{\pi}=225°$

## 2-2

구하는 부채꼴의 넓이는

$\frac{1}{2}\times 4^2\times\frac{\pi}{3}=\frac{8}{3}\pi$

## 3-2

$\overline{OP}=\sqrt{(-6)^2+(-8)^2}=10$이므로

$\cos\theta=\frac{-6}{10}=-\frac{3}{5}$

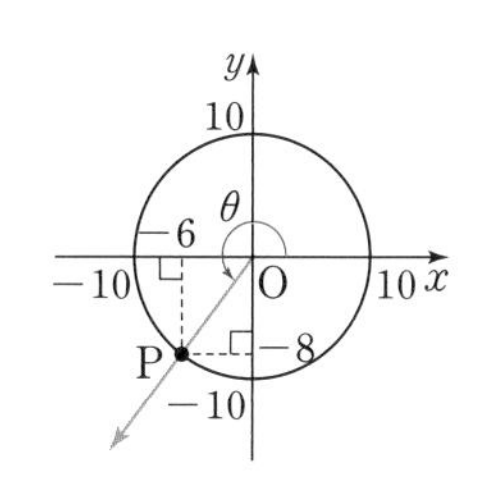


## 4-2

$2\cos 3x=2\cos(3x+2\pi)=2\cos 3\left(x+\frac{2}{3}\pi\right)$

이므로 주기는 $\frac{2}{3}\pi$

$-2\le 2\cos 3x\le 2$이므로 치역은 $\{y\mid -2\le y\le 2\}$

참고

$y=2\cos 3x$의 그래프는 $y=\cos x$의 그래프를 $x$축의 방향으로 $\frac{1}{3}$배, $y$축의 방향으로 2배한 것이므로 다음 그림과 같다.

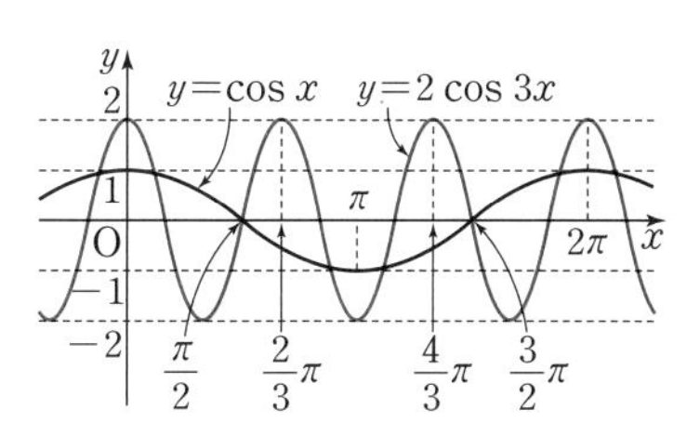


$y=a\cos bx$에서 $a$는 최댓값, 최솟값을, $b$는 주기를 결정해.

### 5-2

점근선의 방정식은

$x=2\left(n\pi+\frac{\pi}{2}\right)=2n\pi+\pi$ ($n$은 정수)

참고

$y=2\tan\frac{x}{2}$의 그래프는 $y=\tan x$의 그래프를 $x$축의 방향으로 2배, $y$축의 방향으로 2배한 것이므로 다음 그림과 같다.

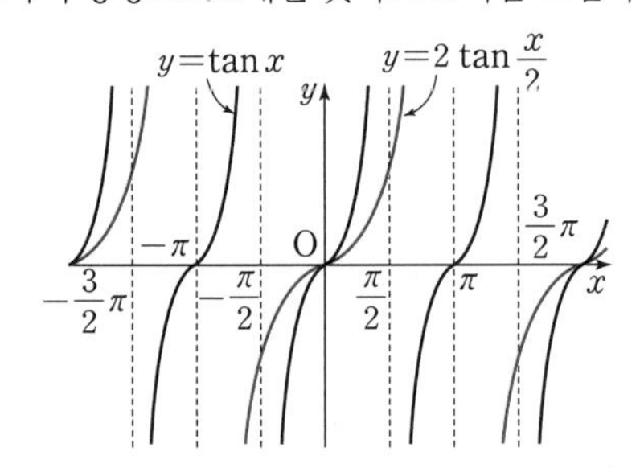

### 6-2

$$\sin\frac{7}{6}\pi\tan\frac{5}{4}\pi=\sin\left(\pi+\frac{\pi}{6}\right)\tan\left(\pi+\frac{\pi}{4}\right)$$
$$=-\sin\frac{\pi}{6}\tan\frac{\pi}{4}$$
$$=-\frac{1}{2}\times1=-\frac{1}{2}$$

## 2주 1일 개념 돌파 전략 ②

44, 45쪽

| | | | |
|---|---|---|---|
| 1 ④ | 2 ④ | 3 ④ | 4 ② |
| 5 ② | 6 ⑤ | 7 ④ | |

### 1

① $410^\circ=360^\circ\times1+50^\circ$

② $770^\circ=360^\circ\times2+50^\circ$

③ $-310^\circ=360^\circ\times(-1)+50^\circ$

④ $-570^\circ=360^\circ\times(-2)+150^\circ$

⑤ $1130^\circ=360^\circ\times3+50^\circ$

따라서 각을 나타내는 동경이 나머지 넷과 다른 하나는 ④이다.

### 2

① $168^\circ=168\times\frac{\pi}{180}=\frac{14}{15}\pi$

② $\frac{3}{4}\pi=\frac{3}{4}\pi\times\frac{180^\circ}{\pi}=135^\circ$

③ $\frac{5}{3}\pi=\frac{5}{3}\pi\times\frac{180^\circ}{\pi}=300^\circ$

④ $64^\circ=64\times\frac{\pi}{180}=\frac{16}{45}\pi$

⑤ $\frac{5}{12}\pi=\frac{5}{12}\pi\times\frac{180^\circ}{\pi}=75^\circ$

따라서 옳지 않은 것은 ④이다.

### 3

$60^\circ=60\times\frac{\pi}{180}=\frac{\pi}{3}$

이므로 부채꼴의 호의 길이는

$5\times\frac{\pi}{3}=\frac{5}{3}\pi$

따라서 부채꼴의 둘레의 길이는

$2\times5+\frac{5}{3}\pi=10+\frac{5}{3}\pi$

### 4

$\sin^2\theta+\cos^2\theta=1$에서

$\cos^2\theta=1-\sin^2\theta=1-\frac{1}{9}=\frac{8}{9}$

이때 각 $\theta$가 제3사분면의 각이므로 $\cos\theta<0$

따라서 $\cos\theta=-\frac{2\sqrt{2}}{3}$이므로

$\tan\theta=\frac{\sin\theta}{\cos\theta}=\frac{1}{2\sqrt{2}}=\frac{\sqrt{2}}{4}$

### 5

함수 $y=2\sin ax$의 주기는 $\frac{2\pi}{a}$ ($\because a>0$)

함수 $y=\tan\frac{x}{4}$의 주기는 $\frac{\pi}{\frac{1}{4}}=4\pi$

이때 두 함수의 주기가 서로 같으므로

$\frac{2\pi}{a}=4\pi \qquad \therefore a=\frac{1}{2}$

### 6

함수 $y=2\tan x+1$의 그래프를 $x$축의 방향으로 1만큼, $y$축의 방향으로 2만큼 평행이동하면

$y-2=2\tan(x-1)+1 \qquad \therefore y=2\tan(x-1)+3$

이 식의 그래프와 $y=2\tan(x-a)+b$의 그래프가 일치하므로

$a=1, b=3 \qquad \therefore a+b=4$

## 7

$\tan(\pi+\theta)=\tan\theta$, $\tan\left(\frac{\pi}{2}-\theta\right)=\frac{1}{\tan\theta}$

$\therefore \tan(\pi+\theta)\tan\left(\frac{\pi}{2}-\theta\right)=\tan\theta\times\frac{1}{\tan\theta}=1$

## 2주 2일 필수 체크 전략 ①

46~49쪽

**1-1** ④　**1-2** (가) $\frac{4}{3}\pi$, (나) 3

**2-1** $108\pi$　**2-2** ⑤　**3-1** ③　**3-2** 65

**4-1** ⑤　**4-2** $\frac{16}{15}$

### 1-1

ㄱ. 1(라디안)$=\frac{180^\circ}{\pi}$이므로 $\frac{360^\circ}{\pi}=2$

ㄴ. $1240^\circ=360^\circ\times3+160^\circ$이므로 $1240^\circ$는 제2사분면의 각이다.

ㄷ. $210^\circ=210\times\frac{\pi}{180}=\frac{7}{6}\pi$, $-\frac{5}{6}\pi=2\pi\times(-1)+\frac{7}{6}\pi$,

$\frac{19}{6}\pi=2\pi\times1+\frac{7}{6}\pi$이므로 $210^\circ$, $-\frac{5}{6}\pi$, $\frac{19}{6}\pi$를 나타내는 동경은 모두 일치한다.

따라서 옳은 것은 ㄱ, ㄷ이다.

### 1-2

$1320^\circ$를 호도법으로 나타내면

$1320^\circ=1320\times\frac{\pi}{180}=\frac{22}{3}\pi$

이때 $\frac{22}{3}\pi=2\pi\times3+\frac{4}{3}\pi$이므로 일반각으로 나타내면

$2n\pi+\frac{4}{3}\pi$ ($n$은 정수)

따라서 이 각은 제3사분면의 각이다.

$\therefore$ (가) $\frac{4}{3}\pi$, (나) 3

### 2-1

$120^\circ=120\times\frac{\pi}{180}=\frac{2}{3}\pi$

부채꼴의 반지름의 길이를 $r$라 하면

$12\pi=r\times\frac{2}{3}\pi$　$\therefore r=18$

따라서 부채꼴의 넓이는

$\frac{1}{2}\times18\times12\pi=108\pi$

### 2-2

반지름의 길이가 $a$, 호의 길이가 $6\pi$인 부채꼴의 넓이가 $36\pi$이므로

$\frac{1}{2}\times a\times6\pi=36\pi$　$\therefore a=12$

또 중심각의 크기가 $\frac{\pi}{b}$, 호의 길이가 $6\pi$이므로

$12\times\frac{\pi}{b}=6\pi$　$\therefore b=2$

$\therefore a+b=14$

### 3-1

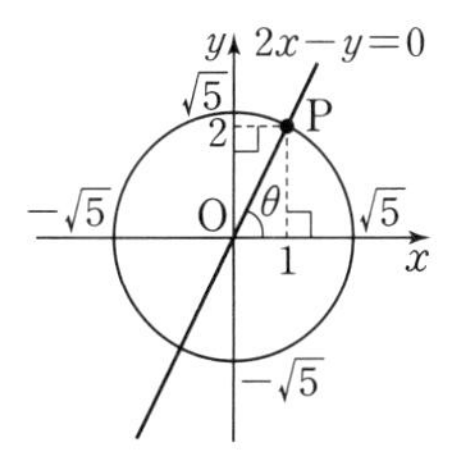


오른쪽 그림과 같이 원점 O를 중심으로 하고 반지름의 길이가 $\sqrt{5}$인 원이 직선 $2x-y=0$, 즉 $y=2x$와 만나는 점 중에서 제1사분면 위의 점을 P라 하면 P$(1, 2)$

$\overline{OP}=\sqrt{5}$이므로

$\cos\theta=\frac{1}{\sqrt{5}}$, $\tan\theta=\frac{2}{1}=2$

$\therefore \sqrt{5}\cos\theta+\tan\theta=1+2=3$

### 3-2

$\tan\theta=-\frac{5}{12}$에서 $-\frac{a}{12}=-\frac{5}{12}$　$\therefore a=5$

이때 $\overline{OP}=\sqrt{12^2+(-5)^2}=13$이므로 $r=13$

$\therefore ar=65$

### 4-1

$\frac{1}{1+\cos\theta}+\frac{1}{1-\cos\theta}=\frac{(1-\cos\theta)+(1+\cos\theta)}{(1+\cos\theta)(1-\cos\theta)}$

$=\frac{2}{1-\cos^2\theta}=\frac{2}{\sin^2\theta}$

따라서 $\frac{2}{\sin^2\theta}=\frac{10}{3}$이므로 $\sin^2\theta=\frac{3}{5}$

이때 $\frac{\pi}{2}<\theta<\pi$이므로 $\sin\theta>0$

$\therefore \sin\theta=\sqrt{\frac{3}{5}}=\frac{\sqrt{15}}{5}$

### 4-2

$\sin^2\theta+\cos^2\theta=1$에서

$\sin^2\theta=1-\cos^2\theta=1-\frac{9}{25}=\frac{16}{25}$

이때 $\cos\theta>0$, $\tan\theta>0$에서 $\theta$는 제1사분면의 각이므로

$\sin\theta>0$　$\therefore \sin\theta=\frac{4}{5}$

$\tan\theta=\frac{\sin\theta}{\cos\theta}$이므로 $\tan\theta=\frac{4}{3}$

$\therefore \sin\theta\tan\theta=\frac{16}{15}$

## 2주 2일 필수 체크 전략 ②

50, 51쪽

| | | | |
|---|---|---|---|
| 1 ② | 2 ④ | 3 ③ | 4 ⑤ |
| 5 ① | 6 ⑤ | 7 ④ | |

### 1
각 $2\theta$가 제2사분면의 각이므로

$360^\circ \times n + 90^\circ < 2\theta < 360^\circ \times n + 180^\circ$ ($n$은 정수)

$\therefore 180^\circ \times n + 45^\circ < \theta < 180^\circ \times n + 90^\circ$

(i) $n=2k$ ($k$는 정수)일 때,

$180^\circ \times 2k + 45^\circ < \theta < 180^\circ \times 2k + 90^\circ$

$\therefore 360^\circ \times k + 45^\circ < \theta < 360^\circ \times k + 90^\circ$

따라서 $\theta$는 제1사분면의 각이다.

(ii) $n=2k+1$ ($k$는 정수)일 때,

$180^\circ \times (2k+1) + 45^\circ < \theta < 180^\circ \times (2k+1) + 90^\circ$

$\therefore 360^\circ \times k + 225^\circ < \theta < 360^\circ \times k + 270^\circ$

따라서 $\theta$는 제3사분면의 각이다.

(i), (ii)에서 각 $\theta$를 나타내는 동경이 존재할 수 있는 사분면은 제1사분면, 제3사분면이다.

**참고**

① $\theta$가 제1사분면의 각 ➡ $360^\circ \times n < \theta < 360^\circ \times n + 90^\circ$

② $\theta$가 제2사분면의 각 ➡ $360^\circ \times n + 90^\circ < \theta < 360^\circ \times n + 180^\circ$

③ $\theta$가 제3사분면의 각 ➡ $360^\circ \times n + 180^\circ < \theta < 360^\circ \times n + 270^\circ$

④ $\theta$가 제4사분면의 각 ➡ $360^\circ \times n + 270^\circ < \theta < 360^\circ \times n + 360^\circ$

(단, $n$은 정수)

### 2
① $\frac{10}{3}\pi = 2\pi \times 1 + \frac{4}{3}\pi$ ➡ 제3사분면의 각

② $-480^\circ = 360^\circ \times (-2) + 240^\circ$ ➡ 제3사분면의 각

③ $\frac{31}{6}\pi = 2\pi \times 2 + \frac{7}{6}\pi$ ➡ 제3사분면의 각

④ $-750^\circ = 360^\circ \times (-3) + 330^\circ$ ➡ 제4사분면의 각

⑤ $910^\circ = 360^\circ \times 2 + 190^\circ$ ➡ 제3사분면의 각

따라서 동경이 존재하는 사분면이 나머지 넷과 다른 하나는 ④이다.

### 3
각 $\theta$를 나타내는 동경과 각 $6\theta$를 나타내는 동경이 일직선 위에 있고 방향이 반대이므로

$6\theta - \theta = (2n+1)\pi$ ($n$은 정수)

$5\theta = (2n+1)\pi \qquad \therefore \theta = \frac{2n+1}{5}\pi$ …… ㉠

$\frac{\pi}{2} < \theta < \pi$이므로

$\frac{\pi}{2} < \frac{2n+1}{5}\pi < \pi$, $\frac{5}{2} < 2n+1 < 5$

$\frac{3}{2} < 2n < 4 \qquad \therefore \frac{3}{4} < n < 2$

이때 $n$은 정수이므로 $n=1$

$n=1$을 ㉠에 대입하면 $\theta = \frac{3}{5}\pi$

### 4
부채꼴의 반지름의 길이를 $r$, 호의 길이를 $l$이라 하면

$2r + l = 20$에서 $l = 20 - 2r$

이때 부채꼴의 넓이는

$\frac{1}{2}rl = \frac{1}{2}r(20-2r) = -r^2 + 10r = -(r-5)^2 + 25$

따라서 $r=5$일 때 부채꼴의 넓이가 최대이므로 구하는 반지름의 길이는 5이다.

### 5
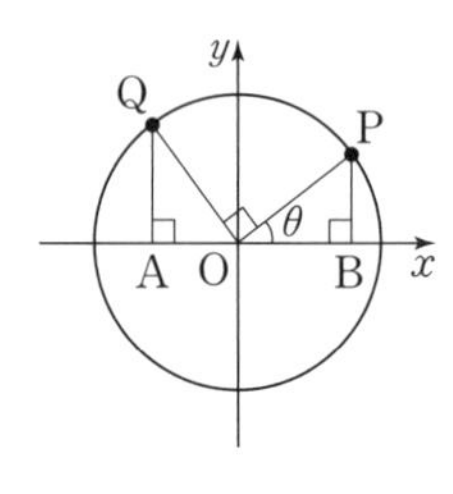


점 Q와 점 P에서 $x$축에 내린 수선의 발을 각각 A, B라 하면

$\angle QOA + \angle POB = 90^\circ$이므로

$\triangle QAO \equiv \triangle OBP$ (RHA 합동)

즉, 점 P의 좌표는 $(4, 3)$

따라서 $\overline{OP} = \sqrt{4^2 + 3^2} = 5$이므로

$\sin\theta = \frac{3}{5}$, $\tan\theta = \frac{3}{4}$

$\therefore \sin\theta \tan\theta = \frac{9}{20}$

### 6
각 $\theta$가 제4사분면의 각이므로 $\sin\theta < 0$, $\cos\theta > 0$에서

$\sin\theta - \cos\theta < 0$, $\cos\theta - \sin\theta > 0$

$\therefore \sqrt{(\sin\theta - \cos\theta)^2} + \sqrt{(\cos\theta - \sin\theta)^2}$

$= -(\sin\theta - \cos\theta) + (\cos\theta - \sin\theta)$

$= 2\cos\theta - 2\sin\theta$

### 7
$\sin\theta + \cos\theta = \frac{7}{5}$의 양변을 제곱하면

$\sin^2\theta + \cos^2\theta + 2\sin\theta\cos\theta = \frac{49}{25}$

$1 + 2\sin\theta\cos\theta = \frac{49}{25} \qquad \therefore \sin\theta\cos\theta = \frac{12}{25}$

$\therefore \tan\theta + \frac{1}{\tan\theta} = \frac{\sin\theta}{\cos\theta} + \frac{\cos\theta}{\sin\theta} = \frac{\sin^2\theta + \cos^2\theta}{\sin\theta\cos\theta}$

$= \frac{1}{\frac{12}{25}} = \frac{25}{12}$

$\sin\theta + \cos\theta = \frac{7}{5}$의 양변을 제곱하여 $\sin\theta\cos\theta$의 값을 구해.

## 2주 3일 필수 체크 전략 ①

52~55쪽

1-1 ③ 1-2 ㄱ, ㄷ 2-1 ④ 2-2 $\frac{\pi}{4}$
3-1 ① 3-2 0 4-1 ④
4-2 $0\le x<\frac{\pi}{3}$ 또는 $\frac{2}{3}\pi<x<\pi$

### 1-1

함수 $y=2\cos\frac{x}{2}+1$의 그래프는 다음 그림과 같다.

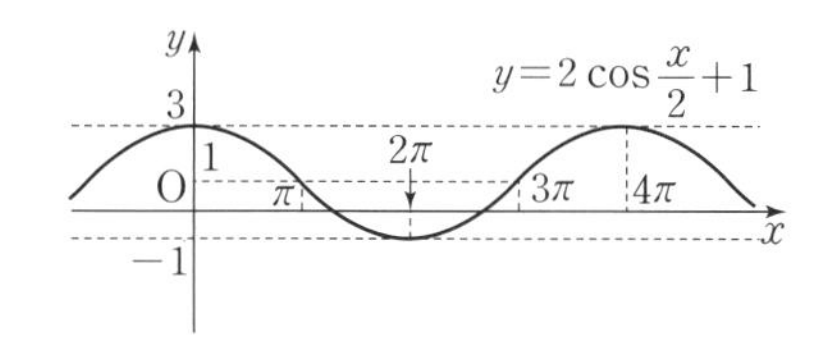


① 그래프는 $y$축에 대하여 대칭이다.

② 주기는 $\frac{2\pi}{\frac{1}{2}}=4\pi$이다.

④ 최솟값은 $-1$이다.

⑤ 그래프는 점 $(\pi, 1)$을 지난다.

따라서 옳은 것은 ③이다.

### 1-2

함수 $y=\tan\left(3x+\frac{\pi}{2}\right)$의 그래프는 다음 그림과 같다.

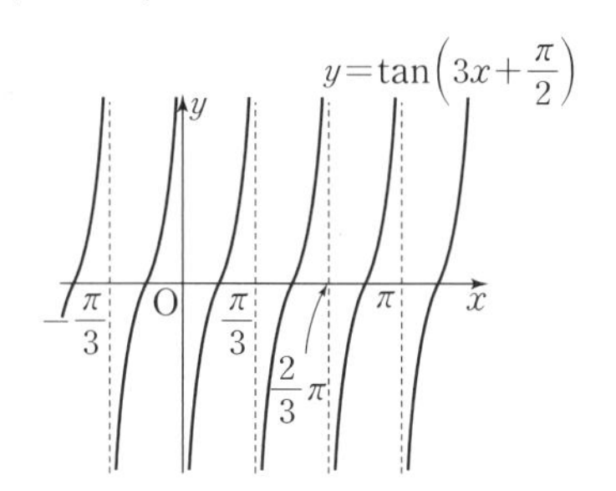


ㄴ. 치역은 실수 전체의 집합이다.

ㄷ. 함수 $y=\tan\left(3x+\frac{\pi}{2}\right)=\tan 3\left(x+\frac{\pi}{6}\right)$의 그래프는 함수 $y=\tan 3x$의 그래프를 $x$축의 방향으로 $-\frac{\pi}{6}$만큼 평행이동한 것이다.

따라서 옳은 것은 ㄱ, ㄷ이다.

### 2-1

주기가 $\pi$이고 $b>0$이므로

$\frac{2\pi}{b}=\pi$ $\therefore b=2$

또 $y=a\cos bx+2$의 최댓값이 4이고 $a>0$이므로

$a+2=4$ $\therefore a=2$

따라서 $f(x)=2\cos 2x+2$이므로 $f(\pi)=2\cos 2\pi+2=4$

### 2-2

$y=a\sin(bx-c)$의 그래프에서 최댓값은 2, 최솟값은 $-2$이고 $a>0$이므로 $a=2$

주기는 $\frac{9}{2}\pi-\frac{\pi}{2}=4\pi$이고 $b>0$이므로

$\frac{2\pi}{b}=4\pi$ $\therefore b=\frac{1}{2}$

또 $0<c<\frac{\pi}{2}$에서 주어진 그래프는 함수 $y=2\sin\frac{x}{2}$의 그래프를 $x$축의 방향으로 $\frac{\pi}{2}$만큼 평행이동한 것이므로

$y=2\sin\frac{1}{2}\left(x-\frac{\pi}{2}\right)=2\sin\left(\frac{x}{2}-\frac{\pi}{4}\right)$ $\therefore c=\frac{\pi}{4}$

$\therefore abc=\frac{\pi}{4}$

### 3-1

$\sin\frac{7}{3}\pi\tan\frac{2}{3}\pi-\cos\frac{11}{6}\pi\tan\frac{13}{3}\pi$

$=\sin\left(2\pi+\frac{\pi}{3}\right)\tan\left(\pi-\frac{\pi}{3}\right)-\cos\left(2\pi-\frac{\pi}{6}\right)\tan\left(4\pi+\frac{\pi}{3}\right)$

$=\sin\frac{\pi}{3}\left(-\tan\frac{\pi}{3}\right)-\cos\frac{\pi}{6}\tan\frac{\pi}{3}$

$=\frac{\sqrt{3}}{2}\times(-\sqrt{3})-\frac{\sqrt{3}}{2}\times\sqrt{3}=-3$

### 3-2

$\sin\left(\frac{\pi}{2}+\theta\right)=\cos\theta$, $\cos(\pi-\theta)=-\cos\theta$,

$\cos\left(\frac{3}{2}\pi+\theta\right)=\sin\theta$, $\sin(-\theta)=-\sin\theta$

$\therefore \sin\left(\frac{\pi}{2}+\theta\right)+\cos(\pi-\theta)+\cos\left(\frac{3}{2}\pi+\theta\right)+\sin(-\theta)$

$=\cos\theta+(-\cos\theta)+\sin\theta+(-\sin\theta)=0$

### 4-1

$\cos^2 x=1-\sin^2 x$이므로 $2\cos^2 x+\sin x=1$에서

$2(1-\sin^2 x)+\sin x=1$, $2\sin^2 x-\sin x-1=0$

$(2\sin x+1)(\sin x-1)=0$

$\therefore \sin x=-\frac{1}{2}$ 또는 $\sin x=1$

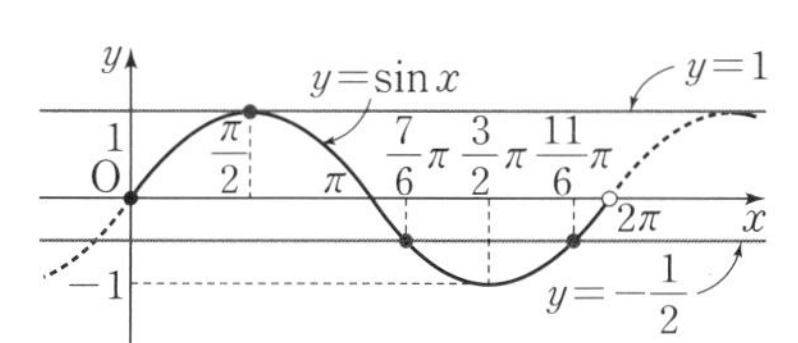


(i) $\sin x=-\frac{1}{2}$일 때, $x=\frac{7}{6}\pi$ 또는 $x=\frac{11}{6}\pi$

(ii) $\sin x=1$일 때, $x=\frac{\pi}{2}$

(i), (ii)에서 구하는 모든 근의 합은

$\frac{7}{6}\pi+\frac{11}{6}\pi+\frac{\pi}{2}=\frac{7}{2}\pi$

## 4-2

$|\tan x|<\sqrt{3}$에서 $-\sqrt{3}<\tan x<\sqrt{3}$

$0\le x<\pi$에서 함수 $y=\tan x$의 그래프와 직선 $y=-\sqrt{3}$, $y=\sqrt{3}$을 나타내면 오른쪽 그림과 같다.

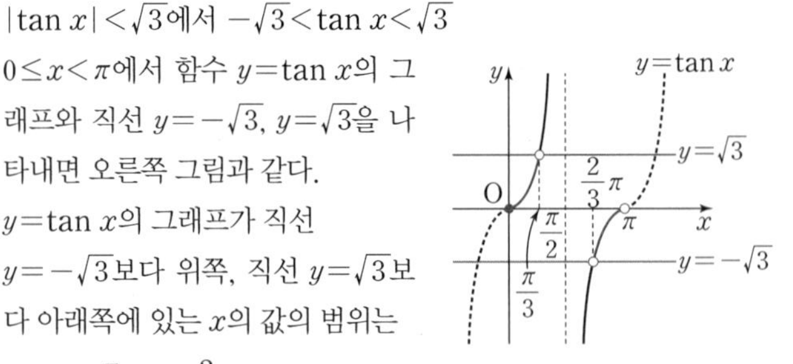


$y=\tan x$의 그래프가 직선 $y=-\sqrt{3}$보다 위쪽, 직선 $y=\sqrt{3}$보다 아래쪽에 있는 $x$의 값의 범위는

$0\le x<\frac{\pi}{3}$ 또는 $\frac{2}{3}\pi<x<\pi$

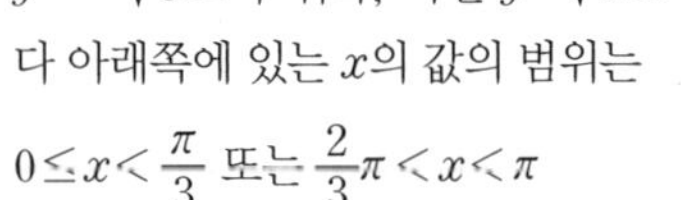

## 2주 3일 필수 체크 전략 ②

56, 57쪽

1 ⑤　2 ①　3 ①　4 ⑤
5 ①　6 ⑤

### 1

$0<a<\frac{\pi}{2}<b<\pi$이고 $\sin a=\sin b=k$이므로

$\frac{a+b}{2}=\frac{\pi}{2}$　　$\therefore a+b=\pi$

$2\pi<c<\frac{5}{2}\pi<d<3\pi$이고 $\sin c=\sin d=k$이므로

$\frac{c+d}{2}=\frac{5}{2}\pi$　　$\therefore c+d=5\pi$

$\therefore a+b+c+d=6\pi$

### 2

함수 $f(x)$의 주기가 $4\pi$이고 $b>0$이므로

$\frac{2\pi}{b}=4\pi$　　$\therefore b=\frac{1}{2}$

함수 $f(x)$의 최댓값이 3이고 $a>0$이므로

$a+c=3$　　…… ㉠

$f(2\pi)=-1$이므로 $a\cos\left(\pi-\frac{\pi}{2}\right)+c=a\cos\frac{\pi}{2}+c=-1$

$\therefore c=-1$

$c=-1$을 ㉠에 대입하면 $a=4$

$\therefore abc=4\times\frac{1}{2}\times(-1)=-2$

### 3

$y=\tan(ax-b)+2$의 그래프에서 주기는

$\frac{7}{4}\pi-\frac{\pi}{4}=\frac{3}{2}\pi$이고 $a>0$이므로

$\frac{\pi}{a}=\frac{3}{2}\pi$　　$\therefore a=\frac{2}{3}$

따라서 주어진 함수의 식은 $y=\tan\left(\frac{2}{3}x-b\right)+2$이고 그래프가 점 $\left(\frac{\pi}{4}, 2\right)$를 지나므로

$2=\tan\left(\frac{\pi}{6}-b\right)+2$, $\tan\left(\frac{\pi}{6}-b\right)=0$

이때 $0<b<\frac{\pi}{2}$에서 $-\frac{\pi}{3}<\frac{\pi}{6}-b<\frac{\pi}{6}$이므로

$\frac{\pi}{6}-b=0$　　$\therefore b=\frac{\pi}{6}$

$\therefore ab=\frac{2}{3}\times\frac{\pi}{6}=\frac{\pi}{9}$

### 4

$\sin^2 89°=\sin^2(90°-1°)=\cos^2 1°$,

$\sin^2 88°=\sin^2(90°-2°)=\cos^2 2°$,

⋮

$\sin^2 46°=\sin^2(90°-44°)=\cos^2 44°$

$\therefore \sin^2 1°+\sin^2 2°+\cdots+\sin^2 89°+\sin^2 90°$

$=(\sin^2 1°+\sin^2 89°)+(\sin^2 2°+\sin^2 88°)+\cdots+(\sin^2 44°+\sin^2 46°)+\sin^2 45°+\sin^2 90°$

$=(\sin^2 1°+\cos^2 1°)+(\sin^2 2°+\cos^2 2°)+\cdots+(\sin^2 44°+\cos^2 44°)+\left(\frac{\sqrt{2}}{2}\right)^2+1^2$

$=1\times 44+\left(\frac{\sqrt{2}}{2}\right)^2+1^2=\frac{91}{2}$

### 5

$-\pi\le x\le\pi$에서 $\cos x=0$이면 $x=-\frac{\pi}{2}$ 또는 $x=\frac{\pi}{2}$

이때 $-\sqrt{3}\sin x\ne 0$이 되어 방정식이 성립하지 않는다.

$\therefore \cos x\ne 0$

$\cos x=-\sqrt{3}\sin x$에서 양변을 $\cos x$로 나누면

$1=-\sqrt{3}\tan x$　　$\therefore \tan x=-\frac{\sqrt{3}}{3}$

$-\pi\le x\le\pi$에서 $y=\tan x$의 그래프와 직선 $y=-\frac{\sqrt{3}}{3}$을 나타내면 다음 그림과 같다.

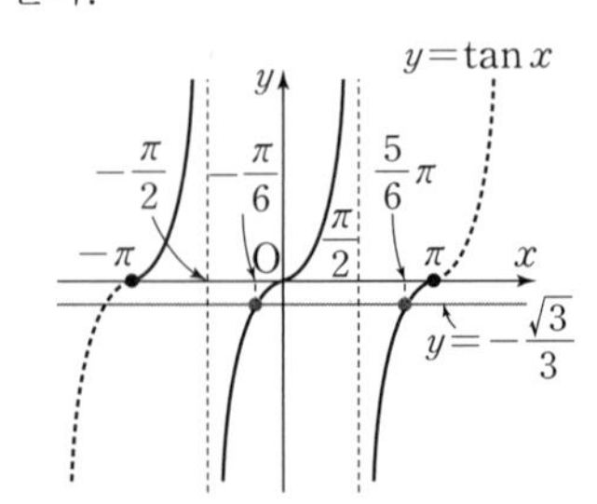


$y=\tan x$의 그래프와 직선 $y=-\frac{\sqrt{3}}{3}$의 교점의 $x$좌표를 구하면

$x=-\frac{\pi}{6}$ 또는 $x=\frac{5}{6}\pi$

따라서 $\theta_1=-\frac{\pi}{6}$, $\theta_2=\frac{5}{6}\pi$이므로 $\sin(\theta_2-\theta_1)=\sin\pi=0$

## 6

이차방정식 $x^2-2(\cos\theta+1)x+\cos^2\theta+2=0$의 판별식을 $D$라 하면

$\frac{D}{4}=(\cos\theta+1)^2-(\cos^2\theta+2)<0$, $2\cos\theta-1<0$

$\therefore \cos\theta<\frac{1}{2}$

$0\le\theta<2\pi$에서 $y=\cos\theta$의 그래프와 직선 $y=\frac{1}{2}$을 나타내면 다음 그림과 같다.

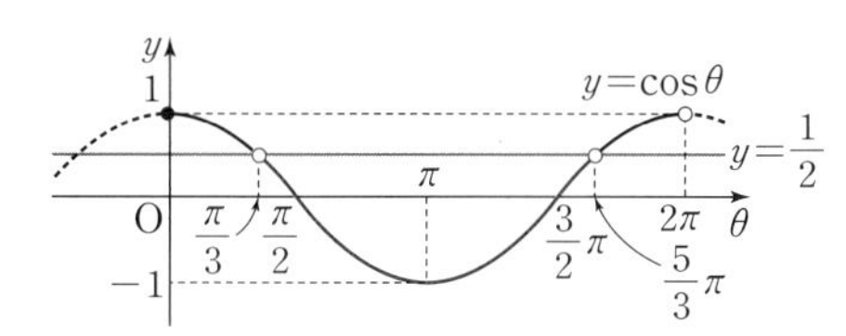


$y=\cos\theta$의 그래프가 직선 $y=\frac{1}{2}$보다 아래쪽에 있는 부분의 $\theta$의 값의 범위는

$\frac{\pi}{3}<\theta<\frac{5}{3}\pi$

따라서 $\alpha=\frac{\pi}{3}$, $\beta=\frac{5}{3}\pi$이므로 $\frac{\beta}{\alpha}=5$

## 2주 4일 교과서 대표 전략 ①

58~61쪽

| | | | |
|---|---|---|---|
| 1 ② | 2 ② | 3 ③ | 4 ③ |
| 5 ① | 6 제3사분면 | 7 ④ | 8 ③ |
| 9 ③ | 10 ③ | 11 ④ | 12 ④ |
| 13 ⑤ | 14 ⑤ | 15 ② | 16 $\frac{5}{3}$ |

## 1

$\theta$가 제3사분면의 각이므로

$360°\times n+180°<\theta<360°\times n+270°$ ($n$은 정수)

$\therefore 120°\times n+60°<\frac{\theta}{3}<120°\times n+90°$

(i) $n=3k$ ($k$는 정수)일 때

$360°\times k+60°<\frac{\theta}{3}<360°\times k+90°$

따라서 $\frac{\theta}{3}$는 제1사분면의 각이다.

(ii) $n=3k+1$ ($k$는 정수)일 때

$360°\times k+180°<\frac{\theta}{3}<360°\times k+210°$

따라서 $\frac{\theta}{3}$는 제3사분면의 각이다.

(iii) $n=3k+2$ ($k$는 정수)일 때

$360°\times k+300°<\frac{\theta}{3}<360°\times k+330°$

따라서 $\frac{\theta}{3}$는 제4사분면의 각이다.

(i), (ii), (iii)에서 각 $\frac{\theta}{3}$를 나타내는 동경이 존재할 수 없는 사분면은 제2사분면이다.

## 2

135°를 호도법으로 나타내면

$135\times\frac{\pi}{180}=\frac{3}{4}\pi$

① $-\frac{7}{2}\pi=2\pi\times(-2)+\frac{\pi}{2}$

② $-\frac{5}{4}\pi=2\pi\times(-1)+\frac{3}{4}\pi$

③ $\frac{11}{5}\pi=2\pi\times1+\frac{\pi}{5}$

④ $\frac{7}{3}\pi=2\pi\times1+\frac{\pi}{3}$

⑤ $\frac{13}{4}\pi=2\pi\times1+\frac{5}{4}\pi$

따라서 135°를 나타내는 동경과 일치하는 것은 ②이다.

## 3

각 $\theta$를 나타내는 동경과 각 $7\theta$를 나타내는 동경이 일치하므로

$7\theta-\theta=2n\pi$ ($n$은 정수)

$6\theta=2n\pi$ $\quad\therefore \theta=\frac{n}{3}\pi$ ...... ㉠

$\frac{\pi}{2}<\theta<\pi$이므로

$\frac{\pi}{2}<\frac{n}{3}\pi<\pi$ $\quad\therefore \frac{3}{2}<n<3$

이때 $n$은 정수이므로 $n=2$

$n=2$를 ㉠에 대입하면 $\theta=\frac{2}{3}\pi$

$\therefore \cos\frac{\theta}{2}=\cos\frac{\pi}{3}=\frac{1}{2}$

## 4

부채꼴의 반지름의 길이를 $r$라 하면

$54\pi=\frac{1}{2}\times r\times9\pi$ $\quad\therefore r=12$

중심각의 크기를 $\theta$라 하면

$12\theta=9\pi$ $\quad\therefore \theta=\frac{3}{4}\pi$

## 5

$\theta$가 제4사분면의 각이므로 각 $\theta$를 나타내는 동경을 OP라 할 때,

$\tan\theta=-\frac{1}{2}$에서 점 P의 좌표를 $(2, -1)$로 놓을 수 있다.

이때 $\overline{OP}=\sqrt{2^2+(-1)^2}=\sqrt{5}$이므로

$\sin\theta=-\frac{1}{\sqrt{5}}$, $\cos\theta=\frac{2}{\sqrt{5}}$

$\therefore 5\sin\theta\cos\theta=-2$

## 6

(ⅰ) $\sin\theta\cos\theta>0$에서

$\sin\theta>0$, $\cos\theta>0$ 또는 $\sin\theta<0$, $\cos\theta<0$

$\sin\theta>0$, $\cos\theta>0$일 때, 각 $\theta$는 제1사분면의 각

$\sin\theta<0$, $\cos\theta<0$일 때, 각 $\theta$는 제3사분면의 각

(ⅱ) $\cos\theta\tan\theta<0$에서

$\cos\theta>0$, $\tan\theta<0$ 또는 $\cos\theta<0$, $\tan\theta>0$

$\cos\theta>0$, $\tan\theta<0$일 때, 각 $\theta$는 제4사분면의 각

$\cos\theta<0$, $\tan\theta>0$일 때, 각 $\theta$는 제3사분면의 각

(ⅰ), (ⅱ)에서 각 $\theta$가 존재하는 사분면은 제3사분면이다.

## 7

$(\sin\theta+\cos\theta)^2=\sin^2\theta+2\sin\theta\cos\theta+\cos^2\theta$

$=1+\frac{2}{3}=\frac{5}{3}$

이때 $0<\theta<\frac{\pi}{2}$이므로 $\sin\theta>0$, $\cos\theta>0$

즉, $\sin\theta+\cos\theta>0$이므로

$\sin\theta+\cos\theta=\sqrt{\frac{5}{3}}=\frac{\sqrt{15}}{3}$

$\therefore \sin^3\theta+\cos^3\theta$

$=(\sin\theta+\cos\theta)^3-3\sin\theta\cos\theta(\sin\theta+\cos\theta)$

$=\left(\frac{\sqrt{15}}{3}\right)^3-3\times\frac{1}{3}\times\frac{\sqrt{15}}{3}$

$=\frac{5\sqrt{15}}{9}-\frac{\sqrt{15}}{3}=\frac{2\sqrt{15}}{9}$

## 8

이차방정식 $3x^2-2\sqrt{2}x+a=0$의 두 근이 $\sin\theta$, $\cos\theta$이므로 근과 계수의 관계에서

$\sin\theta+\cos\theta=\frac{2\sqrt{2}}{3}$ …… ㉠, $\sin\theta\cos\theta=\frac{a}{3}$ …… ㉡

㉠의 양변을 제곱하면

$\sin^2\theta+2\sin\theta\cos\theta+\cos^2\theta=\frac{8}{9}$, $1+2\sin\theta\cos\theta=\frac{8}{9}$

이 식에 ㉡을 대입하면

$1+\frac{2}{3}a=\frac{8}{9}$ $\quad\therefore a=-\frac{1}{6}$

## 9

함수 $y=\sin\pi x$의 그래프를 $x$축의 방향으로 $a$만큼, $y$축의 방향으로 1만큼 평행이동하면

$y-1=\sin\pi(x-a)$ $\quad\therefore y=\sin(\pi x-a\pi)+1$ …… ㉠

㉠의 그래프와 $y=\sin(\pi x+\pi)+b$의 그래프가 일치하므로

$-a\pi=\pi$, $1=b$에서 $a=-1$, $b=1$

$\therefore a+b=0$

## 10

$a>0$이므로 $f(x)=2\tan ax+b$의 점근선의 방정식은

$\frac{1}{a}\left(n\pi+\frac{\pi}{2}\right)=2n\pi+\pi$

$\frac{1}{a}=2$이므로 $a=\frac{1}{2}$

주어진 함수는 $y=2\tan\frac{x}{2}+b$이고 $f\left(\frac{\pi}{2}\right)=3$이므로

$2\tan\frac{\pi}{4}+b=3$, $2+b=3$ $\quad\therefore b=1$

$\therefore a+b=\frac{3}{2}$

## 11

$y=a\cos(2x+b)$의 그래프에서 최댓값은 2이고 $a>0$이므로

$a=2$

주어진 함수는 $y=2\cos(2x+b)$이고 점 $(0, 0)$을 지나므로

$0=2\cos b$ $\quad\therefore b=\frac{\pi}{2}$ ($\because 0<b\le\pi$)

$\therefore ab=\pi$

## 12

$\sin\frac{11}{3}\pi\cos\frac{7}{6}\pi+\cos\frac{2}{3}\pi\tan\frac{5}{4}\pi$

$=\sin\left(4\pi-\frac{\pi}{3}\right)\cos\left(\pi+\frac{\pi}{6}\right)+\cos\left(\pi-\frac{\pi}{3}\right)\tan\left(\pi+\frac{\pi}{4}\right)$

$=-\sin\frac{\pi}{3}\left(-\cos\frac{\pi}{6}\right)+\left(-\cos\frac{\pi}{3}\right)\tan\frac{\pi}{4}$

$=-\frac{\sqrt{3}}{2}\times\left(-\frac{\sqrt{3}}{2}\right)+\left(-\frac{1}{2}\right)\times1=\frac{1}{4}$

## 13

$\sin^2\theta+\cos^2\theta=1$에서

$\cos^2\theta=1-\sin^2\theta=1-\left(\frac{3}{5}\right)^2=\frac{16}{25}$

이때 각 $\theta$가 제2사분면의 각이므로 $\cos\theta<0$

$\therefore \cos\theta=-\frac{4}{5}$

$\sin\left(\frac{3}{2}\pi-\theta\right)=-\cos\theta$, $\cos\left(\frac{\pi}{2}-\theta\right)=\sin\theta$이므로

$5\left\{\sin\left(\frac{3}{2}\pi-\theta\right)+\cos\left(\frac{\pi}{2}-\theta\right)\right\}=5(-\cos\theta+\sin\theta)$

$=5\left(\frac{4}{5}+\frac{3}{5}\right)=7$

## 14

$\cos\left(\frac{\pi}{2}+\theta\right)=-\sin\theta$, $\sin(\pi-\theta)=\sin\theta$이므로

$y=\cos^2\left(\frac{\pi}{2}+\theta\right)+4\sin(\pi-\theta)=\sin^2\theta+4\sin\theta$

이때 $\sin\theta=t\ (-1\le t\le 1)$로 치환하면

$y=t^2+4t=(t+2)^2-4$이므로

$t=1$일 때 최댓값 $M=5$,

$t=-1$일 때 최솟값 $m=-3$

을 갖는다.

$\therefore M+m=2$

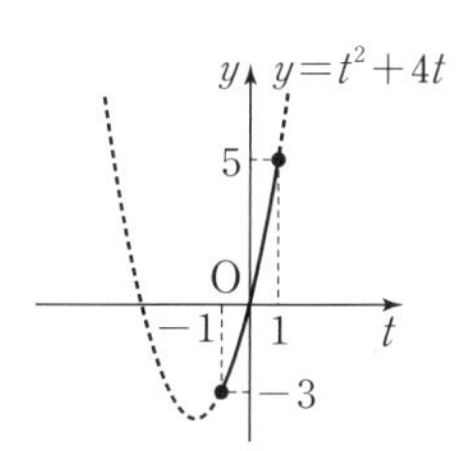


## 15

$\cos^2 x=1-\sin^2 x$이므로 $\sqrt{2}\cos^2 x+\sin x=\sqrt{2}$에서

$\sqrt{2}(1-\sin^2 x)+\sin x=\sqrt{2}$

$\sqrt{2}\sin^2 x-\sin x=0$, $\sin x(\sqrt{2}\sin x-1)=0$

$\therefore \sin x=0$ 또는 $\sin x=\dfrac{1}{\sqrt{2}}=\dfrac{\sqrt{2}}{2}$

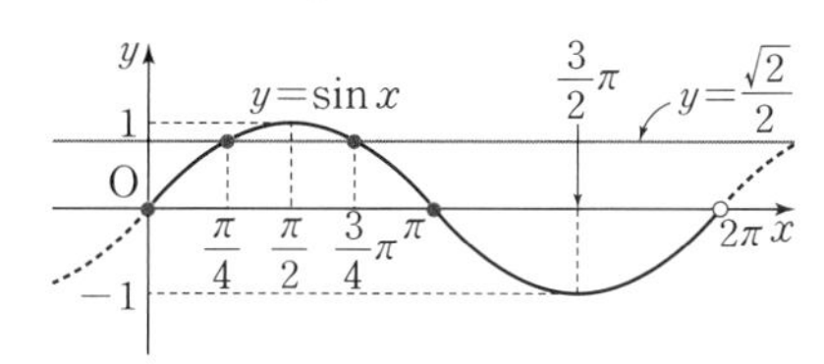


(i) $\sin x=0$일 때, $x=0$ 또는 $x=\pi$

(ii) $\sin x=\dfrac{\sqrt{2}}{2}$ 일 때, $x=\dfrac{\pi}{4}$ 또는 $x=\dfrac{3}{4}\pi$

(i), (ii)에서 구하는 해는

$x=0$ 또는 $x=\dfrac{\pi}{4}$ 또는 $x=\dfrac{3}{4}\pi$ 또는 $x=\pi$

따라서 모든 $x$의 값의 합은 $2\pi$

## 16

$x-\dfrac{\pi}{3}=t$로 치환하면 $0\le x<2\pi$에서 $-\dfrac{\pi}{3}\le t<\dfrac{5}{3}\pi$이고 주어진 부등식은 $\cos t\le -\dfrac{1}{2}$

$-\dfrac{\pi}{3}\le t<\dfrac{5}{3}\pi$에서 $y=\cos t$의 그래프와 직선 $y=-\dfrac{1}{2}$을 나타내면 다음 그림과 같다.

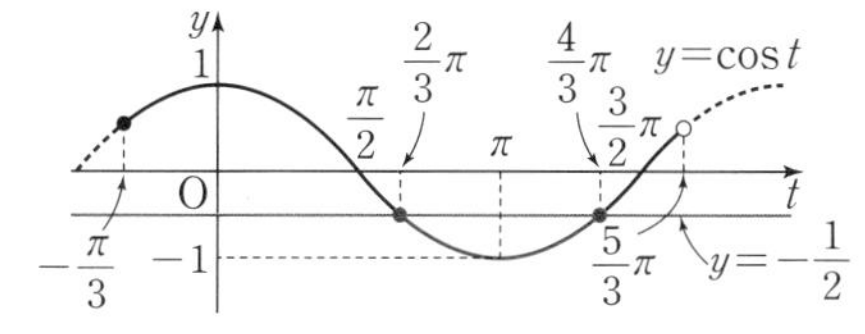


$y=\cos t$의 그래프가 직선 $y=-\dfrac{1}{2}$과 만나거나 아래쪽에 있는 $t$의 값의 범위는

$\dfrac{2}{3}\pi\le t\le\dfrac{4}{3}\pi$, $\dfrac{2}{3}\pi\le x-\dfrac{\pi}{3}\le\dfrac{4}{3}\pi$

$\therefore \pi\le x\le\dfrac{5}{3}\pi$

따라서 $\alpha=\pi$, $\beta=\dfrac{5}{3}\pi$이므로 $\dfrac{\beta}{\alpha}=\dfrac{5}{3}$

## 2주 4일 교과서 대표 전략 ②

62, 63쪽

| | | | |
|---|---|---|---|
| 1 ⑤ | 2 ③ | 3 ② | 4 44 |
| 5 1 | 6 ⑤ | 7 ② | 8 ④ |

## 1

① $-580^\circ=360^\circ\times(-2)+140^\circ$ ➡ $\alpha=140$

② $-175^\circ=360^\circ\times(-1)+185^\circ$ ➡ $\alpha=185$

③ $475^\circ=360^\circ\times1+115^\circ$ ➡ $\alpha=115$

④ $\dfrac{10}{3}\pi=\dfrac{10}{3}\pi\times\dfrac{180^\circ}{\pi}=600^\circ$이므로

$600^\circ=360^\circ\times1+240^\circ$ ➡ $\alpha=240$

⑤ $\dfrac{17}{4}\pi=\dfrac{17}{4}\pi\times\dfrac{180^\circ}{\pi}=765^\circ$이므로

$765^\circ=360^\circ\times2+45^\circ$ ➡ $\alpha=45$

따라서 $\alpha$의 값이 가장 작은 것은 ⑤이다.

## 2

각 $\theta$를 나타내는 동경과 각 $2\theta$를 나타내는 동경이 직선 $y=x$에 대하여 대칭이므로

$\theta+2\theta=2n\pi+\dfrac{\pi}{2}$ ($n$은 정수)

$3\theta=2n\pi+\dfrac{\pi}{2}$ $\quad\therefore \theta=\dfrac{2n}{3}\pi+\dfrac{\pi}{6}$

$0<\theta<2\pi$에서 $0<\dfrac{2n}{3}\pi+\dfrac{\pi}{6}<2\pi$이므로

$-\dfrac{1}{6}<\dfrac{2n}{3}<\dfrac{11}{6}$ $\quad\therefore -\dfrac{1}{4}<n<\dfrac{11}{4}$

$n$은 정수이므로 $n=0$ 또는 $n=1$ 또는 $n=2$

따라서 구하는 각 $\theta$의 개수는 3이다.

**참고**

두 각 $\alpha$, $\beta$를 나타내는 동경이

(1) $x$축에 대하여 대칭이다.

➡ $\alpha+\beta=2n\pi$ ($n$은 정수)

(2) $y$축에 대하여 대칭이다.

➡ $\alpha+\beta=(2n+1)\pi$ ($n$은 정수)

(3) 직선 $y=x$에 대하여 대칭

➡ $\alpha+\beta=2n\pi+\dfrac{\pi}{2}$ ($n$은 정수)

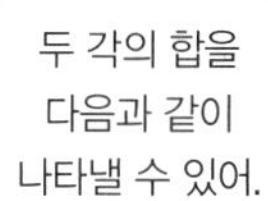

## 3

$\sqrt{\cos\theta}\sqrt{\tan\theta}=-\sqrt{\cos\theta\tan\theta}$이므로

$\cos\theta<0$, $\tan\theta<0$ ($\because \sin\theta\ne0$)

이때 $\dfrac{\sin\theta}{\cos\theta}=\tan\theta$에서 $\sin\theta>0$

ㄱ. $\sin\theta+\cos\theta>0$인지 $\sin\theta+\cos\theta<0$인지 알 수 없다.

ㄷ. $\dfrac{\tan\theta}{\sin\theta}<0$

따라서 옳은 것은 ㄴ이다.

**4**

$\sin\theta+\cos\theta=\frac{1}{2}$의 양변을 제곱하면

$\sin^2\theta+2\sin\theta\cos\theta+\cos^2\theta=\frac{1}{4}$

$1+2\sin\theta\cos\theta=\frac{1}{4}$ $\therefore \sin\theta\cos\theta=-\frac{3}{8}$

$$\begin{aligned}\therefore\ &\frac{9}{\sin\theta}\left(\tan^2\theta+\frac{1}{\tan\theta}\right)\\&=\frac{9}{\sin\theta}\left(\frac{\sin^2\theta}{\cos^2\theta}+\frac{\cos\theta}{\sin\theta}\right)=\frac{9}{\sin\theta}\times\frac{\sin^3\theta+\cos^3\theta}{\sin\theta\cos^2\theta}\\&=\frac{9\{(\sin\theta+\cos\theta)^3-3\sin\theta\cos\theta(\sin\theta+\cos\theta)\}}{(\sin\theta\cos\theta)^2}\\&=\frac{9\left\{\left(\frac{1}{2}\right)^3-3\times\left(-\frac{3}{8}\right)\times\frac{1}{2}\right\}}{\left(-\frac{3}{8}\right)^2}=44\end{aligned}$$

**5**

함수 $f(x)=\cos 2x$의 그래프는 다음 그림과 같다.

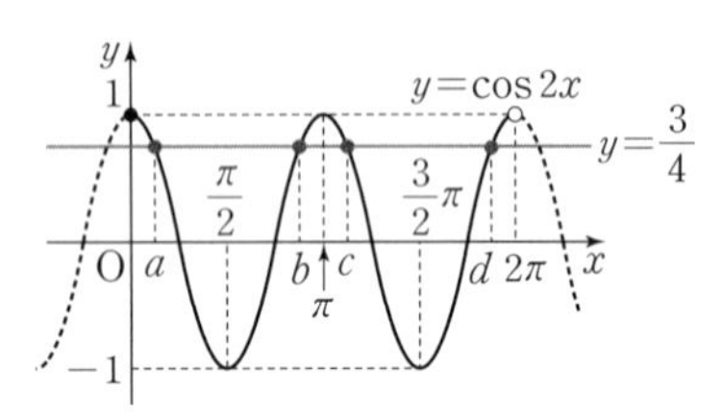


함수 $f(x)=\cos 2x$에서

$\frac{a+d}{2}=\pi$, $\frac{b+c}{2}=\pi$

즉, $a+d=2\pi$, $b+c=2\pi$이므로

$f\left(\frac{a+b+c+d}{4}\right)=f(\pi)=\cos 2\pi=1$

**6**

$f(x)=a\sin bx+c$ 또는 $f(x)=a\cos bx+c$ $(a>0,\ b>0)$로 놓으면 $f(x)$의 최댓값이 2, 최솟값이 $-4$이므로

$a+c=2$, $-a+c=-4$

두 식을 연립하여 풀면 $a=3$, $c=-1$

또 주어진 그래프의 주기가 $\pi$이므로

$\frac{2\pi}{b}=\pi$ $\therefore b=2$

$\therefore f(x)=3\sin 2x-1$ 또는 $f(x)=3\cos 2x-1$

이때 $y=f(x)$의 그래프가 점 $(0, 2)$를 지나므로

$f(x)=3\cos 2x-1$

참고

① 최댓값: 0, 최솟값: $-2$, 주기: $2\pi$

② 최댓값: 1, 최솟값: $-3$, 주기: $\pi$

③ 최댓값: 3, 최솟값: $-1$, 주기: $\pi$

④ 최댓값: 2, 최솟값: $-4$, 주기: $\pi$

**7**

$\sin\left(\frac{\pi}{2}+x\right)=\cos x$, $\sin(\pi+x)=-\sin x$,

$\cos\left(\frac{\pi}{2}-x\right)=\sin x$, $\cos(\pi-x)=-\cos x$

이므로 주어진 방정식은

$\cos x-\sin x=\sin x-\cos x$

$2\sin x=2\cos x$ $\therefore \sin x=\cos x$

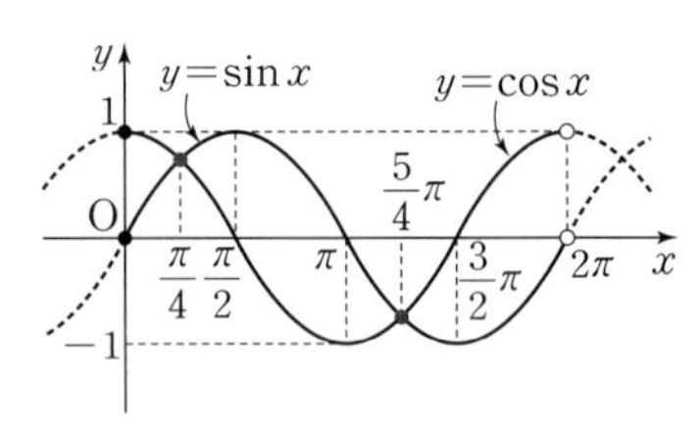


$0\le x<2\pi$에서 $y=\sin x$의 그래프와 $y=\cos x$의 그래프의 교점의 $x$좌표를 구하면

$x=\frac{\pi}{4}$ 또는 $x=\frac{5}{4}\pi$

따라서 모든 $x$의 값의 합은 $\frac{3}{2}\pi$

**9**

이차방정식 $x^2+2x\sin\theta+1-\cos\theta=0$의 판별식을 $D$라 하면

$\frac{D}{4}=\sin^2\theta-(1-\cos\theta)\ge 0$

$(1-\cos^2\theta)+\cos\theta-1\ge 0$, $\cos^2\theta-\cos\theta\le 0$

$\cos\theta(\cos\theta-1)\le 0$ $\therefore 0\le\cos\theta\le 1$

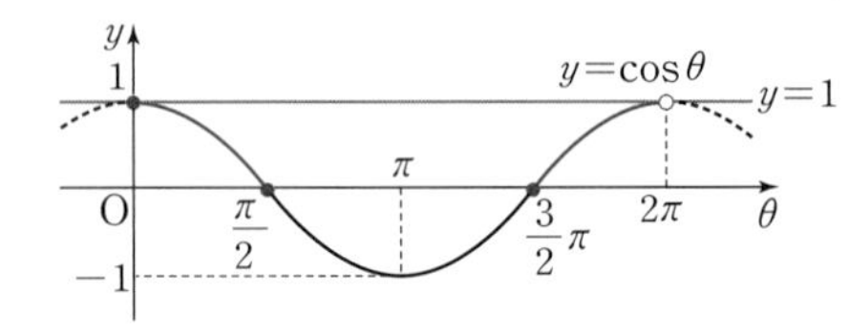


$y=\cos\theta$의 그래프가 0보다 크거나 같고 직선 $y=1$과 만나거나 아래쪽에 있는 $\theta$의 값의 범위는

$0\le\theta\le\frac{\pi}{2}$ 또는 $\frac{3}{2}\pi\le\theta<2\pi$

따라서 $\theta$의 값이 될 수 없는 것은 ④이다.

## 2주 누구나 합격 전략

64, 65쪽

| | | | |
|---|---|---|---|
| 1 ④ | 2 ⑤ | 3 ③ | 4 ⑤ |
| 5 ① | 6 ④ | 7 ② | 8 $-\frac{7}{8}$ |
| 9 ② | 10 ② | | |

### 1

① $420^\circ=360^\circ\times1+60^\circ$

② $-660^\circ=360^\circ\times(-2)+60^\circ$

③ $1140^\circ=360^\circ\times3+60^\circ$

④ $\frac{8}{3}\pi=2\pi\times1+\frac{2}{3}\pi$

⑤ $-\frac{5}{3}\pi=2\pi\times(-1)+\frac{\pi}{3}$

따라서 각을 나타내는 동경이 나머지 넷과 다른 하나는 ④이다.

### 2

부채꼴의 반지름의 길이가 6, 중심각의 크기가 $a\pi$이므로

$6\times a\pi=4\pi$에서 $a=\frac{2}{3}$

또 부채꼴의 넓이는

$\frac{1}{2}\times6\times4\pi=12\pi$이므로 $b=12$

$\therefore \frac{b}{a}=\frac{12}{\frac{2}{3}}=18$

### 3

$\sin^2\theta+\cos^2\theta=1$에서

$\cos^2\theta=1-\sin^2\theta=1-\left(-\frac{12}{13}\right)^2=\frac{25}{169}$

이때 각 $\theta$가 제3사분면의 각이므로 $\cos\theta<0$

$\therefore \cos\theta=-\frac{5}{13}$

$\tan\theta=\frac{\sin\theta}{\cos\theta}$이므로 $\tan\theta=\frac{12}{5}$

$\therefore 13\cos\theta+10\tan\theta=13\times\left(-\frac{5}{13}\right)+10\times\frac{12}{5}=19$

### 4

$(\sin\theta-\cos\theta)^2=\sin^2\theta-2\sin\theta\cos\theta+\cos^2\theta$

$=1-2\times\left(-\frac{1}{4}\right)=\frac{3}{2}$

이때 각 $\theta$가 제2사분면의 각이므로 $\sin\theta>0$, $\cos\theta<0$

따라서 $\sin\theta-\cos\theta>0$이므로

$\sin\theta-\cos\theta=\sqrt{\frac{3}{2}}=\frac{\sqrt{6}}{2}$

$\therefore \frac{1}{\sin\theta}-\frac{1}{\cos\theta}=\frac{\cos\theta-\sin\theta}{\sin\theta\cos\theta}$

$=-\frac{\sqrt{6}}{2}\times(-4)=2\sqrt{6}$

### 5

이차방정식 $9x^2-3x+k=0$의 두 근이 $\sin\theta$, $\cos\theta$이므로

이차방정식의 근과 계수의 관계에서

$\sin\theta+\cos\theta=\frac{1}{3}$ …… ㉠, $\sin\theta\cos\theta=\frac{k}{9}$ …… ㉡

㉠의 양변을 제곱하면

$\sin^2\theta+2\sin\theta\cos\theta+\cos^2\theta=\frac{1}{9}$, $1+2\sin\theta\cos\theta=\frac{1}{9}$

이 식에 ㉡을 대입하면

$1+\frac{2}{9}k=\frac{1}{9}$, $\frac{2}{9}k=-\frac{8}{9}$ $\therefore k=-4$

### 6

함수 $y=a\sin\frac{\pi x}{b}+2$의 최솟값이 0이고 $a>0$이므로

$-a+2=0$ $\therefore a=2$

주기는 8이고 $b>0$이므로

$\frac{2\pi}{\frac{\pi}{b}}=8$, $2b=8$ $\therefore b=4$

$\therefore a+b=6$

### 7

① $y=\tan2\left(x-\frac{\pi}{2}\right)+1$의 그래프는 $y=\tan2x$의 그래프를 $x$축의 방향으로 $\frac{\pi}{2}$만큼, $y$축의 방향으로 1만큼 평행이동한 것이므로 $y=\tan2x$의 그래프와 겹친다.

② $x=0$일 때, $y=\tan(-\pi)+1=1$이므로 그래프는 점 $(0, 1)$을 지난다.

③ 점근선의 방정식은
$x=\frac{1}{2}\left(n\pi+\frac{\pi}{2}\right)+\frac{\pi}{2}=\frac{n}{2}\pi+\frac{3}{4}\pi$ ($n$은 정수)

④ 치역은 실수 전체의 집합이다.

⑤ 주기는 $\frac{\pi}{2}$이다.

따라서 옳지 않은 것은 ②이다.

### 8

$y=-2\sin^2x+\sin x+1$에서

$\sin x=t$ $(-1\le t\le1)$로 치환하면

$y=-2t^2+t+1=-2\left(t-\frac{1}{4}\right)^2+\frac{9}{8}$이므로

$t=\frac{1}{4}$일 때 최댓값은 $\frac{9}{8}$,

$t=-1$일 때 최솟값은 $-2$

를 갖는다.

따라서 최댓값과 최솟값의 합은

$-\frac{7}{8}$이다.

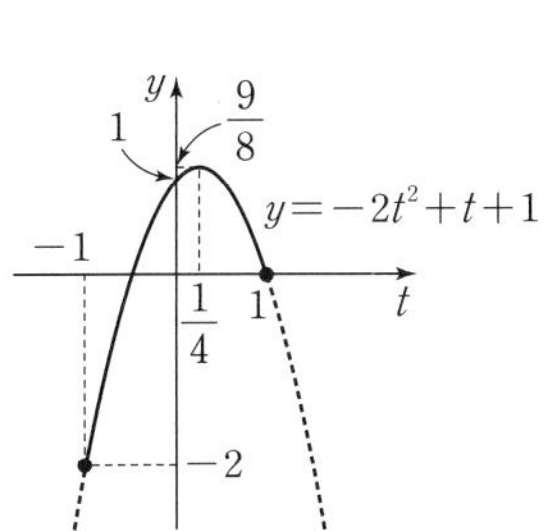

**9**

$\cos\left(\frac{\pi}{2}-\theta\right)=\sin\theta$, $\sin(\pi+\theta)=-\sin\theta$,

$\cos(\pi-\theta)=-\cos\theta$, $\sin\left(\frac{\pi}{2}+\theta\right)=\cos\theta$

$\therefore \cos\left(\frac{\pi}{2}-\theta\right)\sin(\pi+\theta)+\cos(\pi-\theta)\sin\left(\frac{\pi}{2}+\theta\right)$

$=\sin\theta\times(-\sin\theta)+(-\cos\theta)\times\cos\theta$

$=-(\sin^2\theta+\cos^2\theta)=-1$

**10**

$\cos^2 x=1-\sin^2 x$이므로 $4\cos^2 x-4\sin x=5$에서

$4(1-\sin^2 x)-4\sin x=5$, $4\sin^2 x+4\sin x+1=0$

$(2\sin x+1)^2=0 \qquad \therefore \sin x=-\frac{1}{2}$

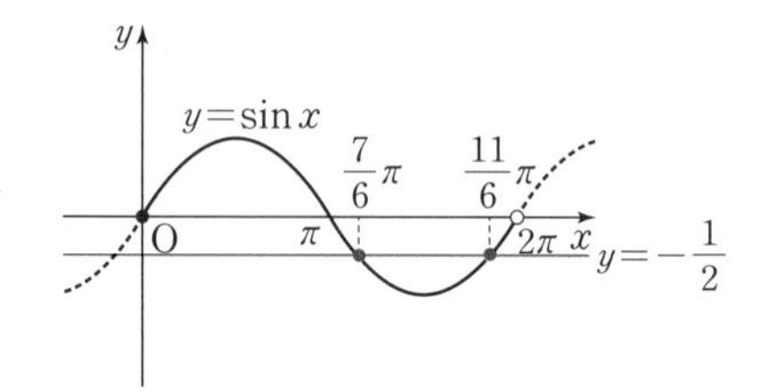


$0\le x<2\pi$에서 $y=\sin x$의 그래프와 직선 $y=-\frac{1}{2}$의 교점의 $x$좌표를 구하면

$x=\frac{7}{6}\pi$ 또는 $x=\frac{11}{6}\pi$

따라서 구하는 모든 $x$의 값의 합은 $3\pi$

## 2주 창의·융합·코딩 전략 66~69쪽

**1** $450\pi\ \text{cm}^2$ **2** ④ **3** ② **4** 약 4°
**5** $\frac{\sin\theta}{\cos\theta}=\tan\theta$ **6** (1) 5 cm (2) 1초
**7** ⑤ **8** ⑤

**1**

구하는 부분의 넓이는 큰 부채꼴의 넓이에서 작은 부채꼴의 넓이를 뺀 부분이다.

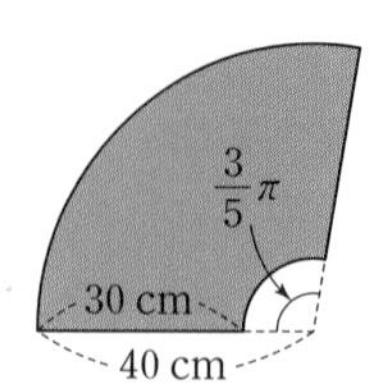


큰 부채꼴의 넓이를 $S_1$이라 하면

$S_1=\frac{1}{2}\times40^2\times\frac{3}{5}\pi=480\pi$

작은 부채꼴의 반지름의 길이는

$40-30=10$ (cm)이므로 넓이를 $S_2$라 하면

$S_2=\frac{1}{2}\times10^2\times\frac{3}{5}\pi=30\pi$

따라서 구하는 넓이는

$480\pi-30\pi=450\pi(\text{cm}^2)$

**2**

부채꼴의 반지름의 길이를 $r$라 하면 둘레의 길이가 50 m이므로 호의 길이는 $(50-2r)$ m이다. 이때 부채꼴의 넓이 $S$는

$S=\frac{1}{2}r(50-2r)=-r^2+25r$

$=-\left(r-\frac{25}{2}\right)^2+\frac{625}{4}$ (단, $0<r<25$)

따라서 $r=\frac{25}{2}$ (m)일 때 부채꼴의 넓이가 $\frac{625}{4}\ \text{m}^2$로 최대이므로 이때의 중심각의 크기를 $\theta$라 하면

$50-2\times\frac{25}{2}=\frac{25}{2}\theta \qquad \therefore \theta=2$

즉, 넓이를 최대로 하는 중심각의 크기는 2(라디안)이고

$\frac{\pi}{2}\fallingdotseq\frac{3.14}{2}<2<\frac{2}{3}\pi\fallingdotseq\frac{6.28}{3}$

따라서 닭장의 모양으로 적절한 것은 ④이다.

**3**

반지름의 길이가 1이고 중심각의 크기가 $\frac{4}{3}$(라디안)인 부채꼴의 넓이는 $\frac{1}{2}\times1^2\times\frac{4}{3}=\frac{2}{3}$

반지름의 길이가 1인 원의 넓이는 $\pi$이므로 중심각의 크기가 $\frac{4}{3}$(라디안)인 부채꼴을 겹치지 않게 최대 $n$개까지 그릴 수 있다고 하면

$\frac{2}{3}n<\pi \qquad \therefore n<\frac{3}{2}\pi=4.71\times\times\times$

$n$은 정수이므로 부채꼴을 겹치지 않게 최대 4개까지 그릴 수 있다.

**4**

경사도는 수직 거리를 수평 거리로 나눈 값이므로

$\tan\theta=\frac{7}{100}=0.07$

삼각함수표에서 $\tan 4°=0.0699$이므로 구하는 각 $\theta$의 크기는 약 4°이다.

**5**

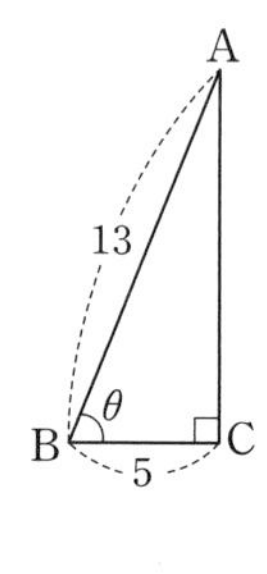


삼각형 ABC에서 $\overline{AC}=\sqrt{13^2-5^2}=12$이므로

$\sin\theta=\frac{\overline{AC}}{\overline{AB}}=\frac{12}{13}$, $\cos\theta=\frac{\overline{BC}}{\overline{AB}}=\frac{5}{13}$,

$\tan\theta=\frac{\overline{AC}}{\overline{BC}}=\frac{12}{5}$

이때 $\frac{\sin\theta}{\cos\theta}=\frac{\frac{12}{13}}{\frac{5}{13}}=\frac{12}{5}$이므로

$\frac{\sin\theta}{\cos\theta}=\tan\theta$

## 6

함수 $x=5\cos 2\pi t+10\ (t\geq 0)$의 주기는 $\frac{2\pi}{2\pi}=1$이고, 최댓값은 15, 최솟값은 5이므로 그 그래프는 다음과 같다.

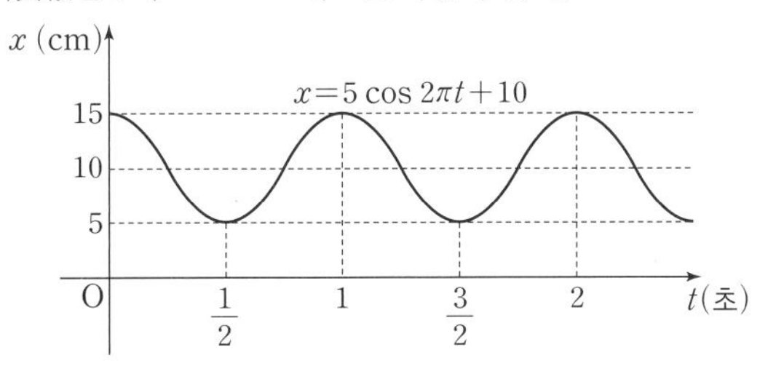


(1) $5\leq x\leq 15$이므로 용수철의 길이가 가장 짧을 때의 길이는 5 cm이다.

참고

$\cos 2\pi t=-1$일 때 $x$가 최솟값을 가지므로 그때의 용수철의 길이 $x$는 $5\times(-1)+10=5$ (cm)

(2) 주기는 1이므로 용수철의 길이는 1초마다 한 번씩 15 cm가 된다.

## 7

$\alpha=\frac{\pi}{22}$에서 $11\alpha=\frac{\pi}{2}$이므로

$10\alpha=\frac{\pi}{2}-\alpha,\ 9\alpha=\frac{\pi}{2}-2\alpha,\ \cdots,\ 6\alpha=\frac{\pi}{2}-5\alpha$

이다. 이를 이용하여 각 항을 변형하면

$\sin\alpha\cos 10\alpha=\sin\alpha\cos\left(\frac{\pi}{2}-\alpha\right)=\sin^2\alpha$

$\sin 2\alpha\cos 9\alpha=\sin 2\alpha\cos\left(\frac{\pi}{2}-2\alpha\right)=\sin^2 2\alpha$

$\vdots$

$\sin 5\alpha\cos 6\alpha=\sin 5\alpha\cos\left(\frac{\pi}{2}-5\alpha\right)=\sin^2 5\alpha$

$\sin 6\alpha\cos 5\alpha=\sin\left(\frac{\pi}{2}-5\alpha\right)\cos 5\alpha=\cos^2 5\alpha$

$\vdots$

$\sin 9\alpha\cos 2\alpha=\sin\left(\frac{\pi}{2}-2\alpha\right)\cos 2\alpha=\cos^2 2\alpha$

$\sin 10\alpha\cos\alpha=\sin\left(\frac{\pi}{2}-\alpha\right)\cos\alpha=\cos^2\alpha$

$$\begin{aligned}\therefore (\text{주어진 식})&=\sin^2\alpha+\sin^2 2\alpha+\cdots+\sin^2 5\alpha\\&\quad+\cos^2 5\alpha+\cdots+\cos^2 2\alpha+\cos^2\alpha\\&=(\sin^2\alpha+\cos^2\alpha)+(\sin^2 2\alpha+\cos^2 2\alpha)\\&\quad+\cdots+(\sin^2 5\alpha+\cos^2 5\alpha)\\&=5\end{aligned}$$

## 8

$\frac{\pi}{6}x=t$로 놓으면 $0\leq x<24$에서

$0\leq\frac{\pi}{6}x<4\pi$, 즉 $0\leq t<4\pi$

해수면의 높이 $h(x)=7.4$ m 이상일 때 여객선을 댈 수 있으므로

$5+4.8\sin t\geq 7.4,\ \sin t\geq\frac{1}{2}$

$0\leq t<4\pi$에서 $y=\sin t$의 그래프와 직선 $y=\frac{1}{2}$을 나타내면 다음 그림과 같다.

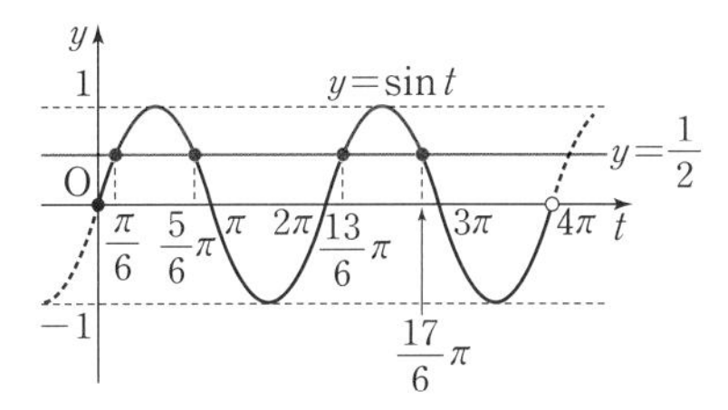


$y=\sin t$의 그래프가 직선 $y=\frac{1}{2}$과 만나거나 위쪽에 있는 $t$의 값의 범위는

$\frac{\pi}{6}\leq t\leq\frac{5}{6}\pi$ 또는 $\frac{13}{6}\pi\leq t\leq\frac{17}{6}\pi$

(i) $\frac{\pi}{6}\leq\frac{\pi}{6}x\leq\frac{5}{6}\pi$일 때, $1\leq x\leq 5$

(ii) $\frac{13}{6}\pi\leq\frac{\pi}{6}x\leq\frac{17}{6}\pi$일 때, $13\leq x\leq 17$

따라서 여객선을 댈 수 있는 시간은 하루에 8시간 동안이다.

## 신유형·신경향·서술형 전략

72~75쪽

**1** 은선, 수민, 민호 **2** ③ **3** 풀이 참조

**4** (1) $a\times\left(\frac{89}{100}\right)^n$ (2) 14번

**5** (1) 60°, 120° (2) $a=-1,\ b=1,\ c=-1$

**6** ③ **07** ② **08** $16\pi$

## 1

은선 : 0의 제곱근은 0이므로

$P(0, 2)=1$

수민 : $-125$의 세제곱근 중 실수인 것은 $\sqrt[3]{-125}=-5$이므로

$P(-125, 3)=1$

소영 : $-1$의 네제곱근 중 실수인 것은 없으므로

$P(-1, 4)=0$

민호 : $\frac{1}{81}$의 다섯제곱근 중 실수인 것은 $\sqrt[5]{\frac{1}{81}}$이므로

$P\left(\frac{1}{81}, 5\right)=1$

애린 : 64의 여섯제곱근 중 실수인 것은 $\sqrt[6]{64}=2,\ -\sqrt[6]{64}=-2$이므로

$P(64, 6)=2$

따라서 $P(a, n)=1$인 것을 말한 사람은 은선, 수민, 민호이다.

## 2

$\sqrt{\frac{n}{10}}=p$ ($p$는 자연수)라 하면

$\frac{n}{10}=p^2$에서 $n=\boxed{10}\times p^2$ 꼴이어야 한다.

$\sqrt[3]{\frac{n}{6}}=q$ ($q$는 자연수)라 하면

$\frac{n}{6}=q^3$에서 $n=\boxed{6}\times q^3$ 꼴이어야 한다.

$\boxed{10}\times p^2=\boxed{6}\times q^3$, 즉 $5\times p^2=3\times q^3$에서

$p$는 3의 배수, $q$는 5의 배수이어야 하므로

$p=3k$, $q=5l$ ($k$, $l$은 자연수)

로 놓을 수 있다.

$n=10p^2$에서 $n=2\times5\times(3k)^2=2\times3^2\times5\times k^2$

$n=6q^3$에서 $n=2\times3\times(5l)^3=2\times3\times5^3\times l^3$

따라서 $k=3\times5$, $l=3$, 즉 $p=\boxed{45}$, $q=\boxed{15}$일 때, $n$의 값이 최소이므로 구하는 $n$의 최솟값은

$n=10\times45^2=2\times\boxed{3^4}\times5^3$

따라서 $a=10$, $b=6$, $c=45$, $d=15$, $e=3^4$이므로

$\frac{9abc}{de}=\frac{9\times10\times6\times45}{15\times3^4}=20$

## 3

경욱 : $\log_3 4=\log_{3^2} 4^2=\log_9 16<\log_9 19$

이므로 $\log_3 4<\log_9 19$

승희 : $\log_9 19=\frac{\log_3 19}{\log_3 9}=\frac{1}{2}\log_3 19=\log_3\sqrt{19}>\log_3 4$

이므로 $\log_3 4<\log_9 19$

## 4

(1) 처음 불순물의 양을 $a$라 할 때, 정수 필터를

1번 통과한 후 남은 불순물의 양은 $a\times\frac{89}{100}$

2번 통과한 후 남은 불순물의 양은 $a\times\left(\frac{89}{100}\right)^2$

3번 통과한 후 남은 불순물의 양은 $a\times\left(\frac{89}{100}\right)^3$

⋮

따라서 정수 필터를 $n$번 통과한 후 남은 불순물의 양은

$a\times\left(\frac{89}{100}\right)^n$

(2) 불순물의 양을 처음 불순물의 양의 20 % 이하가 되게 하려면

$a\times\left(\frac{89}{100}\right)^n\le a\times\frac{20}{100}$에서 $\left(\frac{8.9}{10}\right)^n\le\frac{2}{10}$

양변에 상용로그를 취하면

$n(\log 8.9-1)\le\log 2-1$, $n(0.95-1)\le0.3-1$

$0.05n\ge0.7$ $\quad\therefore n\ge14$

따라서 최소한 14번 통과시켜야 한다.

## 5

(1) 두 각 $\theta$와 $5\theta$를 나타내는 두 동경이 $x$축에 대하여 대칭이므로

$\theta+5\theta=360^\circ\times n$ ($n$은 정수)

$6\theta=360^\circ\times n$ $\quad\therefore \theta=60^\circ\times n$

$0^\circ<\theta<180^\circ$이므로 $0^\circ<60^\circ\times n<180^\circ$ $\quad\therefore 0<n<3$

이때 $n$은 정수이므로 $n=1$ 또는 $n=2$

$\therefore \theta=60^\circ$ 또는 $\theta=120^\circ$

(2) $\theta+5\theta=2\pi\times n$ ($n$은 정수)에서 $5\theta=2n\pi-\theta$

$\sin 5\theta=\sin(2n\pi-\theta)=\sin(-\theta)=-\sin\theta$

$\therefore a=-1$

$\cos 5\theta=\cos(2n\pi-\theta)=\cos(-\theta)=\cos\theta$

$\therefore b=1$

$\tan 5\theta=\tan(2n\pi-\theta)=\tan(-\theta)=-\tan\theta$

$\therefore c=-1$

## 6

$\overline{OA}=a$, $\overline{OC}=b$로 놓고 부채꼴의 중심각의 크기를 $\theta$라 하면

$\widehat{AB}=3\pi$, $\widehat{CD}=2\pi$에서 $a\theta=3\pi$, $b\theta=2\pi$

두 식을 변끼리 나누면

$\frac{a}{b}=\frac{3}{2}$ $\quad\therefore 2a-3b=0$ …… ㉠

색칠한 부분의 넓이가 $10\pi$이므로

$\frac{1}{2}a\times3\pi-\frac{1}{2}b\times2\pi=10\pi$ $\quad\therefore 3a-2b=20$ …… ㉡

㉠, ㉡을 연립하여 풀면 $a=12$, $b=8$

따라서 구하는 $\overline{AC}$의 길이는 $a-b=4$

## 7

$R=\frac{v^2\sin 3\theta}{10\sqrt{3}}$에 $R=120$, $v=20\sqrt{6}$을 대입하면

$120=\frac{(20\sqrt{6})^2\sin 3\theta}{10\sqrt{3}}$, $\sin 3\theta=\frac{\sqrt{3}}{2}$

$3\theta=t$로 놓으면 $\frac{\pi}{6}<\theta<\frac{\pi}{3}$에서 $\frac{\pi}{2}<t<\pi$이므로

$\sin t=\frac{\sqrt{3}}{2}$ $\quad\therefore t=\frac{2}{3}\pi$

즉, $3\theta=\frac{2}{3}\pi$이므로 $\theta=\frac{2}{9}\pi$

## 8

함수 $y=a\sin bx+c$에서 $a>0$이고

최댓값은 26이므로 $a+c=26$ …… ㉠

최솟값은 6이므로 $-a+c=6$ …… ㉡

㉠, ㉡을 연립하여 풀면 $a=10$, $c=16$ …… [60 %]

이때 $b>0$이고 주기는 20이므로

$\frac{2\pi}{b}=20$ $\quad\therefore b=\frac{\pi}{10}$ …… [30 %]

$\therefore abc=10\times\frac{\pi}{10}\times16=16\pi$ …… [10 %]

## 적중 예상 전략 1회

76~79쪽

| | | | |
|---|---|---|---|
| **1** ⑤ | **2** ③ | **3** ⑤ | **4** ② |
| **5** ④ | **6** ② | **7** ⑤ | **8** ③ |
| **9** ⑤ | **10** ③ | **11** ② | **12** ③ |
| **13** ⑤ | **14** 6 | **15** $-\frac{9}{2}$ | **16** $-9$ |
| **17** 6 | | | |

### 1

① 0의 세제곱근은 0이다.

② $-9$의 세제곱근 중에서 실수인 것은 $\sqrt[3]{-9}$이다.

③ 7의 네제곱근 중에서 실수인 것은 $\sqrt[4]{7}$, $-\sqrt[4]{7}$이다.

④ $n$이 2 이상인 홀수일 때, 3의 $n$제곱근 중에서 실수인 것은 $\sqrt[n]{3}$이다.

### 2

① $(\sqrt[3]{4})^6=(\sqrt[3]{4^3})^2=4^2=16$

② $\frac{\sqrt[3]{27}}{\sqrt[3]{9}}=\sqrt[3]{\frac{27}{9}}=\sqrt[3]{3}$

③ $\sqrt[3]{2}\times\sqrt[5]{2}=\sqrt[15]{2^5}\times\sqrt[15]{2^3}=\sqrt[15]{2^5\times2^3}=\sqrt[15]{2^8}$

④ $\sqrt[3]{\sqrt[4]{2}}=\sqrt[3\times4]{2}=\sqrt[12]{2}$

⑤ $\sqrt[3]{\sqrt{2}}\times\sqrt[6]{32}=\sqrt[6]{2}\times\sqrt[6]{32}=\sqrt[6]{64}=\sqrt[6]{2^6}=2$

### 3

$\sqrt[3]{a^5\sqrt{a^k}}=\sqrt[3]{a^5\times a^{\frac{k}{2}}}=(a^{5+\frac{k}{2}})^{\frac{1}{3}}=(a^{\frac{10+k}{2}})^{\frac{1}{3}}=a^{\frac{10+k}{6}}$

이때 $\sqrt{a^4}=a^2$이므로

$\frac{10+k}{6}=2$, $10+k=12$ $\quad\therefore k=2$

### 4

① $(a^{\frac{7}{6}}\times\sqrt{a})^{\frac{3}{5}}=(a^{\frac{7}{6}}\times a^{\frac{1}{2}})^{\frac{3}{5}}=(a^{\frac{7}{6}+\frac{1}{2}})^{\frac{3}{5}}$
$=(a^{\frac{5}{3}})^{\frac{3}{5}}=a$

② $\sqrt[4]{ab^2}\times\sqrt[6]{a^2b^4}\times\sqrt{a^3b}=\sqrt[12]{a^3b^6}\times\sqrt[12]{a^4b^8}\times\sqrt[12]{a^{18}b^6}$
$=\sqrt[12]{a^{3+4+18}b^{6+8+6}}=\sqrt[12]{a^{25}b^{20}}$

③ $(a^{\frac{1}{2}}+a^{-\frac{1}{2}})^2+(a^{\frac{1}{2}}-a^{-\frac{1}{2}})^2=(a+2+a^{-1})+(a-2+a^{-1})$
$=2(a+a^{-1})$

④ $a^{\frac{3}{2}}\times a^{\frac{1}{6}}\div a^{-\frac{1}{3}}=a^{\frac{3}{2}+\frac{1}{6}-\left(-\frac{1}{3}\right)}=a^2$

⑤ $\sqrt{\frac{\sqrt[5]{a}}{\sqrt[5]{a^2}}}\times\sqrt[5]{\frac{\sqrt{a^2}}{\sqrt[4]{a^2}}}=\frac{\sqrt[10]{a}}{\sqrt[10]{a^2}}\times\frac{\sqrt[10]{a^2}}{\sqrt[10]{a}}=1$

거듭제곱근의 성질과
지수법칙을
떠올려 봐.

### 5

$\frac{a^x+a^{-x}}{a^x-a^{-x}}=\frac{4}{3}$의 좌변의 분모, 분자에 각각 $a^x$을 곱하면

$\frac{a^x(a^x+a^{-x})}{a^x(a^x-a^{-x})}=\frac{4}{3}$, $\frac{a^{2x}+1}{a^{2x}-1}=\frac{4}{3}$

$3(a^{2x}+1)=4(a^{2x}-1)$ $\quad\therefore a^{2x}=7$

$\therefore a^{6x}=(a^{2x})^3=7^3=343$

### 6

$a=\log_2(\sqrt{2})^2+\log_2(\sqrt[3]{2})^3$

$=\log_2 2+\log_2 2=1+1=2$

$b=\log_3 12-\log_3(\sqrt{6})^4=\log_3 12-\log_3 36$

$=\log_3\frac{12}{36}=\log_3\frac{1}{3}=-1$

$\therefore a+b=1$

### 7

$A=\log_5 45-\log_5 9=\log_5\frac{45}{9}=\log_5 5=1$

$B=\frac{1}{2}\log_3\frac{3}{7}+\log_3\sqrt{7}=\log_3\sqrt{\frac{3}{7}}+\log_3\sqrt{7}$

$=\log_3\left(\sqrt{\frac{3}{7}}\times\sqrt{7}\right)=\log_3\sqrt{3}$

$=\frac{1}{2}\log_3 3=\frac{1}{2}$

$C=\log_3 8\sqrt{2}+\log_3\frac{1}{24}-\log_3\sqrt{2}$

$=\log_3\left(8\sqrt{2}\times\frac{1}{24}\div\sqrt{2}\right)=\log_3\frac{1}{3}=-1$

$\therefore C<B<A$

### 8

$xyz\neq0$이므로 $k\neq1$

$2^x=k$에서 $x=\log_2 k$

$\therefore \frac{6}{x}=\frac{6}{\log_2 k}=6\log_k 2$

$3^y=k$에서 $y=\log_3 k$

$\therefore \frac{4}{y}=\frac{4}{\log_3 k}=4\log_k 3$

$5^z=k$에서 $z=\log_5 k$

$\therefore \frac{2}{z}=\frac{2}{\log_5 k}=2\log_k 5$

$\frac{6}{x}+\frac{4}{y}+\frac{2}{z}=2$이므로 $6\log_k 2+4\log_k 3+2\log_k 5=2$

$\log_k(2^6\times3^4\times5^2)=2$, $k^2=2^6\times3^4\times5^2$

$\therefore k=2^3\times3^2\times5=360$

**다른 풀이**

$2^x=k$에서 $2=k^{\frac{1}{x}}$, $2^6=k^{\frac{6}{x}}$ …… ㉠

$3^y=k$에서 $3=k^{\frac{1}{y}}$, $3^4=k^{\frac{4}{y}}$ …… ㉡

$5^z=k$에서 $5=k^{\frac{1}{z}}$, $5^2=k^{\frac{2}{z}}$ …… ㉢

㉠, ㉡, ㉢을 변끼리 곱하면

$2^6\times3^4\times5^2=k^{\frac{6}{x}+\frac{4}{y}+\frac{2}{z}}$

$\frac{6}{x}+\frac{4}{y}+\frac{2}{z}=2$이므로 $2^6\times3^4\times5^2=k^2$

$\therefore k=2^3\times3^2\times5=360$

## 9

$a=\log 43400=\log(4.34\times10^4)$

$=\log 4.34+4=0.6385+4$

$=4.6385$

$\log b=-1.3615=-1-0.3615$

$=-2+0.6385=-2+\log 4.34$

$=\log(4.34\times10^{-2})=\log 0.0434$

$\therefore b=0.0434$

$\therefore a+b=4.6819$

## 10

함수 $y=-\left(\frac{1}{3}\right)^x+1$의 그래프는 오른쪽 그림과 같다.

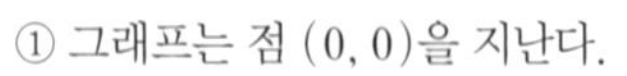

① 그래프는 점 $(0, 0)$을 지난다.

② 치역은 $\{y|y<1\}$이다.

③ $x$의 값이 증가하면 $y$의 값도 증가한다.

④ 그래프의 점근선은 직선 $y=1$이다.

⑤ 그래프는 함수 $y=\left(\frac{1}{3}\right)^x$의 그래프를 $x$축에 대하여 대칭이동한 다음 $y$축의 방향으로 1만큼 평행이동한 것이다.

## 11

$y=\log_3(x^2-6x+12)+6$에서

$f(x)=x^2-6x+12$라 하면 $f(x)=(x-3)^2+3$

이때 (밑)$>1$이므로 $y=\log_3 f(x)+6$은

$f(x)=3$, 즉 $x=3$일 때, 최솟값 $\log_3 3+6=7$을 갖는다.

따라서 $a=3$, $m=7$이므로 $a+m=10$

## 12

(진수)$>0$에서 $x>0$

$\left(\log_3\frac{x}{3}\right)^2-20\log_9 x+26=0$에서

$(\log_3 x-1)^2-20\times\frac{1}{2}\log_3 x+26=0$

$(\log_3 x)^2-12\log_3 x+27=0$

$\log_3 x=t$로 치환하면

$t^2-12t+27=0$ ...... ㉠

주어진 방정식의 두 근이 $\alpha$, $\beta$이므로 방정식 ㉠의 두 근은 $\log_3\alpha$, $\log_3\beta$이다.

이차방정식의 근과 계수의 관계에서

$\log_3\alpha+\log_3\beta=12$, $\log_3\alpha\beta=12$

$\therefore \alpha\beta=3^{12}$

## 13

$\frac{27}{9^x}=27\times9^{-x}=3^3\times3^{-2x}=3^{-2x+3}$이므로

$3^{-2x+3}\geq3^{x-9}$

이때 (밑)$>1$이므로

$-2x+3\geq x-9$, $3x\leq12$ $\quad\therefore x\leq4$

따라서 구하는 자연수 $x$의 값의 합은

$1+2+3+4=10$

## 14

조건 (가)에서

$-(a^2-b^2)c+ab(a-b)=0$

$-(a+b)(a-b)c+ab(a-b)=0$

$(a-b)(ab-bc-ca)=0$

$a\neq b$이므로 $ab-bc-ca=0$ ...... ㉠ ...... [40 %]

조건 (나)에서

$b=\frac{a}{\log_2 3}$, $c=\frac{a}{\log_2 k}$

㉠에 대입하면

$\frac{a^2}{\log_2 3}-\frac{a^2}{\log_2 3\times\log_2 k}-\frac{a^2}{\log_2 k}=0$ ...... [40 %]

$\log_2 k-1-\log_2 3=0$, $\log_2 k=1+\log_2 3=\log_2 6$

$\therefore k=6$ ...... [20 %]

## 15

$a^3=b^4=c^5=k\ (k>0)$로 놓으면

$a, b, c$는 모두 1이 아니므로 $k\neq1$

$a^3=b^4=c^5=k$에서 $a=k^{\frac{1}{3}}$, $b=k^{\frac{1}{4}}$, $c=k^{\frac{1}{5}}$ ...... [30 %]

$\frac{b}{a}=k^{\frac{1}{4}-\frac{1}{3}}=k^{-\frac{1}{12}}$, $\frac{c}{b}=k^{\frac{1}{5}-\frac{1}{4}}=k^{-\frac{1}{20}}$, $\frac{a}{c}=k^{\frac{1}{3}-\frac{1}{5}}=k^{\frac{2}{15}}$ ...... [30 %]

$\therefore \log_{\frac{b}{a}} b+\log_{\frac{c}{b}} c+\log_{\frac{a}{c}} a$

$=\log_{k^{-\frac{1}{12}}} k^{\frac{1}{4}}+\log_{k^{-\frac{1}{20}}} k^{\frac{1}{5}}+\log_{k^{\frac{2}{15}}} k^{\frac{1}{3}}$

$=\frac{\frac{1}{4}}{-\frac{1}{12}}+\frac{\frac{1}{5}}{-\frac{1}{20}}+\frac{\frac{1}{3}}{\frac{2}{15}}$

$=-3-4+\frac{5}{2}=-\frac{9}{2}$ ...... [40 %]

**16**

$3^x=t\ (t>0)$로 놓으면

$y=9^x-2\times3^{x+1}+a=(3^x)^2-2\times3\times3^x+a$

$\quad=t^2-6t+a=(t-3)^2-9+a$ …… [40 %]

이때 $1\le x\le2$이므로 $3\le t\le9$ …… [20 %]

따라서 주어진 함수는 $t=9$일 때 최댓값 $27+a$를 가지므로

$27+a=18\qquad\therefore a=-9$ …… [40 %]

**17**

$y=\log_2 4x=\log_2 x+2$이므로 $y=\log_2 4x$의 그래프는 $y=\log_2 x$의 그래프를 $y$축의 방향으로 2만큼 평행이동한 것이다.

…… [40 %]

즉, 오른쪽 그림에서 빗금 친 두 부분의 넓이가 서로 같으므로 구하는 넓이는 직사각형 ABCD의 넓이와 같다. …… [40 %]

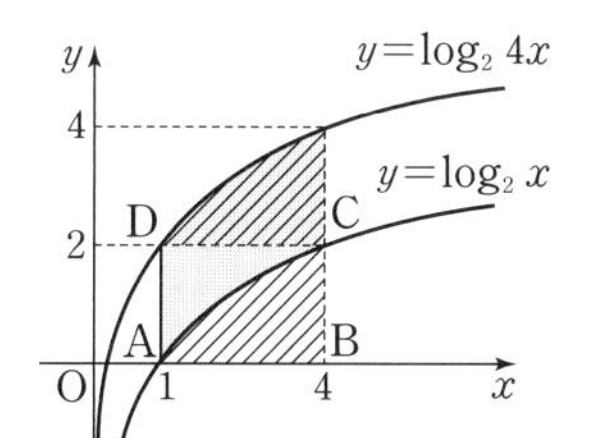


따라서 구하는 넓이는

$\overline{AB}\times\overline{AD}=3\times2=6$ …… [20 %]

## 적중 예상 전략 2회

80~83쪽

| | | | |
|---|---|---|---|
| **1** ③ | **2** ⑤ | **3** ④ | **4** ② |
| **5** ② | **6** ④ | **7** ② | **8** ② |
| **9** ② | **10** ③ | **11** ② | **12** ① |
| **13** 27 | **14** $-\frac{5}{2}$ | **15** $3\pi$ | |
| **16** $-\pi\le\theta<-\frac{\pi}{2}$ 또는 $\frac{\pi}{2}<\theta\le\pi$ | | | |

**1**

ㄱ. $\frac{17}{4}\pi=4\pi+\frac{\pi}{4}$,

$1480^\circ=360^\circ\times4+40^\circ$

이므로 $\frac{17}{4}\pi$, $1480^\circ$는 제1사분면의 각이다.

ㄴ. $-\frac{5}{6}\pi=-2\pi+\frac{7}{6}\pi$,

$930^\circ=360^\circ\times2+210^\circ$

이므로 $-\frac{5}{6}\pi$, $930^\circ$를 나타내는 동경은 일치한다.

ㄷ. 부채꼴의 반지름의 길이를 $r$, 호의 길이를 $l$이라 하면

$\frac{1}{2}\times r^2\times2=36\qquad\therefore r=6\ (\because r>0)$

$\therefore l=6\times2=12$

ㄹ. $\sin\theta>0$, $\cos\theta<0$일 때, $\theta$는 제2사분면의 각이다.

따라서 옳은 것은 ㄱ, ㄴ, ㄷ이다.

**2**

두 각 $\theta$와 $5\theta$를 나타내는 두 동경이 일치하므로

$5\theta-\theta=2n\pi$ ($n$은 정수)

$4\theta=2n\pi\qquad\therefore\theta=\frac{n}{2}\pi$

$0<\theta<2\pi$이므로 $0<\frac{n}{2}\pi<2\pi\qquad\therefore 0<n<4$

$n$은 정수이므로 $n=1$ 또는 $n=2$ 또는 $n=3$

$\therefore\theta=\frac{\pi}{2}$ 또는 $\theta=\pi$ 또는 $\theta=\frac{3}{2}\pi$

따라서 모든 각 $\theta$의 값의 합은

$\frac{\pi}{2}+\pi+\frac{3}{2}\pi=3\pi$

**3**

부채꼴 AOP의 중심각의 크기를 $\theta$라 하면 호 AP의 길이가 지름 AB의 길이와 같으므로

$1\times\theta=2\qquad\therefore\theta=2$

부채꼴 AOP의 넓이는 $\frac{1}{2}\times1^2\times2=1$

반원의 넓이는 $\frac{1}{2}\times\pi\times1^2=\frac{\pi}{2}$

따라서 부채꼴 BOP의 넓이는 $\frac{\pi}{2}-1$이다.

**4**

$\overline{OP}=\sqrt{(-3)^2+a^2}=\sqrt{a^2+9}$이므로

$\cos\theta=\frac{-3}{\sqrt{a^2+9}}=-\frac{1}{3}$

$\sqrt{a^2+9}=9$, $a^2+9=81\qquad\therefore a^2=72$

$a>0$이므로 $a=6\sqrt{2}$

**5**

$\sin\theta+\cos\theta=\sqrt{2}$의 양변을 제곱하면

$\sin^2\theta+2\sin\theta\cos\theta+\cos^2\theta=2$

$1+2\sin\theta\cos\theta=2\qquad\therefore\sin\theta\cos\theta=\frac{1}{2}$

$$\begin{aligned}\therefore\ &\frac{1}{\cos\theta}\left(\tan\theta+\frac{1}{\tan^2\theta}\right)\\&=\frac{1}{\cos\theta}\left(\frac{\sin\theta}{\cos\theta}+\frac{\cos^2\theta}{\sin^2\theta}\right)\\&=\frac{\sin\theta}{\cos^2\theta}+\frac{\cos\theta}{\sin^2\theta}=\frac{\sin^3\theta+\cos^3\theta}{\cos^2\theta\sin^2\theta}\\&=\frac{(\sin\theta+\cos\theta)^3-3\sin\theta\cos\theta(\sin\theta+\cos\theta)}{(\sin\theta\cos\theta)^2}\\&=\frac{(\sqrt{2})^3-3\times\frac{1}{2}\times\sqrt{2}}{\left(\frac{1}{2}\right)^2}=2\sqrt{2}\end{aligned}$$

## 6

각 함수의 주기를 구해 보면 다음과 같다.

① $\frac{2\pi}{|6|}=\frac{\pi}{3}$ ② $\frac{2\pi}{|-1|}=2\pi$ ③ $\frac{2\pi}{\left|\frac{1}{2}\right|}=4\pi$

④ $\frac{2\pi}{\left|\frac{1}{4}\right|}=8\pi$ ⑤ $\frac{\pi}{|2|}=\frac{\pi}{2}$

따라서 주기가 가장 큰 함수는 ④이다.

## 7

함수 $f(x)=a\sin\frac{x}{3}+b$의 최댓값이 2이고 $a>0$이므로

$a+b=2$ …… ㉠

$f\left(\frac{\pi}{2}\right)=\frac{4}{3}$에서

$a\sin\frac{\pi}{6}+b=\frac{4}{3}$ $\therefore \frac{a}{2}+b=\frac{4}{3}$ …… ㉡

㉠, ㉡을 연립하여 풀면 $a=\frac{4}{3}$, $b=\frac{2}{3}$

$\therefore \frac{a}{b}=2$

## 8

함수 $y=a\cos(bx-c)$의 그래프에서 최댓값은 2, 최솟값은 $-2$이고 $a>0$이므로 $a=2$

주기는 $\frac{4}{3}\pi-\frac{\pi}{3}=\pi$이고 $b>0$이므로

$\frac{2\pi}{b}=\pi$ $\therefore b=2$

$\therefore y=2\cos(2x-c)$ …… ㉠

㉠의 그래프가 점 $\left(\frac{\pi}{3}, 0\right)$을 지나므로

$0=2\cos\left(\frac{2}{3}\pi-c\right)$

$\frac{2}{3}\pi-c=\frac{\pi}{2}$ $\therefore c=\frac{\pi}{6}$ $(\because 0<c<\pi)$

$\therefore abc=2\times2\times\frac{\pi}{6}=\frac{2}{3}\pi$

## 9

$\sin\left(-\frac{\pi}{3}\right)=-\sin\frac{\pi}{3}=-\frac{\sqrt{3}}{2}$

$\cos\frac{7}{6}\pi=\cos\left(\pi+\frac{\pi}{6}\right)=-\cos\frac{\pi}{6}=-\frac{\sqrt{3}}{2}$

$\tan\frac{13}{4}\pi=\tan\left(3\pi+\frac{\pi}{4}\right)=\tan\frac{\pi}{4}=1$

$\therefore \sin\left(-\frac{\pi}{3}\right)-\cos\frac{7}{6}\pi+\tan\frac{13}{4}\pi$

$=-\frac{\sqrt{3}}{2}-\left(-\frac{\sqrt{3}}{2}\right)+1=1$

## 10

$\sin\left(\frac{\pi}{2}+\theta\right)=\cos\theta$, $\sin(\pi-\theta)=\sin\theta$,

$\cos(2\pi-\theta)=\cos(-\theta)=\cos\theta$, $\sin\left(\frac{3}{2}\pi-\theta\right)=-\cos\theta$

$\therefore$ (주어진 식)$=\cos^2\theta+\sin^2\theta-\cos^2\theta+\cos^2\theta=1$

## 11

$\sin(\pi+x)=-\sin x$, $\cos\left(\frac{\pi}{2}-x\right)=\sin x$

이므로

$y=-\sin(x+\pi)+2\cos\left(\frac{\pi}{2}-x\right)-1$

$=-(-\sin x)+2\sin x-1$

$=3\sin x-1$

$-1\le\sin x\le1$이므로 $-4\le3\sin x-1\le2$

따라서 주어진 함수의 최댓값은 2, 최솟값은 $-4$이므로

$M+m=2+(-4)=-2$

## 12

$2\cos^2 x-3\sin x<0$에서 $\cos^2 x=1-\sin^2 x$이므로

$2(1-\sin^2 x)-3\sin x<0$, $2\sin^2 x+3\sin x-2>0$

$(2\sin x-1)(\sin x+2)>0$

$\sin x+2>0$이므로

$2\sin x-1>0$ $\therefore \sin x>\frac{1}{2}$

$0\le x<2\pi$에서 함수 $y=\sin x$의 그래프와 직선 $y=\frac{1}{2}$을 나타내면 다음 그림과 같다.

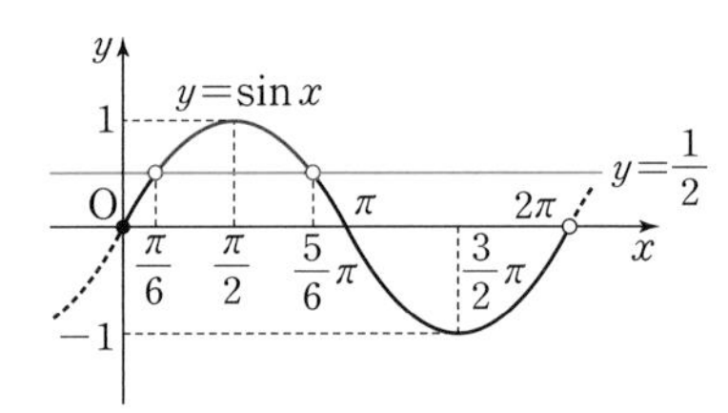


$y=\sin x$의 그래프가 직선 $y=\frac{1}{2}$보다 위쪽에 있는 부분의 $x$의 값의 범위는

$\frac{\pi}{6}<x<\frac{5}{6}\pi$

따라서 $m=\frac{\pi}{6}$, $n=\frac{5}{6}\pi$이므로 $n-m=\frac{2}{3}\pi$

## 13

(i) $\sin\theta\cos\theta<0$에서 $\sin\theta$, $\cos\theta$의 부호가 서로 다르므로 $\theta$는 제2사분면 또는 제4사분면의 각이다.

(ii) $\sin\theta\tan\theta<0$에서 $\sin\theta$, $\tan\theta$의 부호가 서로 다르므로 $\theta$는 제2사분면 또는 제3사분면의 각이다.

(i), (ii)에서 $\theta$는 제2사분면의 각이다. …… [40 %]

따라서 $\sin\theta>0$, $\cos\theta<0$, $\tan\theta<0$이므로

$\sin^2\theta=1-\cos^2\theta=1-\left(-\frac{4}{5}\right)^2=\frac{9}{25}\qquad\therefore \sin\theta=\frac{3}{5}$

$\therefore \tan\theta=\frac{\sin\theta}{\cos\theta}=\frac{\frac{3}{5}}{-\frac{4}{5}}=-\frac{3}{4}$ …… [40 %]

$\therefore 20(\sin\theta-\tan\theta)=20\left\{\frac{3}{5}-\left(-\frac{3}{4}\right)\right\}$

$=20\times\frac{27}{20}=27$ …… [20 %]

## 14

$y=-6\cos^2 x+6\cos\left(\frac{\pi}{2}+x\right)+k$

$=-6(1-\sin^2 x)-6\sin x+k$

$=6\sin^2 x-6\sin x+k-6$ …… [20 %]

$\sin x=t$로 치환하면 $-1\le t\le 1$이고

$y=6t^2-6t+k-6$

$=6\left(t-\frac{1}{2}\right)^2+k-\frac{15}{2}$

$t=-1$일 때 최댓값은 $k+6$이므로

$k+6=11\qquad\therefore k=5$

…… [40 %]

따라서 $t=\frac{1}{2}$일 때 최솟값은 $5-\frac{15}{2}=-\frac{5}{2}$이다. …… [40 %]

## 15

$2\cos^2 x+2\sin\left(\frac{\pi}{2}+x\right)-\sin^2 x=0$에서

$2\cos^2 x+2\cos x-(1-\cos^2 x)=0$

$3\cos^2 x+2\cos x-1=0$, $(\cos x+1)(3\cos x-1)=0$

$\therefore \cos x=-1$ 또는 $\cos x=\frac{1}{3}$ …… [40 %]

$0\le x<2\pi$에서 함수 $y=\cos x$의 그래프와 두 직선 $y=-1$, $y=\frac{1}{3}$을 나타내면 다음 그림과 같다.

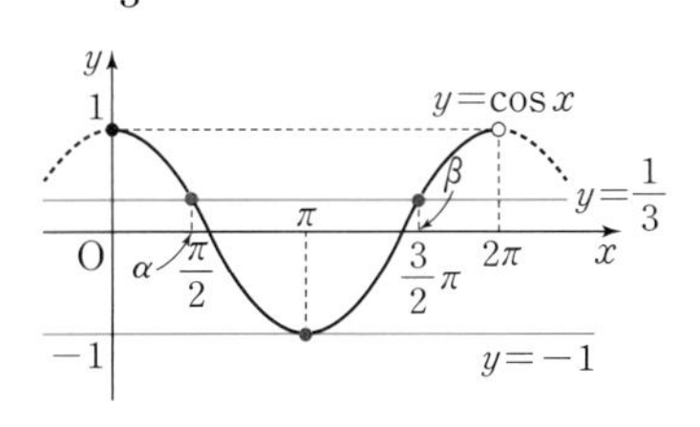

(i) $\cos x=-1$일 때, $x=\pi$

(ii) $\cos x=\frac{1}{3}$일 때, $\cos x=\frac{1}{3}$의 두 근을 $\alpha$, $\beta$라 하면

$\frac{\alpha+\beta}{2}=\pi\qquad\therefore \alpha+\beta=2\pi$ …… [50 %]

(i), (ii)에서 모든 실근의 합은

$\pi+\alpha+\beta=\pi+2\pi=3\pi$ …… [10 %]

## 16

모든 실수 $x$에 대하여 주어진 부등식이 항상 성립하므로 이차방정식 $x^2-2x\cos\theta-2\cos\theta=0$의 판별식을 $D$라 하면

$\frac{D}{4}=\cos^2\theta+2\cos\theta<0$ …… [30 %]

$\cos\theta(\cos\theta+2)<0$

$\cos\theta+2>0$이므로 $\cos\theta<0$ …… [30 %]

$-\pi\le\theta\le\pi$에서 함수 $y=\cos\theta$의 그래프와 직선 $y=0$을 나타내면 다음 그림과 같다.

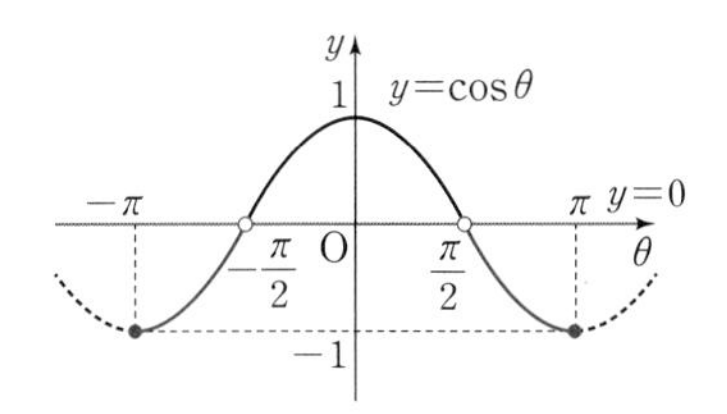

$y=\cos\theta$의 그래프가 직선 $y=0$, 즉 $x$축보다 아래쪽에 있는 $\theta$의 값의 범위는

$-\pi\le\theta<-\frac{\pi}{2}$ 또는 $\frac{\pi}{2}<\theta\le\pi$ …… [40 %]

**참고**

이차방정식 $ax^2+bx+c=0$의 판별식을 $D$라 할 때

① $ax^2+bx+c>0 \Longleftrightarrow a>0,\ D<0$

② $ax^2+bx+c\ge 0 \Longleftrightarrow a>0,\ D\le 0$

③ $ax^2+bx+c<0 \Longleftrightarrow a<0,\ D<0$

④ $ax^2+bx+c\le 0 \Longleftrightarrow a<0,\ D\le 0$

## 1주 1일 개념 돌파 전략 ①

7, 9쪽

| | | |
|---|---|---|
| **1-2** $2\sqrt{6}$ | **2-2** 7 | **3-2** 3 |
| **4-2** $a_n=8n-11$ | **5-2** $-110$ | **6-2** $a_n=4n+1$ |

### 1-2

$A+B+C=180°$이므로

$C=180°-(45°+75°)=60°$

사인법칙에 의하여 $\frac{4}{\sin 45°}=\frac{c}{\sin 60°}$이므로

$c=\frac{4}{\sin 45°}\times\sin 60°=\frac{4}{\frac{\sqrt{2}}{2}}\times\frac{\sqrt{3}}{2}=2\sqrt{6}$

### 2-2

코사인법칙에 의하여

$b^2=3^2+5^2-2\times3\times5\times\cos 120°$

$=9+25-2\times3\times5\times\left(-\frac{1}{2}\right)$

$=49$

$\therefore b=7\ (\because b>0)$

### 3-2

삼각형 ABC의 넓이를 $S$라 하면

$S=\frac{1}{2}\times4\times3\times\sin 150°$

$=\frac{1}{2}\times4\times3\times\frac{1}{2}=3$

### 4-2

첫째항이 $-3$, 공차가 $5-(-3)=8$이므로

$a_n=-3+(n-1)\times8=8n-11$

### 5-2

첫째항이 10, 공차가 $6-10=-4$이므로 주어진 등차수열의 첫째항부터 제11항까지의 합은

$\frac{11\{2\times10+(11-1)\times(-4)\}}{2}=-110$

### 6-2

$S_n=2n^2+3n$에서

$a_n=S_n-S_{n-1}$

$=2n^2+3n-\{2(n-1)^2+3(n-1)\}$

$=4n+1\ (n\geq2)$ ...... ㉠

$a_1=S_1=2\times1^2+3\times1=5$ ...... ㉡

이때 ㉡은 ㉠에 $n=1$을 대입한 것과 같으므로

$a_n=4n+1$

## 1주 1일 개념 돌파 전략 ②

10, 11쪽

| | | | |
|---|---|---|---|
| **1** ③ | **2** ③ | **3** ③ | **4** ② |
| **5** ④ | **6** ① | **7** ⑤ | |

### 1

사인법칙에 의하여 $\frac{5}{\sin 30°}=\frac{5\sqrt{2}}{\sin C}$이므로

$5\sin C=5\sqrt{2}\sin 30°$

$\therefore \sin C=5\sqrt{2}\times\frac{1}{2}\times\frac{1}{5}=\frac{\sqrt{2}}{2}$

$0°<C<90°$이므로 $C=45°$

$A+B+C=180°$이므로

$B=180°-(30°+45°)=105°$

### 2

삼각형의 가장 긴 변의 대각의 크기가 가장 크므로 그 크기를 $\theta$라 하면 코사인법칙에 의하여

$\cos\theta=\frac{3^2+5^2-7^2}{2\times3\times5}=-\frac{1}{2}$

$0°<\theta<180°$이므로 $\theta=120°$

### 3

삼각형 ABC의 넓이가 $14\sqrt{3}$이므로

$\frac{1}{2}\times8\times7\times\sin A=14\sqrt{3}$

$\therefore \sin A=\frac{\sqrt{3}}{2}$

$0°<A<90°$이므로 $A=60°$

$\therefore \cos A=\cos 60°=\frac{1}{2}$

**다른 풀이**

$0°<A<90°$이므로

$\cos A=\sqrt{1-\sin^2 A}=\sqrt{1-\left(\frac{\sqrt{3}}{2}\right)^2}=\frac{1}{2}$

### 4

첫째항이 6, 공차가 6이므로

$a_n=6+(n-1)\times6=6n$

72를 제$k$항이라 하면

$6k=72 \qquad \therefore k=12$

따라서 72는 제12항이다.

### 5

등차수열 $\{a_n\}$의 첫째항을 $a$, 공차를 $d$라 하면

$a_2=a+d=5$ ...... ㉠

$a_{10}=a+9d=29$ ...... ㉡

㉠, ㉡을 연립하여 풀면 $a=2$, $d=3$

따라서 $a_n=2+(n-1)\times3=3n-1$이므로

$a_{18}=3\times18-1=53$

### 6
등차수열 $\{a_n\}$의 첫째항부터 제$n$항까지의 합이 210이므로

$\frac{n\{2\times3+(n-1)\times4\}}{2}=210$, $2n^2+n-210=0$

$(2n+21)(n-10)=0$ $\quad\therefore n=10$ ($\because n$은 자연수)

### 7
$a_1=S_1=1^2+2\times1+1=4$

$a_{10}=S_{10}-S_9$

$=10^2+2\times10+1-(9^2+2\times9+1)=21$

$\therefore a_1+a_{10}=4+21=25$

**다른 풀이**

$a_n=S_n-S_{n-1}$

$=n^2+2n+1-\{(n-1)^2+2(n-1)+1\}$

$=2n+1\ (n\ge2)$ $\quad\cdots\cdots$ ㉠

$a_1=S_1=1^2+2\times1+1=4$ $\quad\cdots\cdots$ ㉡

이때 ㉡은 ㉠에 $n=1$을 대입한 것과 다르므로

$a_1=4$, $a_n=2n+1\ (n\ge2)$

따라서 $a_{10}=2\times10+1=21$이므로

$a_1+a_{10}=4+21=25$

## 1주 2일 필수 체크 전략 ①

12~15쪽

| | | | |
|---|---|---|---|
| **1-1** ② | **1-2** $5\sqrt{2}$ | **2-1** ④ | **2-2** $\frac{\sqrt{15}}{8}$ |
| **3-1** ③ | **3-2** $a=b$인 이등변삼각형 | | |
| **4-1** ① | **4-2** $12\sqrt{5}$ | | |

### 1-1
사인법칙에 의하여 $\frac{4\sqrt{3}}{\sin B}=2\times4$ $\quad\therefore \sin B=\frac{\sqrt{3}}{2}$

$0^\circ<B<90^\circ$이므로 $B=60^\circ$

$\therefore C=180^\circ-(45^\circ+60^\circ)=75^\circ$

### 1-2
사인법칙에 의하여 $\frac{10\sqrt{2}}{\sin A}=\frac{5\sqrt{6}}{\sin 60^\circ}$이므로

$5\sqrt{6}\sin A=10\sqrt{2}\sin 60^\circ$

$\therefore \sin A=10\sqrt{2}\times\frac{\sqrt{3}}{2}\times\frac{1}{5\sqrt{6}}=1$

$0^\circ<A<180^\circ$이므로 $A=90^\circ$

즉, 삼각형 ABC는 $A=90^\circ$인 직각삼각형이므로

$c^2=(10\sqrt{2})^2-(5\sqrt{6})^2=50$ $\quad\therefore c=5\sqrt{2}$ ($\because c>0$)

### 2-1
코사인법칙에 의하여

$b^2=2^2+(\sqrt{3}+1)^2-2\times2\times(\sqrt{3}+1)\times\cos 60^\circ=6$

$\therefore b=\sqrt{6}$ ($\because b>0$)

사인법칙에 의하여 $\frac{\sqrt{6}}{\sin 60^\circ}=\frac{2}{\sin C}$이므로

$\sqrt{6}\sin C=2\sin 60^\circ$

$\therefore \sin C=2\times\frac{\sqrt{3}}{2}\times\frac{1}{\sqrt{6}}=\frac{\sqrt{2}}{2}$

$0^\circ<C<180^\circ$이므로 $C=45^\circ$ 또는 $C=135^\circ$

그런데 $C=135^\circ$이면 $B+C>180^\circ$이므로 $C=45^\circ$

$\therefore A=180^\circ-(60^\circ+45^\circ)=75^\circ$

### 2-2
$a:b:c=2:3:4$이므로 $a=2k$, $b=3k$, $c=4k$ $(k>0)$로 놓으면

코사인법칙에 의하여

$\cos A=\frac{(3k)^2+(4k)^2-(2k)^2}{2\times3k\times4k}=\frac{21k^2}{24k^2}=\frac{7}{8}$

$0^\circ<A<180^\circ$이므로

$\sin A=\sqrt{1-\cos^2 A}=\sqrt{1-\left(\frac{7}{8}\right)^2}=\frac{\sqrt{15}}{8}$

### 3-1
삼각형 ABC의 외접원의 반지름의 길이를 $R$라 하면

주어진 등식에서 사인법칙에 의하여

$a\times\frac{a}{2R}=b\times\frac{b}{2R}=c\times\frac{c}{2R}$

$a^2=b^2=c^2$ $\quad\therefore a=b=c$ ($\because a>0, b>0, c>0$)

따라서 삼각형 ABC는 정삼각형이다.

### 3-2
$\tan A\cos B=\sin B$에서

$\frac{\sin A}{\cos A}\times\cos B=\sin B$

$\therefore \sin A\cos B=\cos A\sin B$

이때 삼각형 ABC의 외접원의 반지름의 길이를 $R$라 하면

사인법칙과 코사인법칙에 의하여

$\frac{a}{2R}\times\frac{c^2+a^2-b^2}{2ca}=\frac{b^2+c^2-a^2}{2bc}\times\frac{b}{2R}$

$c^2+a^2-b^2=b^2+c^2-a^2$, $a^2=b^2$

$\therefore a=b$ ($\because a>0, b>0$)

따라서 삼각형 ABC는 $a=b$인 이등변삼각형이다.

### 4-1
삼각형 ABC의 넓이가 $5\sqrt{15}$이므로

$\frac{1}{2}\times5\times8\times\sin A=5\sqrt{15}$ $\quad\therefore \sin A=\frac{\sqrt{15}}{4}$

$A$는 예각이므로

$\cos A=\sqrt{1-\sin^2 A}=\sqrt{1-\left(\frac{\sqrt{15}}{4}\right)^2}=\frac{1}{4}$

코사인법칙에 의하여

$a^2=5^2+8^2-2\times5\times8\times\frac{1}{4}=69$

$\therefore a=\sqrt{69}$ ($\because a>0$)

### 4-2

코사인법칙에 의하여

$\cos C=\dfrac{7^2+8^2-9^2}{2\times7\times8}=\dfrac{2}{7}$

$0^\circ<C<180^\circ$이므로

$\sin C=\sqrt{1-\cos^2 C}=\sqrt{1-\left(\dfrac{2}{7}\right)^2}=\dfrac{3\sqrt{5}}{7}$

$\therefore\ \triangle\text{ABC}=\dfrac{1}{2}\times7\times8\times\dfrac{3\sqrt{5}}{7}=12\sqrt{5}$

**다른 풀이**

$s=\dfrac{7+8+9}{2}=12$이므로 헤론의 공식에 의하여

$\triangle\text{ABC}=\sqrt{12(12-7)(12-8)(12-9)}=12\sqrt{5}$

## 1주 2일 필수 체크 전략 ②

16, 17쪽

| | | | |
|---|---|---|---|
| 1 ① | 2 ② | 3 ⑤ | 4 ② |
| 5 ③ | 6 ⑤ | 7 ③ | |

### 1

꼭짓점 A에서 변 BC에 내린 수선의 발을 D라 하면 삼각형 ABD는 직각이등변삼각형이므로

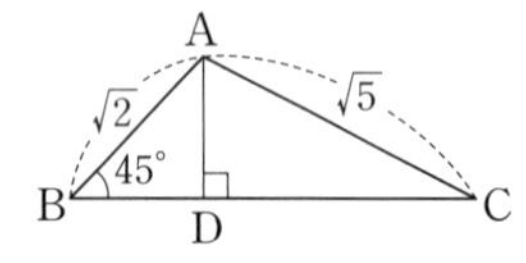


$\overline{\text{BD}}=\overline{\text{AD}}=1$

피타고라스 정리에 의하여 $\overline{\text{CD}}=\sqrt{(\sqrt{5})^2-1^2}=2$

$\therefore\ \overline{\text{BC}}=1+2=3$

삼각형 ABC에서 사인법칙에 의하여 $\dfrac{3}{\sin A}=\dfrac{\sqrt{5}}{\sin 45^\circ}$이므로

$\sqrt{5}\sin A=3\sin 45^\circ$

$\therefore\ \sin A=3\times\dfrac{\sqrt{2}}{2}\times\dfrac{1}{\sqrt{5}}=\dfrac{3\sqrt{10}}{10}$

### 2

삼각형 ACD에서 $D=120^\circ$이므로 코사인법칙에 의하여

$\overline{\text{AC}}^2=5^2+3^2-2\times5\times3\times\cos 120^\circ$

$=25+9-2\times5\times3\times\left(-\dfrac{1}{2}\right)=49$

$\therefore\ \overline{\text{AC}}=7\ (\because\ \overline{\text{AC}}>0)$

### 3

삼각형 ABC에서 코사인법칙에 의하여

$\cos B=\dfrac{7^2+9^2-(2\sqrt{10})^2}{2\times7\times9}=\dfrac{5}{7}$

또 삼각형 ABD에서 코사인법칙에 의하여

$\overline{\text{AD}}^2=7^2+6^2-2\times7\times6\times\cos B$

$=49+36-2\times7\times6\times\dfrac{5}{7}=25$

$\therefore\ \overline{\text{AD}}=5\ (\because\ \overline{\text{AD}}>0)$

### 4

$A+B+C=180^\circ$이므로 $A+B=180^\circ-C$

즉, $\sin\dfrac{A+B-C}{2}=\sin\dfrac{180^\circ-2C}{2}=\sin(90^\circ-C)=\cos C$

이때 $a:b:c=\sin A:\sin B:\sin C=2:3:4$이므로

$a=2k,\ b=3k,\ c=4k\ (k>0)$로 놓으면

$\cos C=\dfrac{(2k)^2+(3k)^2-(4k)^2}{2\times2k\times3k}=\dfrac{-3k^2}{12k^2}=-\dfrac{1}{4}$

### 5

주어진 등식에서 코사인법칙에 의하여

$a\times\dfrac{c^2+a^2-b^2}{2ca}=c+b\times\dfrac{b^2+c^2-a^2}{2bc}$

$c^2+a^2-b^2=2c^2+b^2+c^2-a^2$

$\therefore\ a^2=c^2+b^2$

따라서 삼각형 ABC는 $A=90^\circ$인 직각삼각형이다.

### 6

사인법칙에 의하여 $\dfrac{4}{\sin 30^\circ}=\dfrac{4\sqrt{3}}{\sin C}$이므로

$4\sin C=4\sqrt{3}\sin 30^\circ$

$\therefore\ \sin C=4\sqrt{3}\times\dfrac{1}{2}\times\dfrac{1}{4}=\dfrac{\sqrt{3}}{2}$

$0^\circ<C<180^\circ$이므로 $C=60^\circ$ 또는 $C=120^\circ$

(i) $C=60^\circ$일 때, $A=180^\circ-(30^\circ+60^\circ)=90^\circ$이므로

$\triangle\text{ABC}=\dfrac{1}{2}\times4\times4\sqrt{3}\times\sin 90^\circ$

$=\dfrac{1}{2}\times4\times4\sqrt{3}\times1=8\sqrt{3}$

(ii) $C=120^\circ$일 때, $A=180^\circ-(30^\circ+120^\circ)=30^\circ$이므로

$\triangle\text{ABC}=\dfrac{1}{2}\times4\times4\sqrt{3}\times\sin 30^\circ$

$=\dfrac{1}{2}\times4\times4\sqrt{3}\times\dfrac{1}{2}=4\sqrt{3}$

(i), (ii)에서 삼각형 ABC의 넓이의 최댓값은 $8\sqrt{3}$이다.

**다른 풀이**

코사인법칙에 의하여

$4^2=(4\sqrt{3})^2+a^2-2\times4\sqrt{3}\times a\times\cos 30^\circ$

$16=48+a^2-2\times4\sqrt{3}\times a\times\dfrac{\sqrt{3}}{2}$

$a^2-12a+32=0,\ (a-4)(a-8)=0$

$\therefore\ a=4$ 또는 $a=8$

(i) $a=4$일 때

$\triangle\text{ABC}=\dfrac{1}{2}\times4\times4\sqrt{3}\times\sin 30^\circ$

$=\dfrac{1}{2}\times4\times4\sqrt{3}\times\dfrac{1}{2}=4\sqrt{3}$

(ii) $a=8$일 때

$\triangle\text{ABC}=\dfrac{1}{2}\times8\times4\sqrt{3}\times\sin 30^\circ$

$=\dfrac{1}{2}\times8\times4\sqrt{3}\times\dfrac{1}{2}=8\sqrt{3}$

(i), (ii)에서 삼각형 ABC의 넓이의 최댓값은 $8\sqrt{3}$이다.

## 7

$a=5$, $b=7$, $c=8$이라 하면 $s=\frac{5+7+8}{2}=10$이므로 헤론의 공식에 의하여

$\triangle ABC=\sqrt{10(10-5)(10-7)(10-8)}=10\sqrt{3}$

$\triangle ABC=\frac{abc}{4R}$에서

$10\sqrt{3}=\frac{5\times7\times8}{4R}$ $\therefore R=\frac{7\sqrt{3}}{3}$

$\triangle ABC=\frac{1}{2}r(a+b+c)$에서

$10\sqrt{3}=\frac{1}{2}r(5+7+8)$ $\therefore r=\sqrt{3}$

$\therefore \frac{r}{R}=\frac{\sqrt{3}}{\frac{7\sqrt{3}}{3}}=\frac{3}{7}$

삼각형의 넓이는 다양한 방법으로 구할 수 있어!

## 1주 3일 필수 체크 전략 ①

18~21쪽

| | | | |
|---|---|---|---|
| **1-1** ① | **1-2** 제12항 | **2-1** ① | **2-2** 14 |
| **3-1** ① | **3-2** 30 | **4-1** ④ | **4-2** 7 |

### 1-1

등차수열 $\{a_n\}$의 첫째항을 $a$, 공차를 $d$라 하면

$a_9=5a_2$에서 $a+8d=5(a+d)$

$\therefore 4a-3d=0$ …… ㉠

$a_7-a_4=12$에서 $(a+6d)-(a+3d)=12$

$3d=12$ $\therefore d=4$

$d=4$를 ㉠에 대입하면

$4a-12=0$ $\therefore a=3$

$\therefore a_n=3+(n-1)\times4=4n-1$

63을 제$k$항이라 하면

$4k-1=63$, $4k=64$ $\therefore k=16$

따라서 63은 제16항이다.

### 1-2

등차수열 $\{a_n\}$의 첫째항을 $a$, 공차를 $d$라 하면

$a_6=a+5d=-30$ …… ㉠

$a_{18}=a+17d=42$ …… ㉡

㉠, ㉡을 연립하여 풀면 $a=-60$, $d=6$

$\therefore a_n=-60+(n-1)\times6=6n-66$

처음으로 양수가 되는 항은 $a_n>0$을 만족시키는 최초의 항이므로

$6n-66>0$에서

$6n>66$ $\therefore n>11$

따라서 처음으로 양수가 되는 항은 제12항이다.

### 2-1

세 수 $2x-2$, $x^2+2x$, 6이 이 순서대로 등차수열을 이루므로

$2(x^2+2x)=(2x-2)+6$, $x^2+x-2=0$

$(x+2)(x-1)=0$

$\therefore x=1$ ($\because x>0$)

### 2-2

네 수를 $a-3d$, $a-d$, $a+d$, $a+3d$로 놓으면

$(a-3d)+(a-d)+(a+d)+(a+3d)=8$ …… ㉠

$(a-3d)(a+3d)=-140$ …… ㉡

㉠에서 $4a=8$ $\therefore a=2$

$a=2$를 ㉡에 대입하면

$(2-3d)(2+3d)=-140$, $4-9d^2=-140$

$9d^2=144$, $d^2=16$

$\therefore d=\pm4$

따라서 네 수는 $-10$, $-2$, 6, 14이므로 가장 큰 수는 14이다.

### 3-1

등차수열 $\{a_n\}$의 첫째항을 $a$, 공차를 $d$라 하면

$a_3=a+2d=-4$ …… ㉠

$a_{10}=a+9d=10$ …… ㉡

㉠, ㉡을 연립하여 풀면 $a=-8$, $d=2$

따라서 등차수열 $\{a_n\}$의 첫째항부터 제10항까지의 합은

$\frac{10(-8+10)}{2}=10$

### 3-2

등차수열 $\{a_n\}$의 첫째항을 $a$, 공차를 $d$라 하면

$S_8=\frac{8\{2a+(8-1)d\}}{2}=40$

$\therefore 2a+7d=10$ …… ㉠

$S_{17}=\frac{17\{2a+(17-1)d\}}{2}=-68$

$\therefore a+8d=-4$ …… ㉡

㉠, ㉡을 연립하여 풀면 $a=12$, $d=-2$

$\therefore S_{10}=\frac{10\{2\times12+(10-1)\times(-2)\}}{2}=30$

### 4-1

$S_n=3n^2-2n$에서

$a_n=S_n-S_{n-1}$

$=3n^2-2n-\{3(n-1)^2-2(n-1)\}$

$=6n-5$ ($n\geq2$) …… ㉠

$a_1=S_1=3\times1^2-2\times1=1$ …… ㉡

이때 ㉡은 ㉠에 $n=1$을 대입한 값과 같으므로

$a_n=6n-5$

$1\leq a_n\leq25$에서 $1\leq6n-5\leq25$

$6\leq6n\leq30$ $\therefore 1\leq n\leq5$

따라서 구하는 자연수 $n$의 개수는 1, 2, 3, 4, 5의 5이다.

## 4-2

$S_n=n^2+2n-4$에서

$a_n=S_n-S_{n-1}$

$=n^2+2n-4-\{(n-1)^2+2(n-1)-4\}$

$=2n+1\ (n\geq 2)$

$a_1=S_1=1^2+2\times 1-4=-1$이므로 $k\neq 1$

즉, $2k+1=15$이므로

$2k=14 \qquad \therefore k=7$

## 1주 3일 필수 체크 전략 ②

22, 23쪽

| 1 ① | 2 ① | 3 ② | 4 ⑤ |
|---|---|---|---|
| 5 ③ | 6 ② | 7 ② | |

### 1

등차수열 $\{a_n\}$의 첫째항을 $a$, 공차를 $d$라 하면 $a_{10}$과 $a_{30}$의 절댓값이 같고 부호가 반대이므로

$a_{10}+a_{30}=(a+9d)+(a+29d)=2a+38d=0$ …… ㉠

$a_5=a+4d=45$ …… ㉡

㉠, ㉡을 연립하여 풀면 $a=57$, $d=-3$

$\therefore a_n=57+(n-1)\times(-3)=-3n+60$

처음으로 음수가 되는 항은 $a_n<0$을 만족시키는 최초의 항이므로

$-3n+60<0$에서 $3n>60 \qquad \therefore n>20$

따라서 처음으로 음수가 되는 항은 제21항이다.

### 2

나머지정리에 의하여 $f(x)=x^2+ax+4$를 $x-2$, $x$, $x+1$로 나누었을 때의 나머지는 각각

$f(2)=4+2a+4=2a+8$,

$f(0)=4$,

$f(-1)=1-a+4=-a+5$

이때 $f(0)$은 $f(2)$와 $f(-1)$의 등차중항이므로

$2f(0)=f(2)+f(-1)$, $8=(2a+8)+(-a+5)$

$a+13=8 \qquad \therefore a=-5$

### 3

삼차방정식 $x^3+3x^2+px+q=0$의 세 실근을 $a-d$, $a$, $a+d$로 놓으면 삼차방정식의 근과 계수의 관계에서

$(a-d)+a+(a+d)=-3$

$3a=-3 \qquad \therefore a=-1$

따라서 주어진 방정식의 한 근이 $-1$이므로 $x=-1$을 방정식에 대입하면

$-1+3-p+q=0$

$\therefore p-q=2$

### 4

수열 5, $a_1$, $a_2$, $a_3$, $\cdots$, $a_{10}$, 45는 12개의 항으로 이루어진 등차수열이므로

$5+a_1+a_2+a_3+\cdots+a_{10}+45=\dfrac{12(5+45)}{2}=300$

$\therefore a_1+a_2+a_3+\cdots+a_{10}=300-(5+45)=250$

### 5

등차수열 $\{a_n\}$의 첫째항을 $a$, 공차를 $d$, 첫째항부터 제$n$항까지의 합을 $S_n$이라 하면

$S_5=\dfrac{5\{2a+(5-1)d\}}{2}=30$

$\therefore a+2d=6$ …… ㉠

$S_{10}-S_5=\dfrac{10\{2a+(10-1)d\}}{2}-30=80$

$\therefore 2a+9d=22$ …… ㉡

㉠, ㉡을 연립하여 풀면 $a=2$, $d=2$

따라서 제11항부터 제15항까지의 합은

$S_{15}-S_{10}=\dfrac{15\{2\times 2+(15-1)\times 2\}}{2}-(30+80)$

$=240-110=130$

### 6

등차수열 $\{a_n\}$의 첫째항을 $a$, 공차를 $d$라 하면

$a_5=a+4d=7$ …… ㉠

$a_{14}=a+13d=-11$ …… ㉡

㉠, ㉡을 연립하여 풀면 $a=15$, $d=-2$

$\therefore a_n=15+(n-1)\times(-2)=-2n+17$

$-2n+17<0$에서 $2n>17 \qquad \therefore n>\dfrac{17}{2}=8.5$

즉, 등차수열 $\{a_n\}$은 제9항부터 음수이므로 첫째항부터 제8항까지의 합이 최대이다.

따라서 구하는 최댓값은

$S_8=\dfrac{8\{2\times 15+(8-1)\times(-2)\}}{2}=64$

### 7

$S_n=n^2+4n$에서

$a_n=S_n-S_{n-1}$

$=n^2+4n-\{(n-1)^2+4(n-1)\}$

$=2n+3\ (n\geq 2)$ …… ㉠

$a_1=S_1=1^2+4\times 1=5$ …… ㉡

이때 ㉡은 ㉠에 $n=1$을 대입한 값과 같으므로

$a_n=2n+3$

따라서 $a_2=2\times 2+3=7$, $a_{50}=2\times 50+3=103$이므로

$a_2+a_4+a_6+\cdots+a_{50}=\dfrac{25(7+103)}{2}=1375$

$a_{50}$까지 짝수항만 더한 것이므로 항의 개수는 25야.

## 1주 4일 교과서 대표 전략 ①

24~27쪽

| | | | |
|---|---|---|---|
| 1 ③ | 2 ① | 3 ③ | 4 ① |
| 5 ③ | 6 ④ | 7 ① | 8 ② |
| 9 ③ | 10 ④ | 11 ① | 12 ⑤ |
| 13 ③ | 14 ④ | 15 ⑤ | 16 ② |

### 1

삼각형 ADC에서 $\overline{CD}=\overline{CA}=a$라 하면

삼각형 ABC에서 $A=60°$이므로 사인법

칙에 의하여 $\dfrac{10+a}{\sin 60°}=\dfrac{a}{\sin 30°}$

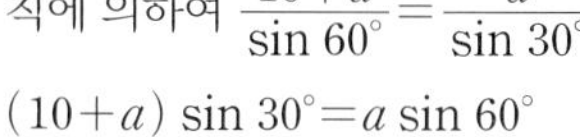

$(10+a)\sin 30°=a\sin 60°$

$\dfrac{1}{2}(10+a)=\dfrac{\sqrt{3}}{2}a$, $(\sqrt{3}-1)a=10$

$\therefore a=\dfrac{10}{\sqrt{3}-1}=5(\sqrt{3}+1)$

### 2

삼각형 ABC에서 $A+B+C=180°$이고, $A:B:C=1:1:4$이므로

$A=180°\times\dfrac{1}{6}=30°$, $B=180°\times\dfrac{1}{6}=30°$, $C=180°\times\dfrac{4}{6}=120°$

사인법칙에 의하여

$a:b:c=\sin A:\sin B:\sin C$

$=\sin 30°:\sin 30°:\sin 120°$

$=\dfrac{1}{2}:\dfrac{1}{2}:\dfrac{\sqrt{3}}{2}=1:1:\sqrt{3}$

### 3

코사인법칙에 의하여

$\cos A=\dfrac{8^2+7^2-13^2}{2\times8\times7}=-\dfrac{1}{2}$

$0°<A<180°$이므로 $A=120°$

### 4

주어진 등식에서 코사인법칙에 의하여

$b\times\dfrac{b^2+c^2-a^2}{2bc}=a\times\dfrac{c^2+a^2-b^2}{2ca}$

$a^2=b^2$ $\quad\therefore a=b\ (\because a>0, b>0)$

따라서 삼각형 ABC는 $a=b$인 이등변삼각형이다.

### 5

사인법칙에 의하여 $\dfrac{a}{\sin 120°}=\dfrac{b}{\sin 30°}=2\times4$이므로

$a=8\sin 120°=8\times\dfrac{\sqrt{3}}{2}=4\sqrt{3}$

$b=8\sin 30°=8\times\dfrac{1}{2}=4$

이때 $C=180°-(120°+30°)=30°$이므로 삼각형 ABC의 넓이는

$\triangle ABC=\dfrac{1}{2}\times4\sqrt{3}\times4\times\sin 30°=4\sqrt{3}$

### 6

평행사변형 ABCD의 넓이가 $15\sqrt{3}$이므로

$5\times6\times\sin B=15\sqrt{3}$ $\quad\therefore \sin B=\dfrac{\sqrt{3}}{2}$

$0°<B<90°$이므로 $B=60°$

$\therefore \tan 60°=\sqrt{3}$

### 7

등차수열 $\{a_n\}$의 첫째항을 $a$, 공차를 $d$라 하면

$a_4=a+3d=14$ …… ㉠

$a_6:a_{16}=2:5$에서 $5a_6=2a_{16}$

$5(a+5d)=2(a+15d)$ $\quad\therefore 3a-5d=0$ …… ㉡

㉠, ㉡을 연립하여 풀면 $a=5$, $d=3$

따라서 $a_n=5+(n-1)\times3=3n+2$이므로

$a_{21}=3\times21+2=65$

### 8

등차수열 $\{a_n\}$의 첫째항이 32, 공차가 $-3$이므로

$a_n=32+(n-1)\times(-3)=-3n+35$

처음으로 음수가 되는 항은 $a_n<0$을 만족시키는 최초의 항이므로

$-3n+35<0$에서 $3n>35$ $\quad\therefore n>\dfrac{35}{3}=11.6\times\times\times$

따라서 처음으로 음수가 되는 항은 제12항이다.

### 9

수열 $4, x_1, x_2, x_3, \cdots, x_n, 42$는 첫째항이 4, 공차가 2인 등차수열이다.

이때 42는 제$(n+2)$항이므로

$4+(n+1)\times2=42$, $2n=36$ $\quad\therefore n=18$

### 10

세 수 $x, 4, y$가 이 순서대로 등차수열을 이루므로

$2\times4=x+y$ $\quad\therefore x+y=8$

세 수 $x^2, 25, y^2$이 이 순서대로 등차수열을 이루므로

$2\times25=x^2+y^2$ $\quad\therefore x^2+y^2=50$ …… ㉠

㉠의 좌변을 변형하면

$(x+y)^2-2xy=50$, $8^2-2xy=50$

$2xy=14$ $\quad\therefore xy=7$

### 11

세 수를 $a-d, a, a+d$로 놓으면

$(a-d)+a+(a+d)=3$ …… ㉠

$(a-d)\times a\times(a+d)=-15$ …… ㉡

㉠에서 $3a=3$ $\quad\therefore a=1$

$a=1$을 ㉡에 대입하면

$(1-d)(1+d)=-15$

$d^2=16$ $\quad\therefore d=\pm4$

따라서 세 수는 $-3, 1, 5$이므로 세 수 중 가장 작은 수는 $-3$이다.

## 12

등차수열 $\{a_n\}$의 첫째항을 $a$, 공차를 $d$라 하면

$a_2+a_{10}=58$에서 $(a+d)+(a+9d)=58$

$2a+10d=58$ $\quad\therefore a+5d=29$ ...... ㉠

$a_6+a_{12}=88$에서 $(a+5d)+(a+11d)=88$

$2a+16d=88$ $\quad\therefore a+8d=44$ ...... ㉡

㉠, ㉡을 연립하여 풀면 $a=4$, $d=5$

따라서 등차수열 $\{a_n\}$의 첫째항부터 제20항까지의 합은

$\dfrac{20\{2\times4+(20-1)\times5\}}{2}=1030$

## 13

첫째항이 5, 공차가 4인 등차수열의 첫째항부터 제$n$항까지의 합이 860이므로

$\dfrac{n\{2\times5+(n-1)\times4\}}{2}=860$

$2n^2+3n-860=0$, $(2n+43)(n-20)=0$

$\therefore n=20$ ($\because n$은 자연수)

## 14

100 이하의 자연수 중 5로 나누었을 때의 나머지가 2인 수를 작은 것부터 차례대로 나열하면

$2, 7, 12, 17, \cdots, 92, 97$

첫째항이 2, 공차가 5인 등차수열이므로 97을 제$n$항이라 하면

$97=2+(n-1)\times5$, $5n-3=97$ $\quad\therefore n=20$

따라서 구하는 값은 첫째항이 2, 끝항이 97, 항수가 20인 등차수열의 합이므로

$\dfrac{20(2+97)}{2}=990$

## 15

등차수열 $\{a_n\}$의 첫째항을 $a$, 공차를 $d$, 첫째항부터 제$n$항까지의 합을 $S_n$이라 하면

$S_6=\dfrac{6\{2a+(6-1)d\}}{2}=42$

$\therefore 2a+5d=14$ ...... ㉠

$S_{10}=\dfrac{10\{2a+(10-1)d\}}{2}=150$

$\therefore 2a+9d=30$ ...... ㉡

㉠, ㉡을 연립하여 풀면 $a=-3$, $d=4$

$\therefore S_{15}=\dfrac{15\{2\times(-3)+(15-1)\times4\}}{2}=375$

## 16

$a_1=S_1=3\times1^2+1-1=3$

$a_3=S_3-S_2$

$\quad=(3\times3^2+3-1)-(3\times2^2+2-1)=16$

$a_5=S_5-S_4$

$\quad=(3\times5^2+5-1)-(3\times4^2+4-1)=28$

$\therefore a_1+a_3+a_5=47$

**다른 풀이**

$a_n=S_n-S_{n-1}$

$\quad=3n^2+n-1-\{3(n-1)^2+(n-1)-1\}$

$\quad=6n-2$ $(n\ge2)$ ...... ㉠

$a_1=S_1=3\times1^2+1-1=3$ ...... ㉡

이때 ㉡은 ㉠에 $n=1$을 대입한 값과 다르므로

$a_1=3$, $a_n=6n-2$ $(n\ge2)$

$\therefore a_1+a_3+a_5=3+(6\times3-2)+(6\times5-2)=47$

## 1주 4일 교과서 대표 전략 ②

28, 29쪽

| | | | |
|---|---|---|---|
| 1 ③ | 2 ② | 3 ④ | 4 $\frac{15\sqrt{3}}{4}$ |
| 5 ② | 6 ⑤ | 7 ① | 8 ④ |
| 9 6 | | | |

## 1

$\dfrac{a+b}{5}=\dfrac{b+c}{6}=\dfrac{c+a}{7}=k$ $(k>0)$라 하면

$a+b=5k$, $b+c=6k$, $c+a=7k$ ...... ㉠

세 식을 변끼리 모두 더하면

$2a+2b+2c=18k$ $\quad\therefore a+b+c=9k$ ...... ㉡

㉡에서 ㉠의 각 식을 빼면 $a=3k$, $b=2k$, $c=4k$

$\therefore \sin A:\sin B:\sin C=a:b:c=3:2:4$

## 2

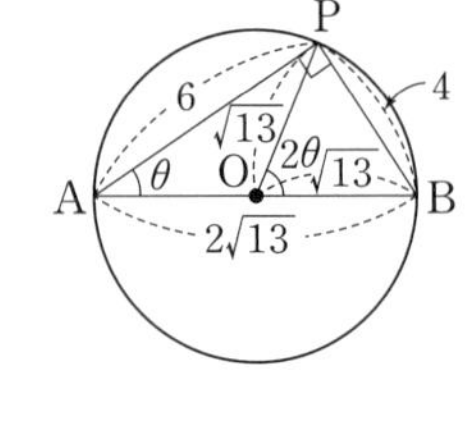


선분 AB가 원 $O$의 지름이므로

$\angle APB=90^\circ$

$\therefore \overline{BP}=\sqrt{(2\sqrt{13})^2-6^2}=\sqrt{16}=4$

이때 $\angle PAB=\theta$에서 $\angle POB=2\theta$이고

삼각형 POB에서 $\overline{OB}=\overline{OP}=\sqrt{13}$이므로

코사인법칙에 의하여

$\cos 2\theta=\dfrac{(\sqrt{13})^2+(\sqrt{13})^2-4^2}{2\times\sqrt{13}\times\sqrt{13}}=\dfrac{5}{13}$

**참고**

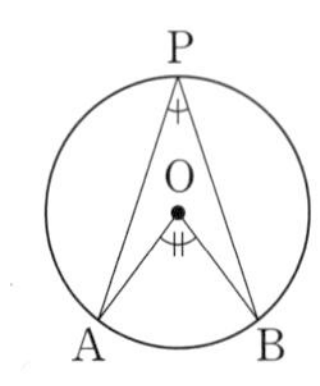


한 원에서 한 호에 대한 원주각의 크기는 그 호에 대한 중심각의 크기의 $\frac{1}{2}$이다.

즉, $\angle APB=\frac{1}{2}\angle AOB$

## 3

$s=\dfrac{7+3+6}{2}=8$이므로 헤론의 공식에 의하여

$\triangle ABC=\sqrt{8(8-7)(8-3)(8-6)}=4\sqrt{5}$

삼각형 ABC의 내접원의 반지름의 길이를 $r$라 하면

$4\sqrt{5}=\frac{1}{2}r(7+3+6)$, $8r=4\sqrt{5}$ $\quad\therefore r=\dfrac{\sqrt{5}}{2}$

## 4

코사인법칙에 의하여

$7^2=b^2+c^2-2bc\cos 120°$

$49=b^2+c^2+bc$ ······ ㉠

주어진 조건에서 $c=8-b$이므로 이것을 ㉠에 대입하면

$49=b^2+(8-b)^2+b(8-b)$

$b^2-8b+15=0,\ (b-3)(b-5)=0$ $\therefore b=3$ 또는 $b=5$

즉, $b=3,\ c=5$ 또는 $b=5,\ c=3$이다.

따라서 삼각형 ABC의 넓이는

$\frac{1}{2}\times3\times5\times\sin 120°=\frac{1}{2}\times3\times5\times\frac{\sqrt{3}}{2}=\frac{15\sqrt{3}}{4}$

## 5

등차수열 $\{a_n\}$의 첫째항을 $a$, 공차를 $d$라 하면

$a_3=a+2d=-12$ ······ ㉠

$a_4+a_6+a_8=0$에서 $(a+3d)+(a+5d)+(a+7d)=0$

$3a+15d=0$ $\therefore a+5d=0$ ······ ㉡

㉠, ㉡을 연립하여 풀면 $a=-20,\ d=4$

$\therefore a_n=-20+(n-1)\times4=4n-24$

$a_k>100$에서 $4k-24>100$

$4k>124$ $\therefore k>31$

따라서 자연수 $k$의 최솟값은 32이다.

## 6

등차수열 $\{a_n\}$의 첫째항을 $a$, 공차를 $d$라 하면

$a_3=a+2d=9$ ······ ㉠

$a_{15}=a+14d=-15$ ······ ㉡

㉠, ㉡을 연립하여 풀면 $a=13,\ d=-2$

$\therefore a_n=13+(n-1)\times(-2)=-2n+15$

$a_n<0$에서 $-2n+15<0$ $\therefore n>7.5$

따라서 수열 $\{a_n\}$은 첫째항부터 제7항까지 양수이고, 제8항부터 음수이다.

$a_7=-2\times7+15=1,\ a_8=-2\times8+15=-1,$

$a_{20}=-2\times20+15=-25$이므로

$|a_1|+|a_2|+|a_3|+\cdots+|a_{20}|$

$=(a_1+a_2+a_3+\cdots+a_7)-(a_8+a_9+a_{10}+\cdots+a_{20})$

$=\frac{7(13+1)}{2}-\frac{13\{-1+(-25)\}}{2}$

$=49+169=218$

## 7

첫째항이 $-3$, 끝항이 35, 항수가 $n+2$인 등차수열의 합이 320이므로

$\frac{(n+2)(-3+35)}{2}=320,\ n+2=20$ $\therefore n=18$

따라서 35는 제20항이므로

$-3+(20-1)d=35,\ 19d=38$ $\therefore d=2$

## 8

등차수열 $\{a_n\}$의 첫째항이 $-5$, 공차가 $\frac{2}{3}$이므로

$a_n=-5+(n-1)\times\frac{2}{3}=\frac{2}{3}n-\frac{17}{3}$

$\frac{2}{3}n-\frac{17}{3}>0$에서 $\frac{2}{3}n>\frac{17}{3}$ $\therefore n>\frac{17}{2}=8.5$

즉, 등차수열 $\{a_n\}$은 제9항부터 양수이므로 첫째항부터 제8항까지의 합이 최소이다.

따라서 구하는 $n$의 값은 8이다.

## 9

$S_n=n^2+5n$이라 하면

$a_6=S_6-S_5=(6^2+5\times6)-(5^2+5\times5)=16$

$T_n=2n^2-kn$이라 하면

$b_6=T_6-T_5=(2\times6^2-k\times6)-(2\times5^2-k\times5)=22-k$

이때 $a_6=b_6$이므로

$16=22-k$ $\therefore k=6$

수열의 합과 일반항 사이의 관계를 이용하니까 항의 값을 바로 구할 수 있어!

## 1주 누구나 합격 전략 30, 31쪽

| | | | |
|---|---|---|---|
| 1 ④ | 2 ③ | 3 ④ | 4 형선 |
| 5 ② | 6 ③ | 7 ② | 8 ① |
| 9 ④ | 10 ② | | |

## 1

삼각형 ABC의 외접원의 반지름의 길이를 $R$라 하면 사인법칙에 의하여

$\frac{2\sqrt{2}}{\sin 45°}=2R,\ 2R=\frac{2\sqrt{2}}{\frac{\sqrt{2}}{2}}=4$ $\therefore R=2$

## 2

삼각형 ABC의 외접원의 반지름의 길이를 $R$라 하면 사인법칙에 의하여

$\sin A+\sin B+\sin C=\frac{a}{2R}+\frac{b}{2R}+\frac{c}{2R}=\frac{a+b+c}{2R}$

$=\frac{12}{2\times4}=\frac{3}{2}$

## 3

코사인법칙에 의하여

$c^2=(2\sqrt{2})^2+3^2-2\times2\sqrt{2}\times3\times\cos 45°$

$=8+9-2\times2\sqrt{2}\times3\times\frac{\sqrt{2}}{2}=5$

$\therefore c=\sqrt{5}\ (\because c>0)$

**4**

주어진 등식에서 사인법칙에 의하여

$\left(\frac{a}{2R}\right)^2=\left(\frac{b}{2R}\right)^2+\left(\frac{c}{2R}\right)^2$ $\quad\therefore a^2=b^2+c^2$

따라서 삼각형 ABC는 $A=90°$인 직각삼각형이다.

**5**

삼각형 ABC의 넓이를 $S$라 하면

$S=\frac{1}{2}\times14\times6\times\sin 60°=\frac{1}{2}\times14\times6\times\frac{\sqrt{3}}{2}=21\sqrt{3}$

**6**

등차수열 $\{a_n\}$의 첫째항을 $a$, 공차를 $d$라 하면

$a_5-a_3=6$에서 $(a+4d)-(a+2d)=6$

$2d=6 \quad \therefore d=3$

$a_2+a_3=11$에서 $(a+d)+(a+2d)=11$

$\therefore 2a+3d=11$

위의 식에 $d=3$을 대입하면

$2a+9=11 \quad \therefore a=1$

따라서 $a_n=1+(n-1)\times3=3n-2$이므로

$a_7=3\times7-2=19$

**7**

수열 13, $a$, $b$, $c$, 25의 공차를 $d$라 하면 첫째항이 13, 제5항이 25이므로

$13+(5-1)d=25$, $4d=12 \quad \therefore d=3$

따라서 $a=16$, $b=19$, $c=22$이므로

$a+b+c=57$

다른 풀이

다섯 개의 수 13, $a$, $b$, $c$, 25가 이 순서대로 등차수열을 이루면 세 수 13, $b$, 25도 이 순서대로 등차수열을 이루므로

$b=\frac{13+25}{2}=19$

또 세 수 $a$, $b$, $c$도 이 순서대로 등차수열을 이루므로

$b=\frac{a+c}{2}$에서 $a+c=2b$

$\therefore a+b+c=3b=57$

**8**

$a_1=3\times1+4=7$, $a_{11}=3\times11+4=37$이므로 첫째항부터 제11항까지의 합은

$\frac{11(7+37)}{2}=242$

**9**

100과 200 사이에 있는 6의 배수는 102, 108, 114, …, 198

이때 $198=102+6\times16$에서 구하는 값은 첫째항이 102, 끝항이 198, 항수가 17인 등차수열의 합이므로

$\frac{17(102+198)}{2}=2550$

**10**

$S_n=-4n^2+5n$에서

$a_n=S_n-S_{n-1}$

$=-4n^2+5n-\{-4(n-1)^2+5(n-1)\}$

$=-8n+9\ (n\geq2)$ …… ㉠

$a_1=S_1=-4\times1^2+5\times1=1$ …… ㉡

이때 ㉡은 ㉠에 $n=1$을 대입한 것과 같으므로

$a_n=-8n+9=1+(n-1)\times(-8)$

따라서 등차수열 $\{a_n\}$의 공차는 $-8$이다.

$a_n=pn+q$ ($p$, $q$는 상수)꼴의 등차수열에서 공차는 $p$야.

## 1주 창의·융합·코딩 전략 32~35쪽

| | | | |
|---|---|---|---|
| 1 ④ | 2 $20\sqrt{19}$ m | 3 ③ | 4 ⑤ |
| 5 ③ | 6 105° | 7 375 | |
| 8 B 판매점, 12대 | | | |

**1**

$A+B+C=180°$이므로

$A=180°-(75°+45°)=60°$

사인법칙에 의하여 $\frac{30}{\sin 60°}=\frac{\overline{AB}}{\sin 45°}$이므로

$\overline{AB}=\sin 45°\times\frac{30}{\sin 60°}=\frac{\sqrt{2}}{2}\times\frac{30}{\frac{\sqrt{3}}{2}}=10\sqrt{6}$

따라서 두 지점 A, B 사이의 거리는 $10\sqrt{6}$ km이다.

**2**

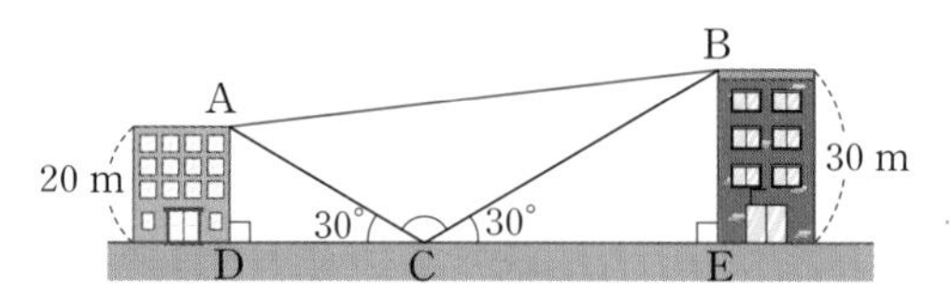


삼각형 ADC에서 $\sin 30°=\frac{\overline{AD}}{\overline{AC}}$이므로

$\overline{AC}=\frac{\overline{AD}}{\sin 30°}=20\times2=40$

삼각형 BCE에서 $\sin 30°=\frac{\overline{BE}}{\overline{BC}}$이므로

$\overline{BC}=\frac{\overline{BE}}{\sin 30°}=30\times2=60$

삼각형 ABC에서

$\angle ACB=180°-(30°+30°)=120°$이므로

$\overline{AB}^2=\overline{AC}^2+\overline{BC}^2-2\times\overline{AC}\times\overline{BC}\cos 120°$

$=40^2+60^2-2\times40\times60\times\left(-\frac{1}{2}\right)=7600$

이때 $\overline{AB}>0$이므로 $\overline{AB}=20\sqrt{19}$ (m)

### 3

오른쪽 그림에서

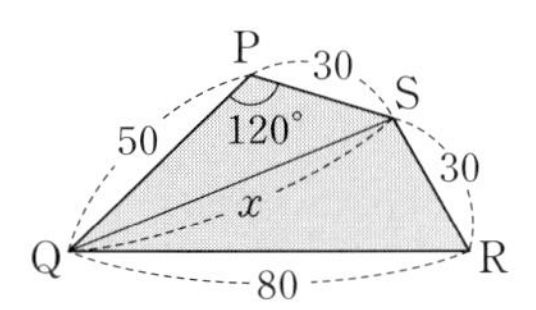


$\triangle PQS=\frac{1}{2}\times 50\times 30\times \sin 120°$

$=375\sqrt{3}$ 이때 $\overline{QS}=x$라 하면

삼각형 PQS에서

$x^2=50^2+30^2-2\times 50\times 30\times \cos 120°$

$=2500+900-2\times 50\times 30\times\left(-\frac{1}{2}\right)$

$=4900$

$\therefore x=70\ (\because x>0)$

삼각형 QRS에서 $s=\frac{80+30+70}{2}=90$이므로 헤론의 공식에 의하여

$\triangle QRS=\sqrt{90(90-80)(90-30)(90-70)}=600\sqrt{3}$

$\therefore \square PQRS=\triangle PQS+\triangle QRS=375\sqrt{3}+600\sqrt{3}=975\sqrt{3}\ (m^2)$

### 4

ㄱ. $a_1=1\times \sin\frac{\pi}{2}=1\neq -1$

ㄴ. $a_1=1\times \cos\frac{\pi}{2}=0\neq -1$

ㄷ. $a_1=1\times \sin\pi=0\neq -1$

ㄹ. $a_1=1\times\cos\pi=1\times(-1)=-1$

$a_2=2\times\cos 2\pi=2\times 1=2$

$a_3=3\times\cos 3\pi=3\times(-1)=-3$

$a_4=4\times\cos 4\pi=4\times 1=4$

⋮

ㅁ. $a_1=1\times(-1)^1=-1$

$a_2=2\times(-1)^2=2$

$a_3=3\times(-1)^3=-3$

$a_4=4\times(-1)^4=4$

⋮

ㅂ. $a_1=1\times\sin\frac{3}{2}\pi=-1$

$a_2=2\times\sin\frac{5}{2}\pi=2\times 1=2$

$a_3=3\times\sin\frac{7}{2}\pi=3\times(-1)=-3$

$a_4=4\times\sin\frac{9}{2}\pi=4\times 1=4$

⋮

따라서 주어진 수열의 일반항 $a_n$이 될 수 있는 것은 ㄹ, ㅁ, ㅂ이다.

### 5

ㄴ자 중앙에 있는 수를 $n$이라 하면 나머지 두 수는

$n-7,\ n+1$

따라서 세 수의 합은

$(n-7)+n+(n+1)=3n-6=3(n-2)$

즉, 세 수의 합은 3의 배수이므로 보기 중 3의 배수인 것은 27과 66이다.

(i) 세 수의 합이 27일 때

$3n-6=27\qquad \therefore n=11$

따라서 세 수는 4, 11, 12이지만 주어진 달력에서 ㄴ자 모양으로 선택할 수 없다.

(ii) 세 수의 합이 66일 때

$3n-6=66\qquad \therefore n=24$

따라서 세 수는 17, 24, 25이다.

(i), (ii)에서 ㄴ자 모양으로 선택한 세 수의 합이 될 수 있는 것은 66이다.

### 6

최소각의 크기가 75°이고 네 각이 순서대로 등차수열을 이루므로 네 각의 크기(°)를 $75,\ 75+d,\ 75+2d,\ 75+3d$로 놓자.

이때 사각형의 내각의 크기의 합은 360°이므로

$75+(75+d)+(75+2d)+(75+3d)=360$

$300+6d=360,\ 6d=60\qquad \therefore d=10$

이때 최대각의 크기는 $75+3d$이므로

$75+3\times 10=105(°)$

### 7

(i), (ii)의 방법 모두 매일 푸는 문항 수는 공차가 $d$인 등차수열을 이룬다.

(i)의 방법으로 풀면 24문항이 남으므로 문항 수 $x$는

$x=15+(15+d)+(15+2d)+\cdots+(15+8d)+24$

$=\frac{9\{15+(15+8d)\}}{2}+24=159+36d$

(ii)의 방법으로 풀면 39문항이 남으므로 문항수 $x$는

$x=30+(30+d)+(30+2d)+\cdots+(30+6d)+39$

$=\frac{7\{30+(30+6d)\}}{2}+39=249+21d$

즉, $159+36d=249+21d$이므로

$15d=90\qquad \therefore d=6$

따라서 수학책의 문항 수 $x$는

$x=159+36\times 6=249+21\times 6=375$

### 8

A 판매점에서 1년 동안 판매한 핸드폰의 수는 첫째항이 24, 공차가 7인 등차수열의 첫째항부터 제12항까지의 합이므로

$\frac{12\{2\times 24+(12-1)\times 7\}}{2}=750$

B 판매점에서 1년 동안 판매한 핸드폰의 수는 첫째항이 80, 공차가 −3인 등차수열의 첫째항부터 제12항까지의 합이므로

$\frac{12\{2\times 80+(12-1)\times(-3)\}}{2}=762$

따라서 1년 동안 판매한 핸드폰의 수는 B 판매점이 12대 더 많다.

기말

## 2주 1일 개념 돌파 전략 ①

39, 41쪽

**1-2** $a_n=-2\times(-3)^{n-1}$ **2-2** 40
**3-2** 76 **4-2** $n(n+1)^2$
**5-2** 33 **6-2** 풀이 참조

### 1-2
첫째항이 $-2$, 공비가 $\frac{6}{-2}=-3$이므로
$a_n=-2\times(-3)^{n-1}$

### 2-2
첫째항이 2, 공비가 $\frac{2}{2}=1$이므로 주어진 등비수열의 첫째항부터 제20항까지의 합은
$20\times2=40$

### 3-2
$\sum_{k=1}^{20}4(2a_k-5b_k+1)=\sum_{k=1}^{20}(8a_k-20b_k+4)$
$=8\sum_{k=1}^{20}a_k-20\sum_{k=1}^{20}b_k+\sum_{k=1}^{20}4$
$=8\times7-20\times3+4\times20$
$=76$

### 4-2
$\sum_{k=1}^{n}(3k^2+k)=3\sum_{k=1}^{n}k^2+\sum_{k=1}^{n}k$
$=3\times\frac{n(n+1)(2n+1)}{6}+\frac{n(n+1)}{2}$
$=\frac{n(n+1)(2n+1)}{2}+\frac{n(n+1)}{2}$
$=n(n+1)^2$

### 5-2
$a_{n+1}=a_n+2^n$의 $n$에 1, 2, 3, 4를 차례로 대입하면
$a_2=a_1+2^1=3+2=5$
$a_3=a_2+2^2=5+4=9$
$a_4=a_3+2^3=9+8=17$
$a_5=a_4+2^4=17+16=33$

### 6-2
(i) $n=1$일 때, (좌변)$=1$, (우변)$=2^1-1=1$
따라서 $n=1$일 때 등식 ㉠이 성립한다.
(ii) $n=k$일 때, 등식 ㉠이 성립한다고 가정하면
$1+2+2^2+\cdots+2^{k-1}=2^k-1$
위의 식의 좌변에 $2^k$을 더하면
$1+2+2^2+\cdots+2^{k-1}+2^k=2^k-1+2^k=2^{k+1}-1$
따라서 $n=k+1$일 때도 등식 ㉠이 성립한다.
(i), (ii)에서 모든 자연수 $n$에 대하여 등식 ㉠이 성립한다.

## 2주 1일 개념 돌파 전략 ②

42, 43쪽

**1** ② **2** ⑤ **3** ② **4** ①
**5** ④ **6** ③ **7** ⑤

### 1
주어진 등비수열의 일반항을 $a_n$이라 하면 첫째항이 6, 공비가 $\frac{-3}{6}=-\frac{1}{2}$이므로
$a_n=6\times\left(-\frac{1}{2}\right)^{n-1}$
$-\frac{3}{256}$을 제$k$항이라 하면
$6\times\left(-\frac{1}{2}\right)^{k-1}=-\frac{3}{256}$, $\left(-\frac{1}{2}\right)^{k-1}=-\frac{1}{512}=\left(-\frac{1}{2}\right)^9$
$k-1=9$ $\quad\therefore k=10$
따라서 $-\frac{3}{256}$은 제10항이다.

### 2
$x$, $x+10$, $9x$가 이 순서대로 등비수열을 이루므로
$(x+10)^2=x\times9x$, $2x^2-5x-25=0$
$(2x+5)(x-5)=0$ $\quad\therefore x=5\ (\because x>0)$

### 3
$\sum_{k=1}^{20}(a_k^2+b_k^2)=\sum_{k=1}^{20}\{(a_k+b_k)^2-2a_kb_k\}$
$=\sum_{k=1}^{20}(a_k+b_k)^2-2\sum_{k=1}^{20}a_kb_k$
$=50-2\times30=-10$

### 4
$\sum_{k=1}^{10}k(k^2-3)=\sum_{k=1}^{10}(k^3-3k)=\sum_{k=1}^{10}k^3-3\sum_{k=1}^{10}k$
$=\left(\frac{10\times11}{2}\right)^2-3\times\frac{10\times11}{2}$
$=3025-165=2860$

### 5
$a_{n+1}-a_n=-4$에서 수열 $\{a_n\}$은 공차가 $-4$인 등차수열이다.
이때 첫째항이 $a_1=5$이므로
$a_n=5+(n-1)\times(-4)=-4n+9$
$\therefore a_{20}=-4\times20+9=-71$

### 6
$a_{n+1}\div a_n=4$에서 수열 $\{a_n\}$은 공비가 4인 등비수열이다.
이때 첫째항이 $a_1=1$이므로
$a_n=4^{n-1}$
$\therefore a_5=4^4=2^8=256$

## 7

(i) $n=1$일 때

(좌변)= (가) 1 , (우변)=$\frac{1\times2\times3}{6}=1$

따라서 $n=1$일 때 등식 ㉠이 성립한다.

(ii) $n=k$일 때, 등식 ㉠이 성립한다고 가정하면

$1^2+2^2+3^2+\cdots+k^2=\frac{k(k+1)(2k+1)}{6}$

위의 식의 좌변에 (나) $(k+1)^2$ 을 더하면

$1^2+2^2+3^2+\cdots+k^2+$ (나) $(k+1)^2$

$=\frac{k(k+1)(2k+1)}{6}+$ (나) $(k+1)^2$

$=\frac{(k+1)\{k(2k+1)+6(k+1)\}}{6}$

$=\frac{(k+1)(2k^2+7k+6)}{6}$

$=\frac{(k+1)(k+2)(2k+3)}{6}$

따라서 $n=k+1$일 때도 등식 ㉠이 성립한다.

(i), (ii)에서 모든 자연수 $n$에 대하여 등식 ㉠이 성립한다.

## 2주 2일 필수 체크 전략 ①

44~47쪽

**1-1** ② **1-2** 제11항 **2-1** ④ **2-2** 1
**3-1** ③ **3-2** 112 **4-1** ① **4-2** 825

### 1-1

등비수열 $\{a_n\}$의 첫째항을 $a$, 공비를 $r$라 하면

$a_2+a_3=240$에서 $ar+ar^2=240$

$\therefore ar(1+r)=240$ …… ㉠

$a_5+a_6=30$에서 $ar^4+ar^5=30$

$\therefore ar^4(1+r)=30$ …… ㉡

㉡÷㉠을 하면 $r^3=\frac{1}{8}$ $\quad\therefore r=\frac{1}{2}$

$r=\frac{1}{2}$을 ㉠에 대입하면 $\frac{3}{4}a=240$ $\quad\therefore a=320$

$\therefore a_n=320\times\left(\frac{1}{2}\right)^{n-1}$

$\frac{5}{16}$를 제$k$항이라 하면

$320\times\left(\frac{1}{2}\right)^{k-1}=\frac{5}{16}$, $\left(\frac{1}{2}\right)^{k-1}=\left(\frac{1}{2}\right)^{10}$

$k-1=10$ $\quad\therefore k=11$

따라서 $\frac{5}{16}$는 제11항이다.

### 1-2

등비수열 $\{a_n\}$의 첫째항을 $a$, 공비를 $r$라 하면

$a_2=ar=14$ …… ㉠

$a_6=ar^5=224$ …… ㉡

㉡÷㉠을 하면 $r^4=16$

이때 각 항이 양수이므로 $r>0$ $\quad\therefore r=2$

$r=2$를 ㉠에 대입하면 $2a=14$ $\quad\therefore a=7$

$\therefore a_n=7\times2^{n-1}$

$7\times2^{n-1}>7000$에서 $2^{n-1}>1000$

이때 $2^9=512$, $2^{10}=1024$이므로

$n-1\geq10$ $\quad\therefore n\geq11$

따라서 처음으로 7000보다 커지는 항은 제11항이다.

### 2-1

세 수 12, $a$, $b$가 이 순서대로 등차수열을 이루므로

$2a=12+b$ …… ㉠

세 수 $a$, $b$, 32가 이 순서대로 등비수열을 이루므로

$b^2=32a$ …… ㉡

㉠을 ㉡에 대입하면

$b^2=16(12+b)$, $b^2-16b-192=0$

$(b+8)(b-24)=0$ $\quad\therefore b=24\ (\because b>0)$

$b=24$를 ㉠에 대입하면

$2a=36$ $\quad\therefore a=18$

$\therefore b-a=6$

### 2-2

등비수열을 이루는 세 수를 $a$, $ar$, $ar^2$으로 놓으면

$a+ar+ar^2=21$에서 $a(1+r+r^2)=21$ …… ㉠

$a\times ar\times ar^2=64$에서 $(ar)^3=64$ …… ㉡

㉡에서 $ar=4$ $\quad\therefore a=\frac{4}{r}$

$a=\frac{4}{r}$를 ㉠에 대입하면 $\frac{4}{r}(1+r+r^2)=21$

양변에 $r$를 곱하여 정리하면

$4r^2-17r+4=0$, $(4r-1)(r-4)=0$

$\therefore r=\frac{1}{4}$ 또는 $r=4$

$r=\frac{1}{4}$일 때 $a=16$, $r=4$일 때 $a=1$이므로 세 수는 1, 4, 16이다.

따라서 가장 작은 수는 1이다.

### 3-1

등비수열 $\{a_n\}$의 첫째항이 2, 공비가 $\frac{-6}{2}=-3$이므로

$S_n=\frac{2\{1-(-3)^n\}}{1-(-3)}=\frac{1}{2}\{1-(-3)^n\}$

$S_k=-364$에서 $\frac{1}{2}\{1-(-3)^k\}=-364$

$1-(-3)^k=-728$, $(-3)^k=729=(-3)^6$ $\quad\therefore k=6$

기말

## 3-2

등비수열 $\{a_n\}$의 첫째항을 $a$, 공비를 $r$, 첫째항부터 제$n$항까지의 합을 $S_n$이라 하면

$S_3=\dfrac{a(r^3-1)}{r-1}=21$ …… ㉠

$S_6=\dfrac{a(r^6-1)}{r-1}=\dfrac{a(r^3-1)(r^3+1)}{r-1}=-147$ …… ㉡

㉠을 ㉡에 대입하면 $21(r^3+1)=-147$

$r^3+1=-7,\ r^3=-8 \quad \therefore r=-2$

$r=-2$를 ㉠에 대입하여 정리하면

$3a=21 \quad \therefore a=7$

따라서 $a_n=7\times(-2)^{n-1}$이므로

$a_5=7\times(-2)^4=112$

## 4-1

$\sum_{k=1}^{n-1}(2k+5)=2\sum_{k=1}^{n-1}k+\sum_{k=1}^{n-1}5$

$=2\times\dfrac{(n-1)n}{2}+5(n-1)$

$=n^2+4n-5$

즉, $n^2+4n-5=160$이므로

$n^2+4n-165=0,\ (n+15)(n-11)=0$

$\therefore n=11$ ($\because n$은 자연수)

## 4-2

주어진 수열의 제$k$항을 $a_k$라 하면

$a_k=k(2k+1)=2k^2+k$

주어진 식은 수열 $\{a_n\}$의 첫째항부터 제10항까지의 합이므로

(주어진 식)$=\sum_{k=1}^{10}a_k=\sum_{k=1}^{10}(2k^2+k)=2\sum_{k=1}^{10}k^2+\sum_{k=1}^{10}k$

$=2\times\dfrac{10\times11\times21}{6}+\dfrac{10\times11}{2}$

$=825$

## 2주 2일 필수 체크 전략 ②

48, 49쪽

| | | | |
|---|---|---|---|
| 1 ② | 2 ② | 3 ④ | 4 ④ |
| 5 ③ | 6 ② | 7 ⑤ | |

### 1

등비수열 $\{a_n\}$의 첫째항을 $a$, 공비를 $r$라 하면

$a_1+a_2+a_3=4$에서 $a+ar+ar^2=4$

$\therefore a(1+r+r^2)=4$ …… ㉠

$a_4+a_5+a_6=16$에서 $ar^3+ar^4+ar^5=16$

$ar^3(1+r+r^2)=16$ …… ㉡

㉡÷㉠을 하면 $r^3=4$

$\therefore \dfrac{a_4+a_6}{a_1+a_3}=\dfrac{ar^3+ar^5}{a+ar^2}=\dfrac{ar^3(1+r^2)}{a(1+r^2)}=r^3=4$

### 2

나머지정리에 의하여 $f(x)=x^2+2x+a$를 $x+1,\ x-1,\ x-2$로 나누었을 때의 나머지는 각각

$f(-1)=1-2+a=a-1,$

$f(1)=1+2+a=a+3,$

$f(2)=4+4+a=a+8$

이때 $f(1)$은 $f(-1)$과 $f(2)$의 등비중항이므로

$\{f(1)\}^2=f(-1)f(2),\ (a+3)^2=(a-1)(a+8)$

$a^2+6a+9=a^2+7a-8 \quad \therefore a=17$

따라서 $f(x)=x^2+2x+17$이므로 $f(x)$를 $x+2$로 나누었을 때의 나머지는

$f(-2)=4-4+17=17$

### 3

삼차방정식의 세 실근을 $a,\ ar,\ ar^2$이라 하면 삼차방정식의 근과 계수의 관계에서

$a+ar+ar^2=p$

$a\times ar+ar\times ar^2+ar^2\times a=126$ …… ㉠

$a\times ar\times ar^2=216$ …… ㉡

㉡에서 $(ar)^3=216 \quad \therefore ar=6$

㉠에서 $ar(a+ar+ar^2)=126$이므로

$6p=126 \quad \therefore p=21$

### 4

등비수열 $\{a_n\}$의 첫째항을 $a$, 공비를 $r$라 하면

$a_3=ar^2=4$ …… ㉠

$a_7=ar^6=16$ …… ㉡

㉡÷㉠을 하면 $r^4=4$

$r$는 실수이므로 $r^2=2$

$r^2=2$를 ㉠에 대입하면 $2a=4 \quad \therefore a=2$

따라서 $a_1^2+a_2^2+a_3^2+\cdots+a_{10}^2$은 첫째항이 $a_1^2=4$, 공비가 $r^2=2$인 등비수열의 첫째항부터 제10항까지의 합과 같으므로

$a_1^2+a_2^2+a_3^2+\cdots+a_{10}^2=\dfrac{4(2^{10}-1)}{2-1}=4(2^{10}-1)$

### 5

주어진 등비수열의 첫째항이 1, 공비가 2이므로

$S_n=\dfrac{1\times(2^n-1)}{2-1}=2^n-1$

$S_n>3000$에서 $2^n-1>3000 \quad \therefore 2^n>3001$

이때 $2^{11}=2048,\ 2^{12}=4096$이므로 $n\ge12$

따라서 $S_n$이 처음으로 3000보다 커지는 자연수 $n$의 값은 12이다.

### 6

이차방정식 $x^2-3x-5=0$의 서로 다른 두 실근이 $\alpha,\ \beta$이므로 근과 계수의 관계에서

$\alpha+\beta=3,\ \alpha\beta=-5$

$\therefore \sum_{k=1}^{10}(k-\alpha)(k-\beta)=\sum_{k=1}^{10}\{k^2-(\alpha+\beta)k+\alpha\beta\}$

$=\sum_{k=1}^{10}(k^2-3k-5)$

$=\sum_{k=1}^{10}k^2-3\sum_{k=1}^{10}k-\sum_{k=1}^{10}5$

$=\frac{10\times11\times21}{6}-3\times\frac{10\times11}{2}-5\times10$

$=170$

## 7

수열 $\{a_n\}$의 일반항 $a_n$은

$a_n=1+3+5+\cdots+(2n-1)$

$=\sum_{k=1}^{n}(2k-1)=2\sum_{k=1}^{n}k-\sum_{k=1}^{n}1$

$=2\times\frac{n(n+1)}{2}-n=n^2$

$\therefore \sum_{k=1}^{10}a_k=\sum_{k=1}^{10}k^2=\frac{10\times11\times21}{6}=385$

수열 $\{a_n\}$의 일반항을 구하고 나니까
문제가 간단해졌네!

## 2주 3일 필수 체크 전략 ①

50~53쪽

**1-1** $\frac{29}{45}$ **1-2** ② **2-1** ① **2-2** log 51−2

**3-1** ④ **3-2** 제6항 **4-1** ③ **4-2** 100

### 1-1

주어진 수열의 제$k$항을 $a_k$라 하면

$a_k=\frac{1}{k(k+2)}=\frac{1}{2}\left(\frac{1}{k}-\frac{1}{k+2}\right)$

$\therefore \sum_{k=1}^{8}a_k=\sum_{k=1}^{8}\frac{1}{2}\left(\frac{1}{k}-\frac{1}{k+2}\right)$

$=\frac{1}{2}\left\{\left(1-\frac{1}{3}\right)+\left(\frac{1}{2}-\frac{1}{4}\right)+\cdots+\left(\frac{1}{7}-\frac{1}{9}\right)+\left(\frac{1}{8}-\frac{1}{10}\right)\right\}$

$=\frac{1}{2}\left(1+\frac{1}{2}-\frac{1}{9}-\frac{1}{10}\right)=\frac{29}{45}$

### 1-2

수열 $\{a_n\}$의 첫째항부터 제$n$항까지의 합을 $S_n$이라 하면

$S_n=n^2+3n$이므로

$a_n=S_n-S_{n-1}$

$=n^2+3n-\{(n-1)^2+3(n-1)\}$

$=2n+2\ (n\geq2)$ ······ ㉠

$a_1=S_1=1^2+3=4$ ······ ㉡

㉡은 ㉠에 $n=1$을 대입한 것과 같으므로

$a_n=2(n+1)$

$\therefore \sum_{k=1}^{12}\frac{1}{a_ka_{k+1}}=\sum_{k=1}^{12}\frac{1}{4(k+1)(k+2)}=\frac{1}{4}\sum_{k=1}^{12}\left(\frac{1}{k+1}-\frac{1}{k+2}\right)$

$=\frac{1}{4}\left\{\left(\frac{1}{2}-\frac{1}{3}\right)+\left(\frac{1}{3}-\frac{1}{4}\right)\cdots+\left(\frac{1}{13}-\frac{1}{14}\right)\right\}$

$=\frac{1}{4}\left(\frac{1}{2}-\frac{1}{14}\right)=\frac{3}{28}$

### 2-1

$\frac{1}{\sqrt{2k-1}+\sqrt{2k+1}}=\frac{\sqrt{2k-1}-\sqrt{2k+1}}{(\sqrt{2k-1}+\sqrt{2k+1})(\sqrt{2k-1}-\sqrt{2k+1})}$

$=\frac{1}{2}(\sqrt{2k+1}-\sqrt{2k-1})$

$\therefore \sum_{k=1}^{60}\frac{1}{\sqrt{2k-1}+\sqrt{2k+1}}$

$=\sum_{k=1}^{60}\frac{1}{2}(\sqrt{2k+1}-\sqrt{2k-1})$

$=\frac{1}{2}\{(\sqrt{3}-1)+(\sqrt{5}-\sqrt{3})+\cdots+(\sqrt{121}-\sqrt{119})\}$

$=\frac{1}{2}(\sqrt{121}-1)=5$

### 2-2

$\sum_{k=2}^{50}\log\left(1-\frac{1}{k^2}\right)$

$=\sum_{k=2}^{50}\log\frac{(k-1)(k+1)}{k^2}$

$=\sum_{k=2}^{50}\left(\log\frac{k-1}{k}+\log\frac{k+1}{k}\right)$

$=\sum_{k=2}^{50}\left(\log\frac{k-1}{k}-\log\frac{k}{k+1}\right)$

$=\left(\log\frac{1}{2}-\log\frac{2}{3}\right)+\left(\log\frac{2}{3}-\log\frac{3}{4}\right)$

$+\cdots+\left(\log\frac{49}{50}-\log\frac{50}{51}\right)$

$=\log\frac{1}{2}-\log\frac{50}{51}=\log\frac{51}{100}$

$=\log 51-2$

### 3-1

$a_{n+1}=\frac{a_n+a_{n+2}}{2}$에서 수열 $\{a_n\}$은 등차수열이다.

이때 첫째항이 $a_1=-15$, 공차가 $a_2-a_1=-5-(-15)=10$이므로

$a_n=-15+(n-1)\times10=10n-25$

$\therefore a_{10}=10\times10-25=75$

### 3-2

$a_{n+1}=3a_n$에서 수열 $\{a_n\}$은 공비가 3인 등비수열이다.

이때 첫째항이 $a_1=9$이므로

$a_n=9\times3^{n-1}=3^{n+1}$

$3^{n+1}\geq2000$에서 $3^6=729$, $3^7=2187$이므로

$n+1\geq7$ $\therefore n\geq6$

따라서 처음으로 2000 이상이 되는 항은 제6항이다.

### 4-1

$a_{n+1}=a_n+2^n$의 $n$에 1, 2, 3, ⋯을 차례로 대입하면

$a_2=a_1+2$

$a_3=a_2+2^2=a_1+2+2^2$

$a_4=a_3+2^3=a_1+2+2^2+2^3$

⋮

$\therefore a_n=a_1+2+2^2+2^3+\cdots+2^{n-1}$

$=4+\dfrac{2(2^{n-1}-1)}{2-1}$

$=2^n+2$

$a_k=1026$에서 $2^k+2=1026$

$2^k=1024=2^{10}$ $\quad\therefore k=10$

### 4-2

$a_{n+1}=\dfrac{n+2}{n+1}a_n$의 $n$에 1, 2, 3, ⋯, 98을 차례로 대입하면

$a_2=\dfrac{3}{2}a_1$

$a_3=\dfrac{4}{3}a_2=\dfrac{4}{3}\times\dfrac{3}{2}a_1$

$a_4=\dfrac{5}{4}a_3=\dfrac{5}{4}\times\dfrac{4}{3}\times\dfrac{3}{2}a_1$

⋮

$a_{99}=\dfrac{100}{99}a_{98}=\dfrac{100}{99}\times\cdots\times\dfrac{5}{4}\times\dfrac{4}{3}\times\dfrac{3}{2}a_1$

$=\dfrac{100}{2}\times2=100$

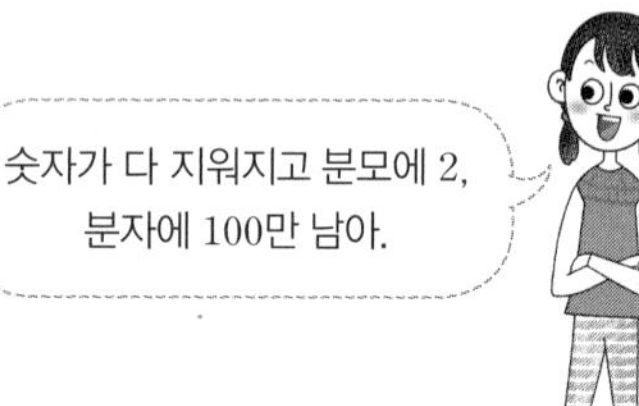


## 2주 3일 필수 체크 전략 ②

54, 55쪽

| | | | |
|---|---|---|---|
| 1 ⑤ | 2 ③ | 3 ② | 4 ① |
| 5 ④ | 6 ① | 7 ⑤ | |

### 1

$a_n=1^2+2^2+3^2+\cdots+n^2=\sum_{k=1}^{n}k^2=\dfrac{n(n+1)(2n+1)}{6}$

$\therefore \sum_{k=1}^{10}\dfrac{2k+1}{a_k}=\sum_{k=1}^{10}\dfrac{2k+1}{\dfrac{k(k+1)(2k+1)}{6}}$

$=\sum_{k=1}^{10}\dfrac{6}{k(k+1)}$

$=6\sum_{k=1}^{10}\left(\dfrac{1}{k}-\dfrac{1}{k+1}\right)$

$=6\left\{\left(1-\dfrac{1}{2}\right)+\left(\dfrac{1}{2}-\dfrac{1}{3}\right)+\cdots+\left(\dfrac{1}{10}-\dfrac{1}{11}\right)\right\}$

$=6\left(1-\dfrac{1}{11}\right)=\dfrac{60}{11}$

### 2

$a_n=\dfrac{1}{\sqrt{n+1}+\sqrt{n}}=\dfrac{\sqrt{n+1}-\sqrt{n}}{(\sqrt{n+1}+\sqrt{n})(\sqrt{n+1}-\sqrt{n})}$

$=\sqrt{n+1}-\sqrt{n}$

$\therefore \sum_{k=1}^{n}a_k=\sum_{k=1}^{n}(\sqrt{k+1}-\sqrt{k})$

$=(\sqrt{2}-1)+(\sqrt{3}-\sqrt{2})+\cdots+(\sqrt{n+1}-\sqrt{n})$

$=\sqrt{n+1}-1$

따라서 $\sqrt{n+1}-1=2$이므로

$\sqrt{n+1}=3$, $n+1=9$

$\therefore n=8$

### 3

$a_{2n-1}a_{2n}=2^n\times5^n=10^n$

$\therefore \sum_{k=1}^{10}\log a_k=\log a_1+\log a_2+\cdots+\log a_{10}$

$=(\log a_1+\log a_2)+(\log a_3+\log a_4)+\cdots+(\log a_9+\log a_{10})$

$=\log a_1a_2+\log a_3a_4+\cdots+\log a_9a_{10}$

$=\log 10+\log 10^2+\cdots+\log 10^5$

$=1+2+3+4+5=15$

**다른 풀이**

$a_{2n-1}=2^n$, $a_{2n}=5^n$이므로

$\sum_{k=1}^{10}\log a_k=\sum_{k=1}^{5}(\log a_{2k-1}+\log a_{2k})=\sum_{k=1}^{5}\log a_{2k-1}+\sum_{k=1}^{5}\log a_{2k}$

$=\sum_{k=1}^{5}\log 2^k+\sum_{k=1}^{5}\log 5^k=\sum_{k=1}^{5}k\log 2+\sum_{k=1}^{5}k\log 5$

$=\log 2\times\sum_{k=1}^{5}k+\log 5\times\sum_{k=1}^{5}k$

$=(\log 2+\log 5)\sum_{k=1}^{5}k$

$=\log 10\times\sum_{k=1}^{5}k=\sum_{k=1}^{5}k$

$=\dfrac{5\times6}{2}=15$

### 4

$a_{n+1}=a_n+3$에서 수열 $\{a_n\}$은 공차가 3인 등차수열이다.

이때 첫째항이 $a_1=-43$이므로

$a_n=-43+(n-1)\times3=3n-46$

$3n-46>0$에서 $3n>46$

$\therefore n>\dfrac{46}{3}=15.\times\times\times$

따라서 제16항부터 양수이므로 첫째항부터 제15항까지의 합이 최소가 된다.

$\therefore n=15$

## 5

$2\log a_{n+1}=\log a_n+\log a_{n+2}$에서 $a_{n+1}{}^2=a_n a_{n+2}$이므로 수열 $\{a_n\}$은 등비수열이다.

이때 첫째항이 $a_1=8$, 공비가 $\frac{a_2}{a_1}=\frac{4}{8}=\frac{1}{2}$이므로

$a_n=8\times\left(\frac{1}{2}\right)^{n-1}$

$\therefore a_{10}=8\times\left(\frac{1}{2}\right)^9=\frac{1}{64}$

## 6

$a_{n+1}=a_n+\frac{1}{n(n+1)}=a_n+\frac{1}{n}-\frac{1}{n+1}$의 $n$에 1, 2, 3, …을 차례로 대입하면

$a_2=a_1+1-\frac{1}{2}$

$a_3=a_2+\frac{1}{2}-\frac{1}{3}=a_1+1-\frac{1}{2}+\frac{1}{2}-\frac{1}{3}$

$=a_1+1-\frac{1}{3}$

$a_4=a_3+\frac{1}{3}-\frac{1}{4}=a_1+1-\frac{1}{2}+\frac{1}{2}-\frac{1}{3}+\frac{1}{3}-\frac{1}{4}$

$=a_1+1-\frac{1}{4}$

⋮

$\therefore a_n=a_1+1-\frac{1}{n}=3-\frac{1}{n}$

$\therefore a_{50}-a_{25}=\left(3-\frac{1}{50}\right)-\left(3-\frac{1}{25}\right)=\frac{1}{50}$

## 7

$a_{n+1}=(n+1)a_n$의 $n$에 1, 2, 3, …, 199를 차례로 대입하면

$a_2=2a_1$

$a_3=3a_2=3\times2a_1$

$a_4=4a_3=4\times3\times2a_1$

⋮

$a_{200}=200a_{199}=200\times199\times\cdots\times2a_1$

이때 $n\ge5$인 $a_n$은 모두 20의 배수이므로 $a_3+a_4+a_5+\cdots+a_{200}$을 20으로 나누었을 때의 나머지는 $a_3+a_4$를 20으로 나누었을 때의 나머지와 같다.

따라서 $a_3+a_4=6+24=30$이므로 구하는 나머지는 10이다.

참고

$a_5=5a_4=5\times4\times3\times2a_1$

$a_6=6a_5=6\times5\times4\times3\times2a_1$

$a_7=7a_6=7\times6\times5\times4\times3\times2a_1$

⋮

이와 같이 $n\ge5$인 $a_n$은 모두 $5\times4=20$을 약수로 가지므로 20의 배수이다.

## 2주 4일 교과서 대표 전략 ①

56~59쪽

| | | | |
|---|---|---|---|
| 1 ③ | 2 ③ | 3 ⑤ | 4 ③ |
| 5 ③ | 6 ① | 7 ④ | 8 ③ |
| 9 ① | 10 $\frac{30}{31}$ | 11 ⑤ | 12 ② |
| 13 ② | 14 ② | 15 ④ | |

## 1

등비수열 $\{a_n\}$의 첫째항을 $a$, 공비를 $r$ $(r>0)$라 하면

$a_5=ar^4=24$ …… ㉠

$a_7=ar^6=96$ …… ㉡

㉡÷㉠을 하면 $r^2=4$ $\therefore r=2$ ($\because r>0$)

$r=2$를 ㉠에 대입하면 $16a=24$ $\therefore a=\frac{3}{2}$

따라서 $a_n=\frac{3}{2}\times2^{n-1}$이므로

$a_9=\frac{3}{2}\times2^8=384$

## 2

등비수열 $\{a_n\}$의 첫째항이 3, 공비가 3이므로

$a_n=3\times3^{n-1}=3^n$

$3^n>3000$에서 $3^7=2187$, $3^8=6561$이므로 $n\ge8$

따라서 처음으로 3000보다 커지는 항은 제8항이다.

## 3

주어진 등비수열의 첫째항이 27, 공비가 $\frac{2}{3}$, 제$(n+2)$항이 $\frac{256}{243}$이므로

$27\times\left(\frac{2}{3}\right)^{n+1}=\frac{256}{243}$, $\left(\frac{2}{3}\right)^{n+1}=\left(\frac{2}{3}\right)^8$

$n+1=8$ $\therefore n=7$

## 4

세 수 4, $a$, $b$가 이 순서대로 등차수열을 이루므로

$2a=4+b$ $\therefore b=2a-4$ …… ㉠

세 수 $a$, 4, $b$가 이 순서대로 등비수열을 이루므로

$16=ab$ …… ㉡

㉠을 ㉡에 대입하면

$a(2a-4)=16$, $a^2-2a-8=0$

$(a+2)(a-4)=0$ $\therefore a=-2$ 또는 $a=4$

$a=-2$일 때 $b=-8$, $a=4$일 때 $b=4$

$a>b$이므로 $a=-2$, $b=-8$

$\therefore a-b=6$

기말

## 5

등비수열 $\{a_n\}$의 첫째항을 $a$, 공비를 $r$라 하면

$a_2+a_3=4$에서 $ar+ar^2=4$ ······ ㉠

$a_4 : a_5=1 : 2$에서 $\frac{a_5}{a_4}=2$ $\quad\therefore r=2$

$r=2$를 ㉠에 대입하면 $6a=4$ $\quad\therefore a=\frac{2}{3}$

따라서 등비수열 $\{a_n\}$의 첫째항부터 제6항까지의 합은

$$\frac{\frac{2}{3}(2^6-1)}{2-1}=42$$

## 6

주어진 등비수열의 첫째항을 $a$, 공비를 $r$ $(r>0)$, 첫째항부터 제$n$항까지의 합을 $S_n$이라 하면

$S_4=\frac{a(r^4-1)}{r-1}=30$ ······ ㉠

$S_8=\frac{a(r^8-1)}{r-1}=\frac{a(r^4-1)(r^4+1)}{r-1}=510$ ······ ㉡

㉠을 ㉡에 대입하면 $30(r^4+1)=510$

$r^4=16$ $\quad\therefore r=2$ ($\because r>0$)

$r=2$를 ㉠에 대입하여 정리하면

$15a=30$ $\quad\therefore a=2$

따라서 주어진 등비수열의 첫째항부터 제10항까지의 합은

$$\frac{2(2^{10}-1)}{2-1}=2046$$

## 7

$\sum_{k=1}^{7}(a_k+b_k)=\sum_{k=1}^{7}a_k+\sum_{k=1}^{7}b_k=50$ ······ ㉠

$\sum_{k=1}^{7}(a_k-b_k)=\sum_{k=1}^{7}a_k-\sum_{k=1}^{7}b_k=60$ ······ ㉡

㉠+㉡을 하면 $2\sum_{k=1}^{7}a_k=110$ $\quad\therefore \sum_{k=1}^{7}a_k=55$

$\sum_{k=1}^{7}a_k=55$를 ㉠에 대입하면

$55+\sum_{k=1}^{7}b_k=50$ $\quad\therefore \sum_{k=1}^{7}b_k=-5$

$$\begin{aligned}\therefore \sum_{k=1}^{7}(a_k+2b_k)&=\sum_{k=1}^{7}a_k+2\sum_{k=1}^{7}b_k\\&=55+2\times(-5)\\&=45\end{aligned}$$

## 8

$$\begin{aligned}\sum_{n=1}^{5}\left(\sum_{m=1}^{n}mn\right)&=\sum_{n=1}^{5}\left(n\sum_{m=1}^{n}m\right)=\sum_{n=1}^{5}\left\{n\times\frac{n(n+1)}{2}\right\}\\&=\sum_{n=1}^{5}\frac{n^3+n^2}{2}=\frac{1}{2}\left(\sum_{n=1}^{5}n^3+\sum_{n=1}^{5}n^2\right)\\&=\frac{1}{2}\left\{\left(\frac{5\times6}{2}\right)^2+\frac{5\times6\times11}{6}\right\}\\&=140\end{aligned}$$

## 9

수열 $\{a_n\}$의 첫째항부터 제$n$항까지의 합을 $S_n$이라 하면

$S_n=n^2-3n$이므로

$$\begin{aligned}a_n&=S_n-S_{n-1}\\&=n^2-3n-\{(n-1)^2-3(n-1)\}\\&=2n-4\ (n\geq2)\end{aligned}$$ ······ ㉠

$a_1=S_1=1^2-3\times1=-2$ ······ ㉡

㉡은 ㉠에 $n=1$을 대입한 것과 같으므로

$a_n=2n-4$

$$\begin{aligned}\therefore \sum_{k=1}^{10}a_{2k+1}&=\sum_{k=1}^{10}\{2(2k+1)-4\}\\&=\sum_{k=1}^{10}(4k-2)\\&=4\sum_{k=1}^{10}k-\sum_{k=1}^{10}2\\&=4\times\frac{10\times11}{2}-2\times10\\&=200\end{aligned}$$

## 10

$2+4+6+\cdots+2k=\sum_{i=1}^{k}2i=2\times\frac{k(k+1)}{2}=k(k+1)$

$$\begin{aligned}\therefore \sum_{k=1}^{30}\frac{1}{2+4+6+\cdots+2k}&=\sum_{k=1}^{30}\frac{1}{k(k+1)}=\sum_{k=1}^{30}\left(\frac{1}{k}-\frac{1}{k+1}\right)\\&=\left(1-\frac{1}{2}\right)+\left(\frac{1}{2}-\frac{1}{3}\right)+\cdots+\left(\frac{1}{30}-\frac{1}{31}\right)\\&=1-\frac{1}{31}=\frac{30}{31}\end{aligned}$$

## 11

수열 $\frac{2}{1+\sqrt{3}}$, $\frac{2}{\sqrt{2}+\sqrt{4}}$, $\frac{2}{\sqrt{3}+\sqrt{5}}$, $\cdots$의 제$k$항을 $a_k$라 하면

$$\begin{aligned}a_k&=\frac{2}{\sqrt{k}+\sqrt{k+2}}=\frac{2(\sqrt{k}-\sqrt{k+2})}{(\sqrt{k}+\sqrt{k+2})(\sqrt{k}-\sqrt{k+2})}\\&=\sqrt{k+2}-\sqrt{k}\end{aligned}$$

주어진 식은 수열 $\{a_n\}$의 첫째항부터 제48항까지의 합이므로

$$\begin{aligned}\sum_{k=1}^{48}a_k&=\sum_{k=1}^{48}(\sqrt{k+2}-\sqrt{k})\\&=(\sqrt{3}-1)+(\sqrt{4}-\sqrt{2})+\cdots+(\sqrt{49}-\sqrt{47})+(\sqrt{50}-\sqrt{48})\\&=-1-\sqrt{2}+\sqrt{49}+\sqrt{50}\\&=6+4\sqrt{2}\end{aligned}$$

## 12

$a_{n+1}=\sqrt{a_na_{n+2}}$, 즉 ${a_{n+1}}^2=a_na_{n+2}$에서 수열 $\{a_n\}$은 등비수열이고, 첫째항이 $a_1=1$이므로 공비를 $r$라 하면

$a_4=1\times r^3=125$ $\quad\therefore r=5$ ($\because r$는 실수)

따라서 $\frac{a_{15}}{a_{13}}=\frac{a_{16}}{a_{14}}=\frac{a_{17}}{a_{15}}=r^2=25$이므로

$$\frac{a_{15}}{a_{13}}+\frac{a_{16}}{a_{14}}+\frac{a_{17}}{a_{15}}=3r^2=3\times25=75$$

## 13

$a_{n+1}=a_n+(-1)^n$의 $n$에 1, 2, 3, …을 차례로 대입하면

$a_2=a_1+(-1)^1=3-1=2$

$a_3=a_2+(-1)^2=2+1=3$

$a_4=a_3+(-1)^3=3-1=2$

⋮

따라서 $a_n=\begin{cases}3\ (n\text{은 홀수})\\2\ (n\text{은 짝수})\end{cases}$이므로

$a_{50}=2$

## 14

$\sqrt{n+2}\,a_{n+1}=\sqrt{n}\,a_n$에서 $a_{n+1}=\frac{\sqrt{n}}{\sqrt{n+2}}a_n$

$a_{n+1}=\frac{\sqrt{n}}{\sqrt{n+2}}a_n$의 $n$에 1, 2, 3, …, 48을 차례로 대입하면

$a_2=\frac{1}{\sqrt{3}}a_1$

$a_3=\frac{\sqrt{2}}{\sqrt{4}}a_2=\frac{\sqrt{2}}{\sqrt{4}}\times\frac{1}{\sqrt{3}}a_1$

$a_4=\frac{\sqrt{3}}{\sqrt{5}}a_3=\frac{\sqrt{3}}{\sqrt{5}}\times\frac{\sqrt{2}}{\sqrt{4}}\times\frac{1}{\sqrt{3}}a_1$

⋮

$\therefore a_{49}=\frac{\sqrt{48}}{\sqrt{50}}a_{48}=\frac{\sqrt{48}}{\sqrt{50}}\times\frac{\sqrt{47}}{\sqrt{49}}\times\cdots\times\frac{\sqrt{3}}{\sqrt{5}}\times\frac{\sqrt{2}}{\sqrt{4}}\times\frac{1}{\sqrt{3}}a_1$

$=\frac{1}{\sqrt{50}}\times\frac{1}{\sqrt{49}}\times\sqrt{2}\times1\times1=\frac{1}{35}$

## 15

(ii) $n=k\ (k\ge4)$일 때, 부등식 ㉠이 성립한다고 가정하면

$2^k\ge k^2$

위의 식의 양변에 2를 곱하면

$2^{k+1}\ge2k^2$

그런데 $k\ge4$이면

$2k^2-(k+1)^2=k^2-2k-1$

$=$ (가) $(k-1)^2$ $-2>0$

이므로 $2k^2>(k+1)^2$

$\therefore 2^{k+1}\ge2k^2>$ (나) $(k+1)^2$

따라서 $n=k+1$일 때도 부등식 ㉠이 성립한다.

부등식의 증명도
등식의 증명과 같아.

## 2주 4일 교과서 대표 전략 ②

60, 61쪽

| | | | |
|---|---|---|---|
| 1 ③ | 2 ① | 3 ② | 4 ③ |
| 5 ① | 6 ② | 7 3 | 8 ② |

## 1

등비수열 $\{a_n\}$의 첫째항을 $a$, 공비를 $r$라 하면

$\log a_3=1$에서 $a_3=ar^2=10$ …… ㉠

$\log a_6=\frac{5}{2}$에서 $a_6=ar^5=10^{\frac{5}{2}}$ …… ㉡

㉡÷㉠을 하면 $r^3=10^{\frac{3}{2}}$ $\quad\therefore r=10^{\frac{1}{2}}$

$r=10^{\frac{1}{2}}$을 ㉠에 대입하면 $10a=10$ $\quad\therefore a=1$

따라서 $a_n=10^{\frac{n-1}{2}}$이므로 $10<a_n<1000$에서

$10<10^{\frac{n-1}{2}}<10^3$, $1<\frac{n-1}{2}<3$

$2<n-1<6$ $\quad\therefore 3<n<7$

따라서 구하는 자연수 $n$의 개수는 4, 5, 6의 3이다.

## 2

등비수열 $\{a_n\}$의 첫째항을 $a$, 공비를 $r\ (r>0)$, 첫째항부터 제$n$항까지의 합을 $S_n$이라 하면

$a_1+a_2+a_3+\cdots+a_6=S_6=\frac{a(r^6-1)}{r-1}=30$ …… ㉠

이때 $a_7+a_8+a_9+\cdots+a_{12}=S_{12}-S_6$에서

$S_{12}=S_6+240=30+240=270$이므로

$S_{12}=\frac{a(r^{12}-1)}{r-1}=\frac{a(r^6-1)(r^6+1)}{r-1}=270$ …… ㉡

㉠을 ㉡에 대입하면 $30(r^6+1)=270$, $r^6+1=9$

$r^6=8$ $\quad\therefore r=\sqrt{2}\ (\because r>0)$

**다른 풀이**

등비수열 $\{a_n\}$의 첫째항을 $a$, 공비를 $r\ (r>0)$라 하면

$a_1+a_2+a_3+\cdots+a_6=a+ar+ar^2+\cdots+ar^5$

$=a(1+r+r^2+\cdots+r^5)=30$ …… ㉠

$a_7+a_8+a_9+\cdots+a_{12}=ar^6+ar^7+ar^8+\cdots+ar^{11}$

$=ar^6(1+r+r^2+\cdots+r^5)=240$ …… ㉡

㉡÷㉠을 하면 $r^6=8$ $\quad\therefore r=\sqrt{2}\ (\because r>0)$

## 3

$S_n=a_1+2a_2+3a_3+\cdots+na_n=\frac{n(n+1)(n+2)}{6}$라 하면

$na_n=S_n-S_{n-1}$

$=\frac{n(n+1)(n+2)}{6}-\frac{n(n-1)(n+1)}{6}$

$=\frac{n(n+1)}{2}\ (n\ge2)$ …… ㉠

$1\times a_1=S_1=\frac{1\times2\times3}{6}=1$ …… ㉡

㉡은 ㉠에 $n=1$을 대입한 것과 같으므로

$na_n=\frac{n(n+1)}{2}$

따라서 $a_n=\frac{n+1}{2}$이므로

$\sum_{k=1}^{10}a_k=\sum_{k=1}^{10}\frac{k+1}{2}=\frac{1}{2}\left(\sum_{k=1}^{10}k+\sum_{k=1}^{10}1\right)$

$=\frac{1}{2}\left(\frac{10\times11}{2}+1\times10\right)$

$=\frac{65}{2}$

기말

## 4

$(f\circ g)(n)=f(g(n))=f(2n-1)$
$=(2n-1+1)(2n-1+5)$
$=4n(n+2)$

$\therefore \sum_{n=1}^{10}\frac{8}{(f\circ g)(n)}$
$=\sum_{n=1}^{10}\frac{8}{4n(n+2)}=\sum_{n=1}^{10}\left(\frac{1}{n}-\frac{1}{n+2}\right)$
$=\left(1-\frac{1}{3}\right)+\left(\frac{1}{2}-\frac{1}{4}\right)+\cdots+\left(\frac{1}{9}-\frac{1}{11}\right)+\left(\frac{1}{10}-\frac{1}{12}\right)$
$=1+\frac{1}{2}-\frac{1}{11}-\frac{1}{12}=\frac{175}{132}$

따라서 $p=132$, $q=175$이므로 $q-p=43$

## 5

이차방정식 $a_nx^2-2a_{n+1}x+a_{n+2}=0$이 중근을 가지므로 이 이차방정식의 판별식을 $D$라 하면

$\frac{D}{4}=a_{n+1}{}^2-a_n a_{n+2}=0$

$\therefore a_{n+1}{}^2=a_na_{n+2}$ ...... ㉠

따라서 수열 $\{a_n\}$은 첫째항이 $a_1=2$, 공비가 $\frac{a_2}{a_1}=\frac{1}{2}$인 등비수열이다. 주어진 이차방정식에서 근의 공식에 의하여

$x=\frac{a_{n+1}\pm\sqrt{a_{n+1}{}^2-a_na_{n+2}}}{a_n}=\frac{a_{n+1}}{a_n}$ ($\because$ ㉠)
$=\frac{1}{2}$ (중근)

즉, $b_n=\frac{1}{2}$이므로

$\sum_{k=1}^{100}b_k=\sum_{k=1}^{100}\frac{1}{2}=\frac{1}{2}\times100=50$

**다른 풀이**

$a_n=2\times\left(\frac{1}{2}\right)^{n-1}=\left(\frac{1}{2}\right)^{n-2}$이므로

$a_{n+1}=\left(\frac{1}{2}\right)^{n-1}$, $a_{n+2}=\left(\frac{1}{2}\right)^{n}$

따라서 주어진 이차방정식은

$\left(\frac{1}{2}\right)^{n-2}x^2-2\times\left(\frac{1}{2}\right)^{n-1}x+\left(\frac{1}{2}\right)^{n}=0$

이 식의 양변에 $2^n$을 곱하면

$4x^2-4x+1=0$, $(2x-1)^2=0$ $\quad\therefore x=b_n=\frac{1}{2}$

## 6

$a_{n+1}=\frac{n}{n+1}a_n$의 $n$에 1, 2, 3, ⋯을 차례로 대입하면

$a_2=\frac{1}{2}a_1$

$a_3=\frac{2}{3}a_2=\frac{2}{3}\times\frac{1}{2}a_1=\frac{1}{3}a_1$

$a_4=\frac{3}{4}a_3=\frac{3}{4}\times\frac{2}{3}\times\frac{1}{2}a_1=\frac{1}{4}a_1$

⋮

$\therefore a_n=\frac{1}{n}a_1=\frac{4}{n}$

이때 $a_k=\frac{1}{7}$에서

$\frac{4}{k}=\frac{1}{7}$ $\quad\therefore k=28$

## 7

$a_1=1$에서

$a_2=$(4를 7로 나누었을 때의 나머지)$=4$

$a_3=$(16을 7로 나누었을 때의 나머지)$=2$

$a_4=$(8을 7로 나누었을 때의 나머지)$=1$

⋮

$\therefore a_n=\begin{cases}1 & (n=3k-2)\\ 4 & (n=3k-1)\\ 2 & (n=3k)\end{cases}$ (단, $k$는 자연수)

이때 $200=3\times67-1$, $201=3\times67$, $202=3\times68-2$이므로

$a_{200}-a_{201}+a_{202}=4-2+1=3$

## 8

(ii) $n=k$ $(k\ge2)$일 때 부등식 ㉠이 성립한다고 가정하면

$1+\frac{1}{2^2}+\frac{1}{3^2}+\cdots+\frac{1}{k^2}<2-\frac{1}{k}$

위의 식의 양변에 $\boxed{(\text{가})\ \frac{1}{(k+1)^2}}$을 더하면

$1+\frac{1}{2^2}+\frac{1}{3^2}+\cdots+\frac{1}{k^2}+\boxed{(\text{가})\ \frac{1}{(k+1)^2}}$

$<2-\frac{1}{k}+\boxed{(\text{가})\ \frac{1}{(k+1)^2}}$

이때

$2-\frac{1}{k}+\boxed{(\text{가})\ \frac{1}{(k+1)^2}}-\left(\boxed{(\text{나})\ 2-\frac{1}{k+1}}\right)$

$=-\frac{1}{k}+\frac{1}{k+1}+\frac{1}{(k+1)^2}$

$=-\frac{1}{k(k+1)^2}<0$

이므로

$2-\frac{1}{k}+\boxed{(\text{가})\ \frac{1}{(k+1)^2}}<\boxed{(\text{나})\ 2-\frac{1}{k+1}}$

$\therefore 1+\frac{1}{2^2}+\frac{1}{3^2}+\cdots+\frac{1}{k^2}+\boxed{(\text{가})\ \frac{1}{(k+1)^2}}$

$<\boxed{(\text{나})\ 2-\frac{1}{k+1}}$

따라서 $n=k+1$일 때도 부등식 ㉠이 성립한다.

(i), (ii)에서 $n\ge2$인 모든 자연수 $n$에 대하여 부등식 ㉠이 성립한다.

따라서 $f(k)=\frac{1}{(k+1)^2}$, $g(k)=2-\frac{1}{k+1}$이므로

$f(2)=\frac{1}{9}$, $g(8)=\frac{17}{9}$ $\quad\therefore \frac{g(8)}{f(2)}=17$

## 2주 누구나 합격 전략 62, 63쪽

| | | | |
|---|---|---|---|
| 1 ③ | 2 ② | 3 ④ | 4 ③ |
| 5 ④ | 6 ① | 7 ③ | 8 ③ |
| 9 ⑤ | 10 ⑤ | | |

### 1

등비수열 $\{a_n\}$의 공비를 $r$라 하면

$\frac{a_5}{a_3}-\frac{a_7}{a_6}=2$에서 $r^2-r=2$

$r^2-r-2=0,\ (r+1)(r-2)=0\qquad \therefore r=2\ (\because r>0)$

$\therefore \frac{a_{10}}{a_8}=r^2=4$

### 2

$\sin 30°,\ \cos 30°,\ \tan\theta$가 이 순서대로 등비수열을 이루므로

$\cos^2 30°=\sin 30°\times\tan\theta$

$\left(\frac{\sqrt{3}}{2}\right)^2=\frac{1}{2}\tan\theta\qquad \therefore \tan\theta=\frac{3}{2}$

$\therefore \tan\theta+\frac{1}{\tan\theta}=\frac{3}{2}+\frac{2}{3}=\frac{13}{6}$

### 3

등비수열 $\{a_n\}$의 공비를 $r$라 하면

$a_4=1\times r^3=\frac{1}{8}\qquad \therefore r=\frac{1}{2}$

따라서 등비수열 $\{a_n\}$의 첫째항부터 제8항까지의 합은

$$\frac{1\times\left\{1-\left(\frac{1}{2}\right)^8\right\}}{1-\frac{1}{2}}=\frac{255}{128}$$

### 4

등비수열 $\{a_n\}$의 첫째항을 $a$, 공비를 $r$라 하면

$\frac{S_4}{S_2}=10$에서 $S_4=10S_2$

$\frac{a(r^4-1)}{r-1}=10\times\frac{a(r^2-1)}{r-1}$

$\frac{a(r^2-1)(r^2+1)}{r-1}=10\times\frac{a(r^2-1)}{r-1}$

$r^2+1=10\qquad \therefore r^2=9$

$\therefore \frac{a_4}{a_2}=r^2=9$

### 5

① 수열 3, 6, 9, ⋯의 일반항은

$3+(n-1)\times 3=3n$이므로

$3+6+9+12+15+18=\sum_{k=1}^{6}3k$

② 수열 3, 5, 7, ⋯의 일반항은

$3+(n-1)\times 2=2n+1$이므로

$3+5+7+9+11+13+15=\sum_{k=1}^{7}(2k+1)$

③ 수열 $1,\ -1,\ 1,\ \cdots$의 일반항은

$1\times(-1)^{n-1}=(-1)^{n-1}$이므로

$1-1+1-1+1-1+1-1=\sum_{k=1}^{8}(-1)^{k-1}$

④ 수열 3, 9, 27, ⋯의 일반항은

$3\times 3^{n-1}=3^n$이므로

$3+9+27+81+243=\sum_{k=1}^{5}3^k$

⑤ 수열 $2,\ 1,\ \frac{1}{2},\ \cdots$의 일반항은

$2\times\left(\frac{1}{2}\right)^{n-1}=\left(\frac{1}{2}\right)^{n-2}$이므로

$2+1+\frac{1}{2}+\frac{1}{4}+\frac{1}{8}=\sum_{k=1}^{5}\left(\frac{1}{2}\right)^{k-2}$

따라서 옳지 않은 것은 ④이다.

참고

④ $\sum_{k=1}^{5}3^{k-1}=3^0+3^1+3^2+3^3+3^4$

$=1+3+9+27+81$

### 6

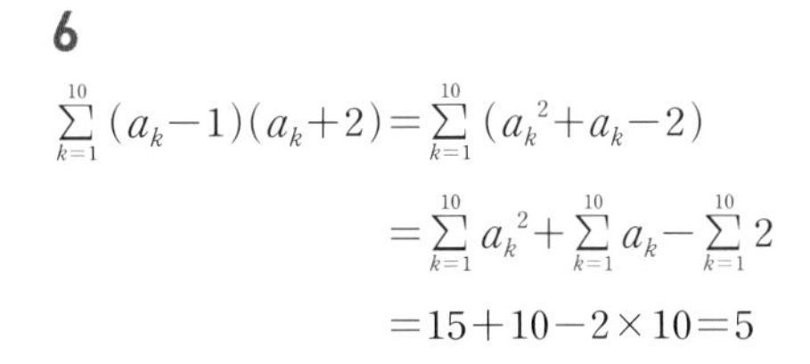

$$\begin{aligned}\sum_{k=1}^{10}(a_k-1)(a_k+2)&=\sum_{k=1}^{10}(a_k^2+a_k-2)\\&=\sum_{k=1}^{10}a_k^2+\sum_{k=1}^{10}a_k-\sum_{k=1}^{10}2\\&=15+10-2\times 10=5\end{aligned}$$

### 7

$$\begin{aligned}\sum_{i=1}^{10}(i+1)^2-\sum_{k=1}^{10}(k-1)^2&=\sum_{k=1}^{10}(k+1)^2-\sum_{k=1}^{10}(k-1)^2\\&=\sum_{k=1}^{10}\{(k+1)^2-(k-1)^2\}\\&=\sum_{k=1}^{10}\{(k^2+2k+1)-(k^2-2k+1)\}\\&=\sum_{k=1}^{10}4k=4\sum_{k=1}^{10}k\\&=4\times\frac{10\times 11}{2}=220\end{aligned}$$

### 8

$$\begin{aligned}a_n&=\sum_{k=1}^{n}(n-k)=\sum_{k=1}^{n}n-\sum_{k=1}^{n}k\\&=n^2-\frac{n(n+1)}{2}=\frac{n^2-n}{2}\end{aligned}$$

$$\begin{aligned}\therefore \sum_{k=2}^{20}\frac{1}{a_k}&=\sum_{k=2}^{20}\frac{2}{k^2-k}=2\sum_{k=2}^{20}\frac{1}{(k-1)k}\\&=2\sum_{k=2}^{20}\left(\frac{1}{k-1}-\frac{1}{k}\right)\\&=2\left\{\left(1-\frac{1}{2}\right)+\left(\frac{1}{2}-\frac{1}{3}\right)+\cdots+\left(\frac{1}{19}-\frac{1}{20}\right)\right\}\\&=2\left(1-\frac{1}{20}\right)=\frac{19}{10}\end{aligned}$$

**9**

위에서부터 1층, 2층, 3층, …이라 하면 각 층에 놓인 제품의 개수는 $1^2, 3^2, 5^2, \cdots$이므로 $n$층에 놓인 제품의 개수는 $(2n-1)^2$이다.
따라서 7층으로 쌓은 정육면체 모양의 제품의 총 개수는

$$\sum_{k=1}^{7}(2k-1)^2=\sum_{k=1}^{7}(4k^2-4k+1)$$
$$=4\sum_{k=1}^{7}k^2-4\sum_{k=1}^{7}k+\sum_{k=1}^{7}1$$
$$=4\times\frac{7\times8\times15}{6}-4\times\frac{7\times8}{2}+1\times7$$
$$=455$$

**10**

$a_{n+1}=\begin{cases} a_n+1 & (n\text{이 홀수}) \\ 3a_n & (n\text{이 짝수}) \end{cases}$의 $n$에 1, 2, 3, 4, 5를 차례로 대입하면

$a_2=a_1+1=1+1=2$
$a_3=3a_2=3\times2=6$
$a_4=a_3+1=6+1=7$
$a_5=3a_4=3\times7=21$
$a_6=a_5+1=21+1=22$

## 2주 창의·융합·코딩 전략 64~67쪽

| | | | |
|---|---|---|---|
| **1** ④ | **2** 376500원 | **3** ④ | **4** ② |
| **5** ③ | **6** (1) 90 (2) $\frac{325}{4}$ L | **7** 112213 | |
| **8** 송이 | | | |

**1**

$n$번째 시행에서 버린 조각들의 넓이를 $a_n$이라 하면

$a_1=16\times\frac{1}{4}=4$

$a_2=\left(16\times\frac{3}{4}\right)\times\frac{1}{4}=4\times\frac{3}{4}$

$a_3=\left(16\times\frac{3}{4}\times\frac{3}{4}\right)\times\frac{1}{4}=4\times\left(\frac{3}{4}\right)^2$

⋮

$\therefore a_n=\left\{16\times\left(\frac{3}{4}\right)^{n-1}\right\}\times\frac{1}{4}=4\times\left(\frac{3}{4}\right)^{n-1}$

따라서 구하는 넓이의 합은

$$\frac{4\left\{1-\left(\frac{3}{4}\right)^{10}\right\}}{1-\frac{3}{4}}=16\left\{1-\left(\frac{3}{4}\right)^{10}\right\}$$

**2**

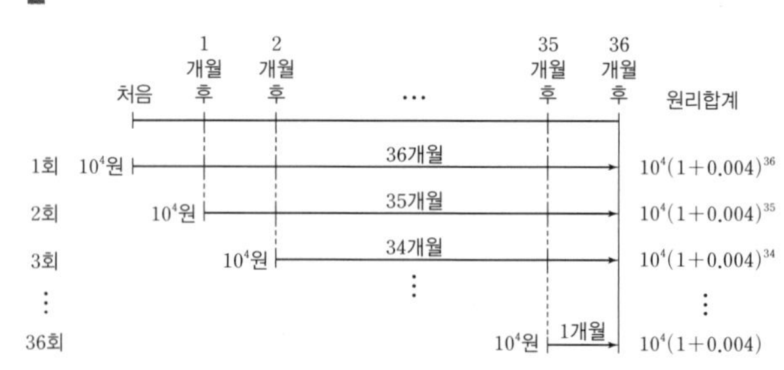


매월 적립금 10000원 각각에 대한 원리합계의 총합을 $S$라 하면

$S=10^4(1+0.004)^1+10^4(1+0.004)^2+\cdots+10^4(1+0.004)^{36}$

$=\frac{10^4\times1.004\times(1.004^{36}-1)}{1.004-1}$

$=\frac{10040(1.15-1)}{0.004}$

$=376500$(원)

**3**

④ $\sum_{k=1}^{12}3^k-\sum_{k=1}^{4}3^{k-1}$
$=(3+3^2+3^3+3^4+3^5+\cdots+3^{12})-(1+3+3^2+3^3)$
$=3^4+3^5+3^6+3^7+3^8+3^9+3^{10}+3^{11}+3^{12}-1$

⑤ $\sum_{k=0}^{11}3^{k+1}-\sum_{k=1}^{3}3^k$
$=(3+3^2+3^3+3^4+3^5+\cdots+3^{12})-(3+3^2+3^3)$
$=3^4+3^5+3^6+3^7+3^8+3^9+3^{10}+3^{11}+3^{12}$

따라서 옳지 않은 것은 ④이다.

**4**

각 층의 정육면체의 개수를 위에서부터 차례로 $a_1, a_2, a_3, \cdots$ 이라 하면

$a_1=1$
$a_2=a_1+4$
$a_3=a_1+4+8=a_1+4(1+2)$
$a_4=a_1+4+8+12=a_1+4(1+2+3)$
⋮
$\therefore a_n=a_1+4\{1+2+3+\cdots+(n-1)\}$
$=1+4\sum_{k=1}^{n-1}k$
$=1+4\times\frac{(n-1)n}{2}$
$=2n^2-2n+1$

따라서 10층 탑에서 11층 탑을 쌓기 위하여 더 필요한 정육면체의 개수는

$a_{11}=2\times11^2-2\times11+1=221$

참고

4층 탑을 쌓을 때, 필요한 정육면체의 개수는

$$\sum_{k=1}^{4}(2k^2-2k+1)=2\sum_{k=1}^{4}k^2-2\sum_{k=1}^{4}k+\sum_{k=1}^{4}1$$
$$=2\times\frac{4\times5\times9}{6}-2\times\frac{4\times5}{2}+4$$
$$=44$$

## 5

$n$쌍의 부부가 악수하는 횟수가 $a_n$이고, 한 쌍의 부부가 더 오게 되면 그 부부는 먼저 온 $n$쌍의 부부 $2n$명과 각각 악수를 하게 된다.

따라서 $(n+1)$쌍의 부부가 악수하는 총횟수 $a_{n+1}$은

$a_{n+1}=a_n+2\times 2n=a_n+4n$

**다른 풀이**

한 쌍의 부부일 때 $a_1=0$

두 쌍 이상의 부부가 모인 경우는

$a_2=0+4\times 1=4$

$a_3=4+4\times 2=12$

$a_4=12+4\times 3=24$

$a_5=24+4\times 4=40$

$\vdots$

$\therefore a_{n+1}=a_n+4n$

## 6

(1) 100 L의 물이 들어 있는 어항에서 물의 절반을 퍼내고 새로 40 L의 물을 넣으므로

$a_1=\frac{1}{2}\times 100+40=90$

(2) $(n+1)$번째 주말에 $a_n$ L의 물이 들어 있는 어항에서 물의 절반을 퍼내고 새로 40 L의 물을 넣으므로 남아 있는 물의 양은

$a_{n+1}=\frac{1}{2}a_n+40$ …… ㉠

㉠의 $n$에 1, 2, 3을 차례로 대입하면

$a_2=\frac{1}{2}a_1+40=\frac{1}{2}\times 90+40=85$

$a_3=\frac{1}{2}a_2+40=\frac{1}{2}\times 85+40=\frac{165}{2}$

$a_4=\frac{1}{2}a_3+40=\frac{1}{2}\times \frac{165}{2}+40=\frac{325}{4}$

따라서 4번째 주말에 어항에 남아 있는 물의 양은 $\frac{325}{4}$ L이다.

**다른 풀이**

$a_{n+1}=\frac{1}{2}a_n+40$을 $a_{n+1}-\alpha=\frac{1}{2}(a_n-\alpha)$로 놓으면

$a_{n+1}=\frac{1}{2}a_n+\frac{1}{2}\alpha$

이때 $\frac{1}{2}\alpha=40$이므로 $\alpha=80$

$\therefore a_{n+1}-80=\frac{1}{2}(a_n-80)$

즉, 수열 $\{a_n-80\}$은 첫째항이 $a_1-80=10$, 공비가 $\frac{1}{2}$인 등비수열이므로

$a_n-80=10\times\left(\frac{1}{2}\right)^{n-1}$ $\therefore a_n=80+10\times\left(\frac{1}{2}\right)^{n-1}$

따라서 4번째 주말에 어항에 남아 있는 물의 양은

$a_4=80+10\times\left(\frac{1}{2}\right)^3=\frac{325}{4}$(L)

## 7

첫째항은 1

첫째항 1을 보고 '1이 1개'라 말하므로 ⇨ 제2항은 11

제2항 11을 보고 '1이 2개'라 말하므로 ⇨ 제3항은 12

제3항 12를 보고 '1이 1개, 2가 1개'라 말하므로 ⇨ 제4항은 1121

제4항 1121을 보고 '1이 2개, 2가 1개, 1이 1개'라 말하므로

⇨ 제5항은 122111

제5항 122111을 보고 '1이 1개, 2가 2개, 1이 3개'라 말하므로

⇨ 제6항은 112213

## 8

도균, 태원: $p(1)$이 참이면 $p(2)$도 참이다.

$p(2)$가 참이면 $p(4)$도 참이다.

$p(4)$가 참이면 $p(8)$도 참이다.

$p(8)$이 참이면 $p(16)$도 참이다.

$p(16)$이 참이면 $p(32)$도 참이다.

이때 $p(12)$, $p(24)$는 참인지 알 수 없다. (거짓)

송이: $p(3)$이 참이면 $p(6)$도 참이다.

$p(6)$이 참이면 $p(12)$도 참이다.

$p(12)$가 참이면 $p(24)$도 참이다.

$p(24)$가 참이면 $p(48)$도 참이다. (참)

인영: $p(5)$가 참이면 $p(10)$도 참이다.

$p(10)$이 참이면 $p(20)$도 참이다.

$p(20)$이 참이면 $p(40)$도 참이다.

이때 $p(30)$은 참인지 알 수 없다. (거짓)

따라서 옳은 말을 한 사람은 송이이다.

# 신유형·신경향·서술형 전략

70~73쪽

**1** ② **2** 은선, 형선 **3** ② **4** ④

**5** (1) (가) 34 (나) $-4$ (다) 9 (2) (가) 9.5 (나) 10 (다) 9

**6** ③ **7** (가) 100 (나) 5050 **8** ④

## 1

삼각형 ABC에서 $C=180°-(105°+45°)=30°$이므로

사인법칙에 의하여 $\frac{\overline{AC}}{\sin 45°}=\frac{40}{\sin 30°}$

$\therefore \overline{AC}=\sin 45°\times\frac{40}{\sin 30°}=\frac{\sqrt{2}}{2}\times\frac{40}{\frac{1}{2}}=40\sqrt{2}$ (m)

이때 삼각형 CAD에서 $\frac{\overline{CD}}{\overline{AC}}=\sin 60°$이므로

$\overline{CD}=40\sqrt{2}\sin 60°=40\sqrt{2}\times\frac{\sqrt{3}}{2}=20\sqrt{6}$ (m)

따라서 송전탑의 높이는 $20\sqrt{6}$ m이다.

## 2

삼각형 ABC의 외접원의 반지름의 길이를 $R$라 하면

사인법칙에 의하여

$\sin A=\frac{a}{2R}$, $\sin B=\frac{b}{2R}$, $\sin C=\frac{c}{2R}$ …… ㉠

코사인법칙에 의하여

$\cos A=\frac{b^2+c^2-a^2}{2bc}$, $\cos B=\frac{c^2+a^2-b^2}{2ca}$ …… ㉡

은선 : ㉠을 $a\sin A+b\sin B=c\sin C$에 대입하면

$a\times\frac{a}{2R}+b\times\frac{b}{2R}=c\times\frac{c}{2R}$ $\quad\therefore a^2+b^2=c^2$

따라서 삼각형 ABC는 $C=90°$인 직각삼각형이다.

시우 : ㉠을 $a\sin A=b\sin B$에 대입하면

$a\times\frac{a}{2R}=b\times\frac{b}{2R}$, $a^2=b^2$ $\quad\therefore a=b\ (\because a>0,\ b>0)$

따라서 삼각형 ABC는 $a=b$인 이등변삼각형이다.

효주 : ㉡을 $a\cos A=b\cos B$에 대입하면

$a\times\frac{b^2+c^2-a^2}{2bc}=b\times\frac{c^2+a^2-b^2}{2ca}$

$a^2(b^2+c^2-a^2)=b^2(c^2+a^2-b^2)$

$a^2b^2+a^2c^2-a^4=b^2c^2+a^2b^2-b^4$

$a^4-b^4+b^2c^2-a^2c^2=0$, $(a^2-b^2)(a^2+b^2)-c^2(a^2-b^2)=0$

$(a^2-b^2)(a^2+b^2-c^2)=0$에서 $a^2-b^2=0$ 또는 $a^2+b^2-c^2=0$

$\therefore a=b\ (\because a>0,\ b>0)$ 또는 $a^2+b^2=c^2$

따라서 삼각형 ABC는 $a=b$인 이등변삼각형 또는 $C=90°$인 직각삼각형이다.

형선 : ㉠, ㉡을 $\sin A=\cos B\sin C$에 대입하면

$\frac{a}{2R}=\frac{c^2+a^2-b^2}{2ca}\times\frac{c}{2R}$

$2a^2=c^2+a^2-b^2$ $\quad\therefore a^2+b^2=c^2$

따라서 삼각형 ABC는 $C=90°$인 직각삼각형이다.

따라서 삼각형 ABC가 항상 직각삼각형이 되도록 하는 조건을 말한 사람은 은선, 형선이다.

## 3

오른쪽 그림과 같이 삼각형의 세 꼭짓점을 각각 A, B, C라 하면

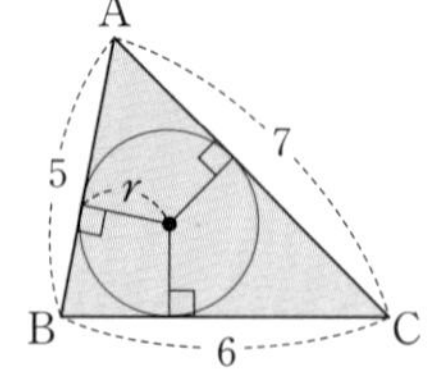


$\cos B=\frac{5^2+6^2-7^2}{2\times5\times6}=\frac{1}{5}$

$0°<B<180°$이므로

$\sin B=\sqrt{1-\left(\frac{1}{5}\right)^2}=\frac{2\sqrt{6}}{5}$

삼각형 ABC의 넓이를 $S$라 하면

$S=\frac{1}{2}\times6\times5\times\sin B=15\times\frac{2\sqrt{6}}{5}=6\sqrt{6}$

이때 삼각형 ABC의 내접원의 반지름의 길이를 $r$라 하면

$S=\frac{1}{2}r(5+6+7)=9r$

따라서 $9r=6\sqrt{6}$이므로 $r=\frac{2\sqrt{6}}{3}$

## 4

세 변의 길이는 공차가 양수인 등차수열을 이루므로 세 변의 길이를 각각 $a-d$, $a$, $a+d$로 놓으면

$a-d>0$ $\quad\therefore a>d$ …… ㉠

삼각형의 결정 조건에서

$(a-d)+a>a+d$ $\quad\therefore a>2d$ …… ㉡

가장 긴 변의 길이가 17 이하이므로

$a+d\le17$ $\quad\therefore a\le17-d$ …… ㉢

㉠, ㉡, ㉢에서 $2d<a\le17-d$

$d=1$일 때 $2<a\le16$이므로 $a=3, 4, \cdots, 16$

$d=2$일 때 $4<a\le15$이므로 $a=5, 6, \cdots, 15$

$d=3$일 때 $6<a\le14$이므로 $a=7, 8, \cdots, 14$

$d=4$일 때 $8<a\le13$이므로 $a=9, 10, 11, 12, 13$

$d=5$일 때 $10<a\le12$이므로 $a=11, 12$

$d=6$일 때 조건을 만족시키는 자연수 $a$의 값은 존재하지 않는다.

따라서 구하는 삼각형의 개수는 $14+11+8+5+2=40$

## 5

(1) 등차수열의 합의 공식을 이용하면

$S_n=\frac{n\{2\times\boxed{34}+(n-1)\times(\boxed{-4})\}}{2}$

$=\frac{n(72-4n)}{2}=-2n^2+36n$

$=-2(n-9)^2+162$

따라서 $S_n$이 최대가 되는 $n$의 값은 $\boxed{9}$이다.

$\therefore$ (가) 34 (나) $-4$ (다) 9

(2) 수열의 일반항 $a_n$을 이용하면

$a_n=34+(n-1)\times(-4)=-4n+38$

$a_n<0$에서 $-4n+38<0$ $\quad\therefore n>\boxed{9.5}$

따라서 제 $\boxed{10}$ 항부터 항의 값이 음수가 되므로 $S_n$이 최대가 되는 $n$의 값은 $\boxed{9}$이다.

$\therefore$ (가) 9.5 (나) 10 (다) 9

## 6

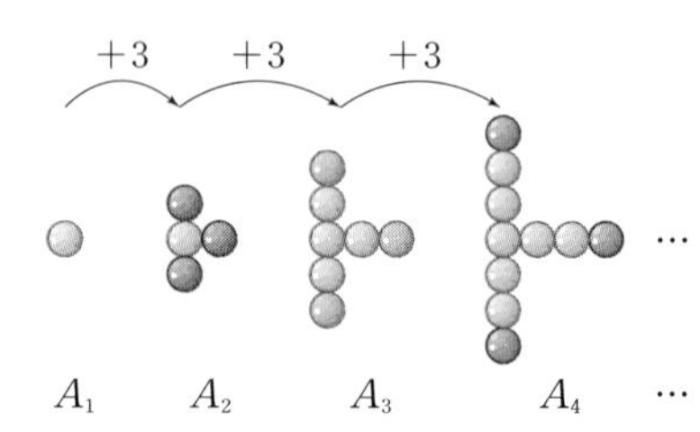


도형 $A_n$을 만들 때 필요한 구슬의 개수를 $a_n$이라 하면

$a_1=1$, $a_2=1+3=4$, $a_3=4+3=7$, $a_4=7+3=10$, $\cdots$

즉, 수열 $\{a_n\}$은 첫째항이 1, 공차가 3인 등차수열이므로

$a_n=1+(n-1)\times3=3n-2$

이때 구슬 200개를 사용하여 도형 $A_n$까지 만든다고 하면

$a_1+a_2+a_3+\cdots+a_n\le200$에서

$\frac{n\{1+(3n-2)\}}{2}\le200$, $n(3n-1)\le400$

$n=11$일 때 $11\times32=352$, $n=12$일 때 $12\times35=420$
이므로 구슬 200개를 사용할 때 만들 수 있는 도형의 개수는 11이다.

### 7

| [흰색 돌의 개수] | [검은색 돌의 개수] | |
|---|---|---|
| 1 | 100 | $=1+100=101$ |
| 2 | 99 | $=2+99=101$ |
| 3 | 98 | $=3+98=101$ |
| ⋮ | ⋮ | ⋮ |
| 100 | 1 | $=100+1=101$ |

놓여진 흰색 돌의 개수는 $1+2+3+\cdots+100$
놓여진 검은색 돌의 개수는 $100+99+98+\cdots+1$
가로줄에는 항상 101개의 바둑돌이 놓이게 되고, 총 100줄이므로
놓여진 바둑돌의 총 개수는 $100\times101$ ...... [40%]
이때 (흰색 돌의 개수)+(검은색 돌의 개수)=(바둑돌의 총 개수)이므로
$(1+2+3+\cdots+100)+(100+99+98+\cdots+1)=100\times101$
$\therefore 1+2+3+\cdots+100=\dfrac{100\times101}{2}=5050$ ...... [50%]
∴ (가) 100 (나) 5050 ...... [10%]

### 8

첫째 날 제품을 만드는 인원수를 $a$, 한 명이 만드는 제품의 수를 $b$라 하면

| | [인원수] | [총 제품의 수] |
|---|---|---|
| 1일째 | $a$ | $ab$ |
| 2일째 | $a+1$ | $(a+1)(b-2)$ |
| 3일째 | $a+2$ | $(a+2)(b-4)$ |
| ⋮ | ⋮ | ⋮ |
| 7일째 | $a+6$ | $(a+6)(b-12)$ |

따라서 7일 동안 만드는 총 제품의 수는

$$\begin{aligned}\sum_{k=0}^{6}(a+k)(b-2k)&=ab+\sum_{k=1}^{6}(a+k)(b-2k)\\&=ab+\sum_{k=1}^{6}\{ab+(b-2a)k-2k^2\}\\&=7ab+(b-2a)\times\frac{6\times7}{2}-2\times\frac{6\times7\times13}{6}\\&=7ab+21(b-2a)-182\end{aligned}$$

이때 7일 동안 총 791개의 제품을 만드므로
$7ab+21(b-2a)-182=791$, $ab+3b-6a=139$
$b(a+3)-6(a+3)=121$, $(a+3)(b-6)=121$
이때 $a\ge1$, $b-12\ge1$에서 $a+3\ge4$, $b-6\ge7$이므로
$a+3=11$, $b-6=11$ $\quad\therefore a=8, b=17$
따라서 첫째 날 제품을 만드는 인원수는 8이다.

첫째 날 만드는 총 제품의 수는
$8\times17=136$이야!

## 적중 예상 전략 

74~77쪽

| | | | |
|---|---|---|---|
| **1** ② | **2** ④ | **3** ② | **4** ② |
| **5** ④ | **6** ③ | **7** ④ | **8** ⑤ |
| **9** ⑤ | **10** ① | **11** ③ | **12** ④ |
| **13** ④ | **14** 30 m | **15** $2800\pi$ m² | **16** 7 |
| **17** 30 | | | |

### 1

$A+B+C=180^\circ$이므로 $B+C=180^\circ-A$
삼각형 ABC의 외접원의 반지름의 길이를 $R$라 하면
사인법칙에 의하여
$\sin C=\dfrac{c}{2R}$, $\sin(B+C)=\sin(180^\circ-A)=\sin A=\dfrac{a}{2R}$

$$\therefore \frac{\sin C}{\sin(B+C)}=\frac{\frac{c}{2R}}{\frac{a}{2R}}=\frac{c}{a}=\frac{4}{8}=\frac{1}{2}$$

### 2

$A+B+C=180^\circ$이고 $A:B:C=1:3:2$이므로
$A=180^\circ\times\dfrac{1}{6}=30^\circ$, $B=180^\circ\times\dfrac{3}{6}=90^\circ$, $C=180^\circ\times\dfrac{2}{6}=60^\circ$

$$\begin{aligned}\therefore a:b:c&=\sin A:\sin B:\sin C\\&=\sin30^\circ:\sin90^\circ:\sin60^\circ\\&=\frac{1}{2}:1:\frac{\sqrt3}{2}\\&=1:2:\sqrt3\end{aligned}$$

### 3

$(a+b+c)(a-b-c)+3bc=0$에서
$\{a+(b+c)\}\{a-(b+c)\}+3bc=0$
$a^2-(b+c)^2+3bc=0$
$\therefore a^2=(b+c)^2-3bc=b^2+c^2-bc$
이때 코사인법칙에 의하여
$a^2=b^2+c^2-2bc\cos A$이므로
$-2bc\cos A=-bc$에서 $\cos A=\dfrac{1}{2}$
$\therefore A=60^\circ$ ($\because 0^\circ<A<180^\circ$)

### 4

$A+B+C=180^\circ$에서 $A+C=180^\circ-B$이므로
$\sin\left(\dfrac{A+C-B}{2}\right)=\sin\left(\dfrac{180^\circ-2B}{2}\right)=\sin(90^\circ-B)=\cos B$
이때 $a:b:c=\sin A:\sin B:\sin C=5:7:3$이므로
$a=5k$, $b=7k$, $c=3k$ ($k>0$)로 놓으면
$\cos B=\dfrac{(3k)^2+(5k)^2-(7k)^2}{2\times3k\times5k}=\dfrac{-15k^2}{30k^2}=-\dfrac{1}{2}$

## 5

오른쪽 그림과 같이 두 직선 위에 두 점 A(2, 1), B(2, 4)를 각각 잡으면

$\overline{OA}=\sqrt{2^2+1^2}=\sqrt{5}$,

$\overline{OB}=\sqrt{2^2+4^2}=2\sqrt{5}$,

$\overline{AB}=|4-1|=3$

삼각형 OAB에서

$$\cos\theta=\frac{(\sqrt{5})^2+(2\sqrt{5})^2-3^2}{2\times\sqrt{5}\times2\sqrt{5}}=\frac{4}{5}$$

$0°<\theta<90°$이므로

$$\sin\theta=\sqrt{1-\cos^2\theta}=\sqrt{1-\left(\frac{4}{5}\right)^2}=\frac{3}{5}$$

**다른 풀이**

점 A(2, 1)에서 직선 $y=2x$에 내린 수선의 발을 H라 하자. 점 A(2, 1)과 직선 $2x-y=0$ 사이의 거리 $\overline{AH}$는

$$\overline{AH}=\frac{|2\times2+(-1)\times1|}{\sqrt{2^2+(-1)^2}}=\frac{3}{\sqrt{5}}$$

이때 $\overline{OA}=\sqrt{2^2+1^2}=\sqrt{5}$이므로

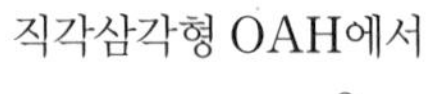

직각삼각형 OAH에서

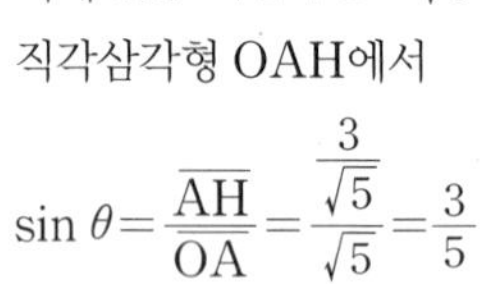

$$\sin\theta=\frac{\overline{AH}}{\overline{OA}}=\frac{\frac{3}{\sqrt{5}}}{\sqrt{5}}=\frac{3}{5}$$

## 6

코사인법칙에 의하여

$$\cos A=\frac{4^2+7^2-9^2}{2\times4\times7}=-\frac{2}{7}$$

$0°<A<180°$이므로

$$\sin A=\sqrt{1-\cos^2 A}=\sqrt{1-\left(-\frac{2}{7}\right)^2}=\frac{3\sqrt{5}}{7}$$

$$\therefore \triangle ABC=\frac{1}{2}\times4\times7\times\frac{3\sqrt{5}}{7}=6\sqrt{5}$$

**다른 풀이**

$s=\frac{9+4+7}{2}=10$이므로 헤론의 공식에 의하여

$$\triangle ABC=\sqrt{10(10-9)(10-4)(10-7)}=6\sqrt{5}$$

## 7

$a=13$, $b=14$, $c=15$라 하면

$s=\frac{13+14+15}{2}=21$이므로 헤론의 공식에 의하여

$$\triangle ABC=\sqrt{21(21-13)(21-14)(21-15)}=84$$

$\triangle ABC=\frac{abc}{4R}$에서

$$84=\frac{13\times14\times15}{4R} \qquad \therefore R=\frac{65}{8}$$

$\triangle ABC=\frac{1}{2}r(a+b+c)$에서

$$84=\frac{1}{2}r(13+14+15) \qquad \therefore r=4$$

$$\therefore \frac{r}{R}=\frac{32}{65}$$

**참고**

(1) 사인법칙에 의하여 $\sin A=\frac{a}{2R}$이므로

$$S=\frac{1}{2}bc\sin A=\frac{1}{2}bc\times\frac{a}{2R}=\frac{abc}{4R}$$

(2) 오른쪽 그림과 같이 삼각형 ABC의 내접원의 중심을 I라 하면

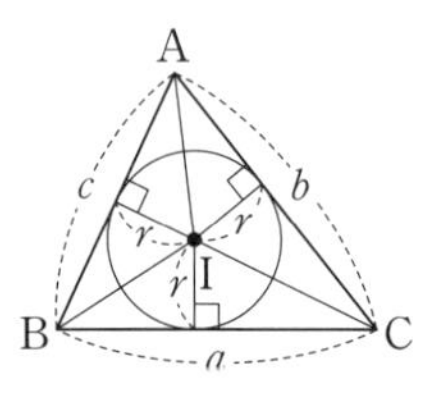


$$S=\triangle IAB+\triangle IBC+\triangle ICA$$
$$=\frac{1}{2}cr+\frac{1}{2}ar+\frac{1}{2}br$$
$$=\frac{1}{2}r(a+b+c)$$

## 8

오른쪽 그림에서

$$\triangle ABC=\frac{1}{2}\times8\times15\times\sin60°=30\sqrt{3}$$

이때 $\overline{AC}=x$라 하면 삼각형 ABC에서

$$x^2=8^2+15^2-2\times8\times15\times\cos60°$$
$$=64+225-2\times8\times15\times\frac{1}{2}=169$$

$\therefore x=13$ ($\because x>0$)

삼각형 ACD에서 $s=\frac{7+10+13}{2}=15$이므로 헤론의 공식에 의하여

$$\triangle ACD=\sqrt{15(15-7)(15-10)(15-13)}=20\sqrt{3}$$

$\therefore$ □ABCD$=\triangle ABC+\triangle ACD=30\sqrt{3}+20\sqrt{3}=50\sqrt{3}$

## 9

$a_1=(3^1=3$을 10으로 나누었을 때의 나머지$)=3$

$a_2=(3^2=9$를 10으로 나누었을 때의 나머지$)=9$

$a_3=(3^3=27$을 10으로 나누었을 때의 나머지$)=7$

$a_4=(3^4=81$을 10으로 나누었을 때의 나머지$)=1$

$a_5=(3^5=243$을 10으로 나누었을 때의 나머지$)=3$

⋮

따라서 수열 $\{a_n\}$은 3, 9, 7, 1이 반복되는 수열이고

$202=4\times50+2$이므로

$a_{202}=a_2=9$

## 10

등차수열 $\{a_n\}$의 첫째항을 $a$, 공차를 $d$라 하면 제4항과 제8항은 절댓값이 같고 부호가 반대이므로

$a_4+a_8=(a+3d)+(a+7d)=2a+10d=0$ …… ㉠

$a_7=a+6d=4$ …… ㉡

㉠, ㉡을 연립하여 풀면 $a=-20$, $d=4$

$a_n=-20+(n-1)\times4=4n-24$이므로 24를 제$k$항이라 하면

$4k-24=24 \qquad \therefore k=12$

따라서 24는 제12항이다.

## 11

삼차방정식 $x^3-3x^2+kx+3=0$의 세 근을 각각 $a-d$, $a$, $a+d$로 놓으면 삼차방정식의 근과 계수의 관계에서

$(a-d)+a+(a-d)=3 \qquad \therefore a=1$

따라서 주어진 방정식의 한 근이 1이므로 $x=1$을 방정식에 대입하면

$1-3+k+3=0 \qquad \therefore k=-1$

## 12

등차수열 $-10, a_1, a_2, a_3, \cdots, a_n, 17$은 첫째항이 $-10$, 끝항이 17, 항수가 $(n+2)$이므로

$\dfrac{(n+2)(-10+17)}{2}=35,\ n+2=10 \qquad \therefore n=8$

이때 제10항이 17이므로 이 등차수열의 공차를 $d$라 하면

$-10+9d=17 \qquad \therefore d=3$

$a_5$는 제6항이므로

$a_5=-10+5\times3=5$

## 13

$a_1=S_1=4\times1^2+2\times1-1=5$

$a_4=S_4-S_3$

$\quad=(4\times4^2+2\times4-1)-(4\times3^2+2\times3-1)=30$

$\therefore a_1+a_4=35$

**다른 풀이**

$S_n=4n^2+2n-1$에서

$a_n=S_n-S_{n-1}$

$\quad=4n^2+2n-1-\{4(n-1)^2+2(n-1)-1\}$

$\quad=8n-2\ (n\ge2)$ …… ㉠

$a_1=S_1=4\times1^2+2\times1-1=5$ …… ㉡

이때 ㉡은 ㉠에 $n=1$을 대입한 것과 다르므로

$a_1=5,\ a_n=8n-2\ (n\ge2)$

$\therefore a_1+a_4=5+(8\times4-2)=35$

## 14

삼각형의 내각의 크기의 합은 180°이므로

$\angle BCH=70°,\ \angle ACH=60°$

$\therefore \angle BCA=10°$ …… [20%]

삼각형 ABC에서 사인법칙에 의하여

$\dfrac{\overline{AC}}{\sin 20°}=\dfrac{30}{\sin 10°}$

$\therefore \overline{AC}=\sin 20°\times\dfrac{30}{\sin 10°}=0.34\times\dfrac{30}{0.17}=60$ …… [40%]

이때 삼각형 ACH에서 $\sin 30°=\dfrac{\overline{CH}}{\overline{AC}}$이므로

$\overline{CH}=\overline{AC}\sin 30°=60\times\dfrac{1}{2}=30$

따라서 건물의 높이는 30 m이다. …… [40%]

## 15

삼각형 ABC에서 코사인법칙에 의하여

$\overline{BC}^2=80^2+100^2-2\times80\times100\times\cos 60°$

$\quad=6400+10000-2\times80\times100\times\dfrac{1}{2}=8400$

$\therefore \overline{BC}=\sqrt{8400}=20\sqrt{21}\,(\text{m})\ (\because \overline{BC}>0)$ …… [40%]

호수의 반지름의 길이를 $R$라 하면 사인법칙에 의하여

$\dfrac{20\sqrt{21}}{\sin 60°}=2R$

$\therefore R=\dfrac{1}{2}\times\dfrac{20\sqrt{21}}{\frac{\sqrt{3}}{2}}=20\sqrt{7}\,(\text{m})$ …… [40%]

따라서 호수의 넓이는

$\pi R^2=\pi(20\sqrt{7})^2=2800\pi\ (\text{m}^2)$ …… [20%]

## 16

등차수열 $\{a_n\}$의 첫째항을 $a$, 공차를 $d$라 하면

$a_2=a+d=-16$ …… ㉠

$a_5=a+4d=-7$ …… ㉡

㉠, ㉡을 연립하여 풀면 $a=-19,\ d=3$ …… [30%]

$\therefore a_n=-19+(n-1)\times3=3n-22$ …… [20%]

이때 $3n-22>0$에서 $3n>22$

$\therefore n>\dfrac{22}{3}=7.33\times\times\times$

즉, 등차수열 $\{a_n\}$은 제8항부터 양수이므로 첫째항부터 제7항까지의 합이 최소가 된다.

따라서 구하는 $n$의 값은 7이다. …… [50%]

## 17

주어진 등차수열의 첫째항을 $a$, 공차를 $d$, 첫째항부터 제$n$항까지의 합을 $S_n$이라 하면

$S_8=\dfrac{8(2a+7d)}{2}=40$

$\therefore 2a+7d=10$ …… ㉠ …… [30%]

$S_{15}=\dfrac{15(2a+14d)}{2}=-30$

$\therefore a+7d=-2$ …… ㉡ …… [30%]

㉠, ㉡을 연립하여 풀면 $a=12,\ d=-2$ …… [10%]

$\therefore S_{10}=\dfrac{10\{2\times12+9\times(-2)\}}{2}=30$ …… [30%]

이제 사인법칙, 코사인법칙은 잘 할 수 있겠지?

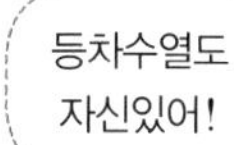

## 적중 예상 전략 

78~81쪽

| | | | |
|---|---|---|---|
| **1** ④ | **2** ③ | **3** ③ | **4** ③ |
| **5** ⑤ | **6** ② | **7** ③ | **8** ① |
| **9** ④ | **10** ① | **11** ⑤ | **12** 14 |
| **13** 42 | **14** 2415 | **15** 41 L | |

### 1

등비수열 $\{a_n\}$의 첫째항을 $a$, 공비를 $r$라 하면

$a_1+a_2=6$에서 $a+ar=6$

$\therefore a(1+r)=6$ …… ㉠

$a_3+a_4=24$에서 $ar^2+ar^3=24$

$\therefore ar^2(1+r)=24$ …… ㉡

㉡÷㉠을 하면 $r^2=4$

공비가 양수이므로 $r=2$

$r=2$를 ㉠에 대입하면 $a=2$

따라서 $a_n=2\times2^{n-1}=2^n$이므로

$a_5=2^5=32$

### 2

두 수 $\frac{1}{4}$과 64 사이에 3개의 양수 $x$, $y$, $z$를 넣어 만든 수열은 첫째항은 $\frac{1}{4}$, 제5항이 64인 등비수열이므로 공비를 $r(r>0)$라 하면

$\frac{1}{4}\times r^4=64$, $r^4=256$

$r$는 양수이므로 $r=4$

따라서 $x=\frac{1}{4}\times4=1$, $y=\frac{1}{4}\times4^2=4$, $z=\frac{1}{4}\times4^3=16$이므로

$x+y+z=1+4+16=21$

### 3

$f(x)=x^2-ax+3a+2$로 놓으면 나머지정리에 의하여 $f(x)$를 $x+1$, $x-1$, $x-3$으로 나누었을 때의 나머지는 각각

$p=f(-1)=1+a+3a+2=4a+3$,

$q=f(1)=1-a+3a+2=2a+3$,

$r=f(3)=9-3a+3a+2=11$

세 수 $p$, $q$, $r$가 이 순서대로 등비수열을 이루므로 $q^2=pr$, 즉

$(2a+3)^2=11(4a+3)$, $4a^2+12a+9=44a+33$

$4a^2-32a-24=0$, $a^2-8a-6=0$

이때 이차방정식의 근과 계수의 관계에서 실수 $a$의 값의 합은 8이다.

### 4

우리나라 인구수는 매년 일정한 비율 $r$로 증가하고 1900년의 인구수를 $A$명이라 하면 1950년의 인구수는 $2A$명이므로

$Ar^{50}=2A$, $r^{50}=2$ $\quad\therefore r=2^{\frac{1}{50}}$

1950년의 인구수의 4배는 $4\times2A=8A$이므로 1900년으로부터 $n$년 후에 인구수가 $8A$명이 된다고 하면

$A(2^{\frac{1}{50}})^n=8A$, $2^{\frac{n}{50}}=8$

이때 $8=2^3$이므로 $\frac{n}{50}=3$ $\quad\therefore n=150$

따라서 구하는 해는 1900년으로부터 150년 후인 2050년이다.

### 5

주어진 등비수열의 첫째항을 $a$, 공비를 $r$, 첫째항부터 제$n$항까지의 합을 $S_n$이라 하면

$S_4=\frac{a(r^4-1)}{r-1}=5$ …… ㉠

$S_8=\frac{a(r^8-1)}{r-1}=\frac{a(r^4-1)(r^4+1)}{r-1}=85$ …… ㉡

㉠을 ㉡에 대입하면 $5(r^4+1)=85$

$r^4+1=17$ $\quad\therefore r^4=16$

$\therefore S_{12}=\frac{a(r^{12}-1)}{r-1}=\frac{a(r^4-1)(r^8+r^4+1)}{r-1}$

$=5\times(16^2+16+1)$

$=1365$

### 6

$\sum_{k=1}^{10}(a_k-1)^2=26$에서

$\sum_{k=1}^{10}(a_k^2-2a_k+1)=\sum_{k=1}^{10}a_k^2-2\sum_{k=1}^{10}a_k+10=26$

$\therefore \sum_{k=1}^{10}a_k^2-2\sum_{k=1}^{10}a_k=16$ …… ㉠

$\sum_{k=1}^{10}(a_k+1)^2=58$에서

$\sum_{k=1}^{10}(a_k^2+2a_k+1)=\sum_{k=1}^{10}a_k^2+2\sum_{k=1}^{10}a_k+10=58$

$\therefore \sum_{k=1}^{10}a_k^2+2\sum_{k=1}^{10}a_k=48$ …… ㉡

㉡−㉠을 하면

$4\sum_{k=1}^{10}a_k=32$ $\quad\therefore \sum_{k=1}^{10}a_k=8$

### 7

각 마름모 속에 적혀 있는 수의 개수를 순서대로 나열하면

$1, 4, 9, \cdots, n^2, \cdots$

따라서 10번째 마름모 속에 적혀 있는 수의 총합은 1부터 $10^2$, 즉 100까지의 합이므로

$\sum_{k=1}^{100}k=\frac{100\times101}{2}=5050$

## 8

이차방정식의 근과 계수의 관계에서

$a_n+b_n=2n$, $a_nb_n=-2n$이므로

$a_n^2+b_n^2=(a_n+b_n)^2-2a_nb_n$

$=(2n)^2-2\times(-2n)=4n^2+4n$

$\therefore \sum_{k=1}^{10}\frac{1}{a_k^2+b_k^2}$

$=\frac{1}{4}\sum_{k=1}^{10}\frac{1}{k(k+1)}=\frac{1}{4}\sum_{k=1}^{10}\left(\frac{1}{k}-\frac{1}{k+1}\right)$

$=\frac{1}{4}\left\{\left(1-\frac{1}{2}\right)+\left(\frac{1}{2}-\frac{1}{3}\right)+\left(\frac{1}{3}-\frac{1}{4}\right)+\cdots+\left(\frac{1}{10}-\frac{1}{11}\right)\right\}$

$=\frac{1}{4}\left(1-\frac{1}{11}\right)=\frac{5}{22}$

## 9

$a_{n+1}=na_n$의 $n$에 1, 2, 3, 4, 5, …, 49를 차례로 대입하면

$a_2=1\times a_1=1$,

$a_3=2\times a_2=2\times1=2$,

$a_4=3\times a_3=3\times2\times1=6$,

$a_5=4\times a_4=4\times3\times2\times1=24$,

$a_6=5\times a_5=5\times4\times3\times2\times1=120$,

⋮

$a_{50}=49\times a_{49}=49\times\cdots\times5\times4\times3\times2\times1$

이때 $n\geq6$인 $a_n$은 모두 30의 배수이므로

$a_1+a_2+a_3+\cdots+a_{50}$을 30으로 나누었을 때의 나머지는

$a_1+a_2+a_3+a_4+a_5$를 30으로 나누었을 때의 나머지와 같다.

따라서 $a_1+a_2+a_3+a_4+a_5=1+1+2+6+24=34$이므로 구하는 나머지는 4이다.

## 10

$a_{n+1}=\frac{n+2}{n}a_n$의 $n$에 1, 2, 3, …, $n-1$을 차례로 대입하면

$a_2=\frac{3}{1}a_1$

$a_3=\frac{4}{2}a_2=\frac{4}{2}\times\frac{3}{1}a_1$

$a_4=\frac{5}{3}a_3=\frac{5}{3}\times\frac{4}{2}\times\frac{3}{1}a_1$

⋮

$a_n=\frac{n+1}{n-1}a_{n-1}=\frac{n+1}{n-1}\times\cdots\times\frac{5}{3}\times\frac{4}{2}\times\frac{3}{1}a_1$

$=\frac{n(n+1)}{1\times2}\times a_1=\frac{n(n+1)}{2}$

이때 $a_k=66$이므로

$\frac{k(k+1)}{2}=66$, $k^2+k-132=0$

$(k+12)(k-11)=0$

$\therefore k=11$ ($\because k$는 자연수)

## 11

(ii) $n=k$일 때, $6^k-1$이 5의 배수라고 가정하면

$6^k-1=5a$ ($a$는 자연수)이므로 $6^k=5a+1$로 놓을 수 있다.

이때 $n=k+1$이면

$6^{k+1}-1=6\times6^k-1$

$=6($ (가) $5a+1$ $)-1$

$=30a+5$

$=5($ (나) $6a+1$ $)$

이므로 $n=k+1$일 때도 $6^n-1$은 5의 배수이다.

따라서 $f(a)=5a+1$, $g(a)=6a+1$이므로

$f(1)=6$, $g(2)=13$

$\therefore f(1)g(2)=78$

## 12

$x$, 4, $y$가 이 순서대로 등차수열을 이루므로

$x+y=8$ …… [40 %]

$\frac{1}{x}$, $\frac{1}{5}$, $\frac{1}{y}$이 이 순서대로 등비수열을 이루므로

$\frac{1}{xy}=\frac{1}{25}$ $\quad\therefore xy=25$ …… [40 %]

$\therefore x^2+y^2=(x+y)^2-2xy$

$=8^2-2\times25=14$ …… [20 %]

## 13

등비수열 $\{a_n\}$의 첫째항을 $a$, 공비를 $r$라 하면

조건 (가)에서

$\frac{a_5}{a_2}=\frac{ar^4}{ar}=r^3=4$ …… [30 %]

조건 (나)에서

$a_4+a_5+a_6=ar^3+ar^4+ar^5=8$, $4a+4ar+4ar^2=8$

$\therefore a(1+r+r^2)=2$ …… [30 %]

따라서 등비수열 $\{a_n\}$의 첫째항부터 제9항까지의 합은

$\frac{a(r^9-1)}{r-1}=\frac{a(r^3-1)(r^6+r^3+1)}{r-1}$

$=\frac{a(r-1)(r^2+r+1)(r^6+r^3+1)}{r-1}$

$=a(r^2+r+1)(r^6+r^3+1)$

$=2(4^2+4+1)=42$ …… [40 %]

## 14

수열 $\{a_n\}$의 첫째항부터 제$n$항까지의 합을 $S_n$이라 하면

$S_n=\sum_{k=1}^{n}a_k=n^2+2n$ …… [20 %]

$a_n=S_n-S_{n-1}$

$=n^2+2n-\{(n-1)^2+2(n-1)\}$

$=2n+1$ $(n\geq2)$ …… ㉠

$a_1=S_1=1^2+2\times1=3$ …… ㉡

이때 ㉡은 ㉠에 $n=1$을 대입한 것과 같으므로

$a_n=2n+1$ …… [40%]

따라서 $a_{4k+1}=2(4k+1)+1=8k+3$이므로

$$\sum_{k=1}^{9} ka_{4k+1}=\sum_{k=1}^{9} k(8k+3)=\sum_{k=1}^{9}(8k^2+3k)$$

$$=8\times\frac{9\times10\times19}{6}+3\times\frac{9\times10}{2}$$

$$=2415$$ …… [40%]

## 15

$n$일째 채운 물의 양을 $a_n$이라 하면 첫날은 15 L를 채우므로

$a_1=15$

다음날은 전날 채운 물의 양의 $\frac{6}{5}$배보다 2 L 적은 양을 채우므로

$a_{n+1}=\frac{6}{5}a_n-2$

$\therefore a_{n+1}-10=\frac{6}{5}(a_n-10)$ …… [30%]

즉, 수열 $\{a_n-10\}$은 첫째항이 $a_1-10=5$, 공비가 $\frac{6}{5}$인 등비수열이므로

$a_n-10=5\times\left(\frac{6}{5}\right)^{n-1}$

$\therefore a_n=10+5\times\left(\frac{6}{5}\right)^{n-1}$ …… [50%]

$\therefore a_{11}=10+5\times\left(\frac{6}{5}\right)^{10}=10+5\times6.2=41$

따라서 윤지는 11일째 되는 날 41 L의 물을 채우게 된다. …… [20%]

**참고**

$a_{n+1}=\frac{6}{5}a_n-2$를 $a_{n+1}-\alpha=\frac{6}{5}(a_n-\alpha)$로 놓으면

$a_{n+1}=\frac{6}{5}a_n-\frac{\alpha}{5}$

이때 $-\frac{\alpha}{5}=-2$이므로 $\alpha=10$

$\therefore a_{n+1}-10=\frac{6}{5}(a_n-10)$

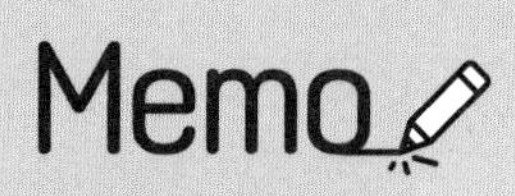

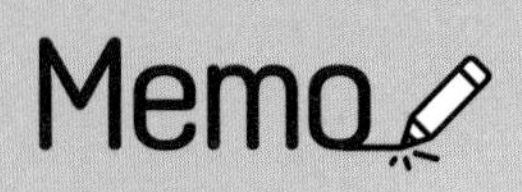
Memo

# 내신전략

## 고등 수학 I

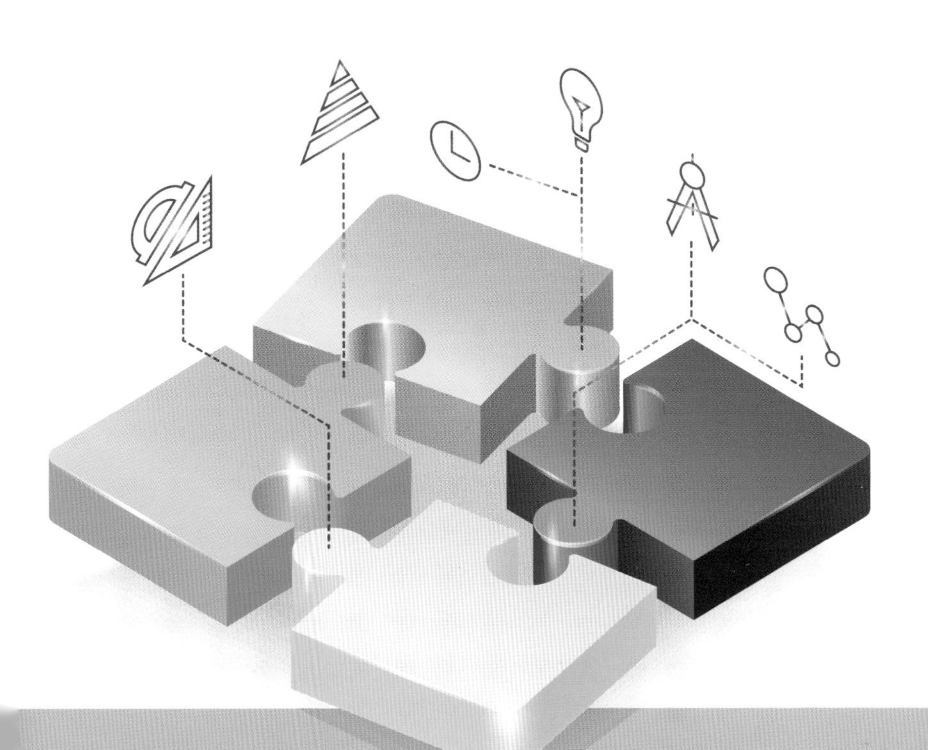

시험에 잘 나오는

개념BOOK 1

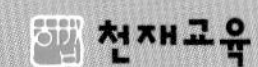

시험에 잘 나오는

개념BOOK 1

# 내신전략

## 고등 수학 I

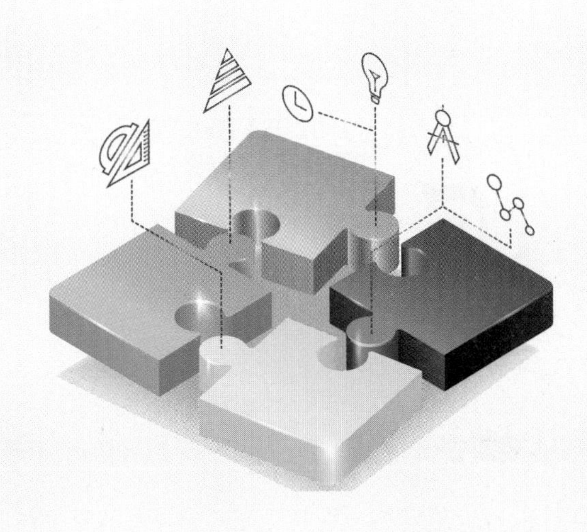

## 개념BOOK 하나면
## 수학 공부 끝!

시험에 잘 나오는 개념북이야~
차례부터 한번 살펴보자!

차례

# 1 거듭제곱근

(1) 거듭제곱

실수 $a$를 $n$번 곱한 것을 $a$의 $n$제곱이라 하고, 기호로 $a^n$과 같이 나타낸다.

또 $a, a^2, a^3, \cdots, a^n, \cdots$을 통틀어 $a$의 ❶ [ ] 이라 한다. 이때 $a^n$에서 $a$를 거듭제곱의 밑, $n$을 거듭제곱의 지수라 한다.

(2) 거듭제곱근

$n$이 2 이상의 정수일 때, $n$제곱하여 실수 $a$가 되는 수, 즉 방정식

$$x^n = a$$

를 만족시키는 수 $x$를 $a$의 $n$제곱근이라 한다. 또 $a$의 제곱근, 세제곱근, 네제곱근, $\cdots$, $n$제곱근, $\cdots$을 통틀어 $a$의 ❷ [ ] 이라 한다.

답 ❶ 거듭제곱 ❷ 거듭제곱근

**바로 확인 1**

$a, b$가 0이 아닌 실수일 때, 다음 식을 간단히 하시오.

(1) $(a^2)^3 \times a^4$

(2) $(ab^3)^2 \times \left(\dfrac{a^2}{b}\right)^3$

풀이

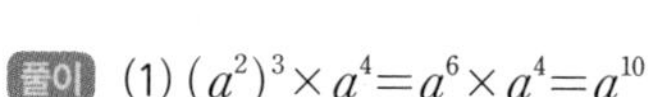

(1) $(a^2)^3 \times a^4 = a^6 \times a^4 = a^{10}$

(2) $(ab^3)^2 \times \left(\dfrac{a^2}{b}\right)^3 = a^2b^6 \times \dfrac{a^6}{b^3}$

$= $ ❶ [ ]

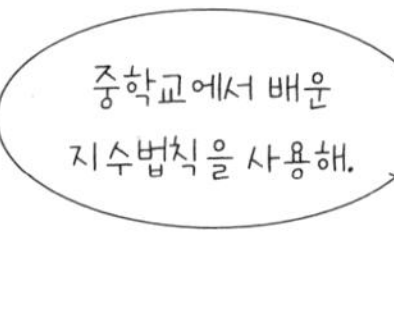

**바로 확인 2**

8의 세제곱근을 모두 구하시오.

풀이 8의 세제곱근을 $x$라 하면 $x^3=8$, $x^3-8=0$

$(x-2)(x^2+2x+$ ❷ [ ] $)=0$

$\therefore x=2$ 또는 $x=-1\pm\sqrt{3}\,i$

따라서 8의 세제곱근은 $2, -1\pm\sqrt{3}\,i$이다.

답 ❶ $a^8b^3$ ❷ 4

## $a$의 실수인 $n$제곱근

(1) $n$이 짝수인 경우

① $a>0$일 때, 실수 $a$의 $n$제곱근 중 실수인 것은 양수와 음수의 두 개가 있다.

② $a=0$일 때, 0의 $n$제곱근은 0 하나뿐이다.

③ $a<0$일 때, 실수 $a$의 $n$제곱근 중 실수인 것은 ❶ ＿＿＿＿.

(2) $n$이 홀수인 경우

실수 $a$의 $n$제곱근 중 실수인 것은 오직 하나뿐이다.

(참고) $a$가 실수이고 $n$이 2 이상의 정수일 때

| | $a>0$ | $a=0$ | $a<0$ |
|---|---|---|---|
| $n$이 짝수 | $\sqrt[n]{a}$, $-\sqrt[n]{a}$ | ❷ ＿＿＿＿ | 없다. |
| $n$이 홀수 | $\sqrt[n]{a}$ | 0 | $\sqrt[n]{a}$ |

답 ❶ 없다 ❷ 0

**바로 확인 1**

다음 값을 구하시오.

(1) $\sqrt[3]{-8}$

(2) $\sqrt[4]{81}$

(3) $\sqrt[5]{-32}$

(4) $\sqrt[6]{64}$

풀이 (1) $\sqrt[3]{-8}=\sqrt[3]{(-2)^3}=-2$

(2) $\sqrt[4]{81}=\sqrt[4]{3^4}=3$

(3) $\sqrt[5]{-32}=\sqrt[5]{(-2)^5}=$ ❶ ＿＿＿＿

(4) $\sqrt[6]{64}=\sqrt[6]{(\text{❷ ＿＿＿＿})^6}=2$

답 ❶ $-2$ ❷ 2

## 3 거듭제곱근의 성질

$a>0$, $b>0$이고 $m$, $n$이 2 이상의 ❶ ☐ 일 때

① $\sqrt[n]{a}\sqrt[n]{b}=\sqrt[n]{\boxed{❷\quad}}$

② $\dfrac{\sqrt[n]{a}}{\sqrt[n]{b}}=\sqrt[n]{\dfrac{a}{b}}$

③ $(\sqrt[n]{a})^m=\sqrt[n]{a^m}$

④ $\sqrt[m]{\sqrt[n]{a}}=\sqrt[mn]{a}$

⑤ $\sqrt[np]{a^{mp}}=\sqrt[n]{a^m}$ (단, $p$는 양의 정수)

답 ❶ 정수 ❷ $ab$

**바로 확인 1**

다음 식을 간단히 하시오.

(1) $\sqrt[3]{6}\times\sqrt[3]{36}$

(2) $\dfrac{\sqrt[5]{729}}{\sqrt[5]{3}}$

(3) $(\sqrt[3]{2})^6$

(4) $\sqrt[4]{\sqrt[3]{3^{12}}}$

(5) $\sqrt[5]{\sqrt[3]{32}}\times\sqrt{\sqrt[3]{16}}$

(6) $\sqrt[3]{\dfrac{\sqrt[4]{5}}{\sqrt{3}}}\times\sqrt{\dfrac{\sqrt[3]{3}}{\sqrt[6]{5}}}$

풀이 (1) $\sqrt[3]{6}\times\sqrt[3]{36}=\sqrt[3]{6\times36}=\sqrt[3]{6^3}=6$

(2) $\dfrac{\sqrt[5]{729}}{\sqrt[5]{3}}=\sqrt[5]{\dfrac{729}{3}}=\sqrt[5]{243}=\sqrt[5]{\boxed{❶\quad}^5}=3$

(3) $(\sqrt[3]{2})^6=(\sqrt[3]{2^3})^2=2^2=4$

(4) $\sqrt[4]{\sqrt[3]{3^{12}}}=\sqrt[12]{3^{12}}=3$

(5) $\sqrt[5]{\sqrt[3]{32}}\times\sqrt{\sqrt[3]{16}}=\sqrt[3]{\sqrt[5]{32}}\times\sqrt[3]{\sqrt{16}}$

$=\sqrt[3]{\sqrt[5]{2^5}}\times\sqrt[3]{\sqrt{4^2}}=\sqrt[3]{\boxed{❷\quad}\times4}$

$=\sqrt[3]{8}=\sqrt[3]{2^3}=2$

(6) $\sqrt[3]{\dfrac{\sqrt[4]{5}}{\sqrt{3}}}\times\sqrt{\dfrac{\sqrt[3]{3}}{\sqrt[6]{5}}}=\dfrac{\sqrt[12]{5}}{\sqrt[6]{3}}\times\dfrac{\sqrt[6]{3}}{\sqrt[12]{5}}=1$

답 ❶ 3 ❷ 2

# 4 지수의 확장과 지수법칙

(1) 0 또는 음의 정수인 지수

$a \neq 0$이고 $n$이 양의 정수일 때

① $a^0=1$ ② $a^{-n}=\dfrac{1}{a^n}$

(2) 유리수인 지수

$a>0$이고 $m, n\ (n \geq 2)$이 정수일 때

① $a^{\frac{m}{n}}=\sqrt[n]{a^m}$ ② $a^{\frac{1}{n}}=\sqrt[n]{a}$

(3) 지수가 실수일 때의 지수법칙

$a>0, b>0$이고 $x, y$가 실수일 때

① $a^x a^y = a^{❶\square}$ ② $a^x \div a^y = a^{x-y}$

③ $(a^x)^y = a^{xy}$ ④ $(ab)^{❷\square} = a^x b^x$

답 ❶ $x+y$ ❷ $x$

**바로 확인 1**

다음 식을 간단히 하시오.

(1) $(3^{-2})^{\frac{3}{2}}$ (2) $(3^2)^{-2} \div 3^{-5}$

(3) $4^{-\frac{3}{2}} \times 8^{\frac{5}{3}}$ (4) $2^{\sqrt{3}} \times 2^{-\sqrt{3}}$

풀이 (1) $(3^{-2})^{\frac{3}{2}} = 3^{-2 \times \frac{3}{2}} = 3^{-3} = \dfrac{1}{27}$

(2) $(3^2)^{-2} \div 3^{-5} = 3^{-4} \div 3^{-5} = 3^{-4-(-5)} =$ ❶ $\square$

(3) $4^{-\frac{3}{2}} \times 8^{\frac{5}{3}} = 2^{2 \times \left(-\frac{3}{2}\right)} \times 2^{3 \times \frac{5}{3}} = 2^{-3} \times 2^5 = 2^{-3+5} = 4$

(4) $2^{\sqrt{3}} \times 2^{-\sqrt{3}} = 2^{\sqrt{3}-\sqrt{3}} =$ ❷ $\square$

답 ❶ 3 ❷ 1

## 5 로그

(1) 로그

$a>0$, $a\neq1$, $N>0$일 때

$$a^x=N \Longleftrightarrow x=\log_a N$$

이때 $x$는 $a$를 밑으로 하는 $N$의 로그라 하며, $N$을 $\log_a N$의 ❶ ______라 한다.

(2) 로그가 정의되기 위한 조건

$\log_a N$이 정의되기 위해서는 밑 조건과 진수 조건이 모두 성립해야 한다.

① 밑 조건: 밑은 ❷ ______이 아닌 양수이어야 한다. ⇨ $a>0$, $a\neq1$

② 진수 조건: 진수는 양수이어야 한다. ⇨ $N>0$

답 ❶ 진수 ❷ 1

**바로 확인 ①**

다음 값을 구하시오.

(1) $\log_8 \sqrt{2}$

(2) $\log_{\sqrt{2}} (\log_5 625)$

풀이 (1) $\log_8 \sqrt{2}=x$로 놓으면 ❶ ______$^x=\sqrt{2}$

$2^{3x}=2^{\frac{1}{2}}$, 즉 $3x=\frac{1}{2}$ $\quad\therefore x=\frac{1}{6}$

따라서 $\log_8 \sqrt{2}=\frac{1}{6}$이다.

(2) $\log_5 625=x$로 놓으면 $5^x=625$

$5^x=5^4$ $\quad\therefore x=$ ❷ ______

즉, $\log_5 625=4$이므로

$\log_{\sqrt{2}} 4=y$로 놓으면 $(\sqrt{2})^y=4$

$2^{\frac{y}{2}}=2^2$, 즉 $\frac{y}{2}=2$ $\quad\therefore y=4$

따라서 $\log_{\sqrt{2}} (\log_5 625)=4$이다.

답 ❶ 8 ❷ 4

## 6 로그의 성질

$a>0$, $a\neq1$이고 $M>0$, $N>0$일 때

① $\log_a 1=0$, $\log_a a=$ ❶

② $\log_a MN=\log_a M+\log_a N$

③ $\log_a \frac{M}{N}=\log_a M-\log_a N$

④ $\log_a M^k=$ ❷ $\log_a M$ (단, $k$는 실수)

답 ❶ 1 ❷ $k$

**바로 확인 1**

다음 식을 간단히 하시오.

(1) $3\log_2 4+2\log_2 \sqrt{8}$

(2) $\frac{1}{2}\log_3 \frac{4}{9}-\log_3 \frac{2}{27}$

(3) $\log_2 120+2\log_2 3-\log_2 135$

풀이 (1) (주어진 식)$=\log_2 4^3+\log_2 (\sqrt{8})^2$

$=\log_2 64+\log_2 8$

$=\log_2 (64\times8)=\log_2 2^9$

$=9\log_2 2=9$

(2) (주어진 식)$=\log_3 \sqrt{\frac{4}{9}}-\log_3 \frac{2}{27}=\log_3 \frac{2}{3}-\log_3 \frac{2}{27}$

$=\log_3 \left(\frac{2}{3}\times\frac{❶\square}{2}\right)$

$=\log_3 9=\log_3 3^2$

$=2\log_3 3=2$

(3) (주어진 식)$=\log_2 (120\times$ ❷ $\div135)$

$=\log_2 8=\log_2 2^3$

$=3\log_2 2=3$

답 ❶ 27 ❷ 9

## 7 로그의 밑의 변환

$a>0$, $a\neq1$, $b>0$, $c>0$, $c\neq1$일 때

① $\log_a b=\dfrac{\log_c \boxed{❶}}{\log_c \boxed{❷}}$

② $\log_a b=\dfrac{1}{\log_b a}$ (단, $b\neq1$)

답 ❶ $b$ ❷ $a$

### 바로 확인 ①

다음 값을 구하시오.

(1) $\log_{\sqrt{2}} 32$

(2) $\log_{\frac{1}{9}} 243$

풀이 (1) 주어진 식을 2를 밑으로 하는 로그로 바꾸면

$$\log_{\sqrt{2}} 32=\frac{\log_2 32}{\log_2 \sqrt{2}}=\frac{\log_2 2^5}{\log_2 2^{\frac{1}{2}}}$$

$$=\frac{5\log_2 2}{\frac{1}{2}\log_2 2}=\boxed{❶}$$

(2) 주어진 식을 3을 밑으로 하는 로그로 바꾸면

$$\log_{\frac{1}{9}} 243=\frac{\log_3 243}{\log_3 \frac{1}{9}}=\frac{\log_3 3^5}{\log_3 3^{-2}}$$

$$=\frac{5\log_3 3}{\boxed{❷}\log_3 3}=-\frac{5}{2}$$

### 바로 확인 ②

$\log_2 3=a$, $\log_2 5=b$일 때, $\log_{12} 15$를 $a$, $b$로 나타내시오.

풀이 $$\log_{12} 15=\frac{\log_2 15}{\log_2 12}=\frac{\log_2 (3\times5)}{\log_2 (2^2\times3)}$$

$$=\frac{\log_2 3+\log_2 5}{\boxed{❸}+\log_2 3}=\frac{a+b}{2+a}$$

답 ❶ 10 ❷ −2 ❸ 2

## 8 로그의 여러 가지 성질

$a>0$, $a\neq1$, $b>0$일 때

① $\log_a b\times\log_b a=1$ (단, $b\neq1$)

② $\log_{a^m} b^n=\dfrac{\boxed{❶\phantom{00}}}{m}\log_a b$ (단, $m$, $n$은 실수, $m\neq0$)

③ $a^{\log_a b}=\boxed{❷\phantom{00}}$

④ $a^{\log_c b}=b^{\log_c a}$ (단, $c>0$, $c\neq1$)

답 ❶ $n$ ❷ $b$

### 바로 확인 1

다음 식을 간단히 하시오.

(1) $2^{\log_2 5}\times8^{\frac{2}{3}}$

(2) $8^{3\log_2 5-2\log_{\frac{1}{2}}4-4\log_2 10}$

풀이 (1) $2^{\log_2 5}\times8^{\frac{2}{3}}=5\times(2^3)^{\frac{2}{3}}=5\times2^2=20$

(2) $3\log_2 5-2\log_{\frac{1}{2}}4-4\log_2 10$

$=\log_2 5^3+\log_2 4^2-\log_2 10^4$

$=\log_2\left(\dfrac{5^3\times4^2}{10^4}\right)=\log_2\left(\dfrac{5^3\times\boxed{❶\phantom{00}}^4}{2^4\times5^4}\right)$

$=\log_2\dfrac{1}{5}$

$\therefore 8^{3\log_2 5-2\log_{\frac{1}{2}}4-4\log_2 10}=8^{\log_2\frac{1}{5}}=2^{3\log_2\frac{1}{5}}=2^{\log_2\left(\frac{1}{5}\right)^3}$

$=\left(\dfrac{1}{\boxed{❷\phantom{00}}}\right)^3=\dfrac{1}{125}$

답 ❶ 2 ❷ 5

## 9 상용로그

(1) 상용로그

10을 밑으로 하는 로그를 ❶ [ ] 라 하고, 보통 밑 10을 생략하여 기호로

$\log N$

과 같이 나타낸다.

(2) 상용로그의 표현

임의의 양수 $N$에 대하여 상용로그는

$\log N = n + \alpha$ ($n$은 정수, $0 \le \alpha <$ ❷ [ ])

와 같이 나타낼 수 있다.

답 ❶ 상용로그 ❷ 1

**바로 확인 1**

밑 10이 생략되어 있네.

다음 식의 값을 구하시오.

$$\log(1+1) + \log\left(1+\frac{1}{2}\right) + \log\left(1+\frac{1}{3}\right) + \cdots + \log\left(1+\frac{1}{99}\right)$$

풀이 (주어진 식) $= \log 2 + \log\frac{3}{2} + \log\frac{4}{3} + \cdots + \log\frac{100}{99}$

$= \log\left(2 \times \frac{3}{2} \times \frac{4}{3} \times \cdots \times \frac{100}{99}\right)$

$= \log$ ❶ [ ] $=$ ❷ [ ]

답 ❶ 100 ❷ 2

## 10 상용로그표

(1) 상용로그표

0.01의 간격으로 1.00부터 9.99까지의 수에 대한 상용로그의 값을 ❶ ______ 하여 소수점 아래 넷째 자리까지 나타낸 표이다.

(2) 상용로그표에서 구한 상용로그의 값

상용로그표를 이용하면 정수 부분이 한 자리인 양수의 상용로그의 값을 구할 수 있다. 이때 상용로그표에서 구한 상용로그의 값은 어림한 값이지만 편의상 '≒' 대신 '❷ ______'를 사용하여 나타낸다.

답 ❶ 반올림 ❷ =

**바로 확인 1**

다음 상용로그표를 이용하여 $\log(0.00461\times 4830)$의 값을 구하시오.

| 수 | 0 | 1 | 2 | 3 |
|---|---|---|---|---|
| 4.6 | .6628 | .6637 | .6646 | .6656 |
| 4.7 | .6721 | .6730 | .6739 | .6749 |
| 4.8 | .6812 | .6821 | .6830 | .6839 |

풀이 $\log 0.00461=\log(10^{-3}\times 4.61)=\log 10^{-3}+\log 4.61$

$=-3+$ ❶ ______

$\log 4830=\log(10^{3}\times 4.83)=\log 10^{3}+\log 4.83$

$=3+$ ❷ ______

$\therefore \log(0.00461\times 4830)=\log 0.00461+\log 4830$

$=(-3+0.6637)+(3+0.6839)$

$=1.3476$

답 ❶ 0.6637 ❷ 0.6839

## 상용로그의 성질

(1) 상용로그의 정수 부분

① 정수 부분이 $n$자리인 수의 상용로그의 정수 부분은 ❶ [ ] 이다.

② 소수점 아래 $n$째 자리에서 처음으로 0이 아닌 숫자가 나타나는 수의 상용로그의 정수 부분은 $-n$이다.

(2) 상용로그의 소수 부분

숫자의 배열이 같고 소수점의 위치만 다른 양수의 상용로그의 ❷ [ ] 부분은 모두 같다.

답 ❶ $n-1$ ❷ 소수

**바로 확인 1**

$\left(\frac{1}{6}\right)^{10}$이 소수점 아래 $n$째 자리에서 처음으로 0이 아닌 숫자가 나타날 때, $n$의 값을 구하시오. (단, $\log 2=0.3010$, $\log 3=0.4771$로 계산한다.)

풀이 $\log\left(\frac{1}{6}\right)^{10}=-10\log 6$

$=-10(\log 2+\log 3)$

$=-10(0.3010+0.4771)$

$=-10\times 0.7781=-7.781$

$=$ ❶ [ ] $+0.219$

따라서 $\left(\frac{1}{6}\right)^{10}$은 소수점 아래 ❷ [ ] 째 자리에서 처음으로 0이 아닌 숫자가 나타난다.

답 ❶ $-8$ ❷ 8

# 12 지수함수

(1) 지수함수

실수 전체의 집합을 정의역으로 하는 함수 $y=a^x$ $(a>0, a\neq1)$을 $a$를 밑으로 하는 ❶ [ ] 라 한다.

(2) 지수함수 $y=a^x$ $(a>0, a\neq1)$의 그래프

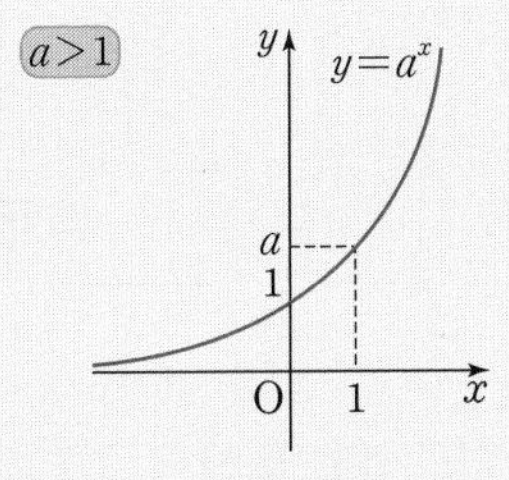


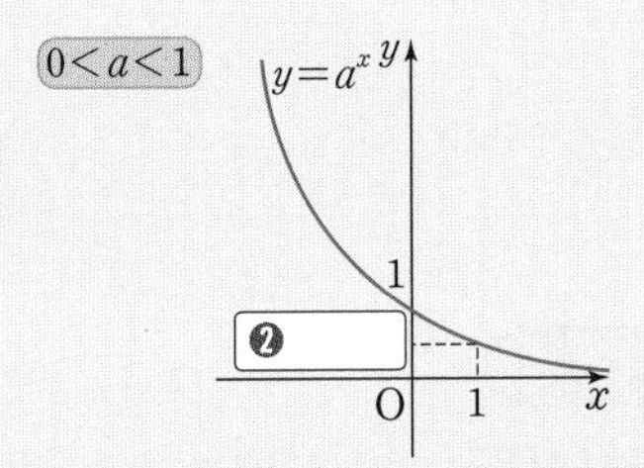


답 ❶ 지수함수 ❷ $a$

**바로 확인 1**

지수함수 $f(x)=2^{ax+b}$에 대하여 $f(1)=2, f(2)=4$일 때, $f(3)$의 값을 구하시오.

풀이 $f(1)=2$에서 $2^{a+b}=2$ $\quad\therefore a+b=1$ ······ ㉠

$f(2)=4$에서 $2^{2a+b}=4$ $\quad\therefore 2a+b=$ ❶ [ ] ······ ㉡

㉠, ㉡을 연립하여 풀면 $a=$ ❷ [ ], $b=0$

따라서 $f(x)=2^x$이므로 $f(3)=2^3=8$

답 ❶ 2 ❷ 1

## 13 지수함수의 성질

지수함수 $y=a^x\,(a>0, a\neq1)$의 성질

① 정의역은 실수 전체의 집합이고, 치역은 양의 실수 전체의 집합이다.

② $a>1$일 때, $x$의 값이 증가하면 $y$의 값도 증가한다.

$0<a<1$일 때, $x$의 값이 증가하면 $y$의 값은 ❶ ______ 한다.

③ 그래프는 점 $(0, 1)$을 지나고, ❷ ______ 을 점근선으로 갖는다.

④ 일대일함수이다.

답 ❶ 감소 ❷ $x$축

**바로 확인 1**

지수함수의 성질을 이용하여 다음 세 수의 크기를 비교하시오.

$\sqrt[3]{3^7}, \sqrt{243}, (9^2)^{\frac{3}{5}}$

풀이 세 수 $\sqrt[3]{3^7}, \sqrt{243}, (9^2)^{\frac{3}{5}}$을 밑이 ❶ ______ 인 거듭제곱 꼴로 나타내면

$\sqrt[3]{3^7}=3^{\frac{7}{3}}, \sqrt{243}=243^{\frac{1}{2}}=3^{\frac{5}{2}},$

$(9^2)^{\frac{3}{5}}=(3^4)^{\frac{3}{5}}=3^{\frac{12}{5}}$

이때 $y=3^x$에서 (밑)= ❷ ______ $>1$이고

$\frac{7}{3}<\frac{12}{5}<\frac{5}{2}$이므로 $3^{\frac{7}{3}}<3^{\frac{12}{5}}<3^{\frac{5}{2}}$

$\therefore \sqrt[3]{3^7}<(9^2)^{\frac{3}{5}}<\sqrt{243}$

지수함수 $y=a^x$에서
$a>1$이면
부등호 방향 그대로,
$0<a<1$이면
부등호 방향 반대로야.

답 ❶ 3 ❷ 3

## 14 지수함수의 그래프의 평행이동과 대칭이동

지수함수 $y=a^x\ (a>0,\ a\neq1)$의 그래프를

① $x$축의 방향으로 $m$만큼, $y$축의 방향으로 $n$만큼 평행이동

⇨ $y=a^{[❶\quad]}+n$

② $x$축에 대하여 대칭이동 ⇨ $y=-a^x$

③ $y$축에 대하여 대칭이동 ⇨ $y=a^{-x}=\left(\frac{1}{a}\right)^x$

④ [❷      ]에 대하여 대칭이동 ⇨ $y=-a^{-x}=-\left(\frac{1}{a}\right)^x$

답 ❶ $x-m$ ❷ 원점

**바로 확인 ①**

함수 $y=2^{2x}$의 그래프를 $x$축의 방향으로 $m$만큼, $y$축의 방향으로 $n$만큼 평행이동한 그래프의 식이 $y=\frac{1}{16}\times2^{2x}-4$일 때, 상수 $m$, $n$의 값을 구하시오.

풀이 함수 $y=2^{2x}$에 $x$ 대신 $x-m$, $y$ 대신 $y-n$을 대입하면

$y-n=2^{2(x-m)}$

$\therefore\ y=2^{2x-2m}+n=\frac{1}{[❶\quad]}\times2^{2x}+n$

이 식이 $y=\frac{1}{16}\times2^{2x}-4$와 일치하므로

$2^{2m}=16,\ n=-4$

$\therefore\ m=$[❷      ]$,\ n=-4$

답 ❶ $2^{2m}$ ❷ 2

# 15 지수함수의 최대, 최소

정의역이 $\{x|m\le x\le n\}$일 때, 지수함수 $f(x)=a^x\,(a>0,\ a\ne 1)$은

① $a>1$이면 $x=m$일 때 ❶ ______ $f(m)$, $x=n$일 때 최댓값 $f(n)$을 갖는다.

② $0<a<1$이면 $x=m$일 때 ❷ ______ $f(m)$, $x=n$일 때 최솟값 $f(n)$을 갖는다.

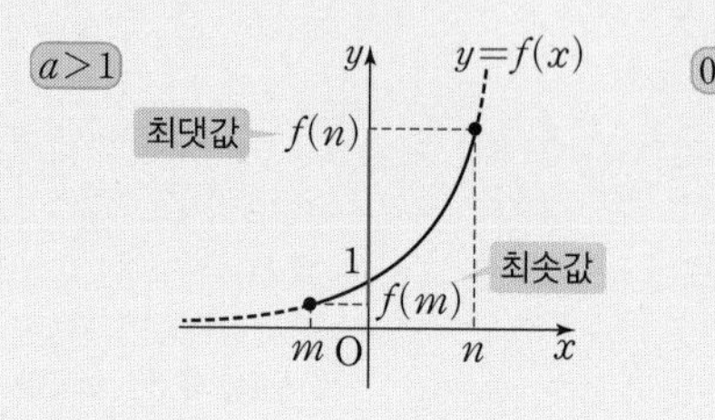


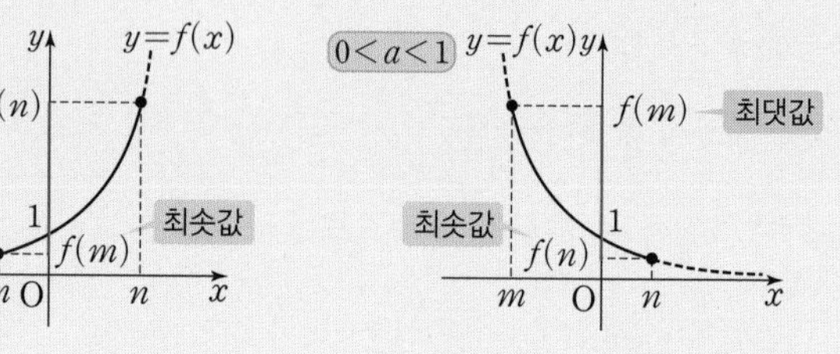


답 ❶ 최솟값 ❷ 최댓값

## 바로 확인 1

정의역이 $\{x|-2\le x\le 2\}$인 함수 $y=2^{x+1}-1$의 최댓값과 최솟값을 구하시오.

풀이 함수 $y=2^{x+1}-1$은 $x$의 값이 증가하면 $y$의 값도 증가하므로

$x=$ ❶ ______ 일 때 최댓값은 $2^{2+1}-1=7$

$x=-2$일 때 최솟값은 $2^{-2+1}-1=-\frac{1}{2}$

## 바로 확인 2

함수 $y=a^{-x^2+2x+1}$의 최댓값이 9일 때, 상수 $a$의 값을 구하시오. (단, $a>1$)

풀이 $f(x)=-x^2+2x+1$이라 하면

$f(x)=-(x-1)^2+2$

함수 $y=f(x)$는 $x=1$에서 최댓값 2를 갖고 $a>1$이므로

함수 $y=a^{f(x)}$의 최댓값은 $a^2$이다.

이때 최댓값이 9이므로 $a^2=9$

$(a+3)(a-3)=0 \qquad \therefore a=$ ❷ ______ $(\because a>1)$

답 ❶ 2 ❷ 3

# 16 로그함수

(1) 로그함수

지수함수 $y=a^x$ $(a>0, a\neq1)$의 역함수 $y=\log_a x$ $(a>0, a\neq1)$를 $a$를 밑으로 하는 ❶ (　　　)라 한다.

(2) 로그함수 $y=\log_a x$ $(a>0, a\neq1)$의 그래프

$a>1$

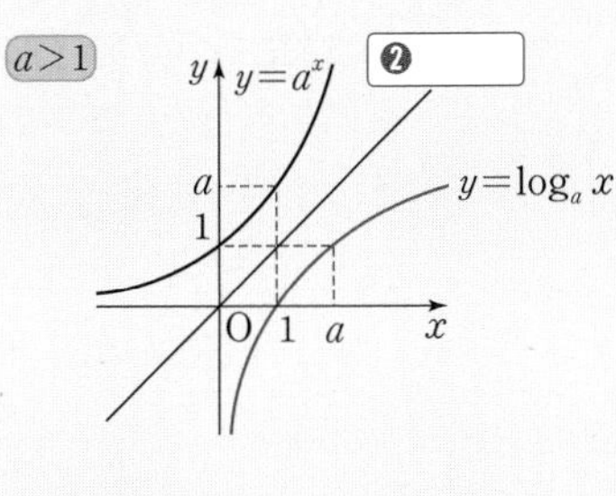


$0<a<1$

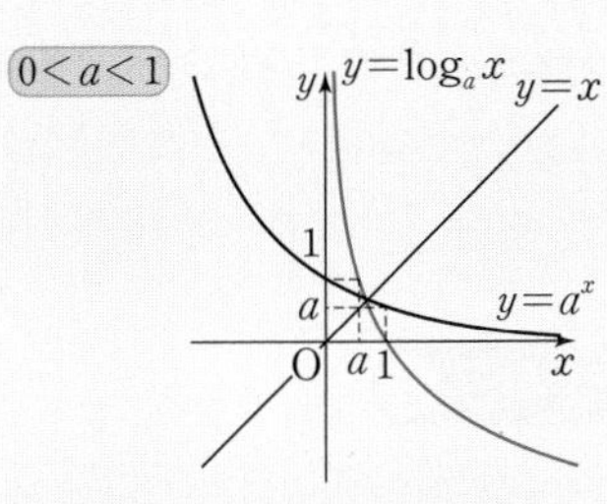


답 ❶ 로그함수 ❷ $y=x$

**바로 확인 1**

지수함수 $y=3^x$의 그래프를 이용하여 로그함수 $y=\log_3 x$의 그래프를 그리시오.

풀이 로그함수 $y=\log_3 x$는 지수함수 $y=3^x$의 역함수이므로

직선 $y=$ ❶ (　　　)에 대하여 대칭이다.

따라서 로그함수 $y=\log_3 x$의 그래프는 오른쪽 그림과 같다.

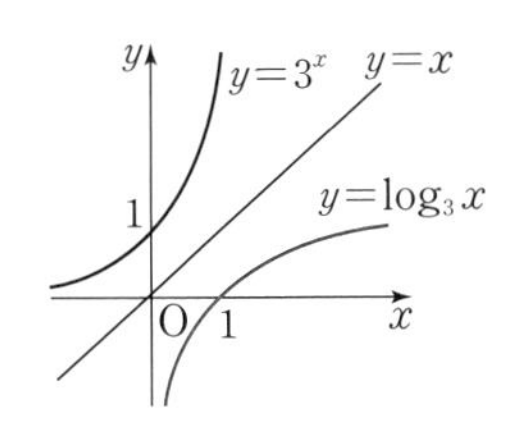


답 ❶ $x$

## 17 로그함수의 성질

로그함수 $y=\log_a x$ $(a>0, a\neq1)$의 성질

① 정의역은 양의 실수 전체의 집합이고, 치역은 ❶ [ ] 전체의 집합이다.

② $a>1$일 때, $x$의 값이 증가하면 $y$의 값도 증가한다.

$0<a<1$일 때, $x$의 값이 증가하면 $y$의 값은 감소한다.

③ 그래프는 점 $(1, 0)$을 지나고, ❷ [ ]을 점근선으로 갖는다.

④ 일대일함수이다.

답 ❶ 실수 ❷ $y$축

**바로 확인 1**

로그함수의 성질을 이용하여 다음 세 수의 크기를 비교하시오.

(1) $2\log_3 5$, $\log_9 256$, $5\log_3 2$

(2) $\log_{\frac{1}{2}} 10$, $2\log_{\frac{1}{2}} 3$, $\log_{\frac{1}{4}} 9$

풀이 (1) $2\log_3 5=\log_3 5^2=\log_3 25$,

$\log_9 256=\log_{3^2} 16^2=\log_3$ ❶ [ ]

$5\log_3 2=\log_3 2^5=\log_3 32$

이때 $y=\log_3 x$에서 (밑)$=3>1$이고 $16<25<32$이므로

$\log_3 16<\log_3 25<\log_3 32$

$\therefore \log_9 256<2\log_3 5<5\log_3 2$

(2) $2\log_{\frac{1}{2}} 3=\log_{\frac{1}{2}} 3^2=\log_{\frac{1}{2}} 9$, $\log_{\frac{1}{4}} 9=\log_{\left(\frac{1}{2}\right)^2} 3^2=\log_{\frac{1}{2}}$ ❷ [ ]

이때 $y=\log_{\frac{1}{2}} x$에서 (밑)$=\frac{1}{2}<1$이고 $3<9<10$이므로

$\log_{\frac{1}{2}} 10<\log_{\frac{1}{2}} 9<\log_{\frac{1}{2}} 3$

$\therefore \log_{\frac{1}{2}} 10<2\log_{\frac{1}{2}} 3<\log_{\frac{1}{4}} 9$

답 ❶ 16 ❷ 3

## 18 지수함수와 로그함수의 역함수

(1) 지수함수와 로그함수의 관계

지수함수 $y=a^x$과 로그함수 $y=\log_a x$는 서로 ❶ [    ] 관계이므로 두 함수의 그래프는 직선 $y=x$에 대하여 대칭이다.

(2) 함수 $y=f(x)$의 역함수 구하기

주어진 함수가 일대일대응이면 다음과 같은 순서로 역함수를 구한다.

(i) 원래 함수의 치역을 이용하여 역함수의 ❷ [    ]을 구한다.

(ii) 주어진 함수를 $x=g(y)$ 꼴로 나타낸다.

(iii) $x$와 $y$를 서로 바꾸어 역함수 $y=g(x)$를 구한다.

답 ❶ 역함수 ❷ 정의역

**바로 확인 1**

함수 $y=3^{x-1}-1$의 역함수를 구하시오.

풀이 함수 $y=3^{x-1}-1$의 정의역은 실수 전체의 집합이고, 치역은

$\{y|y>$ ❶ [    ]$\}$이다.

$y=3^{x-1}-1$에서 $y+1=3^{x-1}$

로그의 정의에 의하여 $x-$ ❷ [    ] $=\log_3(y+1)$

$x$와 $y$를 서로 바꾸면 $y-1=\log_3(x+1)$ (단, $x>-1$)

따라서 구하는 역함수는 $y=\log_3(x+1)+1$이다.

답 ❶ $-1$ ❷ $1$

## 19 로그함수의 그래프의 평행이동과 대칭이동

로그함수 $y=\log_a x\ (a>0,\ a\neq1)$의 그래프를

① $x$축의 방향으로 $m$만큼, $y$축의 방향으로 $n$만큼 평행이동

⇨ $y=\log_a (x-m)+$ ❶ ______

② $x$축에 대하여 대칭이동 ⇨ $y=-\log_a x$

③ $y$축에 대하여 대칭이동 ⇨ $y=\log_a (-x)$

④ 원점에 대하여 대칭이동 ⇨ $y=-\log_a (-x)$

⑤ 직선 ❷ ______ 에 대하여 대칭이동 ⇨ $y=a^x$

답 ❶ $n$ ❷ $y=x$

**바로 확인 1**

함수 $y=\log_2 x$의 그래프를 $x$축에 대하여 대칭이동한 다음 $x$축의 방향으로 $m$만큼, $y$축의 방향으로 $n$만큼 평행이동한 그래프가 원점을 지나고 점근선의 방정식이 $x=-2$일 때, 상수 $m$, $n$의 값을 구하시오.

풀이 함수 $y=\log_2 x$의 그래프를 $x$축에 대하여 대칭이동한 그래프의 식은

$y=-\log_2 x$

함수 $y=-\log_2 x$의 그래프를 $x$축의 방향으로 $m$만큼, $y$축의 방향으로 $n$만큼 평행이동한 그래프의 식은

$y=-\log_2 (x-m)+n$

이 식의 그래프의 점근선이 직선 $x=-2$이므로

$m=$ ❶ ______

$y=-\log_2 (x+2)+n$의 그래프가 원점을 지나므로

$0=-\log_2 2+n \qquad \therefore n=$ ❷ ______

답 ❶ $-2$ ❷ $1$

# 20 로그함수의 최대, 최소

정의역이 $\{x | m \le x \le n\}$일 때, 로그함수 $f(x)=\log_a x$ $(a>0, a\ne1)$는

① $a>1$이면 $x=$ ❶ [    ] 일 때 최솟값 $f(m)$, $x=n$일 때 최댓값 $f(n)$을 갖는다.

② $0<a<1$이면 $x=m$일 때 최댓값 $f(m)$, $x=$ ❷ [    ] 일 때 최솟값 $f(n)$을 갖는다.

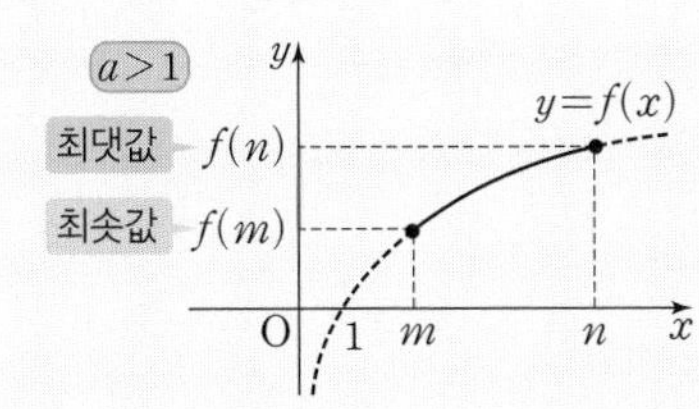


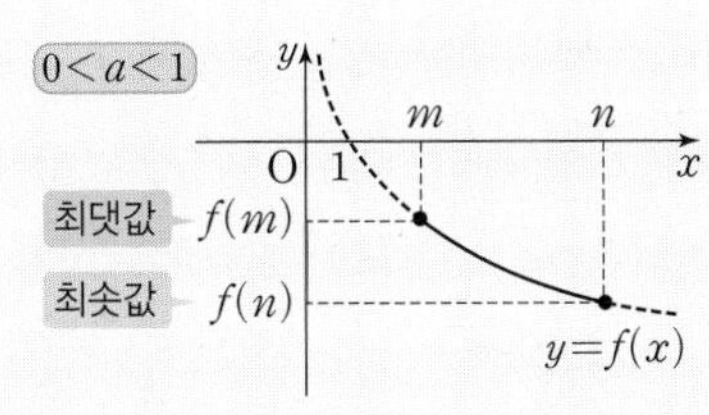


답 ❶ $m$ ❷ $n$

**바로 확인 1**

정의역이 $\{x | 0 \le x \le 3\}$인 함수 $y=\log_a(x^2-2x+4)$의 최댓값이 $-1$일 때, 상수 $a$의 값을 구하시오. (단, $0<a<1$)

풀이 $f(x)=x^2-2x+4$라 하면

$f(x)=(x-1)^2+$ ❶ [    ]

$f(0)=4$, $f(1)=3$, $f(3)=7$이므로 $0 \le x \le 3$에서

$3 \le f(x) \le 7$

$y=\log_a f(x)$에서 $0<(\text{밑})=a<1$이므로

$f(x)=3$, 즉 $x=1$일 때 최댓값 $\log_a 3$을 갖는다.

이때 최댓값이 $-1$이므로

$\log_a$ ❷ [    ] $=-1$, $a^{-1}=3$ $\quad \therefore a=\frac{1}{3}$

답 ❶ 3 ❷ 3

# 21 지수방정식

지수방정식의 풀이

(1) 밑이 같은 경우

⇨ $a^{f(x)}=a^{g(x)}$ $(a>0,\ a\neq1) \iff f(x)=g(x)$

(2) 지수가 같은 경우

⇨ $a^{f(x)}=b^{f(x)}$ $(a>0,\ b>0) \iff a=b$ 또는 $f(x)=$ ❶ ____

(3) $a^x$ 꼴이 반복되는 경우

⇨ $a^x=t$로 치환하여 $t$에 대한 방정식을 푼다.

이때 $a^x$ ❷ ____ 0이므로 $t>0$임을 주의한다.

답 ❶ 0 ❷ >

**바로 확인 1**

다음 방정식을 푸시오.

(1) $(x+2)^x=5^x$

(2) $4^x-3\times2^{x+1}+8=0$

풀이 (1) (i) 밑이 같은 경우: $x+2=5$ $\quad\therefore x=3$

(ii) 지수가 0인 경우: $x=$ ❶ ____

(i), (ii)에서 $x=3$ 또는 $x=0$

(2) $4^x-3\times2^{x+1}+8=0$에서 $(2^x)^2-6\times2^x+8=0$

$2^x=t$ $(t>0)$로 치환하면 $t^2-6t+8=0$

$(t-2)(t-4)=0$ $\quad\therefore t=2$ 또는 $t=4$

$t=2$일 때 $2^x=2$에서 $x=1$

$t=4$일 때 $2^x=4$에서 $x=2$

$\therefore x=1$ 또는 $x=$ ❷ ____

답 ❶ 0 ❷ 2

## 22 지수부등식

지수부등식의 풀이

(1) 밑이 같은 경우

① $a>1$일 때, $a^{f(x)}<a^{g(x)} \Longleftrightarrow f(x)$ ❶ $g(x)$

② $0<a<1$일 때, $a^{f(x)}<a^{g(x)} \Longleftrightarrow f(x)$ ❷ $g(x)$

(2) $a^x$ 꼴이 반복되는 경우

⇨ $a^x=t$로 치환하여 $t$에 대한 부등식을 푼다.

이때 $a^x>0$이므로 $t>0$임을 주의한다.

답 ❶ $<$ ❷ $>$

**바로 확인 1**

다음 부등식을 푸시오.

(1) $2^{x^2-6}<\left(\frac{1}{2}\right)^x$

(2) $\left(\frac{1}{4}\right)^{2x}\le\frac{1}{16}$

풀이 (1) $\left(\frac{1}{2}\right)^x=2^{-x}$이므로 $2^{x^2-6}<2^{-x}$

이때 (밑)$=2>1$이므로

$x^2-6<-x$, $x^2+x-6<0$

$(x+3)(x-2)<0$

$\therefore$ ❶ $<x<2$

(2) $\frac{1}{16}=\left(\frac{1}{4}\right)^2$이므로 $\left(\frac{1}{4}\right)^{2x}\le\left(\frac{1}{4}\right)^2$

이때 $0<$(밑)$=\frac{1}{4}<1$이므로 $2x\ge$ ❷

$\therefore x\ge1$

답 ❶ $-3$ ❷ $2$

# 23 로그방정식

로그방정식의 풀이

(1) 로그의 정의를 이용하는 경우

⇨ $\log_a f(x)=b \Longleftrightarrow f(x)=a^{❶\ \square}$

(2) 밑이 같은 경우

⇨ $\log_a f(x)=\log_a g(x)$ $(a>0,\ a\neq1)$

$\Longleftrightarrow f(x)=$ ❷ $\square$ $(f(x)>0,\ g(x)>0)$

(3) $\log_a x$ 꼴이 반복되는 경우

⇨ $\log_a x=t$로 치환하여 $t$에 대한 방정식을 푼다.

답 ❶ $b$ ❷ $g(x)$

**바로 확인 1**

방정식 $\log_3 x=1+\log_9 (x-2)$를 푸시오.

풀이 (진수)$>0$에서 $x>0$, $x-2>0$이므로 $x>$ ❶ $\square$ …… ㉠

$\log_3 x=1+\log_9 (x-2)$에서

$\log_3 x=\log_3 3+\frac{1}{2}\log_3 (x-2)$

$2\log_3 x=2\log_3 3+\log_3 (x-2)$

$\log_3 x^2=\log_3 3^2+\log_3 (x-2)$

$\log_3 x^2=\log_3 9(x-2)$

로그의 밑이 같으므로

$x^2=9(x-2)$, $x^2-9x+18=0$

$(x-3)(x-6)=0$ $\therefore x=3$ 또는 $x=6$

㉠에서 조건을 만족시키는 $x$의 값은

$x=3$ 또는 $x=$ ❷ $\square$

답 ❶ 2 ❷ 6

## 24 로그부등식

로그부등식의 풀이

(1) 밑이 같은 경우

① $a>1$일 때, $\log_a f(x)<\log_a g(x) \Longleftrightarrow$ ❶ ______ $<f(x)<g(x)$

② $0<a<1$일 때, $\log_a f(x)<\log_a g(x) \Longleftrightarrow f(x)>g(x)>$ ❷ ______

(2) $\log_a x$ 꼴이 반복되는 경우

⇨ $\log_a x=t$로 치환하여 $t$에 대한 부등식을 푼다.

답 ❶ 0 ❷ 0

**바로 확인 1**

부등식 $(\log_2 x)^2-\log_2 x-2<0$을 푸시오.

풀이 (진수)$>0$에서 $x>0$ …… ㉠

주어진 부등식에서 $\log_2 x=t$로 치환하면

$t^2-t-2<0$, $(t+1)(t-2)<0$ $\quad \therefore -1<t<2$

즉, $-1<\log_2 x<2$에서 $\log_2 \frac{1}{2}<\log_2 x<\log_2$ ❶ ______

이때 (밑)$=2>1$이므로 $\frac{1}{2}<x<4$ …… ㉡

㉠, ㉡의 공통 범위를 구하면 $\frac{1}{2}<x<$ ❷ ______

답 ❶ 4 ❷ 4

## 25 일반각

(1) 시초선과 동경

점 O를 중심으로 반직선 OP가 회전하여 ∠XOP를 결정할 때, 반직선 ❶ ______ 를 시초선, 반직선 OP를 동경이라 한다.

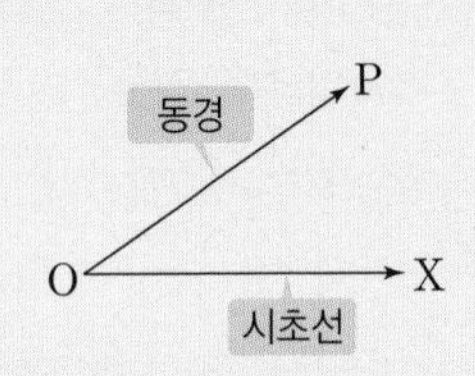


(2) 일반각

일반적으로 시초선 OX와 동경 OP가 나타내는 ∠XOP의 크기 중에서 하나를 $\alpha°$라 할 때, 동경 OP가 나타내는 각의 크기는 다음과 같은 꼴로 나타낼 수 있다.

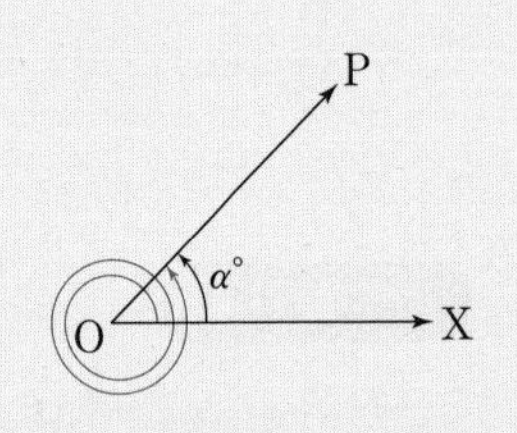


$\angle XOP=360°\times n+\alpha°$ (단, $n$은 정수)

이것을 동경 OP가 나타내는 ❷ ______ 이라 한다.

답 ❶ OX ❷ 일반각

**바로 확인 1**

다음 각의 동경이 나타내는 일반각을 $360°\times n+\alpha°$ 꼴로 나타내시오.

(단, $n$은 정수, $0°\le\alpha°<360°$)

(1) $60°$ (2) $550°$ (3) $-105°$

(1) $60°=360°\times n+60°$

(2) $550°=360°\times$ ❶ ______ $+190°$이므로

$550°=360°\times n+190°$

(3) $-105°=360°\times(-1)+255°$이므로

$-105°=360°\times n+$ ❷ ______

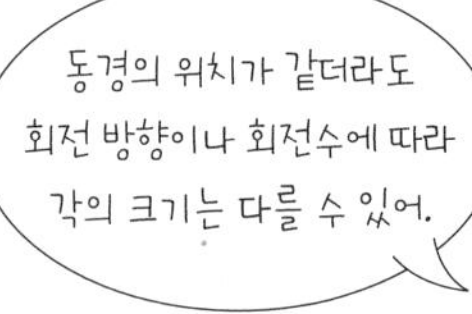

답 ❶ 1 ❷ 255°

# 26 사분면의 각

$n$은 정수일 때,

① $\theta$가 제1사분면의 각

⇨ $360° \times n < \theta < 360° \times n +$ ❶

② $\theta$가 제2사분면의 각

⇨ $360° \times n + 90° < \theta < 360° \times n + 180°$

③ $\theta$가 제3사분면의 각

⇨ $360° \times n + 180° < \theta < 360° \times n + 270°$

④ $\theta$가 제4사분면의 각

⇨ $360° \times n +$ ❷ $< \theta < 360° \times n + 360°$

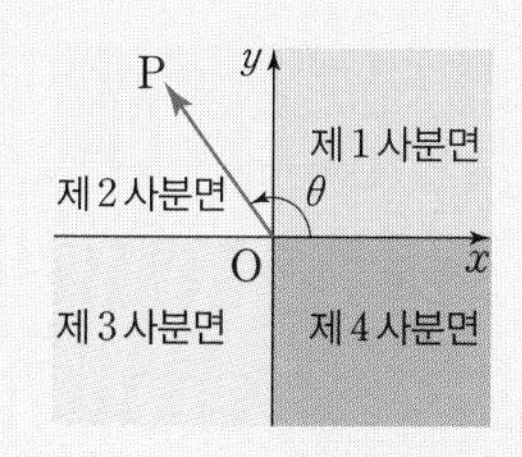


답 ❶ 90° ❷ 270°

**바로 확인 1**

크기가 다음과 같은 각은 제몇 사분면의 각인지 말하시오.

(1) 420° (2) −120°

(3) 870° (4) −400°

풀이 (1) $420° = 360° \times 1 + 60°$

따라서 420°는 제1사분면의 각이다.

(2) $-120° = 360° \times (-1) + 240°$

따라서 −120°는 제 ❶ 사분면의 각이다.

(3) $870° = 360° \times 2 + 150°$

따라서 870°는 제 ❷ 사분면의 각이다.

(4) $-400° = 360° \times (-2) + 320°$

따라서 −400°는 제4사분면의 각이다.

답 ❶ 3 ❷ 2

# 두 동경의 위치 관계

두 동경이 나타내는 각의 크기가 각각 $\alpha$, $\beta$일 때, 두 동경의 위치 관계는 다음과 같다. (단, $n$은 정수)

| 두 동경의 위치 관계 | 일치 | 원점에 대하여 대칭 | ❷ [ ]에 대하여 대칭 | $y$축에 대하여 대칭 |
|---|---|---|---|---|
| $\alpha$, $\beta$의 관계식 | $\beta-\alpha$ $=$ ❶ [ ] $\times n$ | $\beta-\alpha$ $=360^\circ\times n+180^\circ$ | $\alpha+\beta$ $=360^\circ\times n$ | $\alpha+\beta$ $=360^\circ\times n+180^\circ$ |
| 두 동경의 위치 관계에 따른 그래프 | | | | |

답 ❶ $360^\circ$ ❷ $x$축

바로 확인 1

$0^\circ<\theta<360^\circ$이고 두 각 $\theta$와 $4\theta$를 나타내는 두 동경이 일치할 때, 모든 $\theta$의 값의 합을 구하시오.

풀이 두 각 $\theta$와 $4\theta$를 나타내는 두 동경이 일치하므로

$4\theta-\theta=360^\circ\times n$ ($n$은 정수)

$3\theta=360^\circ\times n$ $\quad\therefore\ \theta=120^\circ\times n$

$0^\circ<\theta<360^\circ$이므로

$0^\circ<120^\circ\times n<360^\circ$ $\quad\therefore\ 0<n<3$

이때 $n$은 정수이므로 $n=1$ 또는 $n=2$

$\therefore\ \theta=120^\circ$ 또는 $\theta=$ ❶ [ ]

따라서 모든 $\theta$의 값의 합은 ❷ [ ]

답 ❶ $240^\circ$ ❷ $360^\circ$

## 28 호도법

(1) 호도법

$\frac{180^\circ}{\pi}$를 1 ❶ [　　] 이라 하고, 이것을 단위로 각의 크기를 나타내는 방법을 호도법이라 한다.

(2) 육십분법과 호도법 사이의 관계

① 1라디안$=\frac{❷ [\quad]}{\pi}$

② $1^\circ=\frac{\pi}{180}$ 라디안

답 ❶ 라디안 ❷ $180^\circ$

**바로 확인 1**

다음 중 육십분법과 호도법의 관계가 잘못 짝 지어진 것은?

① $15^\circ=\frac{\pi}{12}$ ② $36^\circ=\frac{\pi}{6}$ ③ $120^\circ=\frac{2}{3}\pi$

④ $-\frac{\pi}{4}=-45^\circ$ ⑤ $\frac{7}{12}\pi=105^\circ$

풀이 ① $15^\circ=15\times1^\circ=15\times\frac{\pi}{❶ [\quad]}=\frac{\pi}{12}$

② $36^\circ=36\times1^\circ=36\times\frac{\pi}{180}=\frac{\pi}{5}$

③ $120^\circ=120\times1^\circ=120\times\frac{\pi}{180}=\frac{2}{3}\pi$

④ $-\frac{\pi}{4}=-\frac{\pi}{4}\times\frac{180^\circ}{\pi}=$ ❷ [　　]

⑤ $\frac{7}{12}\pi=\frac{7}{12}\pi\times\frac{180^\circ}{\pi}=105^\circ$

따라서 잘못 짝 지어진 것은 ②이다.

답 ❶ 180 ❷ $-45^\circ$

## 29 부채꼴의 호의 길이와 넓이

반지름의 길이가 $r$, 중심각의 크기가 $\theta$(라디안)인 부채꼴의 호의 길이를 $l$, 넓이를 $S$라 하면

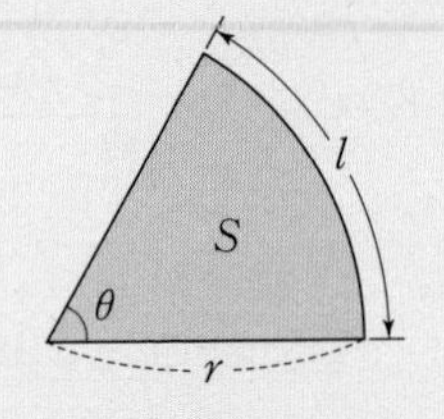


(1) $l=$ ❶

(2) $S=\frac{1}{2}r^2\theta=\frac{1}{2}$ ❷

답 ❶ $r\theta$ ❷ $rl$

### 바로 확인 1

중심각의 크기가 $\frac{\pi}{4}$이고 호의 길이가 $2\pi$인 부채꼴의 넓이를 구하시오.

풀이 부채꼴의 반지름의 길이를 $r$, 넓이를 $S$라 하면

$2\pi=\frac{\pi}{4}r$에서 $r=8$

$\therefore S=\frac{1}{2}\times 8\times$ ❶ $=8\pi$

### 바로 확인 2

둘레의 길이가 4인 부채꼴 중에서 넓이가 최대인 부채꼴의 중심각의 크기를 구하시오.

풀이 부채꼴의 반지름의 길이를 $r$, 호의 길이를 $l$이라 하면

둘레의 길이가 4이므로 $2r+l=4$에서 $l=4-2r$

이때 부채꼴의 넓이를 $S$라 하면

$S=\frac{1}{2}rl=\frac{1}{2}r(4-2r)=-r^2+2r=-(r-$ ❷ $)^2+1$

$r=1$일 때, $S$는 최댓값 1을 가지므로 구하는 중심각의 크기를 $\theta$라 하면

$1=\frac{1}{2}\times 1^2\times\theta \qquad \therefore \theta=2$

답 ❶ $2\pi$ ❷ 1

# 30 삼각함수

동경 OP가 나타내는 일반각 $\theta$에 대하여

$$\sin\theta=\frac{y}{r},\ \cos\theta=\frac{\boxed{❶\quad}}{r},$$

$$\tan\theta=\frac{y}{x}\ (x\neq0)$$

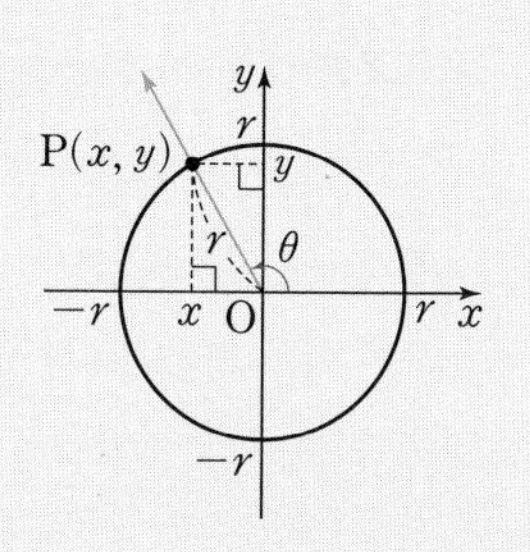


이 함수를 차례로 $\theta$에 대한

사인함수, 코사인함수, 탄젠트함수

라 하고, 이 함수들을 통틀어 $\theta$에 대한 ❷ 라 한다.

답 ❶ $x$ ❷ 삼각함수

## 바로 확인 1

원점 O와 점 $\mathrm{P}(-3, 4)$를 지나는 동경 OP가 나타내는 각의 크기를 $\theta$라 할 때, $\sin\theta+\tan\theta$의 값을 구하시오.

풀이 $\overline{\mathrm{OP}}=\sqrt{(-3)^2+4^2}=5$이므로

$$\sin\theta=\frac{\boxed{❶\quad}}{5},\ \tan\theta=-\frac{4}{3}$$

$$\therefore \sin\theta+\tan\theta=-\frac{\boxed{❷\quad}}{15}$$

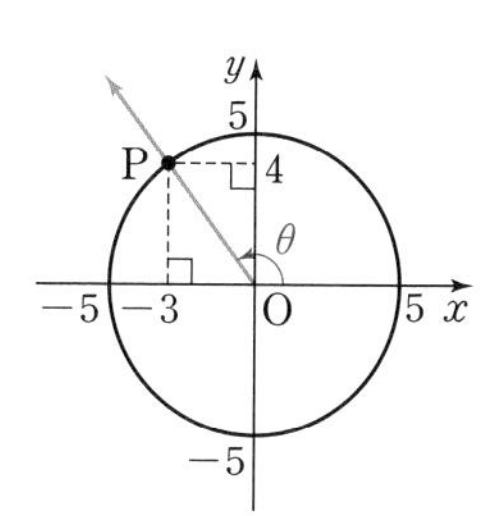


답 ❶ 4 ❷ 8

## 31 삼각함수의 값의 부호

사분면에 대한 삼각함수의 값의 부호는 다음과 같다.

① $\theta$가 제1사분면의 각 ⇨ 모두 양

② $\theta$가 제2사분면의 각 ⇨ ❶ [　　] 만 양

③ $\theta$가 제3사분면의 각 ⇨ $\tan\theta$만 양

④ $\theta$가 제4사분면의 각 ⇨ ❷ [　　] 만 양

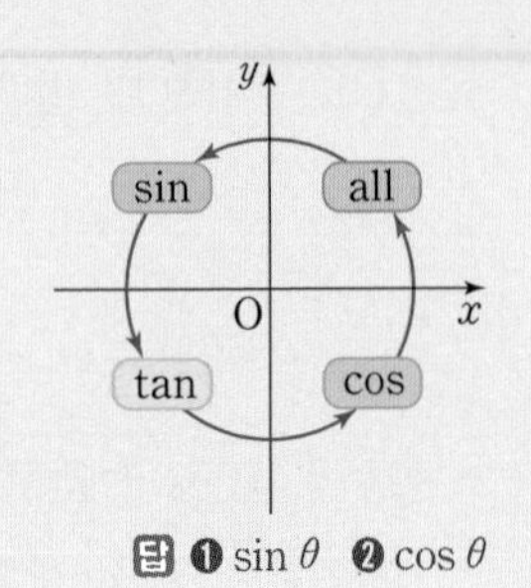


답 ❶ $\sin\theta$ ❷ $\cos\theta$

### 바로 확인 1

$\sin\theta\cos\theta>0$, $\sin\theta\tan\theta<0$일 때, 다음 중 옳은 것은?

① $\sin\theta>0$　② $\cos\theta>0$　③ $\tan\theta>0$

④ $\tan\theta+\cos\theta>0$　⑤ $\sin\theta+\tan\theta<0$

풀이 (i) $\sin\theta\cos\theta>0$에서

$\sin\theta>0$, $\cos\theta>0$일 때, 제1사분면

$\sin\theta<0$, $\cos\theta<0$일 때, 제 ❶ [　　] 사분면

(ii) $\sin\theta\tan\theta<0$에서

$\sin\theta>0$, $\tan\theta<0$일 때, 제 ❷ [　　] 사분면

$\sin\theta<0$, $\tan\theta>0$일 때, 제3사분면

(i), (ii)에서 각 $\theta$는 제3사분면의 각이다.

즉, $\sin\theta<0$, $\cos\theta<0$, $\tan\theta>0$이고

$\tan\theta+\cos\theta$, $\sin\theta+\tan\theta$의 부호는 알 수 없다.

따라서 옳은 것은 ③이다.

답 ❶ 3 ❷ 2

## 32 삼각함수 사이의 관계

$\sin\theta$, $\cos\theta$, $\tan\theta$의 값 중 어느 하나를 알고 나머지 삼각함수의 값을 구할 때는 삼각함수 사이의 관계식을 이용한다.

① $\tan\theta=\dfrac{\boxed{❶\quad}}{\cos\theta}$

② $\sin^2\theta+\cos^2\theta=\boxed{❷\quad}$

답 ❶ $\sin\theta$ ❷ 1

### 바로 확인 1

$\sin\theta+\cos\theta=\dfrac{2}{3}$일 때, $\tan\theta+\dfrac{1}{\tan\theta}$의 값을 구하시오.

풀이 $\sin\theta+\cos\theta=\dfrac{2}{3}$의 양변을 제곱하면

$$1+2\sin\theta\cos\theta=\frac{4}{9}\qquad \therefore \sin\theta\cos\theta=-\frac{\boxed{❶\quad}}{18}$$

$$\therefore \tan\theta+\frac{1}{\tan\theta}=\frac{\sin\theta}{\cos\theta}+\frac{\cos\theta}{\sin\theta}=\frac{\sin^2\theta+\cos^2\theta}{\sin\theta\cos\theta}$$

$$=\frac{\boxed{❷\quad}}{\sin\theta\cos\theta}=-\frac{18}{5}$$

### 바로 확인 2

$\dfrac{\cos\theta}{1-\sin\theta}-\tan\theta$를 간단히 하시오.

풀이 $$\frac{\cos\theta}{1-\sin\theta}-\tan\theta=\frac{\cos\theta}{1-\sin\theta}-\frac{\sin\theta}{\cos\theta}$$

$$=\frac{\cos^2\theta-\sin\theta(1-\sin\theta)}{\cos\theta(1-\sin\theta)}$$

$$=\frac{\cos^2\theta-\sin\theta+\sin^2\theta}{\cos\theta(1-\sin\theta)}=\frac{1}{\boxed{❸\quad}}$$

답 ❶ 5 ❷ 1 ❸ $\cos\theta$

# 33 $y=\sin x$의 그래프의 성질

① 정의역은 실수 전체의 집합,

치역은 $\{y \mid -1 \le y \le 1\}$이다.

② 그래프는 ❶ [ ] 에 대하여 대칭

이다.

즉, $\sin(-x)=-\sin x$이다.

③ 주기가 ❷ [ ] 인 주기함수이다.

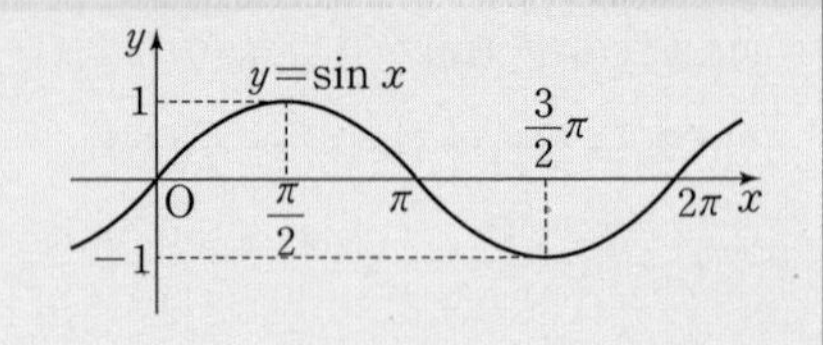


답 ❶ 원점 ❷ $2\pi$

**바로 확인 1**

함수 $y=2\sin x$의 그래프에 대한 설명으로 옳지 않은 것은?

① 주기가 $\pi$인 주기함수이다.

② 정의역은 실수 전체의 집합이다.

③ 치역은 $\{y \mid -2 \le y \le 2\}$이다.

④ 그래프는 원점에 대하여 대칭이다.

⑤ $y=\sin x$의 그래프를 $y$축의 방향으로 2배한 것과 같다.

풀이 ① $f(x)=2\sin x$라 하면

$f(x)=2\sin x=2\sin(x+2\pi)=f(x+2\pi)$

이므로 주기는 ❶ [ ] 이다.

따라서 옳지 않은 것은 ①이다.

답 ❶ $2\pi$

$y=\sin 2x$의 그래프는
$y=\sin x$의 그래프를
$x$축의 방향으로 $\frac{1}{2}$배한
것과 같아.

## 34 $y=\cos x$의 그래프의 성질

① 정의역은 실수 전체의 집합,

치역은 $\{y|-1\leq y\leq 1\}$이다.

② 그래프는 ❶ [ ]에 대하여 대칭이다.

즉, $\cos(-x)=\cos x$이다.

③ 주기가 ❷ [ ]인 주기함수이다.

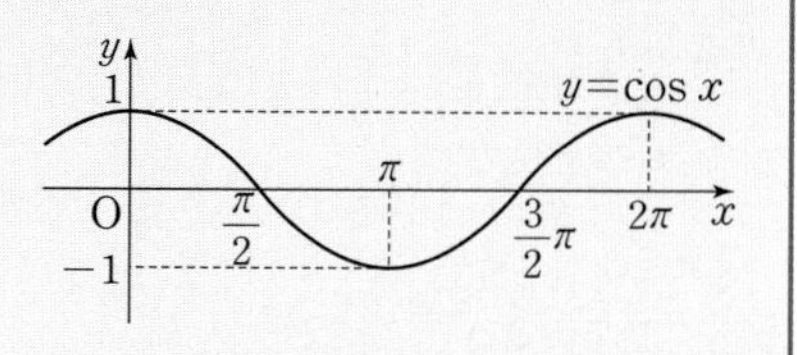


답 ❶ $y$축 ❷ $2\pi$

**바로 확인 1**

다음 함수 중 주기가 가장 큰 것은?

① $y=3\sin x$ ② $y=\cos 2x$ ③ $y=2\sin\frac{x}{3}$

④ $y=\frac{1}{2}\sin 3x$ ⑤ $y=\cos\frac{x}{2}$

풀이 ① $3\sin x=3\sin(x+2\pi)$이므로 주기는 $2\pi$

② $\cos(2x+2\pi)=\cos 2(x+\pi)$이므로 주기는 $\pi$

③ $2\sin\frac{x}{3}=2\sin\left(\frac{x}{3}+2\pi\right)=2\sin\frac{1}{3}(x+6\pi)$이므로

주기는 ❶ [ ]

④ $\frac{1}{2}\sin 3x=\frac{1}{2}\sin(3x+2\pi)=\frac{1}{2}\sin 3\left(x+\frac{2}{3}\pi\right)$이므로

주기는 $\frac{2}{3}\pi$

⑤ $\cos\frac{x}{2}=\cos\left(\frac{x}{2}+2\pi\right)=\cos\frac{1}{2}(x+4\pi)$이므로

주기는 ❷ [ ]

따라서 주기가 가장 큰 함수는 ③이다.

답 ❶ $6\pi$ ❷ $4\pi$

## 35 $y=\tan x$의 그래프의 성질

① 정의역은 $n\pi+\frac{\pi}{2}$ ($n$은 정수)를 제외한 실수 전체의 집합, 치역은 실수 전체의 집합이다.

② 점근선은 직선 $x=n\pi+\frac{\pi}{2}$ ($n$은 정수)이다.

③ 그래프는 ❶ [    ]에 대하여 대칭이다.

즉, $\tan(-x)=-\tan x$이다.

④ 주기가 ❷ [    ]인 주기함수이다.

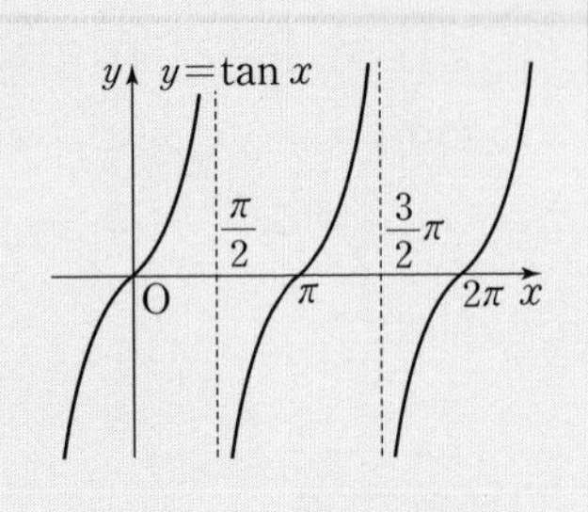


답 ❶ 원점 ❷ $\pi$

**바로 확인 1**

함수 $y=\frac{1}{2}\tan 4x$의 주기와 점근선의 방정식을 구하시오.

풀이 $\frac{1}{2}\tan 4x=\frac{1}{2}\tan(4x+\pi)=\frac{1}{2}\tan 4\left(x+\frac{\pi}{4}\right)$이므로

주기는 $\frac{❶\ [\quad]}{4}$

점근선의 방정식은

$x=\frac{1}{❷\ [\quad]}\left(n\pi+\frac{\pi}{2}\right)=\frac{n}{4}\pi+\frac{\pi}{8}$ ($n$은 정수)

답 ❶ $\pi$ ❷ 4

## 36 삼각함수의 주기와 최댓값, 최솟값

| 삼각함수 | 주기 | 최댓값 | 최솟값 |
|---|---|---|---|
| $y=a\sin(bx+c)+d$ | $\frac{2\pi}{\lvert b\rvert}$ | ❶ [ ] $+d$ | $-\lvert a\rvert+d$ |
| $y=a\cos(bx+c)+d$ | $\frac{2\pi}{\lvert b\rvert}$ | $\lvert a\rvert+d$ | $-\lvert a\rvert+d$ |
| $y=a\tan(bx+c)+d$ | $\frac{❷\ [\ ]}{\lvert b\rvert}$ | 없다. | 없다. |

답 ❶ $\lvert a\rvert$ ❷ $\pi$

**바로 확인 1**

함수 $f(x)=a\sin\frac{x}{b}+c$의 최댓값은 2, 주기는 $4\pi$이다. $f\left(\frac{\pi}{3}\right)=\frac{1}{2}$일 때, 상수 $a$, $b$, $c$의 값을 구하시오. (단, $a>0$, $b>0$)

풀이 함수 $f(x)$의 주기가 $4\pi$이고 $b>0$이므로

$2b\pi=4\pi$ $\therefore b=2$

함수 $f(x)$의 최댓값이 2이고 $a>0$이므로

$a+c=$ ❶ [ ] …… ㉠

$f\left(\frac{\pi}{3}\right)=\frac{1}{2}$에서 $a\sin\frac{\pi}{6}+c=\frac{1}{2}$, $\frac{a}{2}+c=\frac{1}{2}$

$\therefore a+2c=1$ …… ㉡

㉠, ㉡을 연립하여 풀면 $a=$ ❷ [ ], $c=-1$

답 ❶ 2 ❷ 3

## 37 삼각함수의 성질(1)

(1) $2n\pi+x$ ($n$은 정수)의 삼각함수

① $\sin(2n\pi+x)=$ ❶ ② $\cos(2n\pi+x)=\cos x$

③ $\tan(2n\pi+x)=\tan x$

(2) $-x$의 삼각함수

① $\sin(-x)=-\sin x$ ② $\cos(-x)=$ ❷

③ $\tan(-x)=-\tan x$

답 ❶ $\sin x$ ❷ $\cos x$

**바로 확인 ①**

$\sin 750°+\cos(-420°)-\tan 315°$의 값을 구하시오.

풀이 $\sin 750°=\sin(360°\times2+30°)=\sin 30°=\frac{1}{2}$

$\cos(-420°)=\cos 420°=\cos(360°+60°)=\cos$ ❶ $=\frac{1}{2}$

$\tan 315°=\tan(360°-45°)=\tan(-45°)=-\tan 45°=$ ❷

$\therefore$ (주어진 식)$=\frac{1}{2}+\frac{1}{2}-(-1)=2$

**바로 확인 ②**

$\sin\left(-\frac{\pi}{4}\right)+\cos\frac{9}{4}\pi$의 값을 구하시오.

풀이 $\sin\left(-\frac{\pi}{4}\right)=-\sin\frac{\pi}{4}=-\frac{\sqrt{2}}{2}$

$\cos\frac{9}{4}\pi=\cos\left(2\pi+\frac{\pi}{4}\right)=\cos\frac{\pi}{4}=\frac{\sqrt{2}}{2}$

$\therefore$ (주어진 식)$=-\frac{\sqrt{2}}{2}+\frac{\sqrt{2}}{2}=$ ❸

답 ❶ $60°$ ❷ $-1$ ❸ $0$

## 38 삼각함수의 성질(2)

(1) $\pi+x$의 삼각함수

① $\sin(\pi+x)=-\sin x$ ② $\cos(\pi+x)=-\cos x$

③ $\tan(\pi+x)=$ ❶ [　　]

(2) $\pi-x$의 삼각함수

① $\sin(\pi-x)=\sin x$ ② $\cos(\pi-x)=$ ❷ [　　]

③ $\tan(\pi-x)=-\tan x$

답 ❶ $\tan x$ ❷ $-\cos x$

**바로 확인 1**

다음 삼각함수의 값 중 가장 큰 것은?

① $\sin\frac{2}{3}\pi$ ② $\tan 390^\circ$ ③ $\cos\left(-\frac{4}{3}\pi\right)$

④ $\tan\frac{5}{4}\pi$ ⑤ $\sin\frac{7}{6}\pi$

풀이 ① $\sin\frac{2}{3}\pi=\sin\left(\pi-\frac{\pi}{3}\right)=\sin\frac{\pi}{3}=\frac{\sqrt{3}}{2}$

② $\tan 390^\circ=\tan(360^\circ+30^\circ)=\tan 30^\circ=\frac{❶\ [\quad]}{3}$

③ $\cos\left(-\frac{4}{3}\pi\right)=\cos\frac{4}{3}\pi=\cos\left(\pi+\frac{\pi}{3}\right)=-\cos\frac{\pi}{3}=-\frac{❷\ [\quad]}{2}$

④ $\tan\frac{5}{4}\pi=\tan\left(\pi+\frac{\pi}{4}\right)=\tan\frac{\pi}{4}=1$

⑤ $\sin\frac{7}{6}\pi=\sin\left(\pi+\frac{\pi}{6}\right)=-\sin\frac{\pi}{6}=-\frac{1}{2}$

따라서 가장 큰 값은 ④이다.

답 ❶ $\sqrt{3}$ ❷ 1

## 39 삼각함수의 성질(3)

(1) $\frac{\pi}{2}+x$의 삼각함수

① $\sin\left(\frac{\pi}{2}+x\right)=\cos x$  ② $\cos\left(\frac{\pi}{2}+x\right)=$ ❶ ☐

③ $\tan\left(\frac{\pi}{2}+x\right)=-\frac{1}{\tan x}$

(2) $\frac{\pi}{2}-x$의 삼각함수

① $\sin\left(\frac{\pi}{2}-x\right)=\cos x$  ② $\cos\left(\frac{\pi}{2}-x\right)=\sin x$

③ $\tan\left(\frac{\pi}{2}-x\right)=\frac{1}{\text{❷ ☐}}$

답 ❶ $-\sin x$ ❷ $\tan x$

**바로 확인 1**

다음 식을 간단히 하시오.

(1) $\cos\left(\frac{\pi}{2}-x\right)\sin(\pi-x)-\sin\left(\frac{\pi}{2}+x\right)\cos(\pi-x)$

(2) $\sin\left(\frac{\pi}{2}-x\right)+\cos(x-\pi)+\sin(2\pi+x)+\cos\left(\frac{\pi}{2}+x\right)$

풀이 (1) (주어진 식)$=\sin x\sin x-\cos x\times($ ❶ ☐ $)$

$=\sin^2 x+\cos^2 x=1$

(2) $\cos(x-\pi)=\cos(\pi-x)=-\cos x$이므로

(주어진 식)$=\cos x+(-\cos x)+$ ❷ ☐ $+(-\sin x)=0$

답 ❶ $-\cos x$ ❷ $\sin x$

## 삼각함수의 각의 변환

일반각을 $\frac{n}{2}\pi \pm \theta$ ($n$은 정수) 꼴로 변형하여 다음과 같이 삼각함수를 결정한다.

(i) 삼각함수를 정한다.

⇨ $n$이 짝수이면 sin → sin , cos → cos , tan → ❶ [ ]

$n$이 홀수이면 sin → cos , cos → sin , tan → $\frac{1}{\tan}$

(ii) 부호를 정한다.

⇨ $\theta$를 제 ❷ [ ] 사분면의 각으로 생각하고 $\frac{n}{2}\pi \pm \theta$가 속한 사분면에서의 원래의 삼각함수의 부호를 붙인다.

답 ❶ tan ❷ 1

**바로 확인 1**

다음 식을 간단히 하시오.

$$\sin(\pi+\theta)+\cos(2\pi+\theta)+\sin\left(\frac{3}{2}\pi-\theta\right)+\cos\left(\frac{3}{2}\pi+\theta\right)$$

풀이 $\sin(\pi+\theta)=$ ❶ [ ], $\cos(2\pi+\theta)=\cos\theta$,

$\sin\left(\frac{3}{2}\pi-\theta\right)=-\cos\theta$, $\cos\left(\frac{3}{2}\pi+\theta\right)=\sin\theta$이므로

(주어진 식)$=-\sin\theta+\cos\theta-\cos\theta+\sin\theta=$ ❷ [ ]

답 ❶ $-\sin\theta$ ❷ 0

참고 $\frac{3}{2}\pi-\theta=\frac{\pi}{2}\times 3-\theta$에서 3이 홀수이므로 sin → cos

$\frac{3}{2}\pi-\theta$는 제3사분면의 각이고 제3사분면에서 sin의 부호는 음이므로

$\sin\left(\frac{3}{2}\pi-\theta\right)=-\cos\theta$

## 41 삼각함수를 포함한 식의 최대, 최소

(1) 일차식 꼴의 삼각함수를 포함한 함수의 최대, 최소

한 종류의 삼각함수만 포함된 함수로 바꾼 후 최댓값과 최솟값을 구한다.

(2) 이차식 또는 유리식 꼴의 삼각함수를 포함한 함수의 최대, 최소

(i) 주어진 식에 포함된 삼각함수를 $t$로 ❶ ______ 한다.

(ii) ❷ ______ 의 값의 범위를 구한다.

(iii) 그래프를 이용하여 (ii)의 범위에서 최댓값과 최솟값을 구한다.

답 ❶ 치환 ❷ $t$

**바로 확인 1**

함수 $y=-4\sin^2 x+4\cos x+3$의 최댓값과 최솟값을 구하시오.

풀이 $y=-4\sin^2 x+4\cos x+3$

$=-4($ ❶ ______ $-\cos^2 x)+4\cos x+3$

$=4\cos^2 x+4\cos x-1$

이때 $\cos x=t$로 치환하면 $-1\le t\le 1$이고

$y=4t^2+4t-1=4\left(t+\frac{1}{2}\right)^2-2$

이 함수의 그래프는 오른쪽 그림과 같으므로

$t=1$일 때 최댓값은 ❷ ______,

$t=-\frac{1}{2}$일 때 최솟값은 $-2$

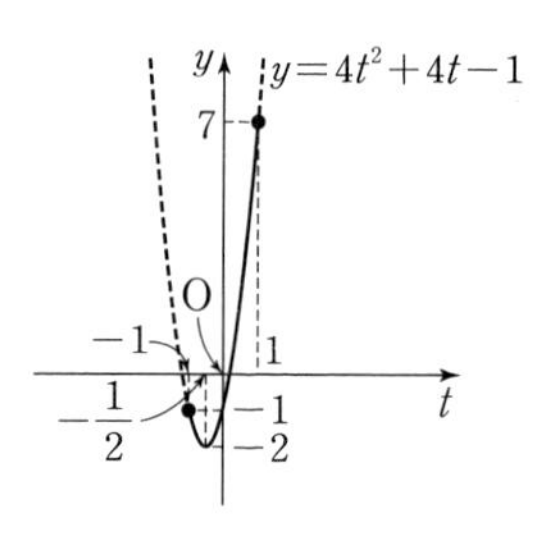


답 ❶ 1 ❷ 7

# 42 삼각함수를 포함한 방정식

(1) 일차식 꼴의 삼각함수를 포함한 방정식의 풀이

(i) 주어진 방정식을 $\sin x=k$ (또는 $\cos x=k$ 또는 $\tan x=k$) 꼴로 고친다.

(ii) 함수 $y=\sin x$ (또는 $y=\cos x$ 또는 $y=\tan x$)의 그래프와 직선 ❶ ______ 를 그린다.

(iii) 주어진 범위에서 삼각함수의 그래프와 직선의 교점의 ❷ ______ 좌표를 찾아 방정식의 해를 구한다.

(2) 이차식 꼴의 삼각함수를 포함한 방정식의 풀이

$\sin^2 x+\cos^2 x=1$을 이용하여 한 종류의 삼각함수만 포함된 방정식으로 바꾼 후 $\sin x$ 또는 $\cos x$에 대한 이차방정식을 푼다.

답 ❶ $y=k$ ❷ $x$

**바로 확인 1**

$0\le x\le 2\pi$일 때, 방정식 $2\sin^2 x=1-\cos x$를 푸시오.

풀이 $2\sin^2 x=1-\cos x$에서 $2(1-\cos^2 x)=1-\cos x$

$2\cos^2 x-\cos x-1=0$, $(2\cos x+1)(\cos x-1)=0$

$\therefore \cos x=-\frac{1}{2}$ 또는 $\cos x=1$

(i) $\cos x=-\frac{1}{2}$일 때

$x=\frac{2}{3}\pi$ 또는 $x=\frac{\text{❶ ______}}{3}\pi$

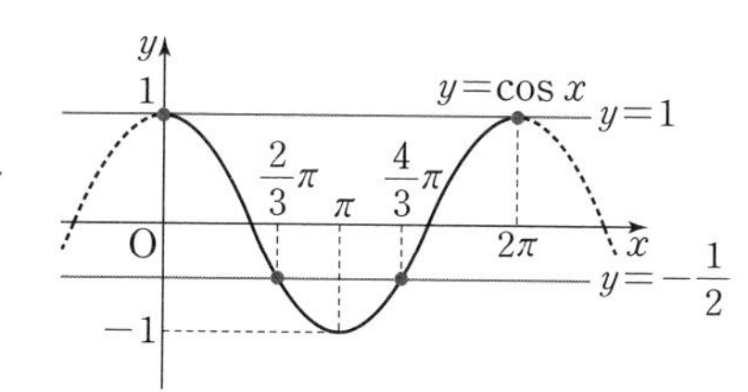


(ii) $\cos x=1$일 때

$x=0$ 또는 $x=$ ❷ ______

(i), (ii)에서 구하는 해는

$x=0$ 또는 $x=\frac{2}{3}\pi$ 또는 $x=\frac{4}{3}\pi$ 또는 $x=2\pi$

답 ❶ 4 ❷ $2\pi$

# 43 삼각함수를 포함한 부등식

(1) 일차식 꼴의 삼각함수를 포함한 부등식의 풀이

① $\sin x>k$ (또는 $\cos x>k$ 또는 $\tan x>k$) 꼴의 부등식

⇨ 함수 $y=\sin x$ (또는 $y=\cos x$ 또는 $y=\tan x$)의 그래프가 직선 $y=k$ 보다 ❶ ______ 쪽에 있는 $x$의 값의 범위를 구한다.

② $\sin x<k$ (또는 $\cos x<k$ 또는 $\tan x<k$) 꼴의 부등식

⇨ 함수 $y=\sin x$ (또는 $y=\cos x$ 또는 $y=\tan x$)의 그래프가 직선 $y=k$ 보다 ❷ ______ 쪽에 있는 $x$의 값의 범위를 구한다.

(2) 이차식 꼴의 삼각함수를 포함한 부등식의 풀이

$\sin^2 x+\cos^2 x=1$을 이용하여 한 종류의 삼각함수만 포함된 부등식으로 바꾼 후 $\sin x$ 또는 $\cos x$에 대한 이차부등식을 푼다.

답 ❶ 위 ❷ 아래

**바로 확인 1**

$0\le x<2\pi$일 때, 부등식 $2\cos\left(x+\frac{\pi}{6}\right)\le 1$을 푸시오.

풀이 $x+\frac{\pi}{6}=t$로 치환하면 $0\le x<2\pi$에서 $\frac{\pi}{6}\le t<\frac{13}{6}\pi$이고 주어진 부등식은

$2\cos t\le 1 \qquad \therefore \cos t\le\frac{1}{2}$

오른쪽 그림에서 $\cos t\le\frac{1}{2}$이 성립하는 $t$의 값의 범위는

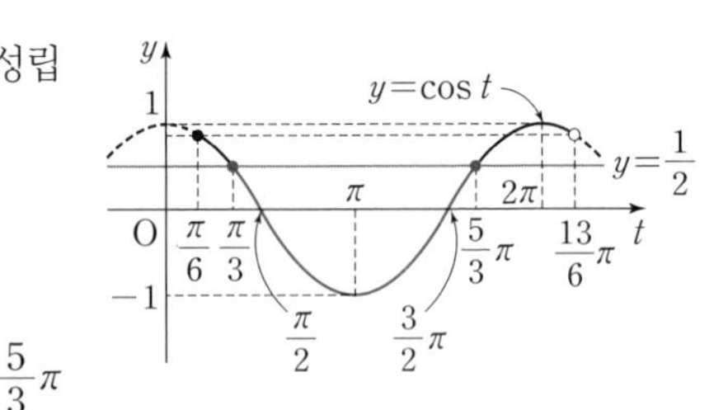


$\frac{\pi}{3}\le t\le\frac{❶\ \_\_\_}{3}\pi$

$t=x+\frac{\pi}{6}$이므로 $\frac{\pi}{3}\le x+\frac{\pi}{6}\le\frac{5}{3}\pi$

$\therefore \frac{\pi}{6}\le x\le\frac{3}{❷\ \_\_\_}\pi$

답 ❶ 5 ❷ 2

Memo

Memo

# 내신전략 | 고등 수학 Ⅰ

# 내신전략

## 고등 수학 Ⅰ

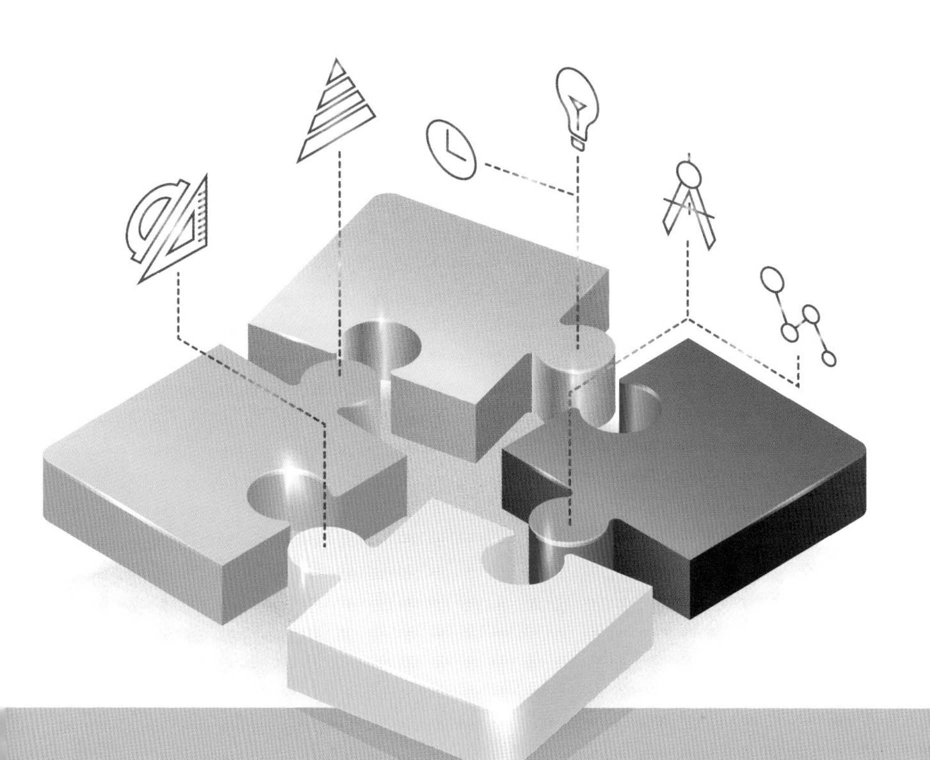

시험에 잘 나오는

개념BOOK 2

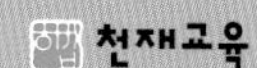

시험에 잘 나오는

개념BOOK 2

# 내신전략

고등 수학 I

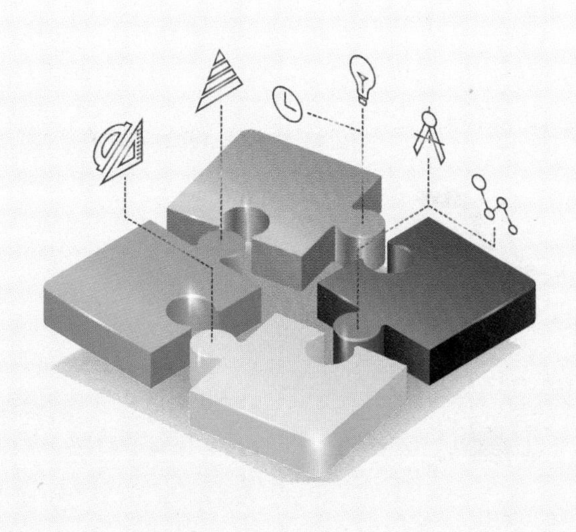

# 개념BOOK 하나면
# 수학 공부 끝!

시험에 잘 나오는 개념북이야~
차례부터 한번 살펴보자!

차례

# 1 사인법칙

삼각형 ABC의 외접원의 반지름의 길이를 $R$라 하면

$$\frac{a}{\sin A}=\frac{b}{\sin B}=\frac{c}{\sin C}=\boxed{❶\quad}$$

(1) $a$, $A$, $R$ 중 두 값이 주어진 경우

⇨ $\frac{a}{\sin A}=2R$를 이용한다.

(2) $a$, $b$, $A$, $B$ 중 세 값이 주어진 경우

⇨ $\frac{a}{\sin A}=\frac{\boxed{❷\quad}}{\sin B}$를 이용한다.

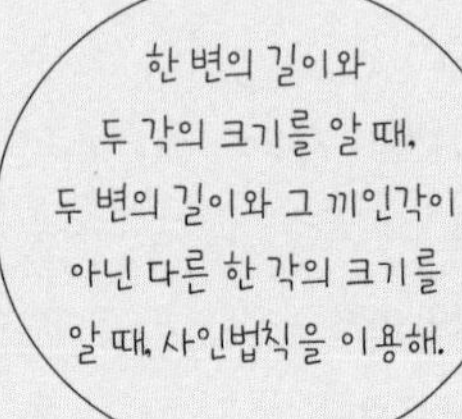

답 ❶ $2R$ ❷ $b$

## 바로 확인 1

삼각형 ABC에서 $B=105^\circ$, $C=30^\circ$, $a=8$일 때, $c$의 값을 구하시오.

풀이 $A+B+C=180^\circ$이므로

$A=180^\circ-(105^\circ+30^\circ)=45^\circ$

사인법칙에 의하여

$$\frac{\boxed{❶\quad}}{\sin 45^\circ}=\frac{c}{\sin 30^\circ}$$

$$\therefore c=\sin 30^\circ\times\frac{8}{\sin 45^\circ}$$

$$=\frac{1}{2}\times\frac{8}{\frac{\sqrt{2}}{2}}$$

$$=\boxed{❷\quad}$$

답 ❶ 8 ❷ $4\sqrt{2}$

## 2 사인법칙의 변형

삼각형 ABC의 외접원의 반지름의 길이를 $R$라 하면

① $\sin A=\frac{a}{2R}$, $\sin B=\frac{\boxed{❶\phantom{b}}}{2R}$, $\sin C=\frac{c}{2R}$

② $a=2R\sin A$, $b=2R\sin B$, $c=2R\sin C$

③ $a : b : c=\sin A : \sin B :$ $\boxed{❷\phantom{\sin C}}$

답 ❶ $b$ ❷ $\sin C$

**바로 확인 ①**

삼각형 ABC에서 $\sin A : \sin B : \sin C=4 : 5 : 6$일 때, $ab : bc : ca$를 구하시오.

풀이 $a : b : c=\sin A : \sin B : \sin C$이므로

$a=4k$, $b=5k$, $c=6k\,(k>0)$로 놓으면

$ab : bc : ca=20k^2 : 30k^2 : 24k^2=10 :$ $\boxed{❶\phantom{15}}$ $: 12$

**바로 확인 ②**

삼각형 ABC에서 $A : B : C=1 : 1 : 2$일 때, $a : b : c$를 구하시오.

풀이 $A+B+C=180°$이므로

$A=180°\times\frac{1}{4}=45°$, $B=180°\times\frac{1}{4}=45°$, $C=180°\times\frac{2}{4}=90°$

$\therefore a : b : c=\sin A : \sin B : \sin C$

$=\sin 45° : \sin 45° : \sin 90°$

$=\frac{\sqrt{2}}{2} : \frac{\boxed{❷\phantom{\sqrt{2}}}}{2} : 1=1 : 1 : \sqrt{2}$

답 ❶ 15 ❷ $\sqrt{2}$

## 3 코사인법칙

삼각형 ABC에서

$a^2=b^2+c^2-2bc$ ❶ [  ]

$b^2=c^2+$ ❷ [  ] $-2ca\cos B$

$c^2=a^2+b^2-2ab\cos C$

답 ❶ $\cos A$ ❷ $a^2$

### 바로 확인 1

삼각형 ABC에서 $B=120°$, $a=2$, $c=1$일 때, $b$의 값을 구하시오.

풀이 코사인법칙에 의하여

$b^2=1^2+2^2-2\times1\times$ ❶ [  ] $\times\cos 120°$

$=1+4-2\times1\times2\times\left(-\frac{1}{2}\right)=7$

$\therefore b=\sqrt{7}$ ($\because b>0$)

### 바로 확인 2

삼각형 ABC에서 $C=45°$, $b=\sqrt{2}$, $c=\sqrt{5}$일 때, $\sin A$의 값을 구하시오.

풀이 코사인법칙에 의하여

$(\sqrt{5})^2=a^2+(\sqrt{2})^2-2\times a\times\sqrt{2}\times\cos 45°$

$5=a^2+2-2a$, $a^2-2a-3=0$

$(a-3)(a+1)=0 \qquad \therefore a=3$ ($\because a>0$)

사인법칙에 의하여

$\frac{3}{\sin A}=\frac{\sqrt{5}}{\sin 45°} \qquad \therefore \sin A=\frac{3\sin 45°}{\sqrt{5}}=\frac{3\sqrt{10}}{❷\ [\ \ ]}$

답 ❶ 2 ❷ 10

## 4 코사인법칙의 변형

삼각형 ABC에서

$$\cos A=\frac{b^2+c^2-a^2}{2bc}$$

$$\cos B=\frac{c^2+a^2-\boxed{❶\quad}}{2ca}$$

$$\cos C=\frac{a^2+b^2-c^2}{\boxed{❷\quad}}$$

답 ❶ $b^2$ ❷ $2ab$

**바로 확인 1**

삼각형 ABC에서 $a=10$, $b=8$, $c=12$일 때, $\sin C$의 값을 구하시오.

풀이 $\cos C=\dfrac{a^2+b^2-c^2}{2ab}=\dfrac{10^2+8^2-12^2}{2\times10\times8}=\dfrac{1}{8}$

이때 $0^\circ<C<180^\circ$이므로

$\sin C=\sqrt{1-\cos^2 C}=\sqrt{1-\left(\dfrac{1}{8}\right)^2}=\dfrac{3\sqrt{\boxed{❶\quad}}}{8}$

**바로 확인 2**

삼각형 ABC에서 $\dfrac{\sin A}{7}=\dfrac{\sin B}{5}=\dfrac{\sin C}{3}$일 때, 최대각의 크기를 구하시오.

풀이 $a:b:c=\sin A:\sin B:\sin C=7:5:3$

이때 삼각형의 가장 긴 변의 대각의 크기가 가장 크므로 최대각은 $A$이다.

따라서 $a=7k$, $b=5k$, $c=3k\,(k>0)$로 놓으면

$\cos A=\dfrac{b^2+c^2-a^2}{2bc}=\dfrac{(5k)^2+(3k)^2-(7k)^2}{2\times5k\times3k}=\dfrac{-15k^2}{30k^2}=-\dfrac{1}{2}$

이때 $0^\circ<A<180^\circ$이므로 $A=\boxed{❷\quad}$

따라서 최대각의 크기는 $120^\circ$이다.

답 ❶ 7 ❷ $120^\circ$

## 5 삼각형의 모양 결정

삼각형 ABC의 외접원의 반지름의 길이를 $R$라 하면

① $\sin A=\frac{a}{2R}$, $\sin B=\frac{b}{\boxed{❶}}$, $\sin C=\frac{c}{2R}$

② $\cos A=\frac{b^2+c^2-a^2}{2bc}$, $\cos B=\frac{c^2+a^2-b^2}{2ca}$, $\cos C=\frac{a^2+b^2-c^2}{\boxed{❷}}$

답 ❶ $2R$ ❷ $2ab$

**바로 확인 1**

삼각형 ABC에서 $\sin A\cos B=\sin C$이면 이 삼각형은 어떤 삼각형인지 말하시오.

풀이 삼각형 ABC의 외접원의 길이를 $R$라 하면 사인법칙에 의하여

$\sin A=\frac{a}{2R}$, $\sin C=\frac{c}{2R}$

코사인법칙에 의하여

$\cos B=\frac{c^2+a^2-b^2}{2ca}$

이 식을 $\sin A\cos B=\sin C$에 대입하면

$\frac{a}{2R}\times\frac{c^2+a^2-b^2}{2ca}=\frac{c}{2R}$

양변에 $4cR$를 곱하면

$c^2+a^2-b^2=\boxed{❶}$ $\therefore a^2=b^2+c^2$

따라서 삼각형 ABC는 $\boxed{❷}=90°$인 직각삼각형이다.

답 ❶ $2c^2$ ❷ $A$

## 6 삼각형의 넓이(1)

삼각형 ABC의 넓이를 $S$라 하면

$$S=\frac{1}{2}ab\ \boxed{❶\quad}=\frac{1}{2}bc\sin A=\frac{1}{2}ca\sin B$$

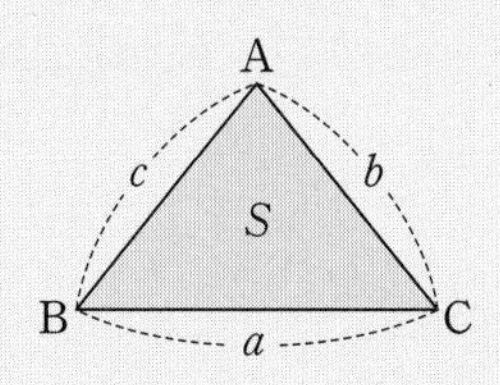


답 ❶ $\sin C$

**바로 확인 ❶**

삼각형 ABC에서 $a=4$, $b=6$, $C=30°$일 때, 삼각형 ABC의 넓이를 구하시오.

풀이 삼각형 ABC의 넓이를 $S$라 하면

$$S=\frac{1}{2}ab\sin C=\frac{1}{2}\times4\times6\times\sin 30°=\boxed{❶\quad}$$

**바로 확인 ❷**

오른쪽 그림과 같은 사각형 ABCD에서

$\overline{AB}=3$, $\overline{BC}=6$, $\overline{CD}=3$,

$\angle ABD=30°$, $\angle BCD=60°$

일 때, 사각형 ABCD의 넓이를 구하시오.

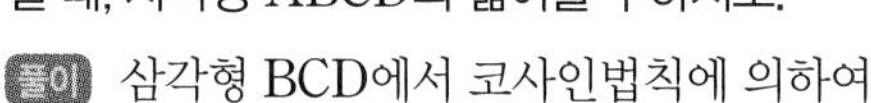

풀이 삼각형 BCD에서 코사인법칙에 의하여

$\overline{BD}^2=6^2+3^2-2\times6\times3\times\cos 60°=27$

$\therefore \overline{BD}=3\sqrt{3}$ ($\because \overline{BD}>0$)

사각형 ABCD의 넓이를 $S$라 하면

$S=\triangle ABD+\triangle BCD$

$=\frac{1}{2}\times3\times\boxed{❷\quad}\times\sin 30°+\frac{1}{2}\times6\times3\times\sin 60°$

$=\frac{9\sqrt{3}}{4}+\frac{9\sqrt{3}}{2}=\frac{27\sqrt{3}}{4}$

답 ❶ 6 ❷ $3\sqrt{3}$

# 7 삼각형의 넓이(2)

삼각형 ABC의 외접원의 반지름의 길이를 $R$라 하면 삼각형 ABC의 넓이 $S$는

① $S=\dfrac{abc}{\boxed{❶\quad}}$　　② $S=\boxed{❷\quad}\sin A\sin B\sin C$

(참고) ① 사인법칙에 의하여 $\sin A=\dfrac{a}{2R}$이므로 $S=\dfrac{1}{2}bc\sin A=\dfrac{1}{2}bc\times\dfrac{a}{2R}=\dfrac{abc}{4R}$

② 사인법칙에 의하여 $b=2R\sin B$, $c=2R\sin C$이므로

$S=\dfrac{1}{2}bc\sin A=\dfrac{1}{2}\times 2R\sin B\times 2R\sin C\times\sin A$

$=2R^2\sin A\sin B\sin C$

답 ❶ $4R$ ❷ $2R^2$

**바로 확인 1**

삼각형 ABC에서 $a=\sqrt{21}$, $b=4$, $c=5$이고 넓이가 $5\sqrt{3}$일 때, 삼각형 ABC의 외접원의 반지름의 길이를 구하시오.

풀이 삼각형 ABC의 외접원의 반지름의 길이를 $R$, 넓이를 $S$라 하면

$S=\dfrac{1}{2}bc\sin A$에서

$5\sqrt{3}=\dfrac{1}{2}\times 4\times 5\times\sin A$　　$\therefore \sin A=\dfrac{\sqrt{3}}{2}$

사인법칙에 의하여 $\dfrac{a}{\sin A}=2R$이므로

$\dfrac{\sqrt{21}}{\frac{\sqrt{3}}{2}}=2R$　　$\therefore R=\boxed{❶\quad}$

$S=\dfrac{abc}{4R}$에서 $5\sqrt{3}=\dfrac{\boxed{❷\quad}\times 4\times 5}{4R}$　　$\therefore R=\sqrt{7}$

답 ❶ $\sqrt{7}$ ❷ $\sqrt{21}$

## 8 삼각형의 넓이(3)

삼각형 ABC의 내접원의 반지름의 길이를 $r$라 하면 삼각형 ABC의 넓이 $S$는

$$S=\frac{1}{2}r(\boxed{❶\quad})$$

참고 오른쪽 그림과 같이 삼각형 ABC의 내접원의 중심을 I, 반지름의 길이를 $r$라 하면

$S=\triangle\text{IAB}+\triangle\text{IBC}+\triangle\text{ICA}$

$=\frac{1}{2}cr+\frac{1}{2}ar+\frac{1}{2}br=\frac{1}{2}r(a+b+c)$

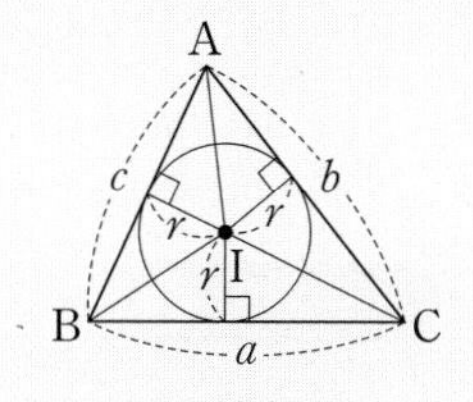


답 ❶ $a+b+c$

### 바로 확인 1

삼각형 ABC에서 $a=7$, $b=8$, $c=5$일 때, 내접원의 반지름의 길이를 구하시오.

풀이 코사인법칙에 의하여

$$\cos A=\frac{b^2+c^2-a^2}{2bc}=\frac{8^2+5^2-7^2}{2\times8\times5}=\frac{1}{2}$$

이때 $0°<A<180°$이므로

$$\sin A=\sqrt{1-\cos^2 A}=\sqrt{1-\left(\frac{1}{2}\right)^2}=\frac{\sqrt{3}}{2}$$

따라서 삼각형 ABC의 넓이는

$$\frac{1}{2}\times8\times\boxed{❶\quad}\times\frac{\sqrt{3}}{2}=10\sqrt{3}$$

삼각형 ABC의 내접원의 반지름의 길이를 $r$라 하면

$$10\sqrt{3}=\frac{1}{2}r(7+8+5)\qquad\therefore r=\boxed{❷\quad}$$

답 ❶ 5 ❷ $\sqrt{3}$

# 헤론의 공식

삼각형 ABC의 넓이를 $S$라 하면

$$S=\sqrt{\boxed{❶\quad}(s-a)(s-b)(s-c)}$$

$\left(\text{단, } s=\dfrac{a+b+c}{2}\right)$

답 ❶ $s$

## 바로 확인 ①

삼각형 ABC에서 $a=3$, $b=3$, $c=4$일 때, 삼각형 ABC의 넓이를 구하시오.

풀이 코사인법칙에 의하여

$$\cos A=\frac{b^2+c^2-a^2}{2bc}=\frac{3^2+4^2-3^2}{2\times3\times4}=\frac{2}{3}$$

이때 $0°<A<180°$이므로

$$\sin A=\sqrt{1-\cos^2 A}=\sqrt{1-\left(\frac{2}{3}\right)^2}=\frac{\boxed{❶\quad}}{3}$$

삼각형 ABC의 넓이를 $S$라 하면

$$S=\frac{1}{2}bc\sin A=\frac{1}{2}\times3\times4\times\frac{\sqrt{5}}{3}=2\sqrt{5}$$

$s=\dfrac{3+3+4}{2}=5$이므로 삼각형 ABC의 넓이를 $S$라 하면

$$S=\sqrt{\boxed{❷\quad}(5-3)(5-3)(5-4)}=2\sqrt{5}$$

답 ❶ $\sqrt{5}$ ❷ 5

## 10 평행사변형의 넓이

이웃하는 두 변의 길이가 $a$, $b$이고 그 끼인각의 크기가 $\theta$일 때, 평행사변형의 넓이를 $S$라 하면

$S=ab$ ❶ ______

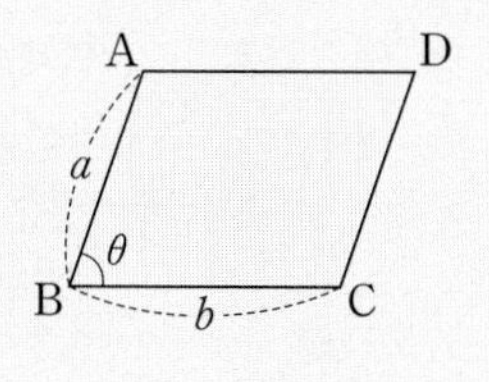


답 ❶ $\sin\theta$

### 바로 확인 1

오른쪽 그림과 같은 평행사변형 ABCD에서 $\overline{AB}=3$, $\overline{BC}=6$, $\angle ABC=60^\circ$이다. 평행사변형 ABCD의 넓이를 $a$, 대각선 AC의 길이를 $b$라 할 때, $a+b$의 값을 구하시오.

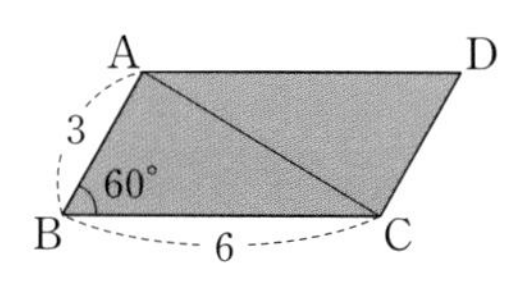


풀이 평행사변형 ABCD의 넓이를 $S$라 하면

$S=\overline{AB}\times\overline{BC}\times\sin 60^\circ$

$=3\times6\times\frac{❶\ \_\_\_\_}{2}=9\sqrt{3}$

$\therefore a=9\sqrt{3}$

삼각형 ABC에서 코사인법칙에 의하여

$\overline{AC}^2=3^2+6^2-2\times3\times$ ❷ ______ $\times\cos 60^\circ$

$=9+36-18=27$

따라서 $\overline{AC}=3\sqrt{3}$ ($\because \overline{AC}>0$)이므로 $b=3\sqrt{3}$

$\therefore a+b=12\sqrt{3}$

답 ❶ $\sqrt{3}$ ❷ 6

## 11 사각형의 넓이

두 대각선의 길이가 $p$, $q$이고 두 대각선이 이루는 각의 크기가 $\theta$인 사각형의 넓이를 $S$라 하면

$$S=\frac{1}{2}\ \boxed{❶\quad}\ \sin\theta$$

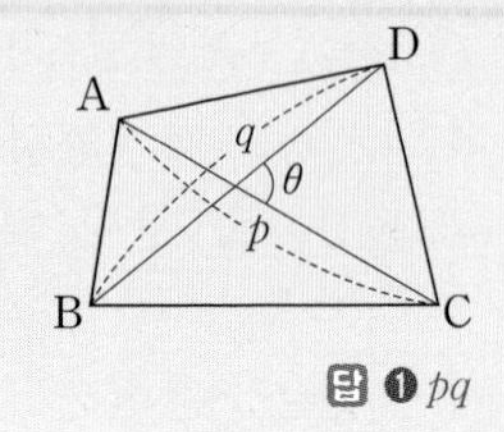


답 ❶ $pq$

**바로 확인 1**

오른쪽 그림과 같은 사각형 ABCD의 넓이를 구하시오.

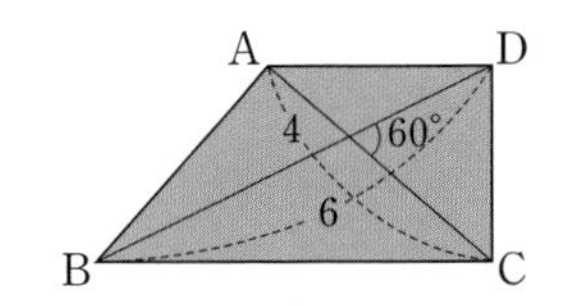


풀이 사각형 ABCD의 넓이를 $S$라 하면

$S=\frac{1}{2}\times\overline{AC}\times\overline{BD}\times\sin 60^\circ$

$=\frac{1}{2}\times 4\times\boxed{❶\quad}\times\frac{\sqrt{3}}{2}=6\sqrt{3}$

**바로 확인 2**

두 대각선이 이루는 각의 크기가 $30^\circ$인 등변사다리꼴 ABCD에서 넓이가 10일 때, 대각선의 길이를 구하시오.

풀이 등변사다리꼴 ABCD의 넓이를 $S$, 대각선의 길이를 $x$라 하면

$S=\frac{1}{2}\times x\times x\times\sin 30^\circ$

$10=\frac{1}{\boxed{❷\quad}}x^2$, $x^2=40$ $\quad\therefore x=2\sqrt{10}\ (\because x>0)$

따라서 구하는 대각선의 길이는 $2\sqrt{10}$이다.

답 ❶ 6 ❷ 4

# 수열

(1) 수열의 뜻

차례로 늘어놓은 수의 열을 ❶ ____이라 하고, 수열을 이루고 있는 각각의 수를 그 수열의 항이라 한다. 이때 앞에서부터 차례로 첫째항, ❷ ____, 셋째항, $\cdots$, $n$째항, $\cdots$ 또는 제1항, 제2항, 제3항, $\cdots$, 제$n$항, $\cdots$이라 한다.

(2) 수열의 일반항

① 수열을 나타낼 때는 각 항에 번호를 붙여 $a_1, a_2, a_3, \cdots, a_n, \cdots$ 과 같이 나타낸다.

② 제$n$항 $a_n$을 그 수열의 ❸ ____이라 하고, 일반항이 $a_n$인 수열을 간단히 기호로 $\{a_n\}$과 같이 나타낸다.

답 ❶ 수열 ❷ 둘째항 ❸ 일반항

**바로 확인 1**

다음 수열 $\{a_n\}$의 일반항을 추측해 보고, 제8항을 구하시오.

$11, 99, 1001, 9999, \cdots$

풀이 $a_1=10+1$, $a_2=100-1=10^2-$ ❶ ____,

$a_3=1000+1=10^3+1$, $a_4=10000-1=10^4-1, \cdots$

따라서 주어진 수열 $\{a_n\}$의 일반항은

$$a_n=\begin{cases} 10^n+\text{❷ ____} & (n\text{은 홀수}) \\ 10^n-1 & (n\text{은 짝수}) \end{cases}$$

이므로 제8항은 $a_8=10^8-1$이다.

답 ❶ 1 ❷ 1

## 13 등차수열

(1) 등차수열

첫째항에 차례로 일정한 수를 더하여 만든 수열을 등차수열이라 하고, 더하는 일정한 수를 ❶ ☐ 라 한다.

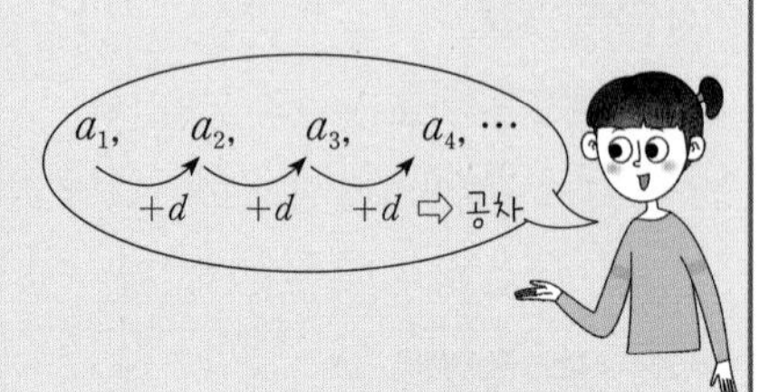


(2) 등차수열의 일반항

첫째항이 $a$, 공차가 $d$인 등차수열 $\{a_n\}$의 ❷ ☐ 은

⇨ $a_n=a+(n-1)d\ (n=1, 2, 3, \cdots)$

답 ❶ 공차 ❷ 일반항

**바로 확인 1**

두 수열 $\{a_n\}$, $\{b_n\}$은 각각 공차가 3, $-4$인 등차수열이다. 이때 수열 $\{2a_n+3b_n\}$의 공차를 구하시오.

풀이 두 수열 $\{a_n\}$, $\{b_n\}$의 첫째항을 각각 $a$, $b$라 하면

$a_n=a+(n-1)\times$ ❶ ☐, $b_n=b+(n-1)\times(-4)$

이때 수열 $\{2a_n+3b_n\}$의 일반항은

$$2a_n+3b_n=2\{a+(n-1)\times3\}+3\{b+(n-1)\times(-4)\}$$
$$=(2a+3b)+(n-1)\times(\text{❷ ☐})$$

따라서 수열 $\{2a_n+3b_n\}$의 공차는 $-6$이다.

답 ❶ 3 ❷ $-6$

## 14 조건이 주어진 등차수열의 일반항

(i) 주어진 조건을 등차수열의 첫째항 $a$, 공차 $d$에 대한 식으로 나타낸다.

(ii) (i)의 두 식을 연립하여 첫째항과 공차를 구한다.

(iii) 등차수열의 ❶ [    ] $a_n=a+(n-1)$ ❷ [    ]를 구한다.

답 ❶ 일반항 ❷ $d$

**바로 확인 1**

제5항이 42, 제10항이 32인 등차수열 $\{a_n\}$에서 다음을 구하시오.

(1) 첫째항과 공차를 구하시오.

(2) 처음으로 음수가 되는 항은 제몇 항인지 구하시오.

풀이 (1) 등차수열 $\{a_n\}$의 첫째항을 $a$, 공차를 $d$라 하면

$a_5=a+4d=42$ …… ㉠

$a_{10}=a+9d=32$ …… ㉡

㉠, ㉡을 연립하여 풀면 $a=50$, $d=$ ❶ [    ]

(2) 주어진 등차수열 $\{a_n\}$의 일반항은

$a_n=50+(n-1)\times(-2)=-2n+52$

$a_n<0$에서 $-2n+52<0$ $\therefore n>26$

이때 $n$은 자연수이므로 처음으로 음수가 되는 항은 제 ❷ [    ]항이다.

답 ❶ $-2$ ❷ 27

## 15 등차중항

세 수 $a$, $b$, $c$가 이 순서대로 등차수열을 이룰 때, $b$를 $a$와 $c$의 [❶ ] 이라 한다.

이때 $b-a=c-b$이므로 $b=\frac{a+c}{❷\ \ }$가 성립한다.

답 ❶ 등차중항 ❷ 2

### 바로 확인 ①

네 수 $x$, 4, $y$, 20이 이 순서대로 등차수열을 이룰 때, $x$의 값을 구하시오.

풀이 4, $y$, 20이 이 순서대로 등차수열을 이루므로

$y=\frac{4+20}{2}=12$

$x$, 4, $y$가 이 순서대로 등차수열을 이루므로

$4=\frac{x+y}{2}$, $8=x+y$ $\quad\therefore x=$ [❶ ]

### 바로 확인 ②

세 수 $a$, $b$, $c$와 $2a$, $c$, $2b$가 각각 이 순서대로 등차수열을 이룰 때, $a:b:c$를 구하시오.

풀이 세 수 $a$, $b$, $c$가 이 순서대로 등차수열을 이루므로

$b=\frac{a+c}{2}$ $\quad\therefore 2b=a+c$ $\quad\cdots\cdots$ ㉠

세 수 $2a$, $c$, $2b$가 이 순서대로 등차수열을 이루므로

[❷ ] $=\frac{2a+2b}{2}$ $\quad\therefore c=a+b$ $\quad\cdots\cdots$ ㉡

㉡을 ㉠에 대입하면 $2b=2a+b$ $\quad\therefore b=2a$

$b=2a$를 ㉠에 대입하면

$4a=a+c$ $\quad\therefore c=3a$

$\therefore a:b:c=a:2a:3a=1:2:3$

답 ❶ $-4$ ❷ $c$

## 16 등차수열을 이루는 수

(1) 등차수열을 이루는 세 수

⇨ $a-d$, $a$, ❶ ☐ 로 놓는다.

(2) 등차수열을 이루는 네 수

⇨ $a-3d$, $a-d$, $a+d$, ❷ ☐ 로 놓는다.

답 ❶ $a+d$ ❷ $a+3d$

**바로 확인 1**

삼차방정식 $x^3+3x^2-x+k=0$의 세 실근이 등차수열을 이룰 때, 상수 $k$의 값을 구하시오.

풀이 삼차방정식 $x^3+3x^2-x+k=0$의 세 실근을 $a-d$, $a$, $a+d$로 놓으면

$(a-d)+a+(a+d)=-3$

$3a=-3 \qquad \therefore a=$ ❶ ☐

따라서 주어진 방정식의 한 근이 $-1$이므로 $x=-1$을 방정식에 대입하면

$-1+3+1+k=0 \qquad \therefore k=$ ❷ ☐

답 ❶ $-1$ ❷ $-3$

# 17 등차수열의 합

등차수열의 첫째항부터 제$n$항까지의 합 $S_n$은

① 첫째항이 $a$, 제$n$항이 $l$일 때

$$\Rightarrow S_n=\frac{n(a+\boxed{❶\quad})}{2}$$

② 첫째항이 $a$, 공차가 $d$일 때

$$\Rightarrow S_n=\frac{n\{2a+(n-1)d\}}{\boxed{❷\quad}}$$

답 ❶ $l$ ❷ 2

## 바로 확인 1

등차수열 $\{a_n\}$에서 $a_3=3$, $a_9=15$일 때, 첫째항부터 제20항까지의 합을 구하시오.

풀이 등차수열 $\{a_n\}$의 첫째항을 $a$, 공차를 $d$라 하면

$a_3=a+2d=3$ …… ㉠

$a_9=a+8d=15$ …… ㉡

㉠, ㉡을 연립하여 풀면 $a=\boxed{❶\quad}$, $d=2$

따라서 첫째항부터 제20항까지의 합은

$$\frac{20\{2\times(-1)+\boxed{❷\quad}\times 2\}}{2}=360$$

$a_{20}=a+19d=-1+19\times2=37$

따라서 첫째항부터 제20항까지의 합은

$$\frac{20(-1+37)}{2}=360$$

답 ❶ $-1$ ❷ 19

## 18 수열의 합과 일반항 사이의 관계

수열 $\{a_n\}$의 첫째항부터 제$n$항까지의 합을 $S_n$이라 하면

$a_1=$ ❶ ____ , $a_n=S_n-$ ❷ ____ $(n\geq 2)$

(참고) $S_n=An^2+Bn+C$ ($A$, $B$, $C$는 상수)일 때

(1) $C=0$이면 수열 $\{a_n\}$은 첫째항부터 등차수열을 이룬다.

(2) $C\neq 0$이면 수열 $\{a_n\}$은 제2항부터 등차수열을 이룬다.

답 ❶ $S_1$ ❷ $S_{n-1}$

**바로 확인 1**

수열 $\{a_n\}$의 첫째항부터 제$n$항까지의 합 $S_n$이 다음과 같이 주어질 때, 일반항을 구하시오.

(1) $S_n=2n^2-25n$ (2) $S_n=n^2+1$

풀이 (1) $a_n=S_n-S_{n-1}$

$=2n^2-25n-\{2(n-1)^2-25(n-1)\}$

$=4n-$ ❶ ____ $(n\geq 2)$ …… ㉠

$a_1=S_1=2\times 1^2-25\times 1=-23$ …… ㉡

이때 ㉡은 ㉠에 $n=1$을 대입한 것과 같으므로

$a_n=4n-27$

(2) $a_n=S_n-S_{n-1}$

$=n^2+1-\{(n-1)^2+1\}$

$=2n-1\ (n\geq 2)$ …… ㉠

$a_1=S_1=1^2+1=2$ …… ㉡

이때 ㉡은 ㉠에 $n=1$을 대입한 것과 다르므로

$a_1=$ ❷ ____ , $a_n=2n-1\ (n\geq 2)$

답 ❶ 27 ❷ 2

## 19 등비수열

(1) 등비수열

첫째항에 차례로 일정한 수를 곱하여 만든 수열을 ❶ 수열이라 하고, 곱하는 일정한 수를 ❷ 라 한다.

(2) 등비수열의 일반항

첫째항이 $a$, 공비가 $r$ $(r \neq 0)$인 등비수열 $\{a_n\}$의 일반항은

⇨ $a_n = ar^{n-1}$ $(n=1, 2, 3, \cdots)$

답 ❶ 등비 ❷ 공비

**바로 확인 1**

두 수 $-2$와 54 사이에 두 개의 수 $x$, $y$를 넣어 만든 수열 $-2$, $x$, $y$, 54가 이 순서대로 등비수열을 이룰 때, $x$, $y$의 값을 구하시오.

풀이 등비수열 $-2$, $x$, $y$, 54의 공비를 $r$라 하면 제4항이 54이므로

$(-2) \times r^3 = 54$, $r^3 = -27$

$r$는 실수이므로 $r =$ ❶

$\therefore a_n = (-2) \times (-3)^{n-1}$

두 수 $x$, $y$는 각각 제2항, 제 ❷ 항이므로

$x = (-2) \times (-3) = 6$, $y = (-2) \times (-3)^2 = -18$

답 ❶ $-3$ ❷ 3

## 20 조건이 주어진 등비수열의 일반항

(i) 주어진 조건을 등비수열의 첫째항 $a$, 공비 $r$에 대한 식으로 나타낸다.

(ii) (i)의 두 식을 연립하여 첫째항과 ❶ ______ 를 구한다.

(iii) 등비수열의 일반항 $a_n=ar^{n-1}$을 구한다.

답 ❶ 공비

**바로 확인 1**

등비수열 $\{a_n\}$이 $a_1+a_3=17$, $a_2+a_4=68$을 만족시킬 때, 다음을 구하시오.

(1) 첫째항과 공비를 구하시오.

(2) 처음으로 500보다 커지는 항은 제몇 항인지 구하시오.

풀이 (1) 등비수열 $\{a_n\}$의 첫째항을 $a$, 공비를 $r$라 하면

$a_1+a_3=a+ar^2=17$ $\quad\therefore a(1+r^2)=17$ ······ ㉠

$a_2+a_4=ar+ar^3=68$ $\quad\therefore$ ❶ ______ $(1+r^2)=68$ ······ ㉡

㉡÷㉠을 하면 $r=4$

$r=4$를 ㉠에 대입하면 $a=1$

(2) 등비수열 $\{a_n\}$의 일반항은

$a_n=1\times 4^{n-1}=4^{n-1}$

$a_n>500$에서 $4^{n-1}>500$

이때 $4^4=256$, $4^5=1024$이므로

$n-1\geq 5$ $\quad\therefore n\geq 6$

따라서 처음으로 500보다 커지는 항은 제 ❷ ______ 항이다.

답 ❶ $ar$ ❷ 6

## 21 등비중항

(1) 등비중항

0이 아닌 세 수 $a$, $b$, $c$가 이 순서대로 등비수열을 이룰 때, $b$를 $a$와 $c$의

❶ [　　　]이라 한다. 이때 $\frac{b}{a}=\frac{c}{b}$이므로 $b^2=ac$가 성립한다.

(2) 등비수열을 이루는 세 수

세 수를 $a$, $ar$, ❷ [　　　]으로 놓는다.

답 ❶ 등비중항 ❷ $ar^2$

**바로 확인 1**

양수 $x$, $y$에 대하여 세 수 $2$, $x$, $y$가 이 순서대로 등차수열을 이루고, 세 수 $x$, $y$, $9$가 이 순서대로 등비수열을 이룰 때, $x$, $y$의 값을 구하시오.

풀이 세 수 $2$, $x$, $y$가 이 순서대로 등차수열을 이루므로

❶ [　　　]$=\frac{2+y}{2}$ $\quad\therefore y=2x-2$ …… ㉠

세 수 $x$, $y$, $9$가 이 순서대로 등비수열을 이루므로

$y^2=9x$ …… ㉡

㉠을 ㉡에 대입하면

$(2x-2)^2=9x$, $4x^2-17x+4=0$

$(4x-1)(x-4)=0$ $\quad\therefore x=\frac{1}{4}$ 또는 $x=4$

$x=\frac{1}{4}$일 때 $y=-\frac{3}{2}$, $x=4$일 때 $y=$❷ [　　　]

$x>0$, $y>0$이므로 $x=4$, $y=6$

답 ❶ $x$ ❷ $6$

# 22 등비수열의 합

첫째항이 $a$, 공비가 $r(r\neq0)$인 등비수열의 첫째항부터 제$n$항까지의 합 $S_n$은

① $r\neq1$일 때

⇨ $S_n=\frac{a(1-r^n)}{1-r}=\frac{a(r^n-1)}{r-\boxed{❶\quad}}$

② $r=1$일 때 ⇨ $S_n=n\boxed{❷\quad}$

답 ❶ 1 ❷ $a$

**바로 확인 1**

등비수열 $\{a_n\}$에서

$a_1+a_2+a_3=9$, $a_1+a_2+a_3+a_4+a_5+a_6=-63$

일 때, $a_{10}$을 구하시오.

풀이 등비수열 $\{a_n\}$의 첫째항을 $a$, 공비를 $r$라 하면

$a_1+a_2+a_3=9$에서

$\frac{a(r^3-1)}{r-1}=9$ …… ㉠

$a_1+a_2+a_3+a_4+a_5+a_6=-63$에서

$\frac{a(r^6-1)}{r-1}=\frac{a(r^3-1)(r^3+\boxed{❶\quad})}{r-1}=-63$ …… ㉡

㉠을 ㉡에 대입하면 $r^3+1=-7$, $r^3=-8$

$r$는 실수이므로 $r=-2$

$r=-2$를 ㉠에 대입하면 $a=\boxed{❷\quad}$

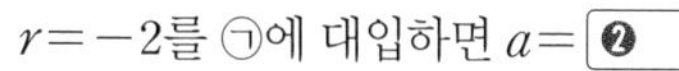

$\therefore a_{10}=3\times(-2)^9=-1536$

답 ❶ 1 ❷ 3

## 23 등비수열의 합과 일반항 사이의 관계

수열 $\{a_n\}$의 첫째항부터 제$n$항까지의 합을 $S_n$이라 하면

$a_1=S_1$, ❶ [　　] $=S_n-S_{n-1}$ ($n\geq$ ❷ [　　])

참고 $S_n=Ar^n+B$ ($r\neq0$, $r\neq1$, $A$, $B$는 상수)일 때

(1) $A+B=0$이면 수열 $\{a_n\}$은 첫째항부터 등비수열을 이룬다.

(2) $A+B\neq0$이면 수열 $\{a_n\}$은 제2항부터 등비수열을 이룬다.

답 ❶ $a_n$ ❷ 2

**바로 확인 1**

수열 $\{a_n\}$의 첫째항부터 제$n$항까지의 합 $S_n$이 다음과 같이 주어질 때, 일반항 $a_n$을 구하시오.

(1) $S_n=2\times3^n-2$

(2) $S_n=3\times2^n+1$

풀이 (1) $a_n=S_n-S_{n-1}$

$=(2\times3^n-2)-(2\times3^{n-1}-2)$

$=4\times3^{n-1}$ …… ㉠

$a_1=S_1=2\times3-$ ❶ [　　] $=4$ …… ㉡

이때 ㉡은 ㉠에 $n=1$을 대입한 것과 같으므로

$a_n=4\times3^{n-1}$

(2) $a_n=S_n-S_{n-1}$

$=(3\times2^n+1)-(3\times2^{n-1}+1)$

$=3\times2^{n-1}$ …… ㉠

$a_1=S_1=3\times2+1=7$ …… ㉡

이때 ㉡은 ㉠에 $n=1$을 대입한 것과 다르므로

$a_1=$ ❷ [　　], $a_n=3\times2^{n-1}$ ($n\geq2$)

답 ❶ 2 ❷ 7

## 24 합의 기호 $\Sigma$

수열 $\{a_n\}$의 첫째항부터 제$n$항까지의 합을 합의 기호 $\Sigma$를 사용하여 나타내면

⇨ $a_1+a_2+a_3+\cdots+a_n=$ ❶ [ ]

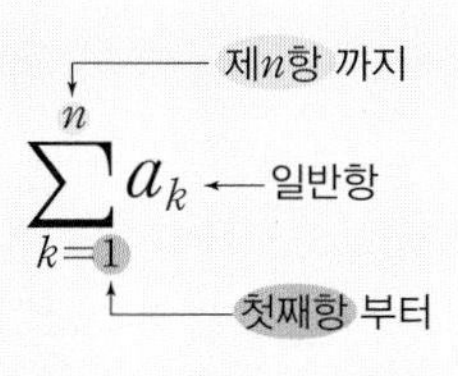


답 ❶ $\sum_{k=1}^{n} a_k$

### 바로 확인 1

$\sum_{k=1}^{5}(3k-2)$를 기호 $\Sigma$를 사용하지 않은 합의 꼴로 나타내시오.

풀이 일반항 $3k-2$의 $k$에 1, 2, 3, 4, 5를 차례로 대입하면

$$\sum_{k=1}^{5}(3k-2)=(3\times1-2)+(3\times2-2)+(3\times3-2)+(3\times4-2)+(3\times5-2)$$

$$=1+4+7+10+\text{❶ [ ]}$$

### 바로 확인 2

수열의 합 $2^2+2^3+2^4+2^5+2^6$과 같은 것은?

① $\sum_{k=2}^{6}2^k$  ② $\sum_{k=1}^{6}2^{k+1}$  ③ $\sum_{k=2}^{6}2^{k+1}$

④ $\sum_{k=0}^{6}2^k$  ⑤ $\sum_{k=2}^{6}2^{k-1}$

풀이 ① $\sum_{k=2}^{6}2^k=2^2+2^3+2^4+2^5+2^6$

② $\sum_{k=1}^{6}2^{k+1}=2^2+2^3+2^4+2^5+2^6+2^7$

③ $\sum_{k=2}^{6}2^{k+1}=2^3+2^4+2^5+2^6+2^7$

④ $\sum_{k=0}^{6}2^k=$ ❷ [ ] $+2+2^2+2^3+2^4+2^5+2^6$

⑤ $\sum_{k=2}^{6}2^{k-1}=2+2^2+2^3+2^4+2^5$

따라서 주어진 수열의 합과 같은 것은 ①이다.

답 ❶ 13 ❷ 1

## 25 $\Sigma$와 등차수열, 등비수열

(1) 수열 $\{a_n\}$이 첫째항이 $a$, 공차가 $d$인 등차수열이면

⇨ $\sum_{k=1}^{n} a_k = S_n = \frac{n\{2a+(n-1)d\}}{❶\ \square}$

(2) 수열 $\{a_n\}$이 첫째항이 $a$, 공비가 $r$인 등비수열이면

⇨ $\sum_{k=1}^{n} a_k = S_n = \frac{❷\ \square\ (r^n-1)}{r-1}$

답 ❶ 2 ❷ $a$

### 바로 확인 ①

첫째항이 8이고 공차가 2인 등차수열 $\{a_n\}$에 대하여 $\sum_{k=1}^{10} a_k$의 값을 구하시오.

풀이 $\sum_{k=1}^{10} a_k$는 첫째항이 8이고 공차가 2인 등차수열 $\{a_n\}$의 첫째항부터 제 10 항까지의 합이므로

$\sum_{k=1}^{10} a_k = \frac{10(2\times8+❶\ \square\ \times2)}{2} = 170$

### 바로 확인 ②

첫째항이 1이고 공비가 2인 등비수열 $\{a_n\}$에 대하여 $\sum_{k=1}^{7} a_k$의 값을 구하시오.

풀이 $\sum_{k=1}^{7} a_k$는 첫째항이 1이고 공비가 2인 등비수열 $\{a_n\}$의 첫째항부터 제 7 항까지의 합이므로

$\sum_{k=1}^{7} a_k = \frac{❷\ \square\ \times(2^7-1)}{2-1} = 127$

답 ❶ 9 ❷ 1

# 26 $\sum$의 성질(1)

① $\sum_{k=1}^{n}(a_k+b_k)=\sum_{k=1}^{n}a_k+\sum_{k=1}^{n}b_k$

② $\sum_{k=1}^{n}(a_k-b_k)=\sum_{k=1}^{n}a_k$ ❶ ☐ $\sum_{k=1}^{n}b_k$

③ $\sum_{k=1}^{n}ca_k=c\sum_{k=1}^{n}a_k$ (단, $c$는 상수)

④ $\sum_{k=1}^{n}c=$ ❷ ☐ (단, $c$는 상수)

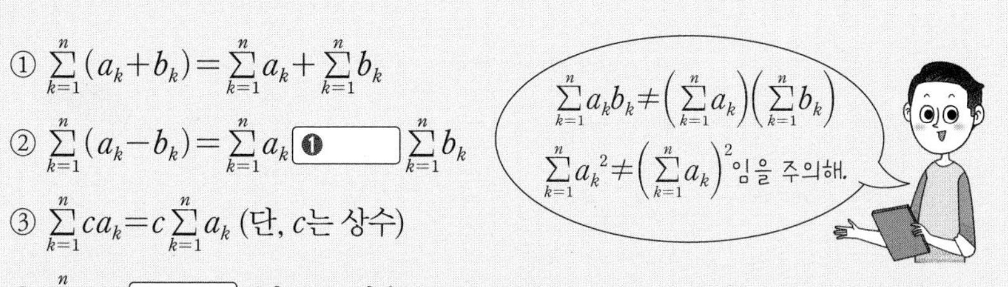


답 ❶ $-$ ❷ $cn$

**바로 확인 1**

$\sum_{k=1}^{10}a_k=10$, $\sum_{k=1}^{10}b_k=5$일 때, $\sum_{k=1}^{10}(3a_k-2b_k+2)$의 값을 구하시오.

풀이 $\sum_{k=1}^{10}(3a_k-2b_k+2)=\sum_{k=1}^{10}3a_k-\sum_{k=1}^{10}2b_k+\sum_{k=1}^{10}2$

$=3\sum_{k=1}^{10}a_k-2\sum_{k=1}^{10}b_k+2\times$ ❶ ☐

$=3\times10-2\times5+20=40$

**바로 확인 2**

$\sum_{k=1}^{5}a_k=10$, $\sum_{k=1}^{5}{a_k}^2=16$일 때, $\sum_{k=1}^{5}(a_k-2)^2$의 값을 구하시오.

풀이 $\sum_{k=1}^{5}(a_k-2)^2=\sum_{k=1}^{5}({a_k}^2-4a_k+4)$

$=\sum_{k=1}^{5}{a_k}^2-\sum_{k=1}^{5}4a_k+\sum_{k=1}^{5}4$

$=\sum_{k=1}^{5}{a_k}^2-4\sum_{k=1}^{5}a_k+4\times5$

$=16-4\times10+$ ❷ ☐ $=-4$

답 ❶ 10 ❷ 20

## $\sum$의 성질(2)

① $\sum_{k=m}^{n} a_k = \sum_{k=1}^{n} a_k$ ❶ $\sum_{k=1}^{m-1} a_k$

(단, $n \geq m$)

② $\sum_{k=1}^{n} a_k = \sum_{k=1}^{m} a_k$ ❷ $\sum_{k=m+1}^{n} a_k$

(단, $n > m$)

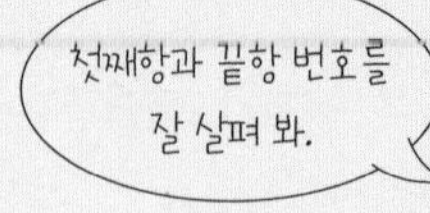

답 ❶ $-$ ❷ $+$

### 바로 확인 1

다음 식의 값을 구하시오.

$$\sum_{k=1}^{3}(2k-1)+\sum_{k=4}^{5}(2k-1)$$

풀이 (주어진 식)$=\sum_{k=1}^{5}(2k-1)=1+3+5+7+$ ❶ $=25$

### 바로 확인 2

$\sum_{k=1}^{n}(k^2+3)-\sum_{k=1}^{n-2}(k^2+3)=119$일 때, 자연수 $n$의 값을 구하시오.

풀이 $\sum_{k=1}^{n}(k^2+3)-\sum_{k=1}^{n-2}(k^2+3)=\sum_{k=n-1}^{n}(k^2+3)$

$=(n-1)^2+3+n^2+3$

$=2n^2-2n+7$

즉, $2n^2-2n+7=119$이므로 $2n^2-2n-112=0$

$n^2-n-56=0$, $(n+7)(n-8)=0$

$\therefore n=$ ❷ ($\because$ $n$은 자연수)

답 ❶ 9 ❷ 8

# 28 자연수의 거듭제곱의 합

① $1+2+3+\cdots+n=\sum_{k=1}^{n} k=\frac{n(n+1)}{2}$

② $1^2+2^2+3^2+\cdots+n^2=\sum_{k=1}^{n}$ ❶ $\boxed{\phantom{00}}=\frac{n(n+1)(2n+1)}{6}$

③ $1^3+2^3+3^3+\cdots+n^3=\sum_{k=1}^{n} k^3=\left\{\frac{❷\boxed{\phantom{00}}}{2}\right\}^2$

(참고) $k$ 대신에 $i$ 또는 $j$ 등의 다른 문자를 사용하여 표현해도 같은 수열의 합을 나타낸다.

$$\sum_{k=1}^{n} a_k=\sum_{i=1}^{n} a_i=\sum_{j=1}^{n} a_j$$

답 ❶ $k^2$ ❷ $n(n+1)$

**바로 확인 1**

다음 식의 값을 구하시오.

(1) $\sum_{k=1}^{6}(4k+3)$ (2) $\sum_{k=1}^{10}(2k-1)^2$

풀이 (1) $\sum_{k=1}^{6}(4k+3)=4\sum_{k=1}^{6} k+\sum_{k=1}^{6} 3$

$=4\times\frac{6\times 7}{2}+3\times$ ❶ $\boxed{\phantom{00}}$

$=84+18=102$

(2) $\sum_{k=1}^{10}(2k-1)^2=\sum_{k=1}^{10}(4k^2-4k+1)$

$=4\sum_{k=1}^{10} k^2-4\sum_{k=1}^{10} k+\sum_{k=1}^{10} 1$

$=4\times\frac{10\times 11\times 21}{❷\boxed{\phantom{00}}}-4\times\frac{10\times 11}{2}+1\times 10$

$=1540-220+10$

$=1330$

답 ❶ 6 ❷ 6

# ∑를 이용한 수열의 합

등차수열이나 등비수열이 아닌 수열의 합은 다음과 같이 구한다.

(i) 주어진 수열에서 일반항을 구하여 ❶ ______ 에 대한 식 $a_k$로 나타낸다.

(ii) $a_k$에 ∑를 붙여 주어진 수열의 합을 $\sum_{k=1}^{n} a_k$ 꼴로 나타낸다.

(iii) ∑의 성질과 자연수의 거듭제곱의 합을 이용하여 식을 정리한다.

답 ❶ $k$

**바로 확인 1**

다음 수열 $\{a_n\}$의 첫째항부터 제$n$항까지의 합을 구하시오.

$3,\ 3+5,\ 3+5+7,\ 3+5+7+9,\ \cdots$

풀이 $3, 5, 7, 9, \cdots$는 첫째항이 3, 공차가 ❶ ______ 인 등차수열이므로 일반항 $a_n$은 첫째항이 3, 공차가 2인 등차수열의 첫째항부터 제$n$항까지의 합으로 생각할 수 있다.

$$a_n=\frac{n\{2\times3+(n-1)\times2\}}{2}=n^2+2n$$

따라서 수열 $\{a_n\}$의 첫째항부터 제$n$항까지의 합은

$$\begin{aligned}\sum_{k=1}^{n} a_k&=\sum_{k=1}^{n}(k^2+2k)\\&=\sum_{k=1}^{n}k^2+2\sum_{k=1}^{n}k\\&=\frac{n(n+1)(2n+1)}{6}+2\times\frac{n(n+1)}{2}\\&=\frac{n(n+1)(2n+\text{❷ ______})}{6}\end{aligned}$$

답 ❶ 2 ❷ 7

## 30 $\sum$를 여러 개 포함한 식의 계산

$\sum$를 여러 개 포함한 식은

⇨ 괄호 안부터 차례로 $\sum$를 정리한다.

이때 변수를 나타내는 문자를 찾고

그 외의 문자는 ❶ ______ 로 생각한다.

답 ❶ 상수

### 바로 확인 1

$\sum_{j=1}^{10}\{\sum_{i=1}^{10}(i+j)\}$의 값을 구하시오.

풀이 $\sum_{i=1}^{10}(i+j)=\frac{10\times11}{2}+10j=10j+55$

$\therefore$ (주어진 식)$=\sum_{j=1}^{10}($ ❶ ______ $+55)$

$=10\times\frac{10\times11}{2}+55\times10=1100$

### 바로 확인 2

$\sum_{m=1}^{n}\left(\sum_{k=1}^{m}k\right)=20$일 때, 자연수 $n$의 값을 구하시오.

풀이 $\sum_{k=1}^{m}k=\frac{m(m+1)}{2}$이므로

$\sum_{m=1}^{n}\frac{m(m+1)}{2}=\frac{1}{2}\sum_{m=1}^{n}(m^2+m)$

$=\frac{1}{2}\left\{\frac{n(n+1)(2n+1)}{6}+\frac{n(n+1)}{2}\right\}$

$=\frac{n(n+1)(n+\text{❷ ______})}{6}$

따라서 $\frac{n(n+1)(n+2)}{6}=20$이므로 $n(n+1)(n+2)=120$

이때 $120=4\times5\times6$이므로 $n=4$

답 ❶ $10j$ ❷ 2

## 31 $\Sigma$로 표현된 수열의 합과 일반항

수열 $\{a_n\}$의 첫째항부터 제$n$항까지의 합을 $S_n$이라 하면

(i) $a_1=S_1$

(ii) $a_n=$ ❶ $\square$ $-S_{n-1}=\sum_{k=1}^{n}a_k-$ ❷ $\square$ $(n\geq2)$

임을 이용하여 $a_n$을 구한다.

답 ❶ $S_n$ ❷ $\sum_{k=1}^{n-1}a_k$

**바로 확인 1**

$\sum_{k=1}^{n}a_k=n^2+2n$일 때, $\sum_{k=1}^{n}a_{3k}$를 $n$에 대한 식으로 나타내시오.

풀이 수열 $\{a_n\}$의 첫째항부터 제$n$항까지의 합을 $S_n$이라 하면

$S_n=\sum_{k=1}^{n}a_k=n^2+2n$이므로

$a_n=S_n-S_{n-1}$

$=n^2+2n-\{(n-1)^2+2(n-1)\}$

$=2n+$ ❶ $\square$ $(n\geq2)$ …… ㉠

$a_1=S_1=1^2+2=3$ …… ㉡

이때 ㉡은 ㉠에 $n=1$을 대입한 것과 같으므로

$a_n=2n+1$

따라서 $a_{3k}=2\times$ ❷ $\square$ $+1=6k+1$이므로

$\sum_{k=1}^{n}a_{3k}=\sum_{k=1}^{n}(6k+1)=6\sum_{k=1}^{n}k+\sum_{k=1}^{n}1$

$=6\times\frac{n(n+1)}{2}+n$

$=3n^2+4n$

답 ❶ 1 ❷ $3k$

# 분수의 꼴인 수열의 합

분수의 꼴인 수열의 합은 ❶ $\boxed{\phantom{00}}$ 로 변형하여 구한다.

① $\sum_{k=1}^{n}\frac{1}{k(k+1)}=\sum_{k=1}^{n}\left(\frac{1}{k}-\frac{1}{k+1}\right)$

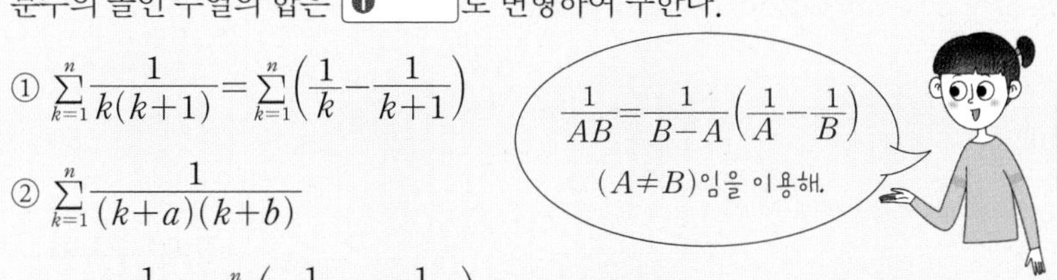


② $\sum_{k=1}^{n}\frac{1}{(k+a)(k+b)}$

$=\frac{1}{\boxed{❷}}\sum_{k=1}^{n}\left(\frac{1}{k+a}-\frac{1}{k+b}\right)$ (단, $a\neq b$)

답 ❶ 부분분수 ❷ $b-a$

## 바로 확인 1

$\sum_{k=1}^{20}\frac{1}{(2k-1)(2k+1)}$의 값을 구하시오.

풀이 $\frac{1}{(2k-1)(2k+1)}=\frac{1}{\boxed{❶}}\left(\frac{1}{2k-1}-\frac{1}{2k+1}\right)$

$\therefore \sum_{k=1}^{20}\frac{1}{(2k-1)(2k+1)}$

$=\frac{1}{2}\sum_{k=1}^{20}\left(\frac{1}{2k-1}-\frac{1}{2k+1}\right)$

$=\frac{1}{2}\left\{\left(1-\frac{1}{3}\right)+\left(\frac{1}{3}-\frac{1}{5}\right)+\left(\frac{1}{5}-\frac{1}{7}\right)+\cdots+\left(\frac{1}{39}-\frac{1}{41}\right)\right\}$

$=\frac{1}{2}\left(1-\frac{1}{\boxed{❷}}\right)=\frac{20}{41}$

답 ❶ 2 ❷ 41

## 33 근호가 포함된 수열의 합

분모에 근호가 포함된 수열의 합은 분모를 ❶ ☐ 한다.

$$\Rightarrow \sum_{k=1}^{n}\frac{1}{\sqrt{k+1}+\sqrt{k}}=\sum_{k=1}^{n}\frac{\sqrt{k+1}-\sqrt{k}}{(\sqrt{k+1}+\sqrt{k})(\sqrt{k+1}-\sqrt{k})}$$

$$=\sum_{k=1}^{n}(\sqrt{k+1}-\boxed{❷\quad})$$

답 ❶ 유리화 ❷ $\sqrt{k}$

**바로 확인 1**

$\sum_{k=1}^{40}\frac{1}{\sqrt{2k+1}+\sqrt{2k-1}}$의 값을 구하시오.

풀이 $$\frac{1}{\sqrt{2k+1}+\sqrt{2k-1}}=\frac{\sqrt{2k+1}-\sqrt{2k-1}}{(\sqrt{2k+1}+\sqrt{2k-1})(\sqrt{2k+1}-\sqrt{2k-1})}$$

$$=\frac{1}{2}(\sqrt{2k+1}-\sqrt{2k-1})$$

$$\therefore \sum_{k=1}^{40}\frac{1}{\sqrt{2k+1}+\sqrt{2k-1}}$$

$$=\frac{1}{2}\sum_{k=1}^{40}(\boxed{❶\quad}-\sqrt{2k-1})$$

$$=\frac{1}{2}\{(\sqrt{3}-1)+(\sqrt{5}-\sqrt{3})+\cdots+(\boxed{❷\quad}-\sqrt{79})\}$$

$$=\frac{1}{2}(\sqrt{81}-1)=4$$

답 ❶ $\sqrt{2k+1}$ ❷ $\sqrt{81}$

## 34 로그가 포함된 수열의 합

(i) 일반항 $a_k$의 $k$에 1, 2, 3, $\cdots$, $n$을 차례로 대입하여 합의 꼴로 나타낸다.

(ii) 로그의 성질

$$\log \frac{a_{n+1}}{a_n} = \log a_{n+1} - \log \boxed{❶\quad}$$

을 이용하여 이웃한 항끼리 없앤다.

답 ❶ $a_n$

**바로 확인 1**

수열 $\{a_n\}$의 일반항이 $a_n = \log \dfrac{n}{n+1}$일 때, $\displaystyle\sum_{k=1}^{99} a_k$의 값을 구하시오.

풀이 $\displaystyle\sum_{k=1}^{99} a_k = \sum_{k=1}^{99} \log \frac{k}{k+1} = \sum_{k=1}^{99} \{\log k - \log (k+1)\}$

$= (\log 1 - \log 2) + (\log 2 - \log 3) + (\log 3 - \log 4) + \cdots + (\log 99 - \log 100)$

$= \log 1 - \log \boxed{❶\quad} = \boxed{❷\quad}$

답 ❶ 100 ❷ $-2$

## 35 등차수열의 귀납적 정의

(1) $a_{n+1}-a_n=d$ (일정) $\Longleftrightarrow a_{n+1}=a_n+d$

$\Longleftrightarrow$ 수열 $\{a_n\}$은 공차가 ❶ [ ] 인 등차수열

(2) $a_{n+2}-a_{n+1}=a_{n+1}-a_n \Longleftrightarrow 2a_{n+1}=a_n+a_{n+2}$

$\Longleftrightarrow a_{n+1}=\frac{a_n+a_{n+2}}{2}$

$\Longleftrightarrow$ 수열 $\{a_n\}$은 ❷ [ ]

답 ❶ $d$ ❷ 등차수열

**바로 확인 ①**

$a_1=10$, $a_{n+1}=a_n+3$과 같이 정의된 수열 $\{a_n\}$에서 $a_m=55$를 만족시키는 자연수 $m$의 값을 구하시오. (단, $n=1, 2, 3, \cdots$)

풀이 $a_1=10$, $a_{n+1}=a_n+3$이므로 수열 $\{a_n\}$은 첫째항이 10, 공차가 3인 등차수열이다.

따라서 $a_m=$ ❶ [ ] $+(m-1)\times3=55$이므로

$3m=48 \quad \therefore m=16$

**바로 확인 ②**

$a_1=2$, $a_2=6$, $a_{n+2}-a_{n+1}=a_{n+1}-a_n$과 같이 정의된 수열 $\{a_n\}$에서 제20항을 구하시오. (단, $n=1, 2, 3, \cdots$)

풀이 $a_{n+2}-a_{n+1}=a_{n+1}-a_n$이고 $a_1=2$, $a_2-a_1=6-2=4$이므로 수열 $\{a_n\}$은 첫째항이 2, 공차가 ❷ [ ] 인 등차수열이다.

$\therefore a_{20}=2+(20-1)\times4=78$

답 ❶ 10 ❷ 4

## 36 등비수열의 귀납적 정의

(1) $a_{n+1} \div a_n = r \Longleftrightarrow a_{n+1} = ra_n$

$\Longleftrightarrow$ 수열 $\{a_n\}$은 공비가 ❶ 인 등비수열

(2) $a_{n+2} \div a_{n+1} = a_{n+1} \div a_n \Longleftrightarrow {a_{n+1}}^2 = a_n a_{n+2}$

$\Longleftrightarrow a_{n+1} = \pm\sqrt{a_n a_{n+2}}$

$\Longleftrightarrow$ 수열 $\{a_n\}$은 ❷

답 ❶ $r$ ❷ 등비수열

### 바로 확인 ①

$a_1=2$, $a_{n+1}=2a_n$과 같이 정의된 수열 $\{a_n\}$에서 $a_m=1024$를 만족시키는 자연수 $m$의 값을 구하시오. (단, $n=1, 2, 3, \cdots$)

풀이 $a_1=2$, $a_{n+1}=2a_n$이므로 수열 $\{a_n\}$은 첫째항이 2, 공비가 ❶ 인 등비수열이다.

따라서 $a_m = 2 \times 2^{m-1} = 1024$이므로

$2^m = 1024 = 2^{10}$ $\therefore m=10$

### 바로 확인 ②

$a_1=1$, $a_2=3$, $\dfrac{a_{n+2}}{a_{n+1}} = \dfrac{a_{n+1}}{a_n}$과 같이 정의된 수열 $\{a_n\}$에서 제10항을 구하시오.

(단, $n=1, 2, 3, \cdots$)

풀이 ${a_{n+1}}^2 = a_n a_{n+2}$이고 $a_1=1$, $\dfrac{a_2}{a_1}=$ ❷ 이므로 수열 $\{a_n\}$은 첫째항이 1, 공비가 3인 등비수열이다.

$\therefore a_{10} = 1 \times 3^{10-1} = 3^9$

답 ❶ 2 ❷ 3

## 37 $a_{n+1}=a_n+f(n)$ 꼴로 정의된 수열

$a_{n+1}=a_n+f(n)$의 $n$에 1, 2, 3, ⋯, $n-1$을 차례로 대입하여 규칙을 찾는다.

⇨ $a_2=a_1+f($ ❶ $)$

$a_3=a_2+f(2)=a_1+f(1)+f(2)$

$a_4=a_3+f(3)=a_1+f(1)+f(2)+f(3)$

⋮

$a_n=a_{n-1}+f(n-1)=a_1+f(1)+f(2)+f(3)+\cdots+f($ ❷ $)$

답 ❶ 1 ❷ $n-1$

**바로 확인 ①**

$a_1=2$, $a_{n+1}=a_n+2n-1$과 같이 정의된 수열 $\{a_n\}$의 일반항을 구하시오.

(단, $n=1, 2, 3, \cdots$)

풀이 $a_{n+1}=a_n+2n-1$의 $n$에 1, 2, 3, ⋯, $n-1$을 차례로 대입하면

$a_2=a_1+2\times1-1$

$a_3=a_2+2\times2-1=a_1+(2\times1-1)+(2\times2-1)$

$a_4=a_3+2\times3-1=a_1+(2\times1-1)+(2\times2-1)+(2\times3-1)$

⋮

$a_n=a_{n-1}+2\times(n-1)-1$

$=a_1+(2\times1-1)+(2\times2-1)+(2\times3-1)+\cdots+\{2\times(n-1)-1\}$

$=a_1+\sum_{k=1}^{n-1}(2k-1)$

$=$ ❶ $+2\times\frac{(n-1)n}{2}-(n-1)$

$=n^2-2n+$ ❷

답 ❶ 2 ❷ 3

## 38 $a_{n+1}=a_n f(n)$ 꼴로 정의된 수열

$a_{n+1}=a_n f(n)$의 $n$에 1, 2, 3, ⋯, $n-1$을 차례로 대입하여 규칙을 찾는다.

⇨ $a_2=$ ❶ ☐ $f(1)$

$a_3=a_2 f(2)=a_1 f(1)f(2)$

$a_4=a_3 f(3)=a_1 f(1)f(2)f(3)$

⋮

$a_n=a_{n-1} f(n-1)=a_1 f(1)f(2)f(3)\cdots f(n-2)f($ ❷ ☐ $)$

답 ❶ $a_1$ ❷ $n-1$

**바로 확인 1**

$a_1=1$, $a_{n+1}=\dfrac{n+1}{n}a_n$과 같이 정의된 수열 $\{a_n\}$의 제30항을 구하시오.

(단, $n=1, 2, 3, \cdots$)

풀이 $a_{n+1}=\dfrac{n+1}{n}a_n$의 $n$에 1, 2, 3, ⋯, 29를 차례로 대입하면

$$a_2=\frac{2}{1}a_1$$

$$a_3=\frac{3}{2}a_2=\frac{3}{2}\times\frac{2}{1}a_1$$

$$a_4=\frac{4}{3}a_3=\frac{4}{3}\times\frac{3}{2}\times\frac{2}{1}a_1$$

⋮

$$a_{30}=\frac{30}{29}a_{29}=\frac{30}{29}\times\cdots\times\frac{4}{3}\times\frac{3}{2}\times\frac{2}{1}a_1$$

$=30\times$ ❶ ☐ $=$ ❷ ☐

답 ❶ 1 ❷ 30

## 39 여러 가지 수열의 귀납적 정의(1)

$a_{n+1}=pa_n+q$ ($p\neq1$, $pq\neq0$) 꼴로 정의된 수열은

(i) $a_{n+1}-\alpha=p(a_n-\alpha)$ 꼴로 변형한다.

(ii) 수열 $\{a_n-\alpha\}$는 첫째항이

$a_1-$ ❶ ____, 공비가 $p$인

❷ ____ 수열임을 이용한다.

$a_{n+1}-\alpha=p(a_n-\alpha)$에서

$a_{n+1}=pa_n-p\alpha+\alpha$

$q=-p\alpha+\alpha$이므로

$\alpha=\dfrac{q}{1-p}$

답 ❶ $\alpha$ ❷ 등비

### 바로 확인 1

$a_1=1$, $a_{n+1}=3a_n+1$과 같이 정의된 수열 $\{a_n\}$의 제15항을 구하시오.

(단, $n=1, 2, 3, \cdots$)

풀이 $a_{n+1}=3a_n+1$을 $a_{n+1}-\alpha=3(a_n-\alpha)$로 놓으면

$a_{n+1}=3a_n-2\alpha$

이때 $-2\alpha=1$이므로 $\alpha=-\dfrac{1}{2}$

$\therefore a_{n+1}+\dfrac{1}{2}=3\left(a_n+\dfrac{1}{2}\right)$

따라서 수열 $\left\{a_n+\dfrac{1}{2}\right\}$은 첫째항이 ❶ ____, 공비가 3인 등비수열이므로

$a_n+\dfrac{1}{2}=\dfrac{3}{2}\times3^{n-1}=\dfrac{1}{2}\times3^n \qquad \therefore a_n=\dfrac{1}{2}(3^n-$ ❷ ____ $)$

$\therefore a_{15}=\dfrac{1}{2}(3^{15}-1)$

답 ❶ $\dfrac{3}{2}$ ❷ 1

## 40 여러 가지 수열의 귀납적 정의(2)

$pa_{n+2}+qa_{n+1}+ra_n=0$ ($p+q+r=0$, $pqr\neq0$) 꼴로 정의된 수열은

(i) $a_{n+2}-a_{n+1}=\frac{r}{p}(a_{n+1}-a_n)$꼴로 변형한다.

(ii) 수열 $\{a_{n+1}-a_n\}$은 첫째항이 ❶ ______ $-a_1$, 공비가 $\frac{r}{p}$인 ❷ ______ 수열이므로

$$a_{n+1}-a_n=(a_2-a_1)\left(\frac{r}{p}\right)^{n-1}$$

(iii) $n$에 1, 2, 3, ⋯, $n-1$을 차례로 대입하여 규칙을 찾는다.

답 ❶ $a_2$ ❷ 등비

### 바로 확인 1

$a_1=1$, $a_2=3$, $a_{n+2}+3a_n=4a_{n+1}$과 같이 정의된 수열 $\{a_n\}$의 제15항을 구하시오.

(단, $n=1, 2, 3, \cdots$)

풀이 $a_{n+2}+3a_n=4a_{n+1}$에서 $a_{n+2}-a_{n+1}=3(a_{n+1}-a_n)$

따라서 수열 $\{a_{n+1}-a_n\}$은 첫째항이 $a_2-a_1=$ ❶ ______, 공비가 3인 등비수열이므로

$a_{n+1}-a_n=2\times3^{n-1}$   $\therefore a_{n+1}=a_n+2\times3^{n-1}$ ⋯⋯ ㉠

㉠의 $n$에 1, 2, 3, ⋯, 14를 차례로 대입하면

$a_2=a_1+2\times1$

$a_3=a_2+2\times3=a_1+2\times1+2\times3$

$a_4=a_3+2\times3^2=a_1+2\times1+2\times3+2\times3^2$

⋮

$a_{15}=a_{14}+2\times3^{13}=a_1+2\times1+2\times3+2\times3^2+\cdots+2\times3^{13}$

$=a_1+2(1+3+3^2+\cdots+3^{13})$

$=1+2\times\frac{3^{14}-1}{❷\ \_\_\_\_}=3^{14}$

답 ❶ 2 ❷ 2

## 41 여러 가지 수열의 귀납적 정의(3)

$a_{n+1}=\frac{ra_n}{pa_n+q}$ $(pqr\neq0)$ 꼴로 정의된 수열은

(i) 양변에 ❶ 를 취한다.

(ii) $\frac{1}{a_n}=b_n$으로 놓고 $b_n$을 구한 후 $a_n$을 구한다.

답 ❶ 역수

**바로 확인 1**

$a_1=2,\ a_{n+1}=\frac{a_n}{1-a_n}$과 같이 정의된 수열 $\{a_n\}$의 제10항을 구하시오.

(단, $n=1, 2, 3, \cdots$)

풀이 $a_{n+1}=\frac{a_n}{1-a_n}$의 양변에 역수를 취하면

$\frac{1}{a_{n+1}}=\frac{1-a_n}{a_n}$ $\quad\therefore \frac{1}{a_{n+1}}=\frac{1}{a_n}-1$

$\frac{1}{a_n}=b_n$으로 놓으면 $b_{n+1}=b_n-1,\ b_1=\frac{1}{a_1}=\frac{1}{2}$

즉, 수열 $\{b_n\}$은 첫째항이 $\frac{1}{2}$, 공차가 ❶ 인 등차수열이므로

$b_{10}=\frac{1}{2}+(10-1)\times(-1)=-\frac{17}{2}$

$\therefore a_{10}=\frac{1}{b_{10}}=-\frac{2}{❷}$

답 ❶ $-1$ ❷ 17

## 42 수학적 귀납법을 이용한 등식의 증명

자연수 $n$에 대한 명제 $p(n)$이 모든 자연수 $n$에 대하여 성립함을 수학적 귀납법으로 증명하려면 다음을 보이면 된다.

(i) $n=1$일 때, 명제 $p(n)$이 ❶ ☐ 한다.

(ii) $n=k$일 때, 명제 $p(n)$이 성립한다고 가정하면 $n=$ ❷ ☐ 일 때도 명제 $p(n)$이 성립한다.

답 ❶ 성립 ❷ $k+1$

**바로 확인 1**

모든 자연수 $n$에 대하여 등식

$$1+3+5+7+\cdots+(2n-1)=n^2 \quad \cdots\cdots ㉠$$

이 성립함을 수학적 귀납법을 이용하여 증명하시오.

풀이 (i) $n=1$일 때, (좌변)$=1$, (우변)$=1^2=1$

따라서 $n=1$일 때 등식 ㉠이 성립한다.

(ii) $n=k$일 때, 등식 ㉠이 성립한다고 가정하면

$1+3+5+7+\cdots+(2k-1)=$ ❶ ☐

이 식의 좌변에 $2k+1$을 더하면

$1+3+5+7+\cdots+(2k-1)+(2k+1)$

$=k^2+(2k+1)=(k+$ ❷ ☐ $)^2$

위 등식은 등식 ㉠에 $n=k+1$을 대입한 것과 같다.

따라서 $n=k+1$일 때도 등식 ㉠이 성립한다.

(i), (ii)에서 모든 자연수 $n$에 대하여 주어진 등식이 성립한다.

답 ❶ $k^2$ ❷ 1

## 43 수학적 귀납법을 이용한 부등식의 증명

$n \ge a$ ($a$는 2 이상의 자연수)인 자연수 $n$에 대한 명제 $p(n)$이 $n \ge a$인 모든 자연수 $n$에 대하여 성립함을 수학적 귀납법으로 증명하려면 다음을 보이면 된다.

(i) $n=$ ❶ ______ 일 때, 명제 $p(n)$이 성립한다.

(ii) $n=k$ ($k \ge a$)일 때, 명제 $p(n)$이 성립한다고 가정하면 $n=$ ❷ ______ 일 때도 명제 $p(n)$이 성립한다.

답 ❶ $a$ ❷ $k+1$

**바로 확인 1**

$n \ge 4$인 모든 자연수 $n$에 대하여 부등식

$1 \times 2 \times 3 \times \cdots \times n > 2^n$ ...... ㉠

이 성립함을 수학적 귀납법을 이용하여 증명하시오.

풀이 (i) $n=4$일 때, (좌변)$=1 \times 2 \times 3 \times 4=24$, (우변)$=2^4=16$

따라서 $n=4$일 때 부등식 ㉠이 성립한다.

(ii) $n=k$일 때, 부등식 ㉠이 성립한다고 가정하면

$1 \times 2 \times 3 \times \cdots \times k > 2^k$

이 식의 양변에 $k+1$을 곱하면 $k+1$ ❶ ______ 0이므로

$1 \times 2 \times 3 \times \cdots \times k \times (k+1) > 2^k \times (k+1)$

이때 $2^k \times (k+1) > 2 \times 2^k = 2^{k+1}$이므로

$1 \times 2 \times 3 \times \cdots \times (k+1) >$ ❷ ______ $^{k+1}$

위 부등식은 부등식 ㉠에 $n=k+1$을 대입한 것과 같다.

따라서 $n=k+1$일 때도 부등식 ㉠이 성립한다.

(i), (ii)에서 $n \ge 4$인 모든 자연수 $n$에 대하여 주어진 부등식이 성립한다.

답 ❶ $>$ ❷ 2

Memo

Memo